De Turkse Connectie

De politieorganisatie en het Openbaar Ministerie

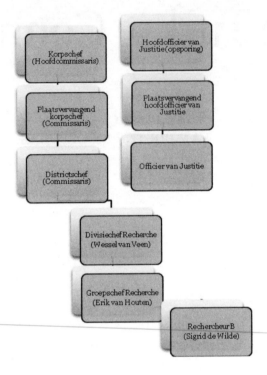

MARC JACOBS | MARIKE VREEKER

De Turkse Connectie

RECHERCHETEAM
VAN HOUTEN EN DE WILDE

FRIESE PERS BOEKERIJ

ISBN 978 90 330 0927 3
NUR 332

Omslagontwerp: De Vries & Luiks, Leeuwarden
Foto's voorzijde: iStockphoto
Foto's achterzijde: Wim de Vries

www.friesepersboekerij.nl
www.jacobsvreeker.nl

Inhoudsopgave

Deel I

Leeuwarden, Friesland

1 ◉

Vandaag zou het weer niet gaan regenen, maar wie vond dat erg? Hoog boven de Waag in de Leeuwarder binnenstad trokken een paar kleine, pluizige wolken over, waar niets uit zou vallen. De winter was definitief voorbij. Iedereen leek wel naar de stad te zijn gekomen, voor aanbiedingen en uitverkoopjes. Tegen de brugleuning van de Nieuwepijp hingen vier jongens en twee meiden. Ze keken naar de mensen die voorbijliepen en praatten wat met elkaar. Het jongste meisje was waarschijnlijk niet ouder dan veertien jaar en keek af en toe bangig naar de anderen. Net zoals de voorbijgangers, die zorgden niet te dichtbij te komen en geen oogcontact te maken. Andersom werd dat wel gezocht door de jongens in de groep.

'Hé, Mohammed staat te bibsblaffen!' riep een van hen en wees met dichtgeknepen neus op de kleine jongen met zwart krullend haar. Die knikte en lachte. De anderen lachten ook en de meisjes riepen allebei: 'Gadverdamme, Mo!'

'Effe de aambeien föhnen,' antwoordde de jongen die ze met Mo aanspraken en iedereen lachte weer.

'Heeft iemand een peuk?' vroeg Mo aan de anderen. Het oudste meisje dook in haar tas en gaf hem een sigaret. Ze had blond haar, uit een pakje en de donkere uitgroei was alweer te zien.

Er kwam een man aan, die niet schichtig de andere kant op keek, maar doelbewust op hen af kwam lopen. Hij bleef staan en ze riepen naar hem.

'Bayram!' het klonk alsof ze blij waren dat hij er was.

Hij begroette hen zorgvuldig met een hand en het kort noemen van hun naam: Hensley, Martijn, Mo, Melany en Marjoleine. Het was duidelijk dat ze hem goed kenden, hem respecteerden en ontzag voor hem hadden. Hij ging naast Hensley op de brugleuning zitten en samen bespraken ze de passerende vrouwen. Er liep een meisje langs in een lage, witte broek en een kort, blauw truitje. Haar blote buik bolde wat tussen broek en truitje. Toen ze voorbij was, werd er op haar rug boven de broekband een tatoeage zichtbaar. Ze wiegde met haar heupen.

'Kijk die muffin lopen met d'r aarsgewei!' zei Bayram en knikte met zijn hoofd in de richting van de jonge vrouw.

'Die zou je zeker wel lekker willen volblaffen?' vroeg Hensley en keek hem even aan.

'Nee man, daar moet ik niets van hebben, die is vast ziek in d'r doos.' Bayram maakte een gebaar alsof hij de vrouw van zich af duwde.

'Ik vind het wel een dushi, ik zou geen nee zeggen als ze het aan mij zou vragen.' Hensley keek weer naar zijn gesprekspartner, alsof hij onderzocht of zijn opmerking goed zou vallen.

'Ach, man, jij bent een dagelijkse spermaspuiter,' sneerde Bayram. 'Wat weet jij daar nu van. Volgens mij heb jij nog nooit een worst de gang in geslingerd. Volgens mij heb jij zelfs nog nooit een echte mossel in leven gezien!'

'Echt wel! Ik heb het vaak gedaan!' Hensley moest zijn gezicht redden.

'Laat me niet lachen, jij staat alleen maar op de handchoke! Noem eens één chick die je ook maar hebt aangeraakt?'

'Zit me niet te dissen, man!' Hensley vloog op de man af, greep hem bij zijn keel en probeerde hem van de brug af te duwen, het water in. Maar de man sprong lenig van de leuning af, duwde Hensley van zich af en gaf hem snel twee gerichte klappen met een vuist. Een op zijn keel en de ander in zijn maag. De Antilliaan klapte dubbel en snakte naar adem. Daarna begon hij te hoesten en maakte kokhalzende geluiden. De anderen reageerden niet. Alleen Marjoleine keek naar hen en toen snel weer weg. Ze zag eruit alsof ze wilde wegrennen, maar deed dat niet.

'Djillen nu!' riep Melany. Hensley was bijgekomen en ging mokkend een eindje verderop staan. De anderen negeerden hem. De man ging weer rustig op de reling van de brug zitten.

'Scotoe!' riep Mo. De jongens en meiden keken strak voor zich uit. Ze keken allemaal woedend in de richting van de politieagent, die stapvoets op zijn motor over de Nieuwestad reed. Zijn integraalhelm stond open en hij stopte om naar de jongeren te kijken. Die keken allemaal brutaal terug. De motoragent bleef een paar minuten kijken. Het was een patstelling. Er werd niets gezegd, alleen maar naar elkaar gekeken. Toen gaf de agent gas en reed langzaam door in de richting van de Waag.

'Ken je die scoop?' vroeg Mo aan Bayram.

'Ja, een sukkel. Is niet erg, hebben we in de pocket. No problemo.'

'Godallejezus,' zei Martijn, 'ik moet de boom water geven!' De anderen keken naar hem. Hoewel de agent nog in het zicht was, draaide Martijn zich om en plaste met een wijde boog het water in. 'Ik zal de leiding zelf maar in handen nemen,' zei hij. Het klaterde en het duurde lang. Voorbijgangers keken verbaasd, boos en geschokt, maar niemand zei er iets van. Sommigen keken om zich heen en liepen daarna weer door. De motoragent was net de hoek om, de Wirdumerdijk op. Martijn plaste rustig uit, schudde zich af en borg hem weer op.

'Iets te veel goudgele pretcilinders ingenomen!' zei hij en kwam er weer bij staan. Hij keek de man aan. Die keek niet terug, maar staarde naar Melany. Ze leunde tegen het hekwerk op de brug en rookte een sigaret.

De man die met Bayram was aangesproken, was ouder dan de anderen. Het was moeilijk in te schatten wat zijn leeftijd was. Hij was kaal met een zwart en zichtbaar zorgvuldig gecoiffeerd dun snorretje en dito baardje. Hij ging dicht naast Melany staan en zei een tijdlang niets. De anderen praatten over drank, voorbijgaande vrouwen, eten en agenten. Bayram zonderde zich af met Melany. Zijn stem leek niet meer op de stem die hij tegen de jongens had gebruikt. Hij leek opeens iemand anders.

'Mag ik even met je praten? Je weet toch wel wie ik ben?' vroeg hij.

'Ja, weet ik wel, Bayram,' antwoordde Melany, nadat ze zwijgend alle kanten had opgekeken, behalve die van hem.

'Hé, Melany, jij bent eigenlijk best een heel knap meisje, je zal later een hele mooie vrouw worden en veel mannen ongelukkig maken,' zei Bayram en keek haar indringend aan. Melany maakte een beweging of ze van hem wilde wegschuiven. Maar ze verschoof niet. Bayram schoof wel op, nog meer naar haar toe.

'Volgens mij ben jij al veel volwassener dan je vrienden hier, hè? Jij hebt, denk ik, al meer meegemaakt, toch?' Melany antwoordde niet, ze keek naar de punten van haar schoenen. Zijn stem klonk lief, zacht en zoet.

'Ik vind je heel knap en intelligent ook, weet je dat wel?' Er kwam een arm langs Melany's rug, Bayram pakte de leuning achter haar vast. Ze kwam iets naar voren, zodat er tussen hen geen fysiek contact was.

'Kun je nog wel praten?'

'Jawel,' zei ze en haalde haar neus op, zachtjes. Ze leek bang te zijn.

'Wij zouden het samen heel leuk kunnen hebben, denk ik. Jij en ik.' Hij keek weer naar haar. 'Ben je wel eens op reis geweest, echt op avontuur, het land uit?'

'Nee, niet echt. Een keer met mijn ouders naar Spanje.'

'Ben je wel eens in het mooie Turkije geweest?'

'Nee,' Melany schokschouderde, maakte zich los van de leuning en deed een kleine stap naar voren, maar ze liep niet weg.

'Als je wilt, neem ik je mee. Ver weg van hier. Ik laat je iets beleven, zoals je echt nog nooit hebt meegemaakt, dat zweer ik je. Zou je dat willen? Turkije zien, zoals alleen ik het je kan laten zien? Ik ken plekjes in Istanbul die niemand anders kent. Die kan ik je laten zien. Het is dé stad. Konstantiniyye is van mij... er is niets daar dat ik niet ken, of het is niet de moeite waard.' Hij keek in de verte, of de Bosporus begon achter de Voorstreek. 'Het is de grootste stad van Europa, wist je dat?' lispelde hij.

Melany haalde haar schouders op.

'Ik ben de Atatürk, ik neem je mee...' fluisterde Bayram in het oor van Melany.

Martijn begon vanaf een afstandje pesterig te fluiten.

'Ach, rot toch op grindtegel!' riep Melany tegen Martijn en liep een paar stappen dreigend in zijn richting. Martijn rende weg, maar niemand volgde hem.

2 ◉

'Zou jij niet eens naar huis gaan, het is al na vieren,' zei inspecteur Erik van Houten tegen zijn chef Wessel van Veen. De recherchechef keek zijn jongere collega die onaangekondigd zijn kamer binnen was komen lopen, peinzend aan.

'Ja, jong, is het alweer zo laat? Heb je dit gezien?' Wessel hield een rapport in de lucht.

'Dat weet ik niet, misschien wel, wat is het?'

'Staat ook in je mail. Dit zijn de cijfers van de invoer van harddrugs uit onze buurlanden. De hoeveelheid neemt af en ook de kwaliteit. Vooral van heroïne en cocaïne. Maar het gebruik van ecstasy en amfetamine neemt juist weer toe.'

'Heb ik iets van gezien. Het is niet meer hot; "smack" is iets voor losers.' Erik haalde demonstratief zijn neus op.

'Ja, maar er zijn nog wel veel gebruikers. Hier in de stad ook.'

Erik pakte een stoel en nam plaats tegenover zijn chef.

'Die jongens kennen we. Sinds er een gebruiksruimte is gekomen op het Vliet, is het probleem toch minder geworden?'

'Dat is waar, maar er zijn er altijd nog een aantal waar we geen controle over hebben en er is iets nieuws op de markt. Een hele nieuwe drug, naar ik begrijp,' Wessel keek in zijn papieren en las zwijgend een paar regels. 'Hier staat dat het middel gemaakt wordt op basis van heroïne, of versterkte morfine en dat wordt opgepimpt met amfetamine.'

'Opgepimpt, staat dat daar?'

'Nee, dat is mijn eigen toevoeging.'

'Vind ik helemaal geen woord voor jou,' grijnsde Erik.

'Ik ga met mijn tijd mee, collega. Maar goed, die nieuwe drug is een upper en downer tegelijk.'

'Dan worden de effecten opgeheven, lijkt me.'

'Integendeel, je hebt het plezier van de heroïne, maar je wordt er niet suf en slaperig van en het is verslavender dan de afzonderlijke drugs. Verslavender dan alles wat we nu kennen zelfs.'

'Is het al op de markt?'

'Ja, en het is dodelijk ook. Een beetje teveel en hup daar ga je. In Rotterdam en Utrecht zijn al een paar doden gevallen.'

Erik floot tussen zijn tanden. 'Hoe wordt het gebruikt dan?'

'Heel simpel, het zijn druppels.' Wessel las voor: 'Met een pipetje op een suikerklontje druppelen en klontje innemen. Effect treedt in binnen tien minuten en houdt langer aan dan heroïne spuiten of roken. Het lijkt dan op cocaïne, maar is vele malen krachtiger en aangenamer voor de gebruiker. Je kunt er gewoon bij blijven werken of iets anders doen.'

'Levensgevaarlijk dus.'

'Zeker, omdat je snel te vaak en te veel schijnt te nemen.'

'Druppelen is ook niet zo nauwkeurig, nee. Hebben we het hier al?'

'Dat geloof ik niet, maar collega's uit Rotterdam zijn ermee bezig. Ze denken dat er een Turkse connectie in het spel is. Van oudsher hebben de Turken de heroïnemarkt in handen, maar daar gaat het heel slecht mee. Ze zijn nog niet echt geïnfiltreerd in de ecstasy- en amfetaminemarkt, dus misschien zoeken ze wel naar nieuwe producten. De technische populaire naam is trouwens mba.'

'En waar staat mba voor?' vroeg Erik.

'Morfine Based Amphetamine en dat is ook wat het is. Er zullen binnenkort wel straatnamen voor verzonnen worden. Ik ben bang dat er veel nieuwe gebruikers komen.'

'Die nu ecstasy of cocaïne gebruiken?'

'Ja, maar misschien ook klanten die nu niets gebruiken. Het is erger dan ijs.'

'IJs vind ik zelf nog wel lekker, op een warme zomerdag.' Erik keek alsof hij het meende.

'Crack, glas, speed; je moet je straatnamen wel een beetje kennen, vriend. Crystal meth dus en dat was al zo'n rotzooi.'

'Heb jij het wel eens geprobeerd?'

'Nee, jij?'

'Ook niet.'

'Ik heb trouwens nog wat anders hier.' Wessel groef weer in de stapels op het bureau. 'Ik zat nog te kijken naar het proces verbaal van de laatste straatroof. Ik denk dat we George maar eens een analyse moeten laten maken.'

'Het wordt erger. Hoeveel hebben we er dit jaar al gehad?'

'We zitten nu al over de honderd en vorig jaar om deze tijd was het nog geen zestig. Het gaat goed de verkeerde kant op.'

Erik vloekte binnensmonds. 'Verschillende groepen?'

'Ja, zeg er wat van. Het zijn meestal wel jongeren met verschillende achtergronden. Soms wordt er een groep beschreven, soms een man alleen, soms een paar jongens. Het is heel verschillend. De buit ook. Telefoons, handtassen, geld en horloges. Dat soort spul. Maar daar moet George maar iets van vinden.'

'Ik maak me zorgen over het geweld. Het wordt erger.'

'Ja, ik ook. Maar nog eens iets anders. Hoe gaat het met je geliefde?'

'Wie, Josephine?'

'Ja, heb je er nog meer dan?'

'Niet echt nee. Maar goed, prima. Mag niet klagen.'

'Wees maar zuinig op haar. Het is een goeie meid. Iets te goed voor jou.'

'Dat zal wel, ga maar naar huis om te slapen, ouwe man. Ik heb zo'n gevoel dat je nog een lange nacht te wachten staat.'

3 ✍

Erik was onderweg naar het verbouwde boerderijtje van zijn Josephine in de Trynwâlden. Daar woonde ze en daar stond haar snijmachine. Ze had haar eigen reclamebureau, waar ze belettering maakte voor winkelruiten en auto's. Haar pake had er ooit een gemengd boerenbedrijfje in gehad.

Erik reed het erf op. Vroeger was het niet meer dan aangestampt leem, nu lag het volgestort met grind. Knerpend over de steentjes draaide hij en richtte de auto met de neus naar voren; operationeel parkeren heette dat. Op die manier kon je snel weg als dat moest. Zo zette hij zijn auto altijd neer. In een restaurant wilde hij ook altijd met zijn rug naar de muur en zijn gezicht naar de deur zitten. Zo kon er niemand ongezien achter hem komen en kon hij goed zien wie er binnenkwam. Josephine vond het paranoïde gedrag, maar had het opgegeven er wat van te zeggen.

Dankzij het grind had ze hem horen komen. Ze stond in de deuropening met een leesbril op haar voorhoofd, een salopette van denim aan en stukjes plastic folie aan haar handen geplakt: afsnijdsels van de belettering.

'Dag jochie!' verwelkomde ze hem. Erik liep op haar toe en sloeg zijn armen om haar heen. Hij kuste haar op haar mond en ze beantwoordde de zoen gulzig. Daarna kuste hij haar wangen en haar hals, terwijl hij haar stevig tegen zich aan drukte. Ze kirde als een bakvis. Onder de tuinbroek droeg ze niets.

'Dag oude gek,' zei Erik, 'hoe was je dag? Nieuwe opdracht, zo te zien?' Hij wees op de felgekleurde stukjes folie.

'Ja, grote klant, ik moet een vloot beplakken aan drie kanten.' Een vloot had niets te maken met de scheepvaart; het waren bedrijfsauto's waar logo's op moesten worden geplakt, zover was hij al wel. 'Ik ben bezig met de proefuitsnijdingen. Moet in drie keer, is wel lastig.' Ze draaide zich om en liep naar binnen. 'Ik wil dit afmaken, ben nu net lekker op weg. Ga maar naar binnen en pak een biertje, dan kom ik ook zo.' Ze ging weer op het krukje zitten achter de grote tafel. Daar lagen vellen folie op. De snijmachine sneed niet door en door, dat moest ze met een scalpel lossnijden en dat was ze nu aan het doen. Erik ging naast haar staan, zoende haar nog eens in haar nek en nam haar borsten in zijn handen. Ze rook lekker, vond hij.

'Ga weg, malloot, dit is een wapen dat ik hier heb!' Quasidreigend zwaaide Josephine met haar mes.

Hij liep door de verbinding tussen de vroegere stallen en het woonhuis naar de keuken, pakte een wit biertje uit de kast, sneed een stukje citroen af en vond een zakje cashewnoten. Hij liep ermee naar de kamer en opende de tuindeuren. Naast het huis was een klein terras. Er was niet veel ruimte tot aan de sloot, nog geen drie meter. Maar er pasten twee stoelen en een tafeltje. Erik dronk zijn biertje, at zijn nootjes en keek naar de ondergaande zon en de insecten boven het water. Zijn voeten had hij op het lage hekje voor de sloot gelegd. Hij vroeg zich af of ze eraan had gedacht boodschappen te doen. Het zou wel niet. Als ze aan het werk was, vergat ze alles. Ze ging zelfs niet naar de wc en kwam niet op het idee om wat te eten of te drinken. Na een half uur stond hij steunend op om te kijken waar ze was gebleven. Zoals hij had gedacht, zat ze nog steeds in haar kantoor met de letters te prutsen.

'Had jij nog aan eten gedacht?' vroeg Erik.

'O, God, nee, helemaal niet meer aan toegekomen.'

'Zal ik dan maar chinees gaan halen? Pak ik jouw auto.'

'De jeep?'

'Nee, die andere.'

'Prima, ik zie je zo weer en neem garnalen voor me mee, wil je?'

Erik haalde de auto van Josephine uit de schuur waar vroeger de tractor stond. Ze had een donkerblauwe Smart Roadster aangeschaft. Voor de lol en voor erbij. Je kon er hard de bocht mee om. Veel harder dan met de hoge deinende jeep en ook veel harder dan met Eriks auto. Josephine vond Eriks auto een enorme oudelullenbak en ze vond dat Erik er ook zo in reed. Behoedzaam en belegen en daar had ze wel gelijk in, want zo reed hij nu eenmaal. Soms.

Hij startte de motor en luisterde naar het rauwe geluid. Hij schakelde met de peddel aan het stuur naar de een, gaf gas en hoorde het grind spatten. Straks maar de hark eroverheen halen, dacht hij. Hij reed behoedzaam het erf af. Buiten gehoorsafstand vermeerderde hij onverantwoord veel vaart en reed met te hoge snelheid naar de chinees. Hij schakelde de tractiecontrole uit, liet de auto de bochten doordriften en genoot van de klappen en stoten die het ruw schakelen teweegbracht. Hij reed niet altijd als een belegen oude lul, zeker niet als het zijn eigen auto niet was. De heenweg duurde langer dan nodig, maar hij nam dan ook niet de kortste weg. Bij de Rose Garden chinees in Hurdegaryp dronk hij een biertje (van het huis) terwijl hij wachtte en net zo snel reed hij ook weer terug met de zakken vol nasi, bami en niet te vergeten de scampi's op de bijrijderstoel gestapeld.

Josephine had zich los weten te maken van het werk. Ze kwam op blote voeten de kamer in, opzettelijk kletsend op de Portugese tegels. Op het terrasje naast het huis schepten ze het chinese eten op porseleinen borden. Ze spraken niet veel. Beiden keken ze naar de verte, aten de nasi, de saté, de foe yong hai, de kroepoek en dronken elk twee biertjes.

Toen het te fris werd buiten, gingen ze naar binnen. Een beetje loom van de laatste zon en de biertjes viel Erik op de bank en Josephine kroop tegen hem aan. Haar hoofd op zijn borst, zijn arm om haar heen. Ze keken naar de televisie, naar een opgenomen aflevering van House MD, maar vielen al snel in slaap.

De serie was afgelopen en Erik schrok wakker. Hij schudde Josephine een beetje heen en weer.

'Hé, meisje, het is kwart over twaalf, zullen we maar naar bed gaan?'

'Hè?' zei Josephine, die niet zo goed wist waar ze was en wie er tegen haar sprak. Ze werd wat meer wakker en knikte toen ze weer wist waar en wie. Erik knipte de tv uit en hielp haar overeind. Achter elkaar sukkelden ze de smalle en steile trap op naar boven. Josephine viel meteen in bed en sliep op hetzelfde moment weer in. Erik kleedde haar uit en legde haar onder de dekens. Daarna trok hij zijn eigen kleren uit en stapte in bed. Hij kon niet wennen aan het deinen van het waterbed. Maar dit keer was hij snel vertrokken, nadat hij Josephine omzichtig een paar kussen op haar wang had gedrukt.

4 ◉

De groep jongeren begon in de richting van de McDonald's op de Wirdumerdijk te lopen. Het ging niet zo snel, hier en daar stonden ze stil, omdat er gepraat moest worden met een toevallige vriend. Zo bleven ze een poosje chillen op de hoek van de Wirdumerdijk en het Nieuwland. Tot iemand weer zei dat hij toch echt moest afMaccen en dan ging het weer een stukje verder.

'Wie heeft er wat doekoe?' vroeg Hensley. Melany had een tientje bij zich, meer niet en een paar dubbeltjes. De rest was platzak.

'Sorry, niets, nada, noppes!' zei Mo.

'Niemand verder pijlen bij zich?' vroeg Hensley. 'Dan moeten we toch echt knaken gaan maken!' Er werd wat gemompeld door de anderen. Het was donker geworden in de stad. De zon was onder, de winkels waren gesloten en de voorbijgangers schaars. De groep jongeren werd angstig bekeken en waar mogelijk staken mensen de straat over om er maar niet langs te hoeven lopen. Ze gingen nog wat breder staan en wat harder praten.

'Knaken maken?' vroeg Martijn, 'Hoe dan en waarom eigenlijk? Bayram heeft toch altijd geld?' Hij keek naar de leider van de groep, maar die keek niet terug en gaf ook geen antwoord. Hij was een uurtje weggeweest, maar nu was hij weer terug. Doelgericht liep hij in de richting van de Friesland Bank, waar een geldautomaat zat.

Bij de automaat stond een man geld te trekken. Het was een gewone man, een jongen bijna nog. Rond de twintig, misschien wat ouder. Hij droeg een zwart leren jasje en had donkere krullen, die weelderig over zijn kraag golfden. De man hield de omgeving niet in de gaten. Hij had zijn geld uit de muur gekregen en liep weg in de richting van het oude Amicitia-gebouw, waarin nu luxeappartementen waren gebouwd. Bayram zei niets meer en volgde de man op enige afstand. De anderen liepen mee. Melany en Marjoleine ook, maar op enige afstand. De man sloeg de Reigerssteeg in. Daar was het rustig. Bayram liep met de man mee en gebaarde de anderen dat ze dat ook moesten doen en stil moesten zijn. De man liep vrij snel de steeg door en sloeg op de Weaze rechtsaf. Hij leek nu te merken dat de groep achter hem aan kwam. Hij ging sneller lopen, in de richting van de Blokhuispoort. Bayram verkleinde de afstand tussen hen. Ze zagen dat hij de Blokhuisbrug op liep en op de brug stilstond om achterom te kijken. Bayram stopte en deed net of hij in gesprek ging met de anderen. De man zag dit kennelijk en liep haastig verder. Hij snelwandelde in de richting van de Achter de Hoven. Daar haalde Bayram de man in en sprak hem aan.

'Hé, man, waarom zo'n haast?' Bayrams stem klonk zalvend, lijzig, zuigend ook. De man keek verschrikt om. Bayram ging snel voor hem staan, de groep naderde van achteren. Ze sloten hem in, als leeuwen rond een antilope.

'Heb je grondinen, man?'

'G– grondinen?'

'Ja, man, je weet wel, kankerstaafjes? Heb jij die bij je, man?'

'Ik rook niet.'

'Hé, man, dat vroeg ik niet, ik vroeg of je een sigaretje bij je had.'

'Nee, en als je het niet erg vindt, wil ik nu wel verder.' De man sprak Nederlands, maar met een accent. Geen Fries, iets buitenlands. Hij klonk vriendelijk en redelijk.

'Niet zo snel, mattie, we zijn toch aan het praten hier? Het is niet zo beleefd om meteen weg te lopen.' Bayram versperde hem de weg. De man deed een stap opzij, die Bayram pareerde.

'Als je dan geen saffies hebt voor ons, heb je misschien wel iets anders? Wij hebben een beetje honger, weet je?'

'Nee, sorry, ik heb niets bij me. Ik zou er nu graag door willen.'

De stem van de man was wat lager. Het klonk een beetje dreigender, maar nog wel aardig, alsof hij er de grap nog wel van kon inzien.

'Een paar roebels zou leuk zijn, sjonnie. Dan kunnen we de schijt-fabriek ook weer eens in werking zetten. Dat is alweer een poosje geleden.'

'Dat is jammer, maar ik heb niets bij me. En nu opzij graag.'

'Dat is nu gek, denken we dat hij de waarheid spreekt?' Dit tegen de anderen. Die reageerden braaf en riepen netjes 'nee!.'

'Je zit me een beetje te dissen, denk ik?' Bayrams toon was drei-gender geworden en hij kwam een stap dichterbij. De man was gro-ter en ook zwaarder, maar hij deinsde wel achteruit. Hij werd tegen-gehouden door Hensley, die vlak achter hem stond. De man leek niet onder de indruk.

'Niet zo dik doen, drollenbokser. Volgens mij heb jij genoeg en kun je best wat missen.' Bayram gaf de man een duw tegen zijn borst. Omdat Hensley vlak achter hem stond, viel hij tegen hem aan. Hensley reageerde door een felle duw terug te geven. De man wan-kelde, maar bleef wel overeind. Net.

'Nou, dit hoeft geen ruzie te worden, maar we willen nu wel effe de pijlen zien. Dus niet zo moeilijk, eikelbijter!' Bayram probeerde de overredende toon nog een keer. Maar de man wilde niet scheiden van de flappen die hij net daarvoor had getapt.

'Nee!' riep de man en hij zag eruit alsof hij het gevecht niet zou aangaan. Hij deed een stap achteruit en nam een soort gevechts-houding aan, maar Bayram sloeg opeens toe. Zonder waarschuwing haalde hij uit en sloeg de man met gebalde vuist op zijn neus. Het ging erg snel. Een bloeding en een schreeuw waren het onmiddel-lijke gevolg. Bayram hield zijn slachtoffer meteen daarop vast aan zijn jasje en probeerde zijn hand in de broekzak te krijgen waarin hij het geld had zien verdwijnen.

'Laat me los, godverdomme!' schreeuwde de man, 'nu ben je dood!' Hij rukte zich los en wilde Bayram aanvallen. Maar die was jonger, sneller en sterker. Hij greep de man bij zijn haar en stootte met zijn eigen voorhoofd tegen diens neus. Iedereen hoorde de neus breken. De man liet los en wankelde achteruit, weer tegen Hensley aan en die sprong hem op zijn nek.

'Voel je dit?' vroeg Hensley en de man antwoordde niet. Hij probeerde Hensley van zich af te schudden. Maar Hensley had een mes hoog in de rug van de man gestoken en er weer uitgetrokken. Daarna stak hij nog eens en hiermee raakte hij de bovenkant van een long. Er klonk een reutelend geluid toen die klapte. De weerstand van de man brak. Nog even kreeg hij greep op zijn belager, maar zakte toen traag in elkaar. Hensley stapte opzij en trok handig het geld uit de broekzak van het slachtoffer, nog voordat die de tegels raakte en Bayram pakte het weer van hem af.

De man met de golvende krullen viel en kwam op zijn buik terecht. Melany gilde, kreeg een klap van Hensley en van schrik hield ze meteen haar mond. Ze zag niet dat Bayram woedend naar Hensley keek. Ze hield haar hand tegen haar rood wordende wang, draaide zich om en rende weg. Ook de anderen bleven niet om te kijken hoe het met hun slachtoffer zou aflopen: ze renden allemaal een andere kant op.

Bayram bleef het langst achter. Hij bleef staan naast de gevallene, haalde zijn voet naar achteren en schopte de man in zijn ribben. Dat deed hij een paar keer, met heel veel kracht. Een voetbal, op die manier geraakt, zou het stadion zijn uitgevlogen.

De man stierf op de tegels van het trottoir. Niet zo heel veel verder stond het woord 'POLITIE' boven de deur van het verlaten bureau aan de Gardeniersweg.

5 ◉

Rechercheur Sigrid de Wilde at een stoommandje leeg voor de tv. Ze vond zalm met tagliatelle en broccoli niet bijzonder lekker, maar had geen zin gehad om helemaal te gaan koken en dit zag er nog wel gezond uit, toen het nog in de koeling van de supermarkt stond. Daar hechtte ze aan. Een vriend van haar had eens twee weken op friet geleefd. Zijn tanden waren door het vitaminegebrek los in zijn mond komen te staan, had hij haar verteld. Dat verhaal was haar bijgebleven. Ongezond eten stond haar tegen. Ook al woonde ze alleen, ze kookte toch bijna elke dag voor zichzelf. Het werkte ontspannend. Ze probeerde graag nieuwe dingen uit en hield van exotische smaken. Zo had ze het hele Groot Indonesisch Kookboek van Bep Vuijk doorgekookt. Maar toen ze haar zelfgemaakte Indonesische rendang voor de grap eens vergeleken had met een potje rendang uit de toko, was de aardigheid daar vanaf gegaan. Het kant en klare spul was net zo lekker, misschien zelfs wel lekkerder en veel minder gedoe. Waar doe je het dan voor?

Maar vanavond was het erbij gebleven en gisteren ook al. Ze had pas laat de sleutel in de voordeur van haar huisje kunnen steken en was moe. Lamlendig keek ze naar het beeld van de televisie, maar wat erop het scherm gebeurde drong niet tot haar door. Moeizaam kwam ze uit de bank overeind en droeg haar halflege bord naar de keuken.

Op het aanrecht stonden bordjes en kopjes. Met trage gebaren zette ze koffie. Decafé, anders kon ze niet slapen. Niet dat het veel hielp. Misschien moest ze kruidenthee gaan drinken, maar dat was net een stap te ver. Het duurde de laatste tijd lang voor ze insliep. Haar gedachten gingen steeds naar haar werk. Naar oude zaken, nieuwe verdachten, administratieve afhandelingen die ze vooral niet moest vergeten, naar collega's en naar Erik van Houten. Ze vond hem leuk, maar die weg was afgesloten. Hij had een vriendin. Zodoende probeerde ze wat afstand te houden, hem uit haar hoofd te zetten. Maar als ze in bed lag besloop de gedachte aan hem haar weer.

Ze slurpte van de nepkoffie en besloot maar eens vroeg onder de wol te kruipen. Met een boek om haar gedachten een andere kant op te sturen. Er was de volgende dag een zoeking gepland en daar moest ze bij zijn. De briefing was al om zes uur 's morgens. Om tien uur verschanste ze zich in haar bed met 'Het orakel van de maan' van Frédéric Lenoir. Al snel liet ze zich meevoeren door Giovanni's zoektocht in de Italiaanse bergen in het hartje van de zestiende eeuw.

Sigrid droomde. Ze werd onthoofd. Er was geen ontkomen aan. Ze stond in een middeleeuws decor op een schavot en het moment was daar en dat vond ze wel goed. Ze berustte erin, te moe om in opstand te komen. Daarvoor was het ook al te laat. Het kon niet meer, echt niet. Haar handen waren geboeid en ze stond in een witte nachtpon naast een beul met een kap over het hoofd.

'Leg je hoofd daar maar neer,' wees de beul. Het was een vrouw. Ondanks de kap kon Sigrid dat zien. 'Het duurt maar een paar minuten,' sprak de beul opnieuw. Sigrid schrok. Ze voelde dat weerstand de plaats van de berusting innam.

'Een paar minuten?' zei ze verbijsterd. Onthoofding prima, maar een paar minuten lang beseffen dat je doodgaat… zo lang de pijn te moeten voelen?

'Het mes gaat nu eenmaal niet in een keer door de nek,' legde de vrouwelijke beul uit, ze was klein en behoorlijk dik, zag Sigrid nu. 'Ik moet ook altijd nog een beetje nazagen en dat voel je wel.' Sigrid protesteerde.

'Bespottelijk,' riep ze. 'Neem dan een scherper mes, een zwaarder contragewicht, weet ik veel. Maar op deze manier doe ik het niet!'

'Kom nu maar,' drong de vrouw nu aan, 'het is echt zo voorbij.' Het moest, het moest nu echt, ze ontkwam er niet aan. Ze kon geen kant op. Tijdrekken... de beul drong weer aan. Sigrid draalde en draalde. Ze wilde niet, ze moest...

Zwetend schrok ze wakker. De wekker op haar nachtkastje wees middernacht aan. Met een zucht draaide ze zich op haar andere zij en probeerde de slaap weer te vatten.

6

Erik sliep nog geen anderhalf uur toen zijn semafoon ging. Hij belde de meldkamer en die vertelde hem dat er weer een dooie was gevonden, dat het waarschijnlijk om een misdrijf ging en er vast wel weer een Team Grootschalig Optreden moest komen. Of hij maar even wilde komen? Hij had toch piket? Nou dan en snel graag.

Waar moesten de mensen nu weer vandaan komen? De boeven hielden ook nooit eens rekening met de roosterdruk! Met tegenzin trok hij zijn kleren weer aan en vroeg zich af of vijf biertjes niet teveel was geweest. Josephine merkte niet dat hij het bed en het huis verliet. Dit keer in zijn eigen bedaagde Duitser, maar wel sneller dan normaal. Op de Groningerstraatweg naar Leeuwarden tikte de snelheidsmeter de 160 aan. Dat mocht niet, maar hij deed het toch. Het moest snel, had de meldkamer gezegd.

Hij parkeerde achter het bureau aan de Holstmeerweg en liep al bellend naar binnen. Wessel en hij kwamen elkaar tegen in de gang en drukten op hetzelfde moment de telefoon uit.

'Ik heb het je gezegd, een drukke nacht. Wordt zeker een Team Grootschalig Optreden?' vroeg Erik.

'Dat is niet onwaarschijnlijk. Ik ga ter plaatse. Rijd maar mee, kunnen we het er onderweg over hebben. Ik heb een sleutel,' zei Wessel en stak de autosleutels in de lucht. Ze stapten beiden in een dienstgolf, Wessel achter het stuur.

'Waar is het?'

'Achter de Hoven, vlak voor het oude politiebureau.'

'Kennen we het slachtoffer?'

'Nee, althans, wij hebben nog geen naam. Meldkamer kreeg de eerste melding, de noodhulp is ter plaatse gegaan en heeft het deel Achter de Hoven tussen Gardeniersweg en de Blokhuisbrug afgezet.

Er is ook Technische Recherche onderweg.' Wessel parkeerde de auto voor de Popacademie. Voor het roodwitte lint stond een jonge leerling-agent. Hij mat zeker twee meter, meer als hij zijn pet op zou hebben en keek een beetje zenuwachtig om zich heen. Een ambulance stond met zijn zwaailichten aan midden op straat achter de linten. Een politieauto stond – ook met blauw-blauw op het dak aan – dwars op de rijrichting en ook aan de andere kant stond er een. Ze liepen naar het lint en Erik trok het voor Wessel omhoog. Die bukte en liep door en daar was de jonge agent het niet mee eens.

'U mag hier niet doorlopen!' riep hij. Zijn stem sloeg een beetje over.

'Wij wel, hoor,' bromde Wessel en wilde verder lopen.

'Sorry, heren, u mag hier niet verder, ik moet u verzoeken achter de linten plaats te nemen!' Hij ging vlak voor Wessel staan en keek op hem neer. Deze man zou er niet doorkomen, als het aan hem lag. Erik dacht dat hij de module crowdcontrol wel zou hebben gevolgd, misschien was dit wel zijn praktijkproef.

'Beste jongen, wij zijn geen ramptoeristen, maar van de recherche en hier voor het werk, dus ga aan de kant als je wilt.' Wessel was nog nooit ergens door de eigen collega's tegengehouden. Hij werkte al meer dan dertig jaar in het korps en er was niemand die niet wist wie hij was. Maar deze nacht was dat anders. Erik keek vol interesse toe. Hij vond het wel leuk.

'Dan wil ik graag uw legitimatie zien!' zei de jonge aspirant dapper. Hij trok een Maglite tevoorschijn, die hij in een ring aan zijn koppel had hangen. Wessel had wel een legitimatie, maar die had hij nog nooit nodig gehad, dus waarschijnlijk ook niet bij zich. Zo had hij ook een Walther P5 dienstpistool, dat hij ook nooit bij zich droeg. Als hij ter plaatse kwam, was iedereen doorgaans al dood. Wel ging hij vier keer per jaar naar de training en schoot steevast een keurig klein groepje in de schietschijven met zijn bril op het puntje van zijn neus en slaagde iedere keer voor allea andere testen. Wessel was nu zijn geduld aan het verliezen; Erik zag het aan zijn rug.

'Beste collega, ik ben Wessel van Veen, commissaris is mijn rang en chef divisie recherche is mijn functie en dit hier is inspecteur Erik van Houten. Er is daar sprake van een lijkvinding en wij willen daar gaan kijken. Als jij het goed vindt. Of ga jij zelf het onderzoek even doen. Vind ik ook goed, want dan ga ik weer naar bed.'

'Sorry, meneer, dat kan iedereen wel zeggen, ik wil toch graag uw legitimatie zien.'

'Die heb ik niet bij me. Erik, jij toevallig?' Nee, Erik had hem ook niet bij zich. Hij vond het schouwspel te leuk om er iets aan te doen en deed een stapje naar achteren om dit eens gezellig af te wachten. Wessel keek om zich heen of hij een bekende collega zag. Maar die stonden allemaal te ver weg. De Technische Recherche was ook nog niet ter plaatse. Wessel werd nu echt boos. Erik besloot er toch maar een eind aan te maken.

'Wat is je roepnummer en je dienstnummer, jongen?'

'Dat mag ik niet zeggen, meneer. Als u geen legitimatie kunt laten zien, moet ik u vragen weg te gaan.'

'Idioot!' zei Erik, die nu zelf zijn geduld verloor. 'Uit de weg nu, we hebben nu wel genoeg tijd verloren. Snel wat!'

Maar de collega bleef staan. Erik pakte zijn telefoon en belde de meldkamer. Gelukkig kende hij de centralist.

'Tjibbe, met Erik, wij staan hier op Achter de Hoven en willen graag ter plaatse. Er staat alleen een collega in de weg die ons niet wil doorlaten. Wil jij hem opdracht geven via de porto?'

Erik hoorde Tjibbe lachen.

'Wie staat daar nog bij je dan?'

'Wessel.'

'En de collega laat jullie beiden niet door? Het neusje van de opsporingszalm? Hahaha. Wie is het? Wat is zijn roepnummer?'

'Dat wil hij niet zeggen.'

'Hahaha,' hoorde Erik Tjibbe lachen. 'Ik heb drie units ter plaatse, ik roep de Leider Plaats Delict wel op. 15:02, kom eens uit voor Leeuwarden?'

'15:02, zeg het maar.' Erik herkende de stem van Menno Riemeijer.

'Willen jullie de recherche doorlaten, ze staan aan de kant van de Gardeniersweg.'

'Hoezo?' vroeg Menno.

'IJverige collega,' lachte Tjibbe.

'Genomen.'

Even later kwam Menno Riemeijer over de plaats van het delict hun kant op. Ook hij moest erg lachen en de boomlange leerling-collega zou het waarschijnlijk nog heel lang moeten horen. Hij trok zo overdreven gedienstig het lint omhoog, dat het brak. Een deel spiraalde weg en de man keek beteuterd naar het overgebleven stuk in zijn hand. Wessel liep nog een keer terug om hem gerust te stellen. Want zo was hij dan ook wel weer en hij knoopte het lint weer aan elkaar.

7

'Wordt het nu een Team Grootschalig Optreden of niet?' vroeg Erik de volgende dag aan Wessel. Die was na de nachtdienst gewoon weer teruggekomen op het bureau.

'Zeker weten. Als dit geen TGO wordt... De ophef in de stad is groot, ze roepen allemaal weer over de zinloze moorden op Meindert Tjoelker, Manuel Fetter en Joseph Sybranda.'

'Ja, heb ik gelezen. De burgemeester is al op tv geweest, evenals je grote vriend de districtschef, om te vertellen dat ze geschokt waren door het gebeuren en alles op alles zouden zetten om de daders te vinden en voor de rechter te brengen. Wie gaat het TGO leiden? We hebben toch niemand meer over?'

'Precies, daarom wordt Seerp de Vries, een hoofdinspecteur uit Groningen, ingevlogen. Een ervaren collega, natuurlijk, hij heeft vaker dit soort dingen gedaan, komt wel goed met hem. Hoeveel man zijn er vrijgemaakt?'

'Voorlopig dertig man,' wist Erik. 'Ze worden ondergebracht in het oude bureau aan de Gardeniersweg. Er wordt zo een briefing gehouden, dus ik wil erheen rijden. Kom je mee?'

Op de Gardeniersweg was Seerp de Vries zich aan het inlezen. Hij had uitdraaien voor zich en nog andere papieren, maar veel was het nog niet. Erik had wel eens met hem te maken gehad, maar kende hem niet zo goed. Wessel en Seerp kenden elkaar kennelijk beter.

'Seerp, vriend, om jou hier weer te zien!' riep Wessel en kwam met uitgestoken hand op zijn collega af.

'Ach, Wessel, dat is al weer een tijdje geleden. Hoe is het met je betere helft, Laura, toch?'

'Heel goed, de keren dat ik haar zie en zo vaak is dat niet.'

'Dat zal niet te vaak zijn, nu ja, zo houd je je huwelijk goed.'

'Jullie kennen elkaar, Erik van Houten, Seerp de Vries?

'We hebben elkaar wel eens gezien ja, op congressen en feestjes,' zei Seerp en schudde Erik kort de hand. 'En ik heb hem meerdere malen gevraagd om nu eens lid te worden van de VMHP, maar hij wil niet.'

'Daar ben ik ook geen lid van. Ik blijf gewoon bij de ACP,' zei Wessel. Hij wendde zich tot Erik. "Deze man houdt zijn huwelijk goed door om de zoveel tijd een nieuwe vrouw te nemen,' zei hij. 'De hoeveelste is het nu weer, Seerp? Ik ben de tel kwijt hoor.'

'De zesde, nee, de vijfde, ik houd het zelf ook al niet meer bij.'

'En hoeveel jaar jonger is deze dame?'

'Dat scheelt niet zo heel veel met mij hoor. Dertien jaar, dat is toch heel redelijk?'

'Netjes, voor jouw doen dan.'

'Dat wou ik maar horen. Komen jullie voor de briefing?'

'Zeker.'

'Ga dan maar mee.'

Seerp verwelkomde het gezelschap dat binnen was gedruppeld. Een aantal rechercheurs, de persvoorlichter, officier van justitie Van Megeren, districtschef Johanson en plaatsvervangend korpschef Davids.

'Goedemorgen dames en heren. Graag wil ik beginnen met de briefing,' zei Seerp niet eens zo hard. Het viel Erik op dat de aanwezigen meteen stil waren. Er klonk gezag door in zijn stem.

'Gisteravond is door iemand die zijn hond uitliet het stoffelijk overschot aangetroffen van een manspersoon. Hij belde meteen met 112. Het is niet helemaal duidelijk of hij nog leefde toen de, uh, hondenuitlater hem aantrof, maar toen de ambulance ter plaatse was, was het in ieder geval gebeurd. Hij is hier op zichtafstand,' Seerp wees naar de blinde muur van de vergaderruimte, 'aangetroffen.' Iedereen keek de kant op die hij aanwees en zag daar alleen een machine voor frisdranken staan.

'Aanvankelijk dachten de collega's dat ze met een "Marco van Duuren" van doen hadden, omdat hij een bankpasje bij zich had met die naam erop. Maar toen zijn vingerafdrukken waren geverifieerd, bleken die te horen bij iemand met de naam "Paolo Dumaurier". Toen we deze naam eens door de computer haalden, bleek deze 34-jarige inwoner van Rotterdam een goede bekende te zijn van onze Rotterdamse collega's. Sterker nog,' Seerp zweeg en keek de zaal rond, 'ze waren al een paar weken naar hem op zoek, in verband met internationale vrouwenhandel.'

'Wat deed hij in Leeuwarden?' vroeg commissaris Johanson, de districtschef van Leeuwarden. Het was een lange, rijzige man, die door zijn arrogante uitstraling maar weinig vrienden had. Erik mocht hem niet en hij was niet de enige in het korps en daarbuiten. Het was een typische niet-Fries met een te grote bek. En hij wilde altijd alles maar veranderen, net alsof alles daarvoor helemaal fout was. Veranderen? Dat wilde men niet in Friesland en dat had de man nog niet door.

'Dat weten we nog niet, de collega's zijn daar ook heel nieuws-gierig naar. Er is een Rotterdams team onderweg. Ik verwacht ze ieder moment hier.'

'Nemen ze het over?' vroeg Wessel.

'Het zou me niets verbazen,' antwoordde Seerp, 'ik heb met het hoofd van het team daar gesproken en zij zijn ervan overtuigd dat onze man slachtoffer is geworden van een afrekening in het crimi-nele circuit. Er is een aantal dreigingen geuit aan het adres van die Paolo. Misschien was hij wel hier om ze te ontlopen, wie zal het zeggen?'

'Dat is dan niet gelukt,' merkte Erik droogjes op.

'Nee, ik stel voor dat wij afwachten tot de Rotterdammers er zijn en dan bepalen wat we verder gaan doen.'

'Goed,' zei Wessel, 'zullen we vanmiddag om drie uur opnieuw bij elkaar komen? Heb jij dan genoeg tijd gehad om met de collega's te overleggen?'

'Dat zal wel lukken, denk ik.'

'Wat vertellen we de pers?' wilde de persvoorlichter weten.

'Even nog niet zo veel, wij zijn bezig met het onderzoek, zetten er dertig mensen op in en verwachten snel met resultaten naar buiten te komen.'

'En zeggen we wat over Rotterdam?'

'Nee, nog niet. Dat zien we wel na de briefing van drie uur.'

'Wie moet er om twaalf uur op de radio voor een quote?'

'Dat doe ik wel,' zei Davids. De plaatsvervangend korpschef was jong en ambitieus en liet zich zo'n kans niet voorbijgaan, dacht Erik.

8

Het was kwart over drie. Hetzelfde gezelschap zat weer in de vergaderzaal op de Gardeniersweg. Er zat een team van maar liefst vijf Rotterdammers mee aan. Erik kende geen van allen.

'Welkom allemaal en welkom aan de collega's,' opende Seerp. 'Wij zijn inmiddels iets verder. Er is één getuige, de eerder genoemde hondenuitlater. Die heeft alleen maar het lijk van Paolo aangetroffen en verder niets gezien. Er zijn geen camera's op die plek gericht en in de straat hebben we overal al aangebeld. Het misdrijf vond plaats pal voor de oude fietsenmaker en dat pand staat leeg, zoals jullie waarschijnlijk beter weten dan ik. We hebben nog wat over de pasjes. Cor, wil jij daar wat van zeggen?'

'Het slachtoffer had bankpasjes bij zich op naam van Van Duuren, voorletters M.A., die in Zoetermeer zijn gestolen bij een inbraak. Slachtoffer heeft daar om 21 uur 32 een bedrag van zeventig euro mee gepind bij de automaat van de Friesland bank, waarschijnlijk kort voordat hij zijn makker ontmoette. Het is nog niet helemaal duidelijk waarom hij ook de pincode had en waarom de pas niet was geblokkeerd, maar daar zijn we nog mee bezig. Het geld hebben we niet gevonden.'

'Dank je wel. Uh, Fraukje, jullie hebben het buurtonderzoek geleid. Wat kwam daaruit?'

'Wij hebben hier tegenover overal aangebeld. Maar men was niet thuis of had niets gehoord of gezien. We hebben bij de gesloten deuren een briefje in de bus gedaan en gaan er vanavond nog eens langs.'

'Goed, Wim, jullie hebben je met de verblijfplaats van ons slachtoffer beziggehouden.'

'Ja, wij zijn de hotels en pensions afgegaan, maar daar was hij nergens bekend. Alleen bij de Lyndenhof zijn we nog niet geweest.'

'De Lyndenhof?'

'Ja, dat is dat Bed & Brochje in het monumentale huis van de wethouder. We zijn er aan de deur geweest, maar er deed niemand open.'

'Bel die wethouder dan op!'

'Kan dat zomaar?'

'Natuurlijk, dit is toch een onderzoek naar een misdrijf en kennelijk heeft de wethouder ook een hotel. Bel die man!'

'Het is een vrouw.'

'Ook goed, maar bel haar op en vraag het.'

'Goed, maar als hij daar niet bekend is, heeft hij niet in Leeuwarden of omgeving gelogeerd. Misschien was hij op doorreis, misschien logeerde hij bij familie of vrienden. Dat weten we nog niet.'

'Weten jullie of hij mensen kende hier in Leeuwarden of in de buurt?' vroeg Seerp aan de Rotterdammers, die ijverig aan het schrijven waren.

'Nee, maar dat hoeft niet te betekenen dat het niet zo is,' zei een van hen.

'Goed, volgende punt: sectie. Wie houdt zich daarmee bezig?'

'Ik,' zei iemand anders, 'het stoffelijk overschot is naar Rijswijk overgebracht voor de sectie. De eerste indruk is dat hij als gevolg van shock door bloedverlies om het leven is gekomen. Twee steken met een scherp voorwerp in de rug. Blauwe plekken op de ribbenkast. Er is geen wapen aangetroffen op de plaats delict.'

'Dat horen we binnenkort dan wel. Wie wil nog wat inbrengen?'

De chef van het Rijnmondse team, Frederik Jansen, stak zijn vinger op.

'Zoals jullie al weten, hadden wij Paolo al een tijdje in beeld. Hij was al een paar keer bedreigd, omdat zijn vroegere maten bang waren dat hij ons wijzer zou maken. Gezien het feit dat jullie weinig kunnen vinden, zijn wij sterk geneigd te denken dat de steekpartij inderdaad hiermee te maken heeft. Er is overleg gepleegd tussen de Parketten van Rotterdam en Friesland en er is toestemming gegeven om het onderzoek over te dragen aan ons.' Jansen keek naar de officier van justitie, die bevestigend knikte. 'Ik zou dus willen voorstellen dat jullie datgene wat jullie zijn begonnen nog afmaken en al het materiaal vervolgens overdragen aan ons. Twee van ons, Jos en Willem, zullen hier blijven en jullie helpen. De rest van het onderzoek doen we thuis aan het Doelwater.'

'Uitstekend, dat is een meevaller voor ons dus,' zei Seerp opgeruimd, 'iemand nog vragen verder? Niemand, dan wens ik jullie een fijne dag. Morgenochtend om acht uur weer briefing, zelfde plek.'

Binnen een week was het TGO ontmanteld en Seerp de Vries teruggestuurd naar zijn thuisbasis aan de Rademarkt in Groningen. De burgemeester, de officier van justitie en de districtschef gaven een persconferentie op het gemeentehuis in de Nieuwe Zaal. De lokale media zoals Omrop Fryslân, Omroep Mercurius, de Leeuwarder Courant en het Friesch Dagblad hadden er mensen heengestuurd en zelfs SBS6 was er met een ploeg. De burgemeester, die de commotie rond Fetter en Tjoelker niet had meegemaakt, maar Sybranda wel, nam de zaak niet zo hoog op. Het ging immers om een criminele afrekening in het milieu. Hij las een verklaring voor.

De verslaggever van Omrop Fryslân, Auke Zeldenrust, stelde hem vragen.

'Was het slachtoffer toevallig in Leeuwarden?'

'Ja.'

'Hoe groot is het gevaar voor de Leeuwarder bevolking?'

'Niet. Deze man was hier op doorreis, zeg maar.' Dat wist de burgemeester niet, dat wist niemand, maar hij wilde kennelijk iets zeggen.

'Wat is de overeenkomst tussen Fetter, Tjoelker, Sybranda en dit geval?'

'Er is geen overeenkomst, dat zeg ik u.'

'En de moord op De Brol dan, was het zoiets? Was het een afrekening, zo noemt u dat toch?'

'Hè, De Brol?' De burgemeester keek naar de districtschef.

'In 2008 is daar een man doodgeschoten in zijn auto, dat moet u toch weten. Hij had een restaurant daar vlakbij.' Zeldenrust klonk pesterig.

'Nee, nee, elke zaak is anders. Maar we kunnen er nog niet veel meer over zeggen, maar er is geen reden tot paniek.' Het klonk geforceerd uit de mond van de politiechef.

Dus we kunnen nog steeds rustig over straat? Maar er worden steeds vaker mensen beroofd. Is het nu een afrekening of een straatroof. Daar is toch wel verschil tussen? En het maakt wel uit voor de mensen, denk ik.'

'Dat weten wij nog niet zeker, maar we denken dat we hier te maken hebben met een criminele afrekening.' Een andere verslaggever nam het over. Na afloop wilde Zeldenrust nog een paar quotes voor de radio ook, maar de districtschef wendde haast voor, beende de zaal uit en vluchtte de kamer van de burgemeester in.

Erik zag dit alles 's avonds om zes uur tijdens het nieuwsprogramma Hjoed van de regionale omroep. De tv stond aan in de werkruimte van de recherche en hij bekeek de uitzending met gefronste wenkbrauwen. Hij dacht niet dat dit een criminele afrekening was geweest. Vlak voordat Van Duuren – alias Dumaurier – was vermoord, had hij met een gestolen pinpas € 70,– gepind. Waarschijnlijk korter dan een uur daarvoor. Dat geld was niet op of bij het slachtoffer aangetroffen en hij had zelf iemand gesproken die gezien had dat er een groep jongens rond die tijd in die buurt had rondgehangen. Verder was het slachtoffer neergestoken op een manier die niet helemaal overeenkwam met het modus operandus van afrekeningen. Bij het eerste onderzoek bleek hij ook verschillende bloeduitstortingen te hebben op zijn lichaam, alsof hij mishandeld was en gestoken. Bij een afrekening moet het slachtoffer doorgaans zo snel mogelijk dood en de dader zo snel mogelijk weg. Erik had dit met Seerp besproken, maar die had dit scenario terzijde gelegd toen bleek dat de Rotterdammers belangstelling hadden. Het kon, had Seerp gezegd, maar die weg gaan we niet op. Laat de collega's het maar uitzoeken. Als het toch een uit de hand gelopen straatroof is, dan hoorden ze dat wel. Seerp had nog maar een half jaar te gaan en vond het prima dat het TGO geen weken of zelfs maanden zou duren, had hij Erik toevertrouwd. Hij had er weinig zin in en wilde rustig uitbuiken tot zijn pensioen zonder nog een groot onderzoek te moeten leiden. Dus dat zou het ook niet worden, als het aan hem lag. Erik was er niet tegenin gegaan, maar het voelde niet goed. In zijn ogen was dit geen afrekening. Hij wilde het graag met Wessel bespreken, maar zag dat die met Sigrid in gesprek was. Hij besloot maar naar huis te gaan.

9 ☉

'Ha die Sigrid, nog aan het werk?' Sigrid keek op bij het horen van Wessels joviale stemgeluid.

Ze lachte naar hem. 'Ja, ik ben me aan het verdiepen in straatbendes. Ik weet niet zeker of ze nu onder die 100 criminele jeugdbendes vallen, maar er staan interessante onderzoeken op internet. Over achtergronden, groepsdynamiek, culturele kenmerken... Waarom plegen jongeren toch zoveel misdaden?'

Wessel keek wat fronsend neer op het hoofd met de weerbarstige rode krullen, dat zich weer tot het scherm gewend had. 'Zoek maar, je zult ze vinden. Elk motief voor een misdaad kan gezocht worden in een van de zeven doodzonden: hoogmoed, afgunst, woede, luiheid, hebzucht, gulzigheid of lust. Of een combinatie van bovenstaande en jongeren moeten zich afzetten, ze moeten zich bewijzen. We accepteren niet meer dat geweld en regelovertreding ook menselijk is. Vooral onder jongens.'

'Ja, dat zal wel. Dat lossen we toch op met sport en televisie? En sommige doodzonden zijn toch minder van belang tegenwoordig? Luiheid bijvoorbeeld, wie heeft het daar nog over?'

Wessel nam tegenover haar plaats. 'We hebben commissie- en omissiedelicten, weet je nog? Bij commissie heb je wat gedaan, iemand doodgestoken of zo, of opgelicht. Maar bij omissie heb je iets nagelaten te doen. Een goede veiligheidsregeling bijvoorbeeld, of bescherming van de zwakken. Dat zou heel goed uit luiheid kunnen zijn. Zo kun je bijvoorbeeld dieren geen voedsel geven, waardoor ze doodgaan. Dat is een omissiedelict en dat kan heel goed luiheid zijn. Als je maar goed zoekt, vind je altijd wel een van de doodzonden. Fiat justitia et pereat mundus: het recht moet zijn loop hebben, al vergaat de wereld erbij.'

'Ja, misschien wel,' zei Sigrid. Ze probeerde iets te verzinnen wat dit zou tegenspreken.

'Vertel me eens Sigrid, wat zijn je hobby's?'

Sigrid schrok op uit haar gepeins en keek Wessel licht verward aan. 'Wat zeg je nu, hobby's?'

'Ja, je weet wel, die dingen die mensen doen als ze niet werken. Postzegels verzamelen, paardrijden, scubadiven, pingpongen, muziek, motorrijden, kerstkaarten maken.'

Sigrid was nog steeds in de war. Ze kleurde ervan. 'Uh, ik hou wel van lezen,' stamelde ze.

'Aha,' zei Wessel droog, 'dus je bent nu met je hobby bezig?'

'Ik begrijp niet helemaal waar je naartoe wilt,' zei Sigrid, die nu een beetje narrig werd door deze bemoeienis.

'Dan zal ik je dat eens haarfijn vertellen,' beloofde Wessel. 'Jij zit hier namelijk altijd. Ik ben blij met je, echt. Je bent een uitstekend rechercheur. Je bent leergierig, slim, nuchter, doortastend en een harde werker. Je hebt ongetwijfeld een veelbelovende carrière voor je. Maar. Je bent 31? 32?'

'33,' zei Sigrid.

'33,' herhaalde Wessel. 'Geen man, geen kinderen, geen hobby's. Weet je hoe oud ik ben? 57. En weet je hoe snel dat gaat, 57 worden? Dat duurt een dag of drie. Je suis dans un âge où l'on ne lit plus, mais où l'on relit les anciens ouvrages.'

'Je leest niet meer, bedoel je?' Sigrid keek weer verward.

'Ik herlees nog slechts en wel de oude boeken, dat zei ik. Maar ik wilde iets anders zeggen: zeer binnenkort kijk jij in de spiegel en zie je een zure oude vrijgezel, die niets heeft gedaan dan werken.'

Sigrid kleurde. Daar baalde ze van, maar ze voelde zich op een of andere manier ook gevleid. Wessel bekommerde zich om haar en ze had Wessel hoog zitten. Als chef, als collega, maar ook als mens. Ze kromp een beetje ineen en voelde opeens haar ogen branden.

Wessel stond op. 'Sigrid, ga naar huis. Vang eens een vent in plaats van een boef. Of bel een vriendin en spreek wat af in de kroeg. Koop wat leuks voor jezelf en eet eens wat.' Dat laatste zei hij met een knik naar haar buik. 'En onthoud: voor je het weet, ben je vijftien jaar dood en weet niemand meer wie je was.'

Nu schoot Sigrid in de lach. Wessel glimlachte terug. 'Wijze oudemannenpraat, maar goed bedoeld,' zei hij.

'Weet ik Wessel en ik waardeer het wel,' zei Sigrid ontroerd.

Wessel liep naar de deur. Voor hij de kamer uit ging draaide hij zich nog een keer om. 'Zeg, jij rookte toch ook vroeger?'

'Ja?' antwoordde Sigrid verbaasd.

'En kun je er nog steeds afblijven?'

'Zonder moeite.'

Wessel zuchtte en liep de kamer uit.

Sigrid besloot Wessels raad ter harte te nemen. Ze pakte haar tas en jas en fietste naar huis. Heel langzaam. Ze nam een route die ze normaal nooit fietste en nam alles in zich op. Voortuintjes, gevels, gordijnen... Hoe leefden mensen, vroeg ze zich af. Thuis keek ze haar huis rond met dezelfde blik, alsof ze een bezoeker was. Wat een armoede, mompelde ze. De bank, behoorlijk beeldbepalend voor de inrichting van haar woonkamer, zag er niet uit met die oude grand foulard erover heen. Zoiets zou je bij Erik waarschijnlijk niet aantreffen. Erik, Erik? Wat was dit nu weer voor rare gedachte. Van Erik moest ze nu niet uitgaan. Ze moest zelf bepalen wat ze wilde en ze wilde orde op zaken. De keuken was een bende, de slaapkamer ongezellig, de woonkamer te rommelig en onpersoonlijk. Ze trok haar klerenkast open en bekeek wat er hing en lag. Truitjes die ze al jaren niet meer droeg, versleten broeken, verkleurde T-shirts... Ze moest er eens grondig doorheen. Door alles. Maar dit was het begin. Ze belde Yvette, haar strengste vriendin. Die zou haar het best kunnen helpen met haar grote Opruimplan.

10

Maartje kende Tijmen al vanaf de basisschool en Tijmen had een gebroken arm opgelopen tijdens een partijtje hockey. Een stick van een
tegenstander had zijn ellepijp gebroken en dat was vervelend, het
deed pijn, maar zo ging het nu eenmaal soms. Tijmen was sportief,
'kan gebeuren' en was op eigen kracht het veld afgekomen. Later
had de veroorzaker een bos bloemen thuis laten bezorgen. Met een
arm in het gips bewoog hij zich nu door het leven. Zoals dat hoorde,
stonden er al veel handtekeningen en aanmoedigingen op. Na twee
weken was hij er wat aan gewend en hoefde hij niet overal meer te
worden geholpen. Het was lastig, maar veel meer ook niet. Hij zou
een mitella moeten dragen, maar dat deed hij niet altijd. Maartje zei
dat steeds tegen hem, maar hij luisterde niet, eigenwijze vent.

Ze waren naar de hockeyclub aan het Kalverdijkje geweest. Hun
club was kampioen geworden, zonder Tijmen en dat was toch reden voor een feest. Er was bier gedronken, ook door Maartje maar
ze voelde zich niet dronken. Ze fietsten naar het huis van Tijmens
ouders in de Fonteinstraat. Het was bijna half drie. De kortste route
liep door de Oude Kerkstraat en daar hief Tijmen het clublied aan.
Dat klonk hem goed in de oren, weerkaatsend tegen de huizen. 'Sst,'
siste Maartje, maar moest er ook om lachen. Het klonk belachelijk,
hij kon echt niet zingen.

Ter hoogte van het Keramiekmuseum stond een groep jongeren
op straat. Wat ze daar deden, kon Maartje niet goed zien, maar ze
versperden de weg. Vrolijk bediende Tijmen zijn fietsbel met zijn
goede arm en hield in. Maar de jongeren maakten geen plaats. Ze
gingen juist nog meer in de weg staan. Door het bier en zijn gebroken arm kon Tijmen niet zo goed remmen en kwam hij half vallend
tot stilstand, vlak voor een van de jongens.

'Sorry, gozer, maar ga dan ook opzij!' riep Tijmen, die nog steeds een goed humeur had.

'Tijmen!' riep Maartje, die opeens bang klonk.

'Kan je niet uitkijken, droogneuker!' riep de bijna aangereden jongen agressief.

'Je hoorde mij toch bellen, gek!' antwoordde Tijmen. Het klonk geaffecteerd.

'Tijmen, laten we doorrijden,' zei Maartje en trok aan zijn goeie arm, maar Tijmen bewoog zich niet.

'Ga eens dood, man!' riep de jongen. De anderen uit de groep kwamen nu om het tweetal heen staan. Maartje trok nog eens.

'Ik wil er alleen maar door, verder niets. Ik hoef geen ruzie met jullie.' Tijmen klonk rustig en niet bang.

'Krijg de kippengriep, ik zal je eens in elkaar rammen, klootzak,' was het antwoord. De jongen kwam een beetje dichterbij staan. Maartje kon zijn adem ruiken. Het was onaangenaam en angstig.

'We gaan verder, Tijmen,' zei Maartje en probeerde om de groep heen te komen. Een van de andere jongens gaf haar een duw en ze viel over haar fiets heen.

'Godverdomme!' riep Tijmen en wilde zijn vriendin te hulp springen. Maar de fiets en zijn gipsen arm maakten het hem moeilijk. Zijn fiets viel en toen hij naar de andere jongen toe wilde lopen, kreeg hij een duw van een ander. Hij verloor zijn evenwicht en viel op de klinkers. Dat was het sein voor de anderen, die ineens en zonder aanleiding systematisch op Tijmen in begonnen te trappen. Tijmen voelde het gips breken. Hij kreeg een schop tegen zijn neus en gilde het uit. Dat leek de jongens alleen maar aan te moedigen.

'Dood! Dood!' riepen de jongens nu en trapten Tijmen waar ze hem konden raken.

'OPHOUDEN!' gilde Maartje, die weer was opgestaan. 'STOPPEN NU, KAPPEN! STELLETJE KLOOTZAKKEN!' Ze krijste zo hard dat het pijn deed aan haar oren. Op het nabijgelegen Oldenhoveplein liepen twee mensen, die kwamen kijken wat er aan de hand was.

Tijmen lag op de grond en bewoog niet meer. Een van de jongens boog zich voorover en had iets in zijn hand. Hij pakte Tijmens haar en trok zijn hoofd achterover. Toen stak hij een hobbymes in de mond van Tijmen en roerde het hard in het rond. Tijmen kreunde, begon te hoesten en probeerde te krijsen tegelijk. Hij spuugde bloed.

'POLITIE!' riep Maartje nu op volle sterkte. Ze had een weinig aangename stem, zeker zo midden in de nacht, weerkaatsend tegen de donkere gevels. Er kwam iemand aanlopen, die 'ophouden!' begon te roepen. Een ander pakte zijn mobiel om 112 te bellen. De jongens stopten net zo snel als ze waren begonnen en renden weg. Tijmen lag op de grond in nog meer bloed. Maartje knielde bij hem neer en nam zijn hoofd in haar armen. Hij bloedde uit zijn mond, zijn neus en uit een scheur boven zijn ogen.

'Help me, help ons nou toch' riep Maartje en begon te huilen, terwijl Tijmen slap in haar armen lag te bloeden en af en toe schokkende bewegingen maakte.

Maartje hoorde de drietonige hoorn in de verte dichterbij komen en daarna nog een sirene. Tweetonig nu. Iemand vroeg haar wat er gebeurd was en ze vertelde dat ze zomaar, zonder enige aanleiding in elkaar waren geslagen. Ze keek op en zag politiemannen staan, in geelgekleurde jassen bogen zij zich over haar heen.

'Waar zijn ze gebleven?' wilden de agenten weten.

'Alle kanten op,' zei Maartje hulpeloos. De agent pakte zijn portofoon om dit door te geven aan andere collega's. Die werden opgeroepen uit te kijken naar de geweldplegers. De stem van de meldkamer schalde door de stille straat. De ambulancebroeders ontfermden zich over Tijmen en zagen dat het gips van zijn arm was gebroken.

'Je moet ook niet weer vechten, jongeman, als je net je arm hebt gebroken.'

'Zijn mond, zijn mond!' gilde Maartje en trok aan de mouw van de broeder. Die rukte zich los.

'Hij is niet begonnen,' snikte Maartje, 'zij hebben hem in zijn mond gestoken en die arm komt van het hockey.'

'Ah, op die manier,' zei de broeder en ging door met het uitpakken van materiaal om het bloeden van Tijmen te stelpen. Hij pakte het hoofd van Tijmen en opende zijn mond. Met een zaklampje scheen hij naar binnen.

'Godverdomme!' riep hij, 'Wim! Steriel gaas, nu!' Hij begon de mond van Tijmen vol te proppen met verbandgaas en riep een keer om meer. 'We moeten rijden, zo snel mogelijk, Christus! Er moet een spoedchirurgenteam komen, nu. Code rood, bel door!'

Hij ging door met gaas naar binnen proppen. Toen hij daarmee klaar was, werd Tijmen van straat geschept en op een brancard gelegd. Snel schoven ze hem in de ambulance.

'Go, go, go!' riep de paramedicus naar zijn collega en wilde de deur sluiten.

'Ik wil mee!' Maartje huilde. Ze zat onder het bloed en zag eruit als Carrie nadat de emmer varkensbloed over haar heen was gestort.

'Snel dan! Instappen!'

'We hebben nog wel een verklaring van jullie nodig,' riep een van de agenten.

'We gaan nu naar de spoedeisende hulp van het Medisch Centrum Leeuwarden,' zei de broeder met nadruk op de drie laatste woorden.

'Goed hoor,' zei de agent, 'dan komen we daar zo wel naartoe.'

Maartje mocht op een stoeltje naast Tijmen zitten. De broeder had verband om zijn hoofd gedaan en daarin kwamen rode vlekken. Met de sirene aan werden ze naar het MCL gereden. Onderweg belde Maartje de vader van Tijmen. Ze kon het nummer bijna niet intikken, zo trilde ze.

'Wat nu weer,' vroeg de vader stuurs. Maar toen Maartje hard begon te huilen, bond hij in. 'Waar gaan jullie naartoe?'

'MCL,' ze kon niets meer zeggen.

'Goed, ik kom eraan. Moet ik je moeder ook ophalen?'

'Nee,' kon ze uitbrengen en ze verbrak de verbinding.

11

'Hetzelfde verhaal,' zei Erik tegen Wessel.

'Wat?'

'Kijk maar hier, jongen en meisje fietsen door de Grote Kerk-straat, jongen wordt gepakt door een groep jongeren. En die jongen wordt echt vreselijk mishandeld. Lees de verklaring maar.'

'Ja, niet leuk, maar wat wil je daarmee zeggen?' Wessel pakte het dossier en bladerde erin.

'Heb je gezien wat ze daarna met hem deden?' Erik wees naar een van de laatste pagina's.

'Zover was ik nog niet, wat dan?'

'Toen staken ze hem een vlijmscherp stanleymes in zijn mond en trokken dat rond. Zijn tong is in tweeën, er zijn diepe sneeën in zijn gehemelte en ze hebben door zijn wang gesneden.'

'Dat is pure boosaardigheid!' zei Wessel. Hij sloeg de pagina op en las het verhaal.

'Ik denk dat het dezelfde jongens zijn.' Erik voelde zich een beet-je wee, toen hij zich voorstelde wat Tijmen gevoeld zou moeten hebben. 'Ik geloof niet in die afrekening van Paolo.'

'Hm,' bromde Wessel, 'ik denk dat hij gewoon het slachtoffer werd van een stel rotjongens. Heel zieke, heel sadistische dat wel, maar wel etterbakjes. Een geval van op het verkeerde moment op de verkeerde plaats zijn. Een confrontatie met elkaar en dan een gevecht, dat slecht afliep voor dit slachtoffer.'

'Een mes in iemands mond steken gaat wel erg ver,' zei Erik.

'Jawel, zeker mee eens, maar ken je het filmpje nog van die mis-handeling op het Ruiterskwartier? Die jongen deed ook niets. Hij haalde de jackpot uit een automaat, waar de verdachte eerder op had gespeeld. Dat was alles. Je hebt zelf gezien hoe hij bijna werd doodgeschopt. Ik kijk er niet meer van op, hoe gruwelijk ook.'

'Deze kinderen hebben verklaard dat er jongens bij waren die passen op onze eerdere verdachten, die straatrovers en zo. Het is niet sterk, maar het kan wel. Ik wil met het meisje nog een uitgebreide foto-Oslo-confrontatie doen. Misschien dat ze een van onze vrienden herkent in het archief. Je weet het niet. Heb je nog iets van je Rotterdamse vrienden gehoord?'

'Nee, niets,' zei Wessel. 'Maar vertel me je theorie nog eens?'

'Ik denk dat we te maken hebben met een en dezelfde groep, die dit soort dingen aan het doen is.'

'Is die jongen van vannacht beroofd?' vroeg Wessel streng.

'Nee, hij is geslagen en vooral geschopt en opengehaald.'

'Hadden ze eerst ruzie met elkaar?'

'Ja, een soort confrontatie met schelden over en weer, maar…'

'Maar mijn beste Erik, dit is toch een heel andere modus operandus? Dit is geen straatroof, maar een uit de hand gelopen ruzie of confrontatie. Je zegt het zelf. Daarvan hebben we er elk weekend tientallen. Van mij mag je de zaken naast elkaar leggen en voor mijn part doe je een foto-Oslo, maar je hebt niet echt een goede aanwijzing gegeven waarom deze zaken gekoppeld zouden zijn. Dit is meer een zaakje voor het crimeteam. Daar gaan wij toch niet op rechercheren, mag ik hopen?'

'Toch denk ik dat we met een hele gevaarlijke bende van doen hebben en dat mes in de mond vind ik erg zorgelijk.'

'Dat vind ik ook. Maar helaas zien we dat wel meer tegenwoordig, kan ook met die mba te maken hebben. Daar worden ze helemaal gek van. Heb je daaraan gedacht? Ik geloof niet dat deze zaak door diezelfde bende is gepleegd.'

'Er zou toch een taskforce Straatroven komen, daar heb ik ook nooit meer wat van gehoord.'

'Ja, heb ik besproken in het managementteam, maar er zijn andere prioriteiten op dit moment.'

'Mag ik hiermee verder? En mag ik Sigrid daarvoor hebben?'

'Wat heb je op dit moment omhanden?'

'Voornamelijk schriftelijk werk.'

'Nou goed, doe maar dan, maar ik wil niet dat je doorlooptijden gaat overschrijden. We hebben nog 800 plankzaken, dus we hebben meer dan genoeg te doen.'

'Ja, baas, maar dit is ernstig. Als ik gelijk heb, zijn het moordenaars.'

'Aut non temptaris aut perfice,' zei Wessel.

'Volgens mij was ik ziek toen we spreuken en gezegdes in het Latijn kregen,' Erik keek getroffen.

'Begin er niet aan, of maak het af. Toe maar dan en rapporteer aan mij,' antwoordde Wessel, Erik knikte en liep de kamer uit.

Erik bracht een bezoek aan de infodesk, hij had een verzoek tot analyse van de straatroven van het afgelopen jaar ingediend. George had een rapport gemaakt met daarin tijden, slachtoffergegevens, plaatsen, buit, frequentie en zo verder. Dat was allemaal heel leuk, dacht Erik, maar dat levert geen aanwijzingen op waar te zoeken naar de daders. Hij ging met het rapport bij George aan het bureau zitten.

'Hoeveel berovingen hebben we waar de getuigen of slachtoffers spreken van een groep overvallers?'

'Van de 114?'

'Ja.'

'Even kijken.' George toetste wat in op de computer, 'meer dan 89 en in de andere gevallen wordt er gesproken van een man alleen of van twee man.'

'Ik zie dat de meeste berovingen plaatsvinden in de binnenstad. Zowel overdag als gedurende de nacht. Geen specifieke plekken?'

'Ja, ik heb gekeken naar de pinautomaten, zie je, die staan daar ingetekend op het kaartje. Maar dat is niet significant.'

'Hè?'

'Ik bedoel dat de straatrovers niet specifiek rond de flappentap optreden.'

'Oh. Er zijn meer pinautomaten dan ik dacht in de stad, maar wel veel aan de kant tussen het station en het Wilhelminaplein.'

'Ja, logisch, daar zitten de banken allemaal.'

'Heb jij nog getuigenverklaringen zitten lezen?'

'Ja, en ik heb er een paar waar veel info in zit. Hier is het lijstje met dossiernummers.'

'Dank, ik zal ze eens uitdraaien.'

12

Erik zocht alle dossiers op die George hem had gegeven en draaide de getuigenverklaringen uit. Met een potlood in de hand liep hij ze allemaal door. De meeste leverden niet veel op. Vage beschrijvingen, die op iedereen konden slaan. Er werd wel vaak gezegd dat het om een groep jongeren ging, zowel jongens als meisjes. Hij wilde net de stapel papier opbergen, toen zijn oog op een opmerking viel in een proces verbaal. Een van de collega's had een paar weken terug een jongen gehoord van twaalf jaar oud, Friso van der Broek:

'Ik was onderweg naar huis. Onderweg bij het bruggetje, U vraagt mij of dat het bruggetje over de Potmarge was, dat was dat bruggetje, kwam ik een groepje jongens tegen. U vraagt mij hoe laat het was? Het zal denk ik na 16:00 uur zijn geweest. Ik heb geen horloge, maar de school is uit om 16:00 uur. Die jongens pakten mijn tas af en gooiden die in het water. Ik had hen geen toestemming gegeven om mijn tas af te pakken. Die tas was mijn eigendom en daar zaten mijn schoolspullen in. Toen ik er wat van zei, heeft de grootste jongen mij gestompt en hij liet ook een mes zien. Het was een mes met een klein blad, zoals mijn vader ook heeft in zijn gereedschapkist. U vraagt me of het slaan met gebalde of de vlakke hand gebeurde. Het gebeurde met de gebalde hand. Ik voelde veel pijn aan mijn gezicht en had een bloedneus. Ik heb mij niet onder behandeling van een dokter gesteld. Ik kende de jongen niet en had hem ook nooit eerder gezien. Maar ik kende die andere jongen wel. Die zit bij mijn broer op school.'

Erik onderstreepte de laatste zin. Hij draaide het hele dossier uit. Uit niets bleek dat die ene jongen was gevonden of gehoord. Hij las het loopverbaal en alle andere verklaringen, maar vond niets waar dat uit bleek. Hij keek naar de namen van de verbalisanten. Foppe Vreeswijk en Rob van Wijk, beide leden van het crimeteam. Hij kende ze wel. Met het dossier in de hand liep hij naar de crimeteamkamer en stak zijn hoofd om de hoek.

'Foppe of Rob binnen?'

'Foppe is vrij, Rob is aan het horen.'

'Aha, is hij net begonnen? Waar zit hij?'

'Hij is al bezig. Hoorkamer drie.'

'Mooi, bedankt.' Erik overwoog of hij zou wachten of hem zou storen. Hij besloot toch om de hoek te loeren. Rob was net afscheid aan het nemen van een getuige.

'Rob, een vraag.' De collega keek hem verschrikt aan. Erik herinnerde zich dat hij al eens een intern onderzoek aan de broek had gehad. Hij wist alleen niet meer precies waarom dat ging.

'Jij hebt indertijd samen met Foppe een onderzoek gedaan naar een jongen die op de brug over de Potmarge geslagen was en van wie de tas was gestolen.'

'Dat zou kunnen,' zei Rob. Hij klonk erg behoedzaam.

'Ja, kijk, deze zaak,' zei Erik en gaf hem een paar pagina's uit het dossier.

'Ja, dat moet dan wel. Mijn naam staat erboven. Wat is ermee?'

'Jullie hebben toen het slachtoffertje gehoord, hier, een jongen van twaalf. Friso van der Broek.'

'Ik zag het ja, maar het staat me niet meer helder voor de geest.'

'Ja, ja, punt is dat die Friso hier zegt dat hij een van zijn belagers kent. Via zijn broertje. Ik heb het hele dossier doorgespit, maar ik vind daar verder helemaal niets van terug. Bovendien heeft hij het over een soort hobbymes, dat zou wel passen bij de zaak die we nu omhanden hebben.'

'Is dat zo?' zei Rob. Hij zag er erg onnozel uit, vond Erik.

'Ja, dat is zo,' sprak Erik scherp. 'Mij lijkt het een belangrijke aanwijzing, die je graag opvolgt. Vind je ook niet?'

'Ja, misschien wel. Maar ik weet wel dat het toen heel erg druk was. Misschien heeft Foppe het gedaan?'

'Misschien, maar het is niet in het dossier terecht gekomen.'

'Ja, dan weet ik het ook niet,' Rob trok zijn schouders op tot naast zijn oren. Erik keek naar hem, besloot dat deze man hem niet verder zou helpen en verliet zonder groeten de hoorkamer. Hij nam zich voor hier eens met de chef van het crimeteam over te spreken. Volgende stop: Sigrid. Erik vertelde haar wat hij te weten was gekomen.

'En ik zou je graag in het onderzoek willen laten meedoen, als je daar tijd voor hebt.'

'Tja, eigenlijk had ik nog een paar plankzaken om af te werken,' Sigrid keek hoopvol naar haar collega op, 'maar als Wessel het goed vindt. Ik neem maar aan dat je het er met hem over hebt gehad?'

'Uiteraard!' zei Erik.

'In dat geval graag, want die inbraakjes en fietsendiefstallen heb ik wel gehad…'

'Dat dacht ik. Team van Houten en de Wilde rides again! Zullen we die jongeman eens gaan opzoeken?' zei hij.

'Strak plan,' vond Sigrid.

Erik ging de autosleutels halen.

Friso van der Broek woonde met zijn moeder aan de Insulindestraat, tegenover het Cambuurstadion. Er deed een vrouw open, toen Erik en Sigrid op de bel drukten. Ze leek rond de veertig te zijn en zag er moe en afgeleefd uit. Op haar arm had ze een baby en in de andere hand een sigaret. Er dreef een geur van luiers en kapucijners uit de woning, die voor de deur werd gemengd met de tabaksrook uit de mond van de vrouw. Erik liet zijn legitimatie zien, stelde Sigrid voor en vroeg of Friso van der Broek te spreken was.

'Friso?' vroeg de vrouw.

'Ja, Friso van der Broek, woont hij hier, bent u zijn moeder?'

'Ja, helaas wel. Maar hij is er niet.'

'Weet u waar hij is, mevrouw Van der Broek?'

'Ik heet Wolters, geen Van der Broek,' snauwde ze.

'Mijn excuses, mevrouw, maar weet u waar Friso is?'

'Ja, daar!' zei ze en wees in de richting van het Cambuurplein. 'Daarzo hangen ze altijd uit.'

'Kunt u iets preciezer zijn, misschien?'

'Weet ik veel, rond het stadion of in de winkels, geen idee. Niet bij de Super, daar worden ze altijd weggestuurd, maar ze zwerven daar altijd rond. Ga daar maar kijken.'

'U bedoelt de Jumbo?'

'Ja, vroeger was het een Super de Boer. Zo heet hij hier nog steeds, ja,' ze snauwde. Dat moesten ze toch begrijpen.

'We weten niet hoe hij eruit ziet. Heeft u misschien een foto van hem?'

'Een foto, wie denk je wel wie we zijn? Een foto?'

'Ja, we hoeven hem niet te hebben, maar alleen maar om hem zo te herkennen.'

'Nou goed, er hangt er hier een waar hij opstaat. Wacht effe.' Ze liep weer naar binnen en deed de deur achter zich dicht. Erik en Sigrid keken elkaar aan. Kwam ze nog terug? Net toen Erik weer wilde aanbellen, werd de deur opengetrokken. Mevrouw Wolters was terug, zonder baby dit keer, maar met een foto. Daar stond een vrolijk lachend ventje op, met bijna wit haar en heldere blauwe ogen. Erik keek nog eens naar de moeder. Die had donkere krullen en bruine ogen.

'Dank u wel, wij gaan hem zoeken. Als we hem niet kunnen vinden, komen we weer terug.'

'Moeten jullie weten. Maar wacht eens?'

'Ja?' zei Erik die al weer op de stoep stond.

'Wat heeft dat rotjong nu weer gedaan?'

'Helemaal niets, mevrouw, hij heeft iets gezien, daar kan hij ons mee helpen.'

'Hij zit dus niet weer in de shit?'

'Voor zover wij weten niet, mevrouw.'

'Dat zal dan wel.' Ze sloeg de deur dicht.

Erik en Sigrid zochten het plein af en spraken alle kinderen aan die ze tegenkwamen. Maar Friso vonden ze niet. Ze keerden terug naar de woning. Op hun bellen deed dit keer een man open. Hij was groot, Erik moest naar hem opkijken en hij was zwart.

'Wat moet jij?' vroeg de man.

'We willen graag met Friso spreken, met uw goedvinden.' Erik deed een stap achteruit.

'Misschien hebben we daar helemaal geen zin in? Hebben jullie daarstraks mijn wijf ook al lastig gevallen?'

'Wij zijn hier wel geweest, maar we hebben niemand lastig gevallen hoor,' sprak Sigrid nu vriendelijk. 'Wij willen graag met Friso van der Broek spreken.'

'Vandaag niet,' zei de man en wilde de deur weer sluiten. Erik deed een stap naar voren en zette zijn voet tussen de deur. Hij pakte de man bij de hals van zijn T-shirt en trok hem hard omlaag. Het hoofd van de man sloeg tegen de deurpost.

'Luister vriend, dit kan goedschiks, maar het kan ook kwaadschiks. Je gaat nu Friso halen, anders ga ik nu weg en kom terug met een last. En als ik een last heb, gaat deze hele tent op zijn kop en jij erbij. Begrepen? En als je een klacht hebt, moet je deze naam heel goed onthouden: VAN HOUTEN!' De man, die plotseling werd losgelaten, wankelde een stap naar achteren. Het leek er even op dat hij Erik wilde aanvallen, maar hij gaf zijn verzet op toen Erik dreigend naar hem bleef kijken. Hij trok de deur open, draaide zich om en brulde de naam van de jongen het trapgat in. Een minuut later kwam er een blondwitte jongen de trap afbolderen.

'Deze mensen willen met je praten. Gedraag je,' zei de reus en sjokte de kamer in. Friso blikte verschrikt naar de rechercheurs op.

'Rustig maar, Friso, je hebt niets gedaan. Je hebt iets gezien, daar willen we over praten,' zei Erik. De ogen van de jongen stonden nog erg schrikachtig. Erik keek naar Sigrid. Die wrong zich langs Erik heen de smalle gang in en knielde naast de jongen neer.

'Er is echt niets aan de hand, hoor. We willen met je praten, het duurt echt niet lang. Goed?' Friso knikte, het was nauwelijks zichtbaar. Hij begon zich wat te ontspannen. Hij liet de spijlen van de trap los, die hij als reddingsboeien had omkneld.

'Kunnen we ergens rustig gaan zitten?' vroeg Sigrid.

'Niet echt, volgens mij,' zei Erik.

'Hou je van kibbeling?' vroeg Sigrid aan de jongen. Die knikte. 'Dan weet ik wat, wij gaan een portie kibbeling eten en ondertussen praten we wat, goed?' Erik deed de deur naar de kamer open en maakte het plan bekend. Hij zei dat ze hem binnen een half uur zouden terugbrengen. De man en mevrouw Wolters waren aan het roken op de bank. Er stonden lege bierflessen om hen heen. De man wuifde wat slapjes en zei verder niets. Met Friso van der Broek tussen hen in liepen Sigrid en Erik naar het Cambuurplein, naar Annema's Vishandel.

'Drie porties van je beste kibbeling, Fokje,' riep Erik tegen een van de meisjes achter de toonbank. 'En wat drinken. Wat willen jullie hebben?'

'Icetea,' zei Friso.

'Rivella,' zei Sigrid.

'En een Cola Light voor mij, Fokje,' zei Erik. Ze gingen achterin de zaak zitten op de houten bankjes. Sigrid naast Friso en Erik ertegenover.

'Een paar weken geleden heb je met een politieman gesproken,' begon Erik toen de blikjes op tafel waren gezet. 'En toen heb je verteld dat je tas in het water is gegooid en dat je geslagen bent. Weet je dat nog?'

'Ja, maar ik had niets gedaan!'

'Dat weten we, maak je maar niet bezorgd.'

'Je hebt toen iets tegen de politieman gezegd en daar willen we het nog eens over hebben.'

'Ik krijg toch geen ruzie thuis, hè?'

'Nee, hoor, hoezo?'

'Toen ik thuiskwam, kreeg ik meteen op mijn donder en moest zonder eten naar mijn kamer!'

'Fuck,' zei Sigrid.

'En dat mes, daar zei je ook iets over.'

'Ze lieten het mij zien.' Hij haalde zijn schouders op.

'Wat voor een mes? Een broodmes?'

'Nee, een klein mes.'

'Een hobbymes?'

'Ik weet niet wat dat is.'

'Je zei dat je vader dat in zijn gereedschapskist had.'

'O ja, een stanleymes. Dat was het.'

'Maar ze hebben je niet gestoken of gesneden.'

Friso schudde zijn hoofd.

'Je zei tegen de politie dat je een van die jongens kende, die jou hebben geslagen.'

'Niet de jongen die mij heeft geslagen, maar die andere jongen. Die was groter en had zwart haar.'

'Die jongen die je kent, hoe heet hij?'

'Dat weet ik niet.'

'Maar je zei dat je hem kende?'

'Ik niet, mijn broer. Die zit bij hem op school.'

'Waar zit hij op school?'

'Piter Jelles.'

'Dat is nogal een grote school, hè? Waar zit hij?'

'Daar,' zei de jongen en wees naar het Cambuurstadion aan de overkant.

'Wat zit daar?' vroeg Sigrid aan Erik.

'Zit hij op Impulse aan de Archipelweg? Op de hoek bij de rotonde?' vroeg Erik, terwijl Fokje de plastic bakjes met kibbeling op tafel zette. Friso knikte.

'Kijk dan zijn we weer een stap verder. En waar is je broer nu?' Friso haalde zijn schouders op en viel aan op de gebakken brokjes vis.

'Wanneer heb jij voor het laatst gegeten?' vroeg Sigrid en weer haalde Friso zijn schouders op.

'Ik denk dat wij je thuis gaan brengen en dan je broer willen spreken. Hoe heet hij?'

'Alex.'

'En jij heet Friso, leuke namen. Hebben jullie nog een broertje dat Constantijn heet?'

'Nee.'

'Laat maar. Drink je icetea maar op, dan brengen we je weer naar huis. Maar je kunt ons wel helpen. Je moet aan je oudere broer vragen hoe die jongen heet, die je daar hebt gezien. Dan zijn we verder wel klaar. Is dat goed?' Friso knikte en propte zich nog snel vol met de overgebleven kibbeling. Voor de derde keer meldden Van Houten en De Wilde zich bij de woning aan de Insulindestraat. Friso rende naar binnen en deed de deur dicht.

'Staan we hier nu alweer te wachten?' zei Erik, maar het was geen vraag. Een paar minuten later stond er een andere jongen achter de deur. Die was een paar jaar ouder en leek helemaal niet op zijn broer.

'Ben jij Alex?' De jongen knikte.

'Heeft je broertje je gevraagd wat wij willen horen?' Weer knikte Alex.

'Je kent die jongen toch van school?' Voor de derde keer een knik. Ze hoorden roepen uit de woning. Ongeduld en irritatie klonken in die stem door. 'En hoe heet die jongen?'

'Martijn,' hij sprak eindelijk.

'Aha, we komen ergens. Martijn hoe?'

'Alleen Martijn, meer weet ik niet.' De deur naar de kamer ging open. Mevrouw Wolters kwam de gang in.

'Zijn jullie er al weer? Ik begin het aardig zat te worden. Wat is dat toch. Lex, naar je kamer jij en snel wat!' Alex wilde protesteren, maar zijn moeder hief haar arm al op, alsof ze hem een klap wilde geven. De jongen rende de trap op.

'We waren nog niet klaar, mevrouw.'

'Praat maar tegen mijn advocaat! Anker heet hij,' riep ze en sloeg de deur weer dicht. Erik wilde weer op de bel drukken, maar Sigrid hield hem tegen met een hand om zijn arm.

'Volgens mij moeten we ze maar met rust laten. We zijn niet erg populair hier. Morgenochtend gaan we naar die school. Hoeveel Martijns kunnen ze daar hebben?'

13 👁

Eriks telefoon ging en het was Wessel.

'We hebben hier iets waar je maar eens naar moet kijken,' zei Wessel. 'Waar ben je?'

'Op het Cambuurplein op dit moment. Waar moet ik naartoe komen?'

'Kom maar naar het bureau, ik praat je zo wel bij.' Erik en Sigrid reden zonder omwegen terug naar de Holstmeerweg en liepen samen naar de kamer van Wessel. Erik klopte en stak zijn hoofd om de deur.

'Erik, kom verder en is dat Sigrid? Laat die ook maar binnenkomen. We kregen een melding uit het ziekenhuis, er is een jonge vrouw binnengebracht. Halfnaakt gevonden in de Groene Ster, door een automobilist in een cabrio die haar bijna had overreden op weg naar de golfclub. Ze is er erg aan toe. Waarschijnlijk is ze verkracht en daarna uit de auto gezet. Ik heb de collega's er al heen gestuurd, met een zedenkit, maar misschien is dit ook interessant voor jullie.'

'Vertel maar,' zei Erik.

'Fraukje belde mij net, ze zei dat deze dame ten eerste praat en ten tweede misschien iets te maken heeft met de gewelddadige berovingen van de laatste tijd. Dus misschien moeten jullie ook eens gaan horen.'

'We zijn al weg, waar ligt ze?'

'Medisch Centrum Leeuwarden, maar waar weet ik niet. Bel anders Fraukje, die is er nog.'

Erik parkeerde de auto slechts een paar minuten later voor de hoofdingang van het MCL. Er stond wel een bordje bij dat je gehandicapt moest zijn om daar te mogen staan, maar Erik deed de zonneklep naar beneden. Daar stond het woord POLITIE op. Het was niet altijd afdoende, maar hij wilde graag snel met het slachtoffer spreken. Fraukje had de afdeling en het kamernummer al genoemd. Het meisje lag alleen in een kamer op de intensive care. Fraukje liep de gang op toen ze Erik en Sigrid zag verschijnen. Gedempt vertelde ze wat ze wist.

'Slachtoffer is ene "Marjoleine", ze is waarschijnlijk net vijftien geworden. We hebben nog geen papieren gevonden en ze wil niet zeggen hoe ze verder heet. Ze is heel erg bang. Ze is verkracht en met geweld, dat staat vast. Onderzoek heeft al plaatsgevonden. Het ging om een dubbele penetratie en waarschijnlijk door meer daders ook nog. Het was voor haar het eerste seksueel verkeer, dus ze is ook meteen ontmaagd. Ze heeft nu een licht roesje, slaapt soms een beetje, maar ze is af en toe wel bij. Ze vertrouwt mij wel. Niet veel, maar een beetje. Ik denk niet dat het goed is om nu mannen bij haar te laten. Daar is ze nu nog erg bang voor.' Fraukje keek Erik laatdunkend aan, als vertegenwoordiger van het abjecte menssoort.

'Waarom denk je dat ze iets met de straatroven en geweldplegingen van doen heeft?'

'Nou ja, ze zei dat in een halfslapende toestand. Ze is heel erg bang voor een jongen of man met de naam "Baran", dat konden we eruit opmaken, maar het kan ook wat anders zijn. Het was allemaal erg warrig, maar ik maakte eruit op dat zij, die Baran en nog een aantal anderen op straat hangen en mensen mishandelen en soms ook beroven. Toen heb ik Wessel gebeld. Misschien hebben zij ook iets met de verkrachting te maken.'

'Heb jij gedaan wat er nodig was?'

'Je bedoelt de kit en het onderzoek en zo? Ja, dat is allemaal gedaan. Haar kleding is ingenomen en de uitstrijkjes en swaps zijn allemaal gemaakt. We hebben het haar uitgekamd en haar nagels zijn uitgekrabd en onderzocht. Ze moet nu bijkomen en vooral uitrusten en wij gaan op zoek naar de ouders. Het is wel heel erg lastig dat we geen achternaam hebben. Misschien kunnen jullie, of beter gezegd

Sigrid, een poging wagen?'

'Misschien is het beter als jullie samen gaan,' suggereerde Erik. 'Ze kent jou nu en dat is misschien wat minder stressvol voor haar? Heb je nog tijd?' Dat had Fraukje en de vrouwen gingen samen de kamer weer in. Erik ging op zoek naar een automaat voor een kop koffie.

Het meisje lag als een angstig konijntje in het grote witte bed. Haar linkeroog was opgezwollen en begon blauw, zwart en groen te kleuren. Op haar voorhoofd was een snee gehecht en op haar linkerwang zaten allemaal schaafwondjes. Ze keek naar de twee rechercheurs die naast haar bed waren gaan staan.

'Hé, Marjoleine, ben je weer wakker? Ken je me nog, ik ben Fraukje, van de politie en dit is een collega, Sigrid.'

'Dag Marjoleine,' zei Sigrid. Het meisje zei niets. Ze keek alleen heen en weer naar de twee vrouwen. De een dun, de ander stevig. De damesuitvoering van Laurel en Hardy van de politie. Maar ze lachte niet. Sigrid ging naast het bed op een kruk zitten.

'Heb je pijn?' vroeg ze. Geen reactie, alleen maar kijken. 'We doen je niets, wij zijn van de politie, hoor. We willen heel graag met je heit en mem spreken. Die moeten toch ook weten dat je hier bent?' Marjoleine schudde nu zachtjes met haar hoofd.

'Maar je moeder moet het toch wel weten?' Marjoleine bewoog niet meer, ze leek het te overdenken. Ze mompelde wat.

'Wat zeg je, ik kan je niet verstaan?'

'Mamma,' zei Marjoleine zwakjes.

'Ja, meisje, hoe heet je moeder, dan zorgen we dat ze hier komt.' De ogen van het kind vulden zich met tranen. 'Zeg het maar, het komt goed, schatje,' zei Sigrid, 'we halen je moeder voor je op.'

'Marianne,' zei Marjoleine.

'Marianne hoe, schatje?'

'Marianne Bosma,' klonk het verstikt uit de kussens.

'En waar wonen jullie?' Een poosje weer niets, toen kwam er

zachtjes een adres vanuit het bed. Sigrid keek naar Fraukje, die had het opgeschreven en kwam overeind.

'Misschien kan Erik er achteraan gaan?' stelde Sigrid voor. Fraukje knikte. Ze liep de kamer uit, op zoek naar Erik. Sigrid wendde zich weer tot Marjoleine.

'Schatje, wat is er gebeurd, vertel Sigrid maar alles.' Het kind zweeg weer. Sigrid trok wat tissues uit een doosje naast het bed en depte de tranen.

'Bayram!' zei Marjoleine tenslotte.

'Ik snap het, meisje, Bayram, en wat heeft die gedaan.' Maar Marjoleine trok een muur op tussen haarzelf en de politievrouw. Ze was vast geschrokken van zichzelf dat ze die naam gezegd had.

'Bayram hoe? Wat is zijn achternaam en waar woont hij?' Sigrid zag dat ze haar schouders optrok.

'Zeg het maar?'

'Weet niet.'

'Wat weet je niet?'

'Weet niet hoe hij verder heet,' klonk het zachtjes en opnieuw druppelden er dikke tranen uit haar ooghoeken. Sigrid depte deze ook. Ze bleef twee uur naast het bed van Marjoleine zitten. Om de zoveel tijd kwam een verpleegster het meisje controleren. Af en toe viel Marjoleine in slaap en dan wachtte Sigrid tot ze haar ogen weer opendeed. En als ze dat deed, dan ging ze door waar ze gebleven waren. Stukje bij beetje kreeg ze zo een beeld van wat er allemaal was gebeurd. Ze maakte wat aantekeningen in het rode notitieboekje dat ze altijd bij zich had. Beiden schrokken ze toen een hysterische vrouw de kamer kwam binnenstormen. Ze wierp zich op het kind in het bed en krijste onverstaanbare kreten. Sigrid was verbouwereerd door deze invasie. Fraukje kwam erachteraan en trok haar schouders op.

'De moeder,' zei ze eenvoudig. Sigrid knikte, stond op en liep samen met Fraukje naar de gang.

'Waar is Erik?' vroeg ze.

'Weer koffie halen.'

'Waar hebben jullie dit gevaarte gevonden?'

'Ja, ze is goed dik, de deur van de auto ging bijna niet dicht. Ze was niet thuis en de buren wilden niets zeggen. Dat was erg lastig. Maar uiteindelijk kwam er iemand met een beetje bruikbare info toen we vertelden dat Marjoleine in het ziekenhuis lag.'

'Waar was ze?'

'Ze werkt wat op de Weaze.'

'Wat, in de hoerenbuurt, zij?'

'Ja, er zijn mannen die dat fijn vinden.'

'Allemachtig.'

'Ik werk al langer bij zeden, ik kijk er niet meer van op.'

'Nou ja, ze is er in ieder geval. Dat is al heel wat,' zei Sigrid. Erik kwam aanlopen met een driehoekje met daarin bekertjes koffie. Hij gaf Fraukje en Sigrid er een en nam er zelf ook een. Er bleef er een over. Die nam Fraukje mee naar binnen voor de moeder.

'Vertel eens wat je te weten bent gekomen,' vroeg hij aan Sigrid.

'Een verward verhaal, maar ik zal proberen het te reconstrueren. Marjoleine hangt wat rond met een groep uit de stad. Er is nog een meisje bij, die is ouder dan zij. Melany heet ze. Achternaam wist ze niet en een stuk of tien jongens. Het aantal varieert. Bayram, een Turkse man – achternaam weet ze niet – is de belangrijkste. Die is de leider van de bende. Hij is rond de dertig, hebben we samen vastgesteld, maar het is gokken. Laten we zeggen ouder dan 27, maar jonger dan 32. Ze is heel bang voor hem.'

'En de verkrachting?'

'Kom ik zo op. Ze komen af en toe samen in een garagebox onder een flat.'

'Waar?'

'Dat wist ze niet precies. Ik heb geprobeerd een beschrijving te krijgen, maar dan komen we uit op de Annie Westlandflat.'

'Die is gesloopt.'

'Ja, weet ik. Maar wel daar ergens in de buurt, denk ik.'

'Best en toen?'

'Gisteravond waren ze daar ook. Bayram was er ook, plus nog een stel anderen. Melany was er niet. Zij was het enige meisje.'

'Weet ze hoe die anderen heten?'

'Dat wilde ze niet zeggen, ze had al spijt dat ze de naam van Bayram had genoemd. Ze noemde nog wel een andere naam: Hensley. Ook daar is ze heel erg bang voor. In de kelder werden drugs gebruikt en ze dronken alcohol. Ze had zelf ook gedronken, Breezers en Flügels. Ze was aangeschoten, zei ze, maar niet echt heel dronken. Maar de anderen wel.'

'Had ze zelf ook drugs gebruikt?'

'Nee, ze zegt van niet. Maar ik schat zo in dat ze wel iets heeft gekregen.'

'Wat, denk je?'

'Mba denk ik, ze had suiker geproefd, zei ze.'

'Testen we haar daar op?'

'Ja, er zijn monsters genomen, ook van haar bloed. Maar als ze mba heeft gehad, is het nu niet meer aan te tonen.'

'Goed en verder?'

'Ze vertelde dat ze toen betast werd door Hensley. Die wilde met haar zoenen en dat wilde ze niet. Ze vond dat hij niet lekker rook.'

'Betast? Zei ze dat?'

'Nee, uh, ja, "hij zat aan me", zei ze, "maar hij stonk!" Hensley werd kennelijk van haar afgetrokken en toen werd zijn plaats ingenomen door Bayram. Die heeft haar kleren stukgetrokken en haar verkracht. Ze weet er niet veel meer van, maar ik schat dat ze een paar uur met haar bezig zijn geweest. Van Fraukje heb ik begrepen dat er sigaretten op haar zijn uitgedrukt.'

'De klootzakken!'

'Ja. Ze is ook vastgebonden geweest. Dat zei ze en er zijn ook striemen op haar polsen te zien. Waarschijnlijk zijn ze allemaal hun gang gegaan.'

Het greep Erik aan, zag Sigrid. Hij draaide zich half van haar af en keek naar iets in de verte. Ze wist niet goed wat ze moest doen. Na een korte stilte schraapte Erik zijn keel en keek haar weer aan.

'Hoe is ze in de Groene Ster terecht gekomen?' vroeg hij.

Sigrid aarzelde. 'Toen ze klaar waren, hebben ze haar achterin een auto geladen en gewoon ergens naar buiten geschopt,' zei ze zacht.

'Fijne jongens,' zei Erik. 'En zei ze nog iets over straatroven?'

'Ja, ik begreep uit haar uitspraken dat Bayram, Hensley en wat anderen ook straatroven plegen.'

'Heb je onze Martijn nog genoemd?'

'Nee, nog niet aan toegekomen. Toen kwam dat monster binnen.'

'De moeder?'

'Ja.'

'Ik denk dat we een politietekenaar moeten hebben en dat we maar eens op zoek moeten gaan naar die kelderbox. Het zou ook wel leuk zijn als we haar verklaring op papier hebben met handtekening en al.'

'Is goed, ik zal zo ook met de moeder praten en een verklaring van haar opnemen. Heeft ze onderweg nog wat gezegd?'

'Dat weet ik niet, Fraukje heeft haar opgehaald. Misschien weet zij wat meer.' Op dat moment kwam Fraukje de kamer van Marjoleine uit.

'En?' vroeg Erik.

'Die zeggen niets meer.'

'Hoezo?'

'Mamma bezweert op dit moment haar kind de lipjes stijf op elkaar te houden. Ze mag niets zeggen, niet eens met ons praten!'

'Haal haar daar weg dan!' Erik wilde naar binnen lopen.

'Het is te laat nu. Bovendien, ze is de moeder van het kind, die kun je niet weghouden. Ze is nog minderjarig, hè.'

'Ik probeer het nog wel even,' zei Sigrid.

'Goed,' zei Erik, 'dan rijd ik met Fraukje vast terug naar het bureau.'

Sigrid liep terug naar de kamer van Marjoleine. Ze was kennelijk in slaap gevallen, haar ogen waren dicht en ze ademde rustiger dan ze daarvoor had gedaan. Naast het bed zat haar moeder. Ze hief haar hoofd op toen Sigrid binnenkwam en haar ogen flakkerden vervaarlijk. Sigrid trok zich er niets van aan. Rustig liep ze op de moeder toe en sprak vriendelijk: 'Gaat u toch even een kopje koffie drinken, ik blijf wel bij haar.'

'Als je haar maar niet wakker maakt,' siste het mens. Sigrid schudde haar hoofd. 'Echt niet, geen haar op mijn hoofd.' Dat was kennelijk overtuigend genoeg. Marjoleines moeder stond op en schommelde de kamer uit. Sigrid keek neer op het bleke meisje in het bed. Waar ben je toch in terechtgekomen, dacht ze en weerstond de neiging om over haar haar te aaien. Zo'n jong, onschuldig kind nog...

'Mevrouw!' fluisterde iemand opeens vanaf de gang. Sigrid keek op en zag een verpleegster staan. Die wenkte haar. Sigrid liep zacht en vlug naar de deuropening. 'U bent toch van de politie?' Dat kon Sigrid beamen. 'Tja, ik weet het niet, maar mij viel iets op,' zei de zuster, die een beetje gejaagd klonk.

'Zeg het maar,' zei Sigrid en ging er eens voor staan.

'Dat meisje, Marjoleine dus…'

'Ja?'

'Misschien heeft u het niet gezien, maar ze heeft een tatoeage.'

'Nee, dat had ik niet gezien, maar dat hebben toch wel meer kinderen tegenwoordig?'

'Jawel, maar ik vond deze nogal op een rare plaats zitten, zeker voor zo'n jong meisje.'

'Waar dan?' Sigrid wilde het wel uit haar rammelen, zeg wat je te zeggen hebt, mens, treuzel niet zo!

'Nou, op haar linkerborst. Daar zit een afbeelding. Het leek me nogal een pijnlijke plek en het zag eruit of het nog maar pas geleden was gezet.'

'Wat?' zei Sigrid, 'En wat stond er dan?'

'Een doodskop, dat dacht ik te zien, ze wilde niet dat ik ernaar keek…' Sigrid keek met verbijstering naar de verpleegster, die haar aankeek of ze zich afvroeg of ze dit wel had moeten zeggen. Sigrid liep de kamer van Marjoleine weer in. Dit keer werd ze wakker, want ze draaide haar hoofd om te kijken wie er was binnengekomen. Het liefst wilde Sigrid de dekens afrukken en ook het nachthemd, maar ze beheerste zich. Dat zou niet erg gewaardeerd worden. Ze liep heel langzaam naar het bed, voortdurend glimlachend.

'Marjoleine, meisje, zou je willen vertellen wat voor een tattoo je hebt gezet?' vroeg Sigrid met zachte stem. Ze pakte een krukje en ging naast het bed zitten. Met haar meest ontwapende gezicht keek ze Marjoleine aan. Maar het meisje schrok van de vraag. Instinctief trok ze de dekens op tot haar kin, waar ze ze stevig vasthield. 'Wil je het mij laten zien?' vroeg Sigrid. Als antwoord schudde Marjoleine met haar hoofd. Haar blik schoot heen en weer tussen Sigrid en de verpleegster die achter haar stond. Sigrid keek ook achterom. De zuster stond net zo verschrikt te kijken als Marjoleine. 'Ga maar,' zei Sigrid en knikte met haar hoofd in de richting van de deur. De verpleegster bleef nog even staan, maar liep uiteindelijk toch in de richting van de deur.

'Ik ben vlak om de hoek hoor,' zei ze en verdween.

'Liefie,' Sigrid wendde zich weer tot het gewonde kind, 'het is belangrijk dat wij dit weten. Wil je het niet aan mij laten zien? Ik ben ook een vrouw, net zoals jij, ik heb echt alles al een keer gezien hoor.' Maar Marjoleine antwoordde niet, bewoog niet, hield alleen de ziekenhuisdeken strak vast en keek met bange ogen naar Sigrid.

Die legde een hand op de arm van het meisje. 'We zullen ervoor zorgen dat niemand je meer pijn kan doen, maar dan moeten we wel weten wie het gedaan heeft. Laat je het me even zien? Hoeft echt niet lang te duren.' Maar Marjoleine gaf niet toe. De dekens weken niet en ze sprak ook niet. Geen woord kwam eruit. Sigrid zocht haar toevlucht in gesloten vragen. Dat was een no-no in rechercheland, maar ze moest toch wat.

'Zit de tattoo op je borst, hier?' En Sigrid legde haar eigen hand op haar eigen borst. Sigrid zag dat Marjoleine weer schrok, maar ze knikte niet. 'Dat neem ik dan maar aan. Is het een doodskop?' Geen reactie. 'Heb je nog meer tattoos?' Weer geen reactie. Net toen ze het opgaf, kwam de moeder van Marjoleine weer binnen. De blik in diens ogen zorgde ervoor dat Sigrid de kamer snel verliet. Ze ging op zoek naar de zuster. Helaas was die net klaar met haar dienst en al naar huis. Wel lukte het om naam en adres te achterhalen. Sigrid liet instructies na bij het personeel dat ze alles wilde weten over de tatoeage, met zo mogelijk een foto.

14 ◉

'Wat hebben we nu en wat moeten we nu doen?' Erik zat op zijn kamer met zijn voeten op het bureau. Sigrid stond bij een flap-over met een stift in de hand.

'Martijn, die moeten we vinden.' Ze schreef de naam op het bord. 'Die kunnen we ook vinden. We moeten naar die school en de administratie op zijn kop zetten. Daar komen we wel uit.'

'Dat doen we morgen meteen. Nee, beter nog, we kunnen Cor en Wim vragen dit te doen.'

'Goed. "Bayram" en "Hensley", het is iets. Die kan ik eens nazoeken in onze eigen systemen en ik zal naar George lopen om te vragen of die namen hem wat zeggen. Als iemand ze kent, dan is het George. Het zijn niet echt namen als Tjobbe en Tjibbe.'

'Heel goed,' zei Erik.

'We moeten ook eens naar de moeder van Marjoleine kijken,' opperde Sigrid, 'daar is ook van alles mee aan de hand.'

'Lijkt me ook ja, maar laten we dat aan Fraukje vragen. Die kent die wereld goed en ik zou heel graag willen dat Marjoleine nog eens wordt gehoord. Nu met een plan en zeer gericht op het achterhalen van de identiteit van Bayram en Hensley en jij had het ook nog over een nieuwe tatoeage op een bijzondere plek?'

'Ja, op haar borst. Ik heb hem niet gezien, maar de verpleegster had het erover dat hij nieuw leek en de vorm van een doodskop had. Marjoleine wilde hem niet laten zien, wat ik ook zei.'

'Dat kan interessant zijn, maar kan ook niets zijn. Steeds meer mensen laten tattoos zetten tegenwoordig.' Erik pakte ook een markeerstift, stond op en streepte wat aan. 'Neem het ook maar met de moeder op. Zullen we een opdracht uitzetten om alle tattooshops in de stad te bezoeken?

'Het kan ook nog door een amateur zijn gedaan,' opperde Sigrid. 'Ik heb het personeel gevraagd om er oog voor te hebben. Wel vreemd, ze hadden het toch al moeten zien? Ze hebben haar gewassen, aangekleed en alles. Ik zoek wel even contact met die zuster die mij erop wees'

'Doe dat maar, wie gaat er verder nog mee aan de slag?' Erik stond klaar om de naam te noteren.

'Ik heb aan Fraukje gevraagd dat te doen.'

'En waar is Marjoleine nu, weet jij dat?'

'Ontslagen uit het ziekenhuis, inmiddels en weer thuis.'

'Zullen we een tap aanvragen op haar telefoon? Ik heb er niet zoveel fiducie in dat we iets uit de gesprekken met haar krijgen. Je hebt die moeder gezien. Wie weet wat het oplevert?'

'Doen. Moeder ook?'

'Ja, waarom niet, je weet niet wie haar gaat bellen. Het zou kunnen dat Bayram of een van zijn kompanen haar gaat bellen om haar te bedreigen.'

'Ik zal het aan de officier voorleggen, probleem is wel dat ze geen verdachte is. Dus eigenlijk moeten we om toestemming vragen.'

'Hm, dat is wel zo. Nou, ja, we hebben niet veel en het maatschappelijk belang is groot. We kunnen het proberen.'

Wessel kwam binnen. Hij had een exemplaar van de Leeuwarder Courant in zijn hand. Zwijgend legde hij de krant op het bureau van Erik en wees naar de voorpagina. Daar stond het, in grotere koppen dan de krant doorgaans gebruikte: 'ANGST SLAAT DIEPE WONDEN!' Een hoofdartikel over het toenemend aantal geweldplegingen en straatroven en de angst daarvoor in de stad. Het was een overzichtsartikel waarin een aantal spraakmakende delicten op een rijtje werden gezet. Er stond een foto bij van een verlaten en donkere steeg. Voorbijgangers waren geïnterviewd, die vertelden dat ze niet meer over straat gingen als het donker was en bepaalde plekken in de binnenstad meden als de pest. En wat deed de politie? Niets natuurlijk, die waren te druk met het houden van zinloze verkeersacties. De krant had ook nog heel overzichtelijk de plekken aangegeven van de camera's in de stad. Dat hielp ook niet veel, werd er geschamperd. Er werd een bekend raadslid van GroenLinks ten tonele gevoerd. Zij vond dat die camera's zo snel mogelijk moesten worden afgeschaft en er moest dan vooral meer politie op straat komen, die chocolade zou uitdelen, dat zou helpen. Een ander raadslid, ditmaal van de VVD, bracht te berde dat er een volledig bemand bureau in de binnenstad moest komen, dat 24 uur per dag open was en met veel meer agenten dan nu het geval was. En veel hogere straffen moesten er worden gegeven en als dat dan klaar was, een bal aan de voet en elektronisch volgen. Na drie keer hetzelfde vergrijp, automatisch de maximumstraf.

'De hele wereld is geïnterviewd,' mopperde Wessel, 'kijk nu toch, de hele stadspagina staat ook al vol.'

'Ik zie het en met dat kaartje ben ik trouwens ook niet zo blij,' zei Erik en wees op het camerakaartje. 'Wat denken ze daarmee te bereiken? Denken ze dat de boeven geen kranten lezen? Nu weten ze toch precies waar ze wel en niet moeten toeslaan?'

'Aan de andere kant,' zei Sigrid, 'het is ook bedoeld om mensen zich veiliger te laten voelen. Ze weten dat ze daar in de gaten worden gehouden.'

'Dat helpt dan ook niet erg. Denk je nu echt dat onze vrienden dat niet doorhebben? Die weten precies waar ze moeten toeslaan en waar niet. Bovendien, de meeste tijd kijkt er niemand mee. Dan heb je er hooguit iets aan tijdens de opsporing.'

'Ja, maar dat weet niemand, dat staat ook niet in de krant.' Er stond ook een foto van de stadswachten, die naar een batterij monitoren staarden. Er werd gezegd dat ze in direct contact stonden met de meldkamer van de politie en dat ze een opleiding hadden gevolgd voor dit werk.

'Dat gaat ook niet altijd goed,' bromde Erik.

'Wat?'

'De samenwerking tussen de stadswachten en de meldkamer.'

'Nee. O, kijk, ook nog een interview met de districtchef.'

'Wat heeft die te melden?'

'We zitten er bovenop... hoge prioriteit... onderbezetting... voorstander cameratoezicht... vooral melden als je wat ziet... burgernet... Nou ja, de gebruikelijke flauwekul weer. Ik denk niet dat daar een inwoner van de stad van onder de indruk is.'

'Hé,' zei Sigrid, 'hangt er ook een camera op de hoek van de Nieuwestad en het Naauw? Dat wist ik niet.' Ze was het kaartje aan het bestuderen.

'Ja, hoezo?'

'Daar in de buurt hebben we ook een straatroof gehad. Op de kop van de Peperstraat, weet je nog. Maar daar waren geen beelden van, dat stond in het proces verbaal.'

'Misschien goed om daar nog achteraan te gaan dan,' zei Wessel.

'Doe ik.' Sigrid stond op, 'ik loop nu eerst naar George.'

'Goed, laten we morgenochtend tijdens de briefing bij elkaar leggen wat we dan hebben,' zei Wessel. Sigrid knikte en liep de gang op. Een paar kamers verder vond ze de informatieanalist achter een bureau met vijf beeldschermen erop. Ze gaf hem de namen en vroeg hem een zoekslag te maken in de systemen.

'Je kunt erop wachten,' zei George, 'we hebben net van de week een nieuw programma geïnstalleerd. Als je meer gegevens hebt, dan kun je die ook invoeren. Het werkt heel eenvoudig, net als Google. Het was al raar dat we met deze verouderde systemen werkten, maar ja. Langzaam gaan we voorwaarts, zullen we maar zeggen.' Ondertussen had hij de namen ingevoerd. 'Kijk, dat gaat lekker, meer dan tweeduizend hits. Maar dat is landelijk. Zal ik de zoekslag kleiner maken?'

'Ja, doe maar alleen in Leeuwarden. Hoeveel Bayrams kennen

we hier en hoeveel Hensleys en liefst ook nog samen in een mutatie als het kan?'

'Samen heb ik niets, kijk maar, nul hits. Maar apart; hier Bayram, 126 hits en Hensley, die komt meer voor: 356 hits. Ik kan er een lijst van maken. Zal ik ze sorteren?'

'Waarop kun je dat doen?'

'Wat je wilt, misschien datum?'

'Doe maar.'

'Doe ik en stuur ze naar je email.

'Fijn, George, bedankt.'

15 👁

Het was half negen 's ochtends. Erik kwam de kamer van Wessel binnen.

'Ik verwachtte al dat ik je hier zou treffen. Hoe laat ben je vanmorgen weer begonnen? Of ben je gewoon niet naar huis gegaan?'

Wessel keek naar de klok boven de deur. 'Half acht was ik hier. Maar man, dat zou je ook moeten doen. Dit zijn mijn meest productieve uren.' Hij wees op de computer. 'Je weet niet half hoeveel troep er elke dag opnieuw in mijn postvak wordt gesmeten. Je wordt er gek van. Ik ga voorstellen dat het alleen nog maar mogelijk wordt om aan één persoon tegelijk een bericht te sturen. Al die cc-tjes!'

'Ik weet het, ik weet het. Zijn de anderen al binnen?'

'Volgens mij wel, ik hoorde iets uit de recherchekamer komen. Kom, we gaan naar de briefingruimte.'

Een voor een schuifelden ze naar binnen; Erik, Sigrid, Wessel, Fraukje, Cor en alle anderen die aan het probleem van de straatroven werkten. Wessel opende de bijeenkomst met een onverwoestbaar optimisme. Die man was ook niet kapot te krijgen, dacht Erik sip.

'Sigrid,' vroeg Wessel, 'vertel eens wat je bezoek aan George heeft opgeleverd?'

'Een hele lijst met mutaties en verslagen waarin de namen van onze hoofdverdachten voorkwamen,' zei Sigrid. 'Bayram en Hensley. Helaas zijn het nogal veel voorkomende namen, dus ik ben er nog niet uit. Ondertussen heb ik wel kunnen vaststellen dat er misschien twintig Bayrams zijn die in aanmerking komen en elf Hensleys. Maar het zou natuurlijk ook nog zomaar kunnen dat onze Bayram en Hensley niet in de documentatie voorkomen. Sommige mensen kennen we nu eenmaal niet en het kunnen ook schuilnamen zijn. Ik zoek ook op aliassen.'

'Goed, jij gaat nog door? Hulp nodig?'

'Nee, ik red dit wel, misschien later, als we een shortlist hebben. Die gooi ik wel in de groep. Misschien dat anderen erop aanslaan.'

'Cor, jij bent met Martijn bezig geweest?'

'Ja,' zei Cor, hij pakte een boekje uit zijn binnenzak, 'wij zijn naar die school geweest. Een afdeling van Piter Jelles, dat is nog een heel complex, kwamen we achter. Ook hier geldt: Martijn is een veel voorkomende naam. We hebben er in totaal zestien gevonden. Maar als je de jongens er uithaalt die te jong zijn, houden we er negen over. Die lijst moeten we nog af. Drie vallen er waarschijnlijk ook af, omdat ze niet in de stad wonen.'

'Waarom?'

'Als die Martijn voortdurend in de stad rondhangt, dan is het waarschijnlijk lastig om nog een eind te moeten reizen voordat hij weer thuis is.'

'Ik zou ze er niet te snel afgooien. Heb je ze al door de systemen gehaald?'

'Nee, nog niet.'

'Geef je lijstje aan George dan, misschien vinden we daar nog wat.' Wessel keek naar Fraukje. 'Het meisje, het slachtoffertje, wat doen we daar mee?'

'Heb ik gebeld, maar kreeg de voicemail,' meldde Fraukje. 'Wel ingesproken, een keer of wat, maar geen reactie. Ben aan de deur geweest, maar werd niet binnengelaten. Moeder werkt niet mee.'

'Heeft ze documentatie?'

'Ja, maar niet veel. Ze was een paar keer slachtoffer van huiselijk geweld, maar het oude verhaal, aangifte ingetrokken en de politie pakte niet door. Maar dat is alweer een paar jaar geleden. Toen deden we dat nog zo. Niets recents.'

'Vader van Marjoleine?'

'Die is uit het zicht verdwenen. Na het huiselijk geweld is hij vertrokken en niet teruggekomen. Speelt geen rol meer. Volgens mij heb ik ergens gelezen dat hij terug is gegaan naar Sint Maarten, maar ik weet het niet helemaal zeker.'

'Ben je naar de school geweest?'

'Ja, ook Piter Jelles, maar daar was ze niet. Ze is ziek gemeld.'

'Zit ze soms bij die Martijn in de klas of op school?'

'Zou heel goed kunnen.'

'Sluit dat dan kort met Cor. Instanties als Jeugdzorg, leerplicht, Fier Fryslân, kennen die het gezin of het meisje?'

'Die heb ik allemaal al geprobeerd, maar daar weten ze van niets.'

'Wil je het wel blijven proberen? Misschien moet de uniform-dienst naar het huis gaan. Of de wijkagent. Wie is dat daar?'

'Menno Riemeijer.'

'Hebben we toestemming voor een tap op de telefoon van het meisje?'

'Ja, en die loopt al, maar er is nog geen gesprek overheen geko-men, noch een sms-je,' zei een van de rechercheurs die de tapkamer onder zijn hoede had.

'Heb je wel het goede nummer?'

'Ja, is twee keer gecheckt, ook bij de provider.'

'Is het misschien uitgezet, of niet betaald of zo?'

'Nee, ze heeft nog wel beltegoed.'

'Het zou kunnen dat haar telefoon ingenomen is door moeder,' merkte Fraukje op, 'daar zie ik haar wel voor aan.'

'Ik denk dat wij eens naar die Piter Jellesschool moeten gaan,' zei Erik, die nog niets had ingebracht. 'De kans bestaat dat Martijn en Marjoleine bij elkaar in de klas zitten en dan vissen we die Martijn op. Kunnen we hem aanhouden?'

'Nee, dat lijkt me niet, daar hebben we nu nog onvoldoende gege-vens voor, maar we kunnen wel met hem praten, natuurlijk.' Wessel knikte ten teken dat ze aan de slag konden.

16 ◉

Carmen was een aantrekkelijke vrouw van net in de veertig. Ze was superslank, had lang zwart krullend haar en een mediterraan uiterlijk. Ze zag er goed uit, maar als je iets beter keek, zag je dat het leven niet ongemerkt aan haar voorbij was gegaan. Meestal was ze vrolijk en als ze sprak schemerde er een Amsterdams accent doorheen. Ze zat midden in haar Mexicaans restaurant El Pacho aan de grote tafel voor de bar. Van daar overzag ze haar goedlopende nering. Voor in de zaak zat een grote groep te eten van de burrito's, taco's en fajitas. Ze hadden plezier en mede dankzij de grote hoeveelheid Mexicaans bier lieten ze daar alle anderen ook in meedelen. Het bedienend personeel, dat door Carmen allemaal van bijnamen was voorzien, liep hard om het eten te serveren dat door kok Bas – bijnaam Bokito en dat was niet slecht gekozen – in de kleine keuken achterin werd bereid. Als er wat klaar was, sloeg Bokito één keer op de trom, die aan het plafond van de keuken hing. Dan snelde een van de jongens of meisjes naar achteren om de nog kokendhete pannetjes zo snel mogelijk op tafel te krijgen. Op haar beurt noemden ze Carmen dan weer 'Baas B.' Er werd veel gelachen en ze liet haar genegenheid voor het jonge volk blijken door ze allemaal even hard af te zeiken. Maar ook door regelmatig leuke dingen met ze te doen. De jonge Madelène, een briljante studente die naar de Rooseveltacademie zou gaan, werd Splattie genoemd. Ze was een keer met haar scootertje onderuitgegaan. Madelène was achttien, had een beugeltje en heel normale oren, die prima pasten bij haar gezicht. Daar was niets mis mee. Toch beweerde Carmen dat de oren van Splattie Dombo niet zouden misstaan. Daar worden ze hard van, zei ze dan. De kinderen, niet de oren. Het kleine lieftallige meisje dat erg hard moest werken om de drankjes in te schenken en de cocktails te maken heette

80

Sheila, maar werd Nijntje genoemd en dat paste haar ook wel. Als ze bezig was om alle cocktails, met namen als Tequila Sunrises, Sex on the Beach of Caipirinha klaar te maken, werd ze gemaand met aanmoedigende kreten als: 'Opschieten, Nijntje! Je bent ontslagen hoor!' En daar bleef ze om grinniken. Want zo was de sfeer in het restaurant. Iedereen werd in gelijke mate in de zeik genomen. Als dat niet gebeurde, dan moest je oppassen, want dat was meestal het teken dat er echt afscheid van je zou worden genomen.

Carmen woonde met haar twee kinderen en een hond en een kat in Sneek. Elke dag vertrok ze naar Leeuwarden om in het Mexicaanse restaurant te gaan werken en elke avond laat reed ze alleen weer naar huis. Ze had wel eens overwogen om in de stad waar haar restaurant stond te gaan wonen, maar ze vond het voor de kinderen geen geschikte plaats om op te groeien. Er liep te veel gespuis rond!

Er was die avond een optreden geweest van Braziliaanse danseressen. Die hadden een geweldige show gegeven en de tent had helemaal vol gezeten. Bijna alles was op. Het was hard werken en iedereen moest aanpakken en doorlopen, maar tussendoor was er nog wel tijd geweest voor een sigaretje voor de deur. Madelène en Carmen hadden samen staan roken. Er was een groep jongeren voorbijgekomen en een van hen had naar Madelène gefloten en voorgesteld om seksueel verkeer met hem te hebben. Carmen diende hem van repliek.

'Hé, lekker ding, ga jij je zus effe lastig vallen!'

'Bemoei je er niet mee, oud lijk!' had de jongen teruggeroepen.

'Wat denk je wel, kleine etterbak, ga je driften maar effe botvieren op de Weaze daar!' riep ze terug.

'Moet ik je bosse, buysexual?' De groep was al doorgelopen, maar kwam nu terug om te kijken wat er aan de hand was. Ze gingen achter de schreeuwer staan, maar bemoeiden zich er niet mee. Carmen stond met haar handen in de zij naar de jongen te roepen. Ze was niet bang, wel erg boos en dat was haar aan te zien. Madelène stond een beetje achter haar, niet zo goed wetend wat te doen.

'Kom op, drakenjager,' riep iemand uit de groep, 'die doos wou je toch niet douwen, mag ik hopen. Dag dushi!' De jongen bleef staan, overwegend of hij nog wat zou doen of niet. Maar toen de anderen doorliepen en al de hoek om waren, draaide hij zich ook om en rende achter ze aan.

'Mierda, wat een idioten!' zei Carmen en stak nog snel een sigaretje op. Madelène beaamde het en wilde er ook nog wel een.

Carmen zat met het personeel dat die avond had gewerkt en nog wat aanlopend volk, aan de grote tafel voor de bar. De keuken was schoongemaakt, de afwas gedaan, de stoelen en tafels stonden weer op hun plek, de vuilnisbakken waren buiten gezet en het koffieapparaat was schoongemaakt en weer in elkaar gezet. Er werd gelachen, bier gedronken en gerookt. Na sluitingstijd mocht dat gewoon binnen. Er werden weer grappen gemaakt en ze spraken over Terschelling, waar ze met de hele groep twee dagen heen zouden gaan. Carmen was als een moeder met een groot gezin. Tegen enen vertrokken ze een voor een. De een moest leren voor een tentamen, de ander ging uit en de volgende moest nog met de scooter naar huis. 'Dag, doeg,' riepen ze. Carmen bleef alleen achter. Ze leegde de asbakken, zette de biertap uit, liep de keuken in en knipte de laatste lampen uit. Ze zette het alarm aan en draaide de deur op slot. In haar tas zat de opbrengst van die avond. Er werd nog steeds veel contant betaald. Meer dan vierduizend euro, deze avond. Misschien moest ze daar toch eens een oplossing voor vinden, dacht ze. Haar Volkswagen Caddy, beplakt met het vrolijke El Pacho logo, stond op het Zwitserwaltje geparkeerd. Dat was weliswaar dichtbij, maar zo midden in de nacht, vond ze het niet fijn om daar alleen naartoe te lopen. Ze had wel iemand kunnen vragen om haar te vergezellen, maar dat vond ze toch wat kinderachtig.

'Waarom moesten we weg bij die tortillabitch, Bayram?' vroeg Mo.

'Te veel volk! Je moet af en toe wel weten wat je doet, we gaan straks terug.' Bayram had op het raam gekeken naar de openingstijden van El Pacho. Hij was het vervolgens ook weer vergeten. Om kwart over twee 's nachts trok Mo Bayram aan de mouw.

'Gaan we die Mexicaanse hoer nog pakken?'

'Is te laat man, die is allang weg.'

'We kunnen toch gaan kijken?'

In de Fire was ook niet veel te beleven. Bayram wenkte zijn maten. Over de Nieuwestad trokken ze in de richting van de Uniabuurt. Ze liepen langs het restaurant en zagen dat er nog mensen waren. Ze gingen op de brug staan bij de Brol. Vanaf die plek konden ze de deur van het restaurant in de gaten houden. Ze zagen de personeelsleden naar buiten komen en kort nadat de lichten uitgingen zagen ze dat Carmen naar buiten liep en de deur op slot draaide.

'Kijk, daar gaat die huppelkut! Die gaan we dissen!' riep Mo opgewonden. Carmen keek om zich heen, liep snel in de richting van het advocatenkantoor van Anker en Anker en sloeg de hoek om. Bayram kwam in beweging. Hensley, Mo en Martijn liepen met hem mee. Ze renden naar de hoek en zagen Carmen het Zwitserwaltje oplopen. Daar haalden ze haar in. Er was niemand in het straatje en ook de huizen waren allemaal donker.

'Hé, kanimeermeisje, wacht eens! Niet zo snel,' riep Bayram en ging pal voor Carmen staan. Ze schrok en pakte haar tas steviger vast. Mo ging naast Bayram staan. Hensley en Martijn vlak achter haar. Carmen probeerde langs Bayram heen te kijken.

'Je bent alleen, alleen met ons, hahaha,' riep Mo. Hij hipte heen en weer van voet op voet.

'Dag dushi,' zei Bayram, zijn stem klonk zacht en donker. 'Je ziet er wel uit als iemand die munt uit der kruis wil slaan. Wat dacht je ervan?'

'Oprotten, kwakbol' riep ze. Het kwam er geknepen uit. Ze hoestte een keer.

'Wat zeg je, schatje, ik kan je niet goed verstaan?'

'Wegwezen, pielemaus,' haar stem was weer terug.

'O, nee,' nog steeds met de zijdezachte stem, 'ik wil je graag wat beter leren kennen. Hoe vind je die?'

'Nee! Je flikkert nu op!'

Mo probeerde haar tas af te pakken. Maar ze was niet van plan die tas zomaar af te geven. Even stonden ze er met zijn tweeën aan te trekken. Ze wist Mo gemeen te schoppen onder de tas door.

'Los nu!' Carmen krijste en hijgde.

Bayram had een stapje achteruit gedaan en keek het schouwspel geamuseerd aan. Ook keek hij om zich heen, maar ze hadden geen publiek. Mo haalde uit naar Carmens hoofd. Hij raakte haar niet. Ze trapte nog een keer naar hem en trof hem weer. Mo vloekte. Hij slaagde er nog niet in de tas uit haar handen te krijgen.

Hensley greep Carmen bij haar zwarte krullen en trok haar hard achterover. Hij zette een mesje op haar keel en sneed een keer in het vlees. Omdat het mes scherp was, ging het heel gemakkelijk.

'En nu heel snel loslaten, stoephoer,' hoorde ze in haar oor sissen. Ze rook zijn adem: een mengsel van knoflook en rotte eieren.

Nu kon ze niet anders dan de tas loslaten en deed dat zo plotseling dat de kleine Mo achterover viel. Omdat ze haar handen nu weer vrij had, klauwde ze naar het mes dat in haar keel drukte. Het leverde haar een snee in haar hand op, die snel begon te bloeden. Nogmaals greep ze naar achteren, naar haar belager. Maar die was er niet meer. Hij was snel opgestaan en schopte haar. Ze sloeg haar nagels in het gezicht van Hensley. Die schrok van de pijn, verstevigde zijn greep en drukte zijn mes door en daarmee sneed hij haar keel open en raakte een halsslagader. Het was alsof hij een stuk linoleum spleet. Het bloed kwam gulpend naar buiten. Hensley liet haar los en vloekte toen er bloed op zijn kleren kwam. Carmen voelde haar bewustzijn wegzakken. Ze kon niet meer blijven staan, tastte naar haar van bloed druipende hals en een beetje zwaaiend zakte ze in elkaar. Voordat ze op straat lag, waren de overvallertjes al weggerend. De tas met de dagopbrengst met zich meevoerend. Er reed een politie-auto over de Ossekop. Carmen stak haar hand op en probeerde wat te roepen. Er kwam geen geluid uit haar mond. Het bloed in haar keel pruttelde als de perculator waar haar grootmoeder koffie mee zette, thuis in Amsterdam, heel lang geleden.

De politiemannen zagen haar niet en reden door.

17 ◉

Wessel probeerde de orde terug te krijgen in de briefingruimte. Hij tikte op de tafel. Er waren te veel mensen binnen, niet iedereen had een stoel. Er stonden mensen en er zaten er wat in de vensterbanken. Langzaam werd het stiller.

'Mensen, wij hebben er met de moord van gisteravond op de eigenaar van het restaurant weer een Team Grootschalig Optreden bij. Er is reden om aan te nemen dat deze moord misschien wel iets te maken heeft met ten eerste de geweldplegingen de laatste tijd en ten tweede wellicht toch iets met de man uit Rotterdam. Het wapen is een gewoon stanleymes denken we!' Er ging weer een geroezemoes op. Wessel hief zijn hand op, het verstomde weer. 'Er komt een geleed TGO, dat wil zeggen, Seerp komt terug voor de moord op Carmen en we hangen er een sub-TGO onder, dat door Erik zal worden geleid. Iedereen die nu aan de straatroven werkt, komt onder Erik te vallen. Erik is ook plaatsvervanger voor Seerp. Zo houden we de boel bij elkaar. Als er nu weer nieuwe berovingen plaatsvinden, dan komen die bij het sub-TGO van Erik.'

'Blijven we de briefingen samen doen?' wilde een van de rechercheurs weten, 'het is wat vol hier.'

'Dat moeten Seerp en Erik maar met elkaar uitvechten.'

Er werden afspraken gemaakt, scenario's opgesteld en opdrachten uitgegeven. De beide TGO's zouden vanuit de Holstmeerweg worden gedraaid. Aan het verkeersteam werd gevraagd een poosje vanuit de garage te werken. Dan waren ze ook dichter bij hun geliefde motoren. Ze mopperden wel, maar het was niet anders. Seerp en zijn mensen trokken in de ruimte van het verkeersteam, Erik bleef op de recherchekamer zitten.

18

Drie dagen later was het conto straatroven en de geweldplegingen met vier verhoogd. De kranten schreven er elke dag over. Op de tv was het bij ieder programma een item. Dan weer slachtoffers in beeld, dan weer mensen die kwamen vertellen te willen verhuizen uit de binnenstad. Cafébazen beklaagden zich over de teruglopende bezoekersaantallen en 'deskundigen' kwamen uitleggen wie waarin faalden. De angst in de stad nam toe, meldden ze, en het antwoord van de politie was niet afdoende.

In Post Plaza werd een bijeenkomst belegd. Iedereen die zich zorgen maakte, mocht komen. Er was een podium opgesteld en daar zaten ze allemaal: de burgemeester, de hoofdofficier van justitie, de plaatsvervangend korpschef, de districtchef en de chef van de recherche. Seerp en Erik waren er niet bij. Geen operationele mannen in beeld brengen, had de korpsleiding via de verschillende chefs in de chain of command gesommeerd. De pers was er wel.

De burgemeester las een verklaring voor. Ze maakten zich zorgen, er werd alles aan gedaan… de politie zat er bovenop… er waren meer rechercheteams aan het werk en zo verder.

'Dat is allemaal achteraf!' riep iemand uit de zaal. 'Maar wat doen jullie om de straatroven te voorkomen?' De burgemeester keek kippig de zaal in en aarzelde zichtbaar. Hij gaf de vraag aan mevrouw Davids van de politie, die stijf rechtop in haar uniform naast hem naar de camera staarde alsof er ieder moment een tekenfilmvuist op een scharnier tevoorschijn zou komen.

'We surveilleren meer dan normaal,' zei ze. 'En verder zijn we erg afhankelijk van u, het publiek. We roepen u dan ook op om onmiddellijk de politie te bellen als u iets ziet of meemaakt.' Haar woorden klonken alsof ze uit triplex waren gefiguurzaagd.

'Dan worden we in de wacht gezet!' riep iemand. 'Er is te weinig politie hier! Je ziet ze nooit als je ze nodig hebt!'

'Dat bestrijd ik met klem,' zei de plaatsvervangend korpschef dapper, 'er is 24 uur per dag politie zichtbaar aanwezig. En als het nodig is, komt er meer politie bij. Zo werken wij.' Stijf, formeel en het leek opgelezen uit een handboek.

'Bovendien,' districtchef Johanson besloot ook wat te zeggen, 'wij hebben ook politie die niet zichtbaar is op straat.' Dat klonk een stuk natuurlijker. Hij keek ook niet als een konijntje naar de lichtbak.

'Daar merken wij niets van en de boeven ook niet!' riep een vrouw uit het publiek. Mevrouw Davids keek boos naar haar collega.

'U moet ons bellen! Dan kunnen we wat doen!' opperde ze nogmaals. Er was iets afgebrokkeld van de gemaaktheid.

'Nou wordt ie lekker, kunnen we jullie werk ook nog gaan doen,' schreeuwde een man met rood haar en dikke bovenarmen.

'Wij kunnen het niet alleen!' riep ze over het geroezemoes heen. Iedereen zag dat ze de controle aan het verliezen was.

'Dan gaan we zelf de straat op!' riep de man met het rode haar, 'we moeten onze stad weer terugveroveren. Het is toch te gek dat dat tuig de baas is!'

'Hij heeft gelijk, de politie doet toch niets. Die zitten maar koffie te drinken en bonnetjes te schrijven,' riep een kroegbaas.

'We beginnen een burgerwacht!' riep de man met het rode haar, 'wie doet er mee?' Een instemmend gebrul klonk door de zaal. De burgemeester hield zijn hand voor de microfoon en fluisterde iets in het oor van de politiecheffin die daarop ernstig en overdreven knikte.

'Dames en heren,' riep de burgemeester in zijn microfoon, 'laten we rustig blijven!' Maar de microfoon had het opgegeven en onversterkt kwam hij niet boven de herrie in de zaal uit. Hij gebaarde naar de technicus. Die draaide aan knoppen, maar kreeg de zaalversterking niet meer aan de praat. De mensen in de zaal keken niet meer naar het podium, maar verzamelden zich in groepjes rondom de grootste schreeuwers die druk met elkaar in debat waren.

Davids en Johanson probeerden de aandacht weer naar het podium te krijgen, maar het was zinloos. De eerste subgroep begon al naar de uitgang te dringen. Journalisten probeerden microfoons onder de neus van de grootste opruiers te krijgen. Een enkeling stond in een hoek een interview te geven aan de filmende pers. De camera van Omrop Fryslân was op de burgemeester gericht, die nog steeds probeerde de regie van de bijeenkomst terug te krijgen.

Een half uur later was iedereen de zaal uit gelopen. In de zaal lagen omgevallen stoelen en verscheurde stukken papier. Het zag eruit of er een vechtpartij had plaatsgevonden. De burgemeester en de politiemensen bleven achter.

'Wat gebeurde er in vredesnaam?' vroeg de burgemeester, die op een stoel was neergevallen. Zijn das losgeknoopt en een pand van zijn overhemd was uit zijn broek geraakt.

'Het publiek pikt het niet meer, ben ik bang,' merkte de hoofdofficier op, die niets had gezegd tijdens de bijeenkomst.

'Dat is wel duidelijk, ja,' zei de burgemeester korzelig, 'maar waren we nu zojuist getuige van het ontstaan van een heuse burgerwacht?'

'Daar lijkt het wel op, ja.'

'Allemensen, wat kunnen we daar tegen doen?'

'Niet zo veel, tenzij ze de wet gaan overtreden, dan wel natuurlijk.'

'Dit gaat niet goed zo. Het zou me niets verbazen als dit ook nog in de landelijke pers terechtkomt. En jij dan,' zei de burgemeester tegen de plaatsvervangend korpschef, 'het leek er wel op dat jullie de moed hebben opgegeven.'

'Hè?' zei de hoogste politievrouw aanwezig, 'krijg ik nu de beurt?'

'Ja, door maar steeds de nadruk te leggen op de hulp van de burgers, dan krijg je dit.'

'Het is wel zo,' mokte de politieambtenaar.

'Je moet wel weten wanneer je wat zegt en hoe!'

'Net of jij de boel in de hand had hier!' mepte de politievrouw terug.

'Ik wil dat jij alles en iedereen inzet om die straatrovertjes van straat te halen. Hoe vind je die?' sprak de burgemeester triomfantelijk.

'Daar ga jij niet over, dat is bedrijfsvoering en daar ga ik over.'

'Zeker niet, dit is openbare orde en veiligheid en daar ben ik verantwoordelijk voor en daarbij bedien ik mij van de politie, mag ik je dat in herinnering brengen! Lees anders de Politiewet er nog eens op na.'

'Dat is een belediging! We zullen het bekijken. Ik ben zwaar onderbezet! Dat weet jij net als ik. Ik kan niet zomaar mensen vrijmaken. Ook niet voor zoiets.'

'Je regelt het maar en als jij het niet kunt regelen, dan huur ik een ander. Morgenochtend om negen uur wil ik een plan op mijn bureau en daar moet in staan wat jullie gaan doen aan de straatroven en hoe jullie van plan zijn deze burgerwacht de kop in te drukken. Negen uur, horen jullie en geen minuut later. En jij,' de burgemeester priemde in de richting van de plaatsvervangend korpschef, 'jij bent verantwoordelijk. Dit kan jou heel eenvoudig de kop kosten, dat zou ik maar in je oren knopen.'

De plaatsvervanger gaf geen antwoord. Ze keek woedend naar de burgemeester, haar ogen bijna zwart en de wenkbrauwen in lijn met de bovenkant van haar neus. Ze keerde zich op haar hakken om en beende de zaal uit. De districtchef stond met zijn pet onder zijn arm geklemd. Hij keek naar de burgemeester, maar die keek de vertrekkende korpschef na, die met slaande deuren het pand verliet. Hij aarzelde, wiegde heen en weer van de ene voet op de andere. Toen mompelde hij een groet en rende zijn chef achterna. De burgemeester volgde kort daarna.

'Het zou wel helpen als we die straatrovers snel kunnen oppakken,' zei de hoofdofficier tegen Wessel, die aan de zijkant had gestaan en hij liep de zaal uit. Zonder een groet, zonder om te kijken.

'Dat zou leuk zijn,' zei Wessel in de lege zaal.

'De installatie doet het weer!' riep een opgewekte stem door de luidsprekers.

19

De lokale omroep bracht een lang item over de burgerwacht van Leeuwarden. Een tiental mannen, waarvan sommigen een blauwgele shawl voor het gezicht hadden getrokken, dwaalde door de Leeuwarder binnenstad. Een paar mannen hadden een knuppel in hun hand. De camera volgde hen, soms schokkerig, als de cameraman snelheid moest maken om ze bij te houden en een klok rechtsboven in beeld liet zien dat het half drie 's nachts was. Een paar dronken jongeren waterden luidruchtig in de gracht tegenover de kwaliteitsboekhandel Van der Velde. Ze werden door de mannen aangesproken. De jongens begonnen te schelden en renden een eindje weg, maar op een afstandje bleven ze staan. De mannen trokken verder in de richting van de Waag. Er werd wat geschreeuwd door een groepje jongens dat rond de pinautomaat hing. De leider van de burgerwacht riep wat en de mannen stormden allemaal op de groep af. De jongens zagen ze aankomen daveren en vluchtten alle kanten uit. Er werd een poging gedaan ze te achterhalen, maar het waren mannen bij wie de bierbuik in de weg zat. De cameraman kon het ook niet goed bijhouden; je kon hem horen hijgen, terwijl hij probeerde mee te komen. De groep liep verder over het Naauw en sloeg de Grote Hoogstraat in. Daar stonden hier en daar wat mensen te praten en te roken. Sommige burgerwachters zwaaiden naar de bewakingscamera's, andere keken grimmig voor zich uit. Er werd niet gestopt voor een praatje, men liep verder naar het Gouveneursplein. De terrassen waren al opgeruimd, alleen een paar meiden op de fiets kwamen voorbij. 'Doen jullie voorzichtig, dames!' riep de voorman ze toe. De meisjes lachten alleen maar.

'Lachen ze jullie nu uit?' vroeg de meelopende journalist.

'Nee!' gromde de voorman.

De optocht trok verder, langs het stadhuis, door de Weerd, terug naar de Nieuwestad. Daar was nog het meeste volk op de been. De portier van discotheek club NOA stond buiten te roken. Hij zag eruit als een bodybuilder, groot en breed. Hij werd geïnterviewd, wat hij er nu van vond? Hij vond het wel goed... de politie... die was toch niets waard. Nu werd er wel gepatrouilleerd en dat was goed, vond hij. Of hij zelf niet wilde meedoen aan de burgerwacht? Dat wilde hij wel, maar hij kon niet, moest daar staan. Het was werktijd voor hem. De klok liep verder, het was nu vijf uur 's morgens. De straten waren nagenoeg leeg, in de verte werd het al weer licht. De mannen zaten op een rij op de trappen van het Gerechtshof. Er ging een thermoskan koffie rond en sommigen rookten een sigaretje. De journalist wilde graag weten wat dit opleverde. 'Een veilige stad, voor ons en voor onze kinderen,' zei de voorman. En het beeld werd zwart.

In beeld verscheen nu de burgemeester. Hij was alleen dit keer, niet bijgestaan door politiechefs of officieren van justitie. Hij sprak zijn bezorgdheid uit over deze vorm van eigenrichting. Dit kon echt niet, zei hij. Aan de andere kant begreep hij de bezorgdheid wel van de bewoners van de stad, maar dit was toch echt de verkeerde methode. Zo zouden we met zijn allen terugvallen in de middeleeuwen.

Na het interview werd hij gebeld.

'Ik zag toevallig een stukje op de Friese omroep,' klonk een wel heel bekende stem door de telefoon, 'en daar kwam jij ook in voor.'

'Ik wist niet dat jij daar naar keek en zo snel,' mompelde de burgemeester.

'Ik ben daar niet blij mee. Ik neem aan dat je dat begrijpt.'

'Ja.'

'Ja, wat?'

'Jawel, dat begrijp ik.' De burgemeester noemde haar bij haar voornaam. 'Maar je moet begrijpen dat we doen wat we kunnen!'

'Ik heb liever dat je me "mevrouw" of "minister" noemt.'

'Jawel, mevrouw.'

'Hoe ga je dit oplossen?'

'Ik heb meer politiemensen nodig.'

Er klonk een droge, raspende lach door de telefoon. 'Je bent een krimpkorps, je staat onder curatele, was je dat nog niet opgevallen? Wij zijn aan het bezuinigen en jullie hebben allemaal nutteloze gebouwen neergezet voor veel te veel geld en dan durf jij om meer agenten te vragen? Je mag blij zijn dat ik je budget niet halveer! Ik kan je ook nog uit je functie als korpsbeheerder zetten, wist je dat?'

'Nee, eerlijk gezegd, dat wist ik niet. Maar die problemen zijn ontstaan voor mijn tijd, daar ben ik niet verantwoordelijk voor.'

'Heb je nu níets geleerd? Je loopt al zoveel jaar mee! Als je de post aanvaardt, aanvaard je ook de verantwoordelijkheid. Dus ook voor de lijken in de kast van je voorganger.'

'Ja, mevrouw.'

'Ik verwacht dat je die burgerwacht van de straat veegt. Als dit navolging krijgt…'

'Nee, mevrouw.'

'Wat?'

'Ik bedoel, we zullen ons best doen.'

'Resultaat, je weet dat het daarom gaat.' Voordat hij nog een keer dociel 'Ja, mevrouw' had kunnen zeggen, had ze al opgehangen. Hij vloekte hardop.

20

De volgende morgen fietste de burgemeester vroeg naar het stadhuis. Hij zette zijn fiets op de binnenplaats en opende korzelig de deur die leidde naar het kamertje waar de bodes zich ophielden. Thom, de oudste en meeste chagrijnige, was er al.

'Morgen, Thom,' zei de burgemeester en hij hoorde dat het er krakend uitkwam, 'heb je koffie voor me, een kan water en een handvol aspirine. Ik heb geen zin, barstende hoofdpijn en weinig geslapen.' Thom keek de eerste burger aan, zei niets en knikte alleen maar. De burgemeester kreunde diep en langdurig, liep door de hal en hees zichzelf de trap op naar zijn kamer. Daar plofte hij op zijn stoel neer, zette zijn bril af, wreef een hand over zijn gezicht alsof hij zich met een washand van vlees wilde reinigen van alles wat om hem was neergedaald en masseerde zijn schedel. Niet veel later kwam Thom binnen met een vol dienblad. Hij had pijnstillers meegebracht, een glas water – geen kan – en koffie. De burgemeester nam twee tabletten en dronk het glas water in een keer leeg.

'Over een half uur komen hier wat politiemensen voor mij. Niet laten wachten en meteen doorlaten, wil je, Thom?'

'Ja, burgemeester,' zei Thom, gedienstiger dan normaal.

Een gezelschap van vijf politiemensen meldde zich om kwart voor negen op het stadhuis. Thom geleidde ze haastig de trap op en stak zijn hoofd om de deur bij de burgemeester.

'Ze zijn er!'

'Hoeveel zijn het er?'

'Vijf maar liefst.'

'Dan gaan we naar de Nieuwe Zaal, laat ze daar maar binnen, ik kom eraan. Zet ze allemaal aan een kant, wil je Thom, zodat ik tegenover ze kan zitten?'

Toen iedereen zat, kwam de burgemeester de zaal binnen. Hij groette iedereen met een korte hoofdknik en een stug 'goedemorgen'. Plaatsvervangend korpschef Davids, districtchef Johanson, divisiechef van Veen, iemand die hij niet kende en nog iemand die hij niet kende.

'Waar is de officier?'

'Hebben we die nu dan nodig? Dit gaat over de openbare orde,' vroeg en stelde de plaatsvervangend korpschef.

'Misschien niet, maar toe maar. Begin maar, ik zal geen tijd verspillen met samenvatten wat de bedoeling is.'

De plaatsvervangend korpschef knikte naar de districtchef.

'We hebben aanwijzingen die kunnen leiden tot de aanhouding van een of meer leden van de groep die verantwoordelijk is voor de straatroven,' begon die stijfjes.

'Nou, waarom doe je dat dan niet?' vroeg de burgemeester korzelig.

'Omdat we nog niet genoeg hebben en niet zeker weten wie het zijn en of ze inderdaad betrokken zijn bij de zaak,' vulde Wessel aan en hij glimlachte erbij. Dat beviel de burgemeester niet. Wat dacht die vent wel? Dat dit licht opgenomen kon worden?

'U denkt zeker dat dit een grapje is?' viel de burgemeester uit, 'ik kan u verzekeren, dat is het niet.'

'Nee, burgemeester, dat denken wij niet,' haastte de districtchef zich te zeggen.

'Wat gaan we doen aan het voorkomen van straatroven? En vooral, die burgerwacht, hoe ga je die aanpakken?'

'We hebben besloten een team op te zetten,' zei de districtchef. 'Die vullen we met mensen uit andere districten en teams. Wij voeren de opvallende surveillance op tijdens de uren dat de rovers toeslaan en in de buurten waar de kans het grootst is.'

'Goed zo en zeer opvallend, wat mij betreft. Allemaal te voet en met die gele jassen aan. Ik wil overal waar ik kijk agenten zien. Op elk tijdstip. En vooral!' hij keek dreigend de zaal rond, 'wil ik die jassen zien als er camera's in de buurt zijn. Ik wil dat gezeur niet dat er nooit politie te zien is!'

'Probleem is,' zei de plaatsvervangend korpschef, 'ten eerste: de geweldplegers zullen zich waarschijnlijk wel rustig houden met zoveel politie op straat, dus de kans dat we ze pakken zal afnemen. Ten tweede: dit kunnen we een poosje volhouden, maar niet lang.'

'Hoe lang?'

'Twee weken, uiterlijk, maar liever korter.'

'Dat zien we dan wel weer en verder?'

'We brengen ook een groep politiemensen in burger op straat. Daarmee gaan we proberen de straatrovers uit te lokken om ze toch te pakken.'

'Best, als het maar helpt! En de burgerwacht?'

'We denken dat u hierin het beste een rol kunt spelen.'

'Want?'

'We stellen voor dat u een delegatie van hen uitnodigt en ze overhaalt om te stoppen met hun acties. U kunt dan vertellen dat wij het nu overnemen.' De burgemeester keek zwijgend naar de plaatsvervangend korpschef. Hij sloot zijn ogen iets langer dan nodig was om te knipperen.

'Goed, ik laat ze uitnodigen. Vandaag nog, ik neem aan dat jullie weten wie het zijn?' Hij wendde zich tot de plaatsvervangend korpschef. 'Jij bent bij het gesprek en vertelt ze wat je net aan mij hebt verteld. Je geeft ze de garantie dat de stad blauw zal zijn van de politie en dat de daders worden gepakt. Dat wil ik uit jouw mond horen, in het bijzijn van hen, begrijp je. En dan nog wat, als ze ook maar iets fout doen waarvoor ze opgepakt kunnen worden, wil ik dat je dat ook doet. Subiet en ogenblikkelijk! Ook al is het voor op de stoep spuwen of de vuilniszak te vroeg buiten zetten. Als we dat hebben gedaan, beleggen we weer een persconferentie, hier in deze zaal en dan vertellen we dit verhaal nog eens aan de pers en weer zit jij daar bij en vertelt dit op ernstige toon aan het journaille! Zo gaat het en niet anders! Thom?' Het laatste werd met verheven stem geroepen. De bode kwam ijlings de kamer in, hij moest achter de deur hebben gestaan. 'Thom, wij zijn klaar, wil jij de gasten naar buiten geleiden?' En met een korte groet nam de burgemeester afscheid, liep naar zijn eigen kamer en liet de deur met een klap achter zich in het slot vallen.

'Mevrouw, mijne heren,' zei Thom en hield de deur voor hen open. In ganzenpas sukkelde het stel de luie trap van het stadhuis af en de hal door. Voor de deur op het Hofplein praatten ze nog wat na.

De aanvoerder van de De Leeuwarder Leeuwen, oftewel de Leeuwarder Waakzamen zoals ze zichzelf waren gaan noemen, werd snel gevonden. Hij was de eigenaar van een paar kroegen en een coffeeshop in de binnenstad. Dikwijls lag hij overhoop met de gemeente en de politie: zijn vergunningen waren niet altijd op orde, zijn portiers waren soms iets te hardhandig en hij nam het niet al te nauw met de geluidsoverlast en de sluitingstijden. Maar een uitnodiging van de burgemeester en de plaatsvervangend korpschef sloeg hij niet af. Samen met twee secondanten was hij naar het stadhuis gekomen. Zijn helblonde haar in een matje in de nek gekamd, zijn baard keurig in een kwastje samengebonden en zijn spijkerjasje zonder mouwen over zijn leren jasje. Thom schudde zijn hoofd toen het gezelschap zich die middag aandiende. Vooral toen hij zag dat Rick – zo heette de man kennelijk, want dat stond in gouden letters in een ketting die over zijn borst hing – de woorden L O V E and H A T E op zijn knokkels had laten prikken met watervaste inkt. Hij liep hen voor naar de kamer van de burgemeester en vroeg wat ze wilden drinken.

'Bier!' riep Rick lacherig. Thom verblikte niet. Hij knikte kort. De burgemeester en de plaatsvervangend korpschef zaten al klaar. Ze stonden op om de gasten een hand te geven. Rick was ongeveer twee meter lang, woog zeker meer dan honderdtwintig kilo en keek grijnzend op de gezagsdragers neer. Hij kneep zo hard in de uitgestoken hand van de burgemeester dat die een kreet van pijn niet kon onderdrukken.

'Ga zitten,' zei de burgemeester moeizaam. De reus nam een stoel, draaide die achterstevoren en ging er wijdbeens op zitten. Zijn kompanen gingen in de vensterbanken zitten. Die mochten zeker niet aan het gesprek deelnemen. De burgemeester keek gramstorig naar hen, maar ze knikten vriendelijk terug.

'Laat ik om te beginnen zeggen dat wij erg onder de indruk zijn van de manier waarop u in zo'n korte tijd een burgerinitiatief van de grond hebt weten te krijgen.'

Rick begon te lachen. 'Een burgerinitiatief? Hahaha, die is goed. Ja, het is een burgerinitiatief, horen jullie dat?' en hij keek naar zijn maten, die schaapachtig meelachten.

'Net als u maken wij ons ook zeer bezorgd over de veiligheid in de stad.'

'Die verrotte buitenlanders, ja, die doen dit!'

'Nou, ja, ik weet niet of dat er iets mee te maken heeft.'

'Ik wel, het zijn allemaal Antillianen en Marokkanen, dat is allemaal tuig! En jullie mogen daar niets mee, dat begrijp ik wel.'

'Ik denk niet dat u dat zo moet zien…'

'Een maat van mij heeft hier een winkel, in schoenen. Hij is een beetje een watje, maar ja, je moet wat. Wordt die eikel overvallen. In zijn eigen winkel, staat een gozer voor zijn neus met zo'n mes,' hij hield zijn handen een halve meter uit elkaar. 'Hij moet al zijn geld afgeven of anders… Hij belt meteen de juten en wat denk je?'

'Die komen natuurlijk niet,' vulde de burgemeester maar vast in.

'Nee, helemaal niet, die komen wel! En pakken die gast ook nog. Een heel gedoe, drie auto's en nog een paar op de fiets ook. Nee, ze pakken die gast. Wat denk je, een Marokkaan natuurlijk. Nee, maar nu komt het.' Hij keek naar de burgemeester en de politiechef en liet zijn ogen rollen, 'mijn maat zit de hele dag op het bureau en wat denk je van die klerelijer?'

'Geen idee,' zei de burgervader.

'Die staat godverdomme eerder buiten dan mijn maat. Sorry voor mijn Frans, mevrouw. Nou vraag ik je. Voor godbetert een gewapende overval. Dat is toch geen kattendrek. Jullie kennen niets. Wij kennen wel wat. Zo, nou jij weer en dan ik weer.' Rick leunde achterover en keek de man en de vrouw tegenover hem vorsend aan.

'Toch kan dit niet de bedoeling zijn, uh, Rick.'

'Want?'

'Dat heet eigenrichting en dat kan niet, dan verworden wij tot een anarchistische staat, waar alleen nog het recht van de sterkste geldt.'

'Verdomd als het niet waar is en die sterksten, dat zijn wij. Niet die laffe buitenlanders. Ik heb mooi op Wilders gestemd, die man heeft helemaal gelijk!'

'Nee, Rick, dat kan niet. Dat moet je aan het gezag overlaten. In dit geval de politie.'

'Die kennen helemaal niets, de juten. Niets persoonlijks, mevrouw, maar u ken gewoon niets. En u heb te weinig juten. Dat wordt elke dag op de radio gezegd. Er zijn te weinig dienders in Leeuwarden. De oude commissaris heb het zelf gezegd. U kunt ons niet beschermen. We moeten het wel zelf doen. Dat zegt die kapper ook. Die kapper die nu in de politiek zit.' Hij leunde weer achterover en keek voldaan en brutaal recht over de tafel naar zijn twee gesprekspartners. De maten achter hem mompelden en knikten instemmend. De burgemeester keek naar de politiechef, maar die keek niet terug.

'Toch ben ik bang dat wij dit niet kunnen toestaan, hoe nobel ik jullie streven ook vind.'

'Sorry, baas, maar we vinden dat we dit moeten doen.'

'Het kan niet en als het niet anders is, dan…'

'Dan wat?'

'Dan zal ik de politie moeten vragen om, uh … op te treden.'

'Wat wil je doen dan?' vroeg Rick. De burgemeester keek uitdrukkelijk naar de plaatsvervangend korpschef, maar die bestudeerde de gobelin aan de muur.

'Er zal geen enkele vorm van regelovertreding worden getolereerd. Jullie dragen knuppels en stokken mee, dat kan niet. In de binnenstad is dat verboden. Die zullen we in beslag nemen en jullie verbaliseren en geweld zal al helemaal niet worden geaccepteerd. Het spijt me wel, maar jullie laten me geen keus.'

'Dan,' de reus stond op en keek op de twee anderen neer, 'zijn we klaar hier. Ik groet u.' Hij liep naar de deur, trok die ruw open en stapte hoorbaar de zaal door die achter de kamer van de burgemeester lag. Zijn twee kornuiten, die niet zo snel in de gaten hadden dat het gesprek was beëindigd, sprongen uit de vensterbank en wilden hun voorganger volgen. Maar omdat de deur voorzien was van een dranger, waren ze net te laat. Een moment stonden ze als Watt en Halfwatt aan de deur te trekken. Het was bijna komisch, maar niemand lachte.

21 ◉

Even gebeurde er niets in de stad. Geen nieuwe incidenten en geen gedoe met de Leeuwarder Waakzamen. Er werd wel gesproken met elkaar. Op straat overdag en 's avonds in kroegen en cafés. Er waren er die een lokale politieke partij wilden oprichten met dezelfde naam. Maar daar waren niet veel anderen voor. Er waren al zo veel splinterpartijen in de stad.

In de nacht van vrijdag op zaterdag vond er weer een beroving plaats. Niet in de binnenstad dit keer, maar op het bruggetje over de Potmarge aan het eind van de Jansoniusstraat. Er werd een man beroofd van € 20,– en in zijn rug gestoken. Zijn fiets was in het water gegooid en er waren pogingen gedaan om hem erachteraan te duwen. Er waren geen getuigen en de burgerwacht was niet eens in de buurt geweest en de politie trouwens ook niet. De man had het wel overleefd, maar kon slechts een vaag signalement geven van zijn aanvallers. Alleen de adem van een van zijn belagers kon hij beschrijven. Gewond en wel was hij zelf naar het MCL gelopen. Erik voegde deze nieuwe beroving toe aan zijn langer wordende lijst. Hij ging persoonlijk naar het ziekenhuis om met het slachtoffer te spreken. Maar meer informatie dan hij al had, kwam er niet uit.

'Zijn onze vrienden zo onder de indruk van de zichtbare politie en de burgerwacht dat ze nu hun werkterrein verplaatsen?' vroeg Erik aan zijn team tijdens de dagelijkse briefing waar deze zaak werd besproken. Achter hem was met een magneetje de plaats van deze gewelddadige beroving aangegeven op een grote kaart van de stad en duidelijk was te zien dat die buiten het werkgebied viel.

'Het lijkt er wel op, dat zal de surveillance er niet makkelijker op maken. Maar het was te verwachten natuurlijk,' zei George, de analist. 'Het is een waterbed: als je in het midden drukt, wordt het water verplaatst naar de zijkanten. Je ziet het gebeuren.'

'Het wordt tijd dat we eens iemand van die groep achterover trekken. Hoe zit het met onze lijsten met namen?'

'We werken eraan, iedere dag, maar die lijsten zijn lang en wij hebben bijna niets om op af te gaan. Wij hebben al een hoop namen kunnen elimineren, maar we zijn er nog niet,' zei Sigrid.

'Misschien hebben wij een doorbraak,' zei Cor.

'Vertel!'

'Wij zijn op het spoor van Martijn. Die zat inderdaad in dezelfde klas als Marjoleine. Wij zijn een beetje om die jongen heen gaan rechercheren en hij hangt wel eens op straat in het gezelschap van dubieuze vrienden.'

'Heb jij hem zelf al benaderd?'

'Nee, nog niet, we zijn bang dat wij hem afschrikken en dat hij zijn vriendjes waarschuwt. Misschien is het hem ook niet.'

'Hebben we de inlichtingendienst op deze zaak?'

'Tja,' zei Cor, 'wij hebben er twee, kijk daar zitten de heren...' Hij wees op twee politiemannen, die er het minst als politie probeerden uit te zien. 'Met alle respect, jongens,' zei Erik en een van hen wuifde het weg, 'maar ik schat jullie allebei een eindje in de vijftig. Dat is niet de meest ideale leeftijd om onopgemerkt in een club jongeren te infiltreren. Volgens mij heb jij kleinkinderen in de leeftijd van Martijn, is het niet Jen?' Jen beaamde het.

'Hoe groot schatten jullie de kans dat hij er iets mee te maken heeft?'

'Wie, Jen?' vroeg Cor.

'Nee, Martijn, lekkertje,' zei Erik.

'Tja, weet ik niet. Kan wel, kan niet.'

'Achtergrond?'

'Middelmatige leerling, ouders getrouwd en nog bij elkaar. Het is een doodgewoon gezin. Twee kinderen, waarvan hij de oudste is.

Zijn vader werkt bij de Friesland Bank. Hij heeft geen documentatie, zelfs geen aangifte diefstal fiets. Hij komt niet voor en het gezin ook niet.'

'Ik denk dat wij hem binnen moeten halen. Misschien beetje bang maken, laat hem maar zweten,' zei Erik.

'Dat is wel riskant, we kunnen alles verspelen zo.'

'Dat risico moeten we maar nemen.'

'Als jij dat wilt.'

'Ja. Waar is hij nu?'

Cor keek op zijn horloge. 'Over een uurtje zal hij wel op school zitten, denk ik.'

'Dan stel ik voor dat jullie hem daar ophalen. Dat we hem voorlopig horen als getuige. Wat mij betreft maken jullie een plan, samen met jeugd en zeden. Het gaat mij om namen en feiten. We willen heel graag weten wie zijn maten zijn, als het zijn maten zijn en waar we die kunnen vinden en strafbare feiten.'

'En als hij het niet is?'

'Dan bedanken we hem vriendelijk en brengen hem naar school terug.'

'En als hij het wel is?'

'Dan kijken we of we hem verdachte kunnen maken, anders moeten we heel snel handelen.' Erik verdeelde de taken. Cor en Sigrid zouden Martijn gaan halen en horen.

'Misschien hebben we de Arrestatie Eenheid nodig?' opperde Sigrid, 'ze zijn erg gewelddadig.'

'Ja, is goed mogelijk. Ik zal contact zoeken met de leiding en toestemming vragen om de AE op piket te zetten. Ik denk niet dat dat nu een probleem zal zijn.' De briefing werd beëindigd. Erik belde Wessel en vroeg hem toestemming om inzet AE te regelen. Het was geen probleem.

'Je zit aardig klem,' zei Sigrid tegen Cor, die zijn boomlange lijf in de dienstcorsa had gevouwen. Zijn knieën staken tussen het stuur en het dashboard omhoog en zijn hoofd raakte het dak. 'Is het niet handiger dat ik rijd?'

'Gaat wel hoor, als we de stoel iets verstellen,' Cor draaide aan de knop van de rugleuning en er ontstond wat speling tussen zijn hoofd en het dak. 'Ik ben het gewend: de meeste auto's zijn gemaakt voor kinderen.' Hij startte de motor en reed soepeltjes weg. Minuten later parkeerde hij de auto voor de school waar Martijn hopelijk zijn lessen aan het volgen was. Kreunend kroop Cor uit het autootje en liep met Sigrid mee naar de voordeur. Het deed haar denken aan de circusact waarbij een man zich uit een onmogelijk klein kistje tevoorschijn tovert. Er was niemand bij de receptie, dus ze liepen door, de bordjes volgend met ADMINISTRATIE. Op de bovenste verdieping kwamen ze bij een kamer waar een aantal vrouwen voor pc's zat te werken. Sigrid liep er naar binnen en vroeg iemand van de directie te spreken.

'Dat is Klaas, eind van de gang,' zei een van de vrouwen en wees met haar duim naar achteren. Ze ging verder met haar werk, totaal niet onder de indruk. Sigrid bedankte haar en liep weer naar buiten. Ze verbaasde zich over de nonchalance van de medewerkers.

'Klaas, eind van de gang,' herhaalde ze tegen Cor die knikte en samen liepen ze de gang door. Sigrid klopte en liep meteen door naar binnen. Er zat een man van middelbare leeftijd heel alleen in een grote kamer. Hij had een pijp in zijn mond, maar zo te zien en te ruiken was die niet aan. Er stond een schildersezel in de hoek met een half af schilderij erop. Bijzonder, vond Sigrid, maar misschien gaf hij ook schilderlessen. Ze maakte zich bekend, liet haar legitimatie zien en stelde Cor voor.

'En wat kan ik voor de dame en heer van de Hermandad betekenen, hoewel ik mij afvraag of een zuster lid kan zijn van een broederschap, hm, is er tegenwoordig ook een sorority?' zei de man met een stem die het meeste leek op een draaiende betonmolen vol grind.

Sigrid keek even naar haar collega, ze besloot de vraag te negeren.

'We willen heel graag spreken met een van uw leerlingen: Martijn Mast.'

'Mast, Martijn? En die zit hier op mijn school?'

'Wij hebben reden aan te nemen van wel.'

'En wat heeft hij uitgehaald, als ik mag informeren?'

'Dat is informatie die we liever niet delen.'

'Maar ik ben toch verantwoordelijk voor de opvoeding van het jongmens?'

'Vanzelf, maar dit heeft niets met school te maken.'

'En moet dat per se nu, tijdens de lessen? U zult begrijpen dat dit de rust in de klassenroosters, die wij zo moeizaam tot stand proberen te brengen, schade zal toebrengen. De jongelui van tegenwoordig hebben toch al een spanningsboog van drie seconden. We zijn al blij als ze komen opdagen en dan nog een paar minuten aandacht voor iets kunnen opbrengen anders dan Hives, Facebook of sms-jes naar elkaar.'

'Graag, ja, het is nogal belangrijk. Misschien kunt u hem hier laten komen? Dan nemen we hem wel mee.'

'Meenemen, maar lieve hemel, wordt de jonge schelm gearresteerd?'

'Niet direct, maar we willen graag dat hij ons helpt met ons onderzoek.'

'Ah, een politie-eufemisme, ik wist niet dat jullie dat echt gebruikten. Maar moet hij echt met jullie mee? Kunnen jullie niet hier met hem spreken, op mijn kamer desnoods?'

'Het spijt me.'

'Goed dan, ik zal hem laten halen.' Hij pakte de telefoon en stelde de vraag aan iemand aan de andere kant van de lijn. 'Nu wachten we af, ze moet naar de klas en die is aan de andere kant van het complex. Kan ik u misschien een kopje qahwa aanbieden?'

'Qahwa?' vroeg Cor.

'Arabisch voor koffie,' zei Sigrid, 'en ja, graag.'

'Puur Coffea Arabica natuurlijk,' zei de directeur.

'Uiteraard,' zei Sigrid.

De deur ging open en een puberale jongen kwam binnen. Slungelig, krentenbaardje en vettig haar dat om zowel shampoo als een kapper leek te vragen, maar de eigenaar van al dat haar scheen die smeekbede al geruime tijd te negeren. 'Martijn Mast?' vroeg Sigrid. De jongen knikte. Hij keek met bange ogen naar Sigrid en toen naar de directeur. Die knikte hem toe. Het zag er niet geruststellend uit. 'Martijn, we zijn van de politie en we willen graag met je spreken.' Martijn knikte kort en keek naar de grond nu. 'Als dat is geregeld, dan gaan we.'

'Hè?' zei Martijn.

'We gaan naar het bureau, daar hebben we onze spullen. Ga je mee?'

'Moet ik mee?' vroeg de jongen aan de directeur, die zijn schouders ophaalde.

'Ik denk dat je er verstandig aan doet om met deze mensen mee te gaan. Des te eerder is het ook weer voorbij,' zei hij en wees bij de woorden "deze mensen" met de natte steel van zijn pijp in de richting van Sigrid en Cor.

Martijn liet zijn schouders hangen en slofte achter Sigrid de kamer uit. Cor sloot de rij. Het was een beetje proppen in de dienstauto. De jongen moest achter Sigrid gaan zitten, die haar stoel een stukje naar voren schoof. Het werd er niet comfortabeler op. Sigrid voelde de knieën van de jongen door de dunne stoelleuning in haar rug prikken.

Cor draaide de auto handig de Archipelweg op en begon aan de terugrit. Tijdens de rit naar het bureau zei Martijn niets. Hij keek naar buiten.

Het horen van Martijn werd voorzichtig ingeleid. Een praatje over zijn school, over zijn ouders en zijn zusje. De rechercheurs probeerden zijn vertrouwen te winnen door hem het gevoel te geven dat ze hem al kenden. Ze bespraken zijn schoolprestaties, zijn gezinsomstandigheden en spraken hem veelvuldig aan met zijn naam. Hij keek schichtig naar hen op en gaf slechts korte antwoorden.

'Martijn,' zei Sigrid, 'vertel eens wat over je tijd buiten de school. Wat doe je dan allemaal?' Hij haalde zijn schouders op.

'Gewoon.'

'Gewoon wat? Heb je hobby's? Computer?'

'Ja.'

'Ja, wat?'

'Ik heb een computer.'

'En ben je ook wel eens op straat?' Weer een schouderophalen als antwoord. Sigrid herhaalde de vraag.

'Soms.'

'Waar ga je dan naartoe? Naar de stad misschien?' Martijn knikte. 'En waar in de stad?'

'De Mac soms.'

'De McDonald's?'

'Ja.'

'Op de Wirdumerdijk?'

'Ja.'

'En wat doe je daar dan?'

'Maccen, natuurlijk.'

'Een hamburger eten?'

'Ja'

'Met wie ben je daar, toch niet alleen mag ik aannemen?'

'Gewoon, vrienden…'

'Ah, en wie zijn die vrienden?'

'Dat wisselt, wie er is.'

'Maar noem ze eens.'

'Dat weet ik niet.'

'Hoezo, weet je dat niet, je weet toch wel wie je vrienden zijn?'

'Bas.'

'Goed, Bas, hoe heet Bas verder?'

'Bastiaans. Waarom wilt u dat allemaal weten dan?'

'Daar komen we zo op, vertel verder, je kent nog wel andere vrienden dan Bas Bastiaans. Meisjes misschien ook nog?'

'Marjoleine.'

'Marjoleine Bosma?'

'Ja.'

'Kwam die ook wel eens daar?'

'Ja, die hing er elke dag! Dat is een echte breezerslet!' schoot Martijn uit. Sigrid keek ervan op. Kennelijk iets geraakt, dacht ze.

'Waarom is Marjoleine dat?' Sigrid noemde de naam expres nog een keer met enige nadruk.

'Die gaat met jongens mee. Voor een breezer.'

'Ook met jou?'

'Nee, niet met mij.'

'Met wie dan?'

'Dat weet ik niet.'

'Hensley?' zei Sigrid.

'Ja, Hensley, die. Marjoleine is zelf ook Antilliaans, hè.'

'Haar moeder is toch van hier?'

'Ja, maar haar vader niet.'

'Ken je haar vader?'

'Nee.'

'Vertel eens over Hensley, is hij een vriend van je?'

'Geen vriend…'

'Wat dan wel, ken je hem?' Martijn schokschouderde. Dat deed hij zeker de hele dag, dacht Sigrid. Het leek wel of dat zijn enige reactie was.

'Ik ken hem, van straat. Van de Mac. Verder niet.'

'Hoe heet Hensley verder?'

'Dat weet ik niet.'

'Volgens mij weet je het wel.'

'Nee, ik weet het echt niet. Ik zweer het je. Ik weet zijn achternaam niet. Alleen dat hij Hensley heet en ergens op een Espel woont.'

'Waar op de Espel, Pilotenespel?'

'Dat weet ik niet.'

'Koeriersterespel?'

'Denk ik.'

'Maar je weet het niet zeker.'

'Nee.'

'Wist jij dat Marjoleine een tattoo had laten zetten?'

'Ha!' het klonk onvoorstelbaar schamper.

'Hoezo "ha", wat betekent dat?'

'Dat was geen tattoo, hoor.'

'Hoezo, wie had die dan gezet?'

'Bayram, natuurlijk!' Hij leek ontsteld over de domheid van de vraag.

'Bayram?'

'Ja, die brandmerkte zijn bitches.'

'Deed hij dat met een heet ijzer?' Sigrid gruwde.

'Nee, met een tattoo.'

'Wat voor een tattoo dan?'

'Zijn brandmerk, natuurlijk. Allemensen!'

'Wat was dat, beschrijf het eens?'

'Weet ik veel, een schedel met een B erin, geloof ik. Het brandmerk van Bayram, die tattoo.'

'Heb jij er ook een?'

'Ik, nee, natuurlijk niet, ik ben toch geen bitch? Alleen de bitches van Bayram kregen een tattoo.'

'En wilden ze dat zelf wel?' Martijn haalde zijn schouders op en gaf verder geen antwoord.

'Heb je gezien dat Bayram een tattoo zette bij Marjoleine?' Geen antwoord. Het interview ging nog enige tijd door. Maar Martijn weigerde verder nog iets te zeggen. Hij zat stuurs en nors op zijn stoel en liet zich niet meer uit de tent lokken. Sigrid kwam nog een paar keer terug op Marjoleine, maar dit keer wist hij zich in te houden. Ze zag dat hij er iets mee van doen had, maar omdat hij nog minderjarig was en geen verdachte, vroeg ze niet door. Ze konden hem ook geen uren ondervragen. Erik deed de deur open en vroeg Sigrid naar buiten te komen.

'Hoe gaat het?' vroeg hij.

'Hij laat niet veel los, volgens mij is hij bang. Ik kan wel doordrukken nu, maar dan denk ik dat hij helemaal dichtklapt. Als we hem konden aanhouden, zouden we hem in de cel kunnen zetten. Dan zou hij wel gaan praten. Hij kent Marjoleine, hij kent Bayram en hij kent Hensley. Maar dat kunnen we helaas niet doen. Ik heb wel een ding: die Hensley woont op een van de Espellen, waarschijnlijk Koeriersterespel.'

'Hebben we hem al?'

'Ik heb dit tijdens ons gesprek al naar George gemaild. Dus misschien heeft hij die Hensley al te pakken. Ik zal zo kijken. Wat doen we met Hensley, als we die vinden?'

'Aanhouden, wij hebben hem als verdachte van minimaal verkrachting. Marjoleine heeft hem genoemd en een beschrijving van hem gegeven en dat past wel in het signalement. Daar durf ik de officier wel voor te bellen. Maar wat anders, Martijns ouders zitten in de hal en ze hebben een advocaat bij zich en ze willen hun zoontje zien. Hij is minderjarig, geen verdachte, dus ik denk dat wij hem nu wel kwijt zijn.'

'Goed,' zei Sigrid, 'dan laat ik hem nu maar gaan, ik krijg toch niets meer uit hem.'

'Maar hoe houden we hem stil?'

'Kunnen we niet, we moeten proberen hem nog langer op te houden, kan dat?'

'Dan laten we hem hier zitten, ga ik met de ouders praten en loop jij naar George. Dan proberen we zo snel mogelijk Hensley op te halen.'

Sigrid liep snel de gang door en rende bij George binnen.

'Heb je hem?' George keek vanachter zijn batterij schermen naar haar op.

'Wie?'

'Shit, George, zou nú wel heel fijn zijn!'

'Geintje, ja, hier Koeriersterespel inderdaad. We hebben er maar een. Niet officieel trouwens, maar wel met bijna zekerheid dat Hensley Seferina hier woont met zijn moeder, zusje en twee jongere broertjes.' George gaf haar een papiertje met de gegevens. Sigrid trok het uit zijn handen en rende ermee naar het kantoor van Wessel. Die was in bespreking, maar Sigrid stoorde zich er niet aan.

'We hebben een adres bij een naam. Hij is in ieder geval verdachte van de verkrachting en misschien ook van de straatroven. Hij kan dus gevaarlijk zijn. We moeten hem snel halen, want we moeten onze getuige vrijlaten.'

'Ook goedemiddag, Sigrid,' zei Wessel rustig. Hij verontschuldigde zich tegenover zijn bezoek en liep met Sigrid mee de gang in. 'Dat is mooi, laten we maar met de Arrestatie Eenheid gaan. Bel jij de meldkamer maar, dan bel ik voor de zekerheid nog met de districtsleiding.' Sigrid had haar telefoon gepakt en de coördinator van de meldkamer al gebeld. Ze vertelde dat ze de AE zo snel mogelijk in de briefingruimte wilde hebben.

22

Nog geen dertig minuten later was groep 1 van de AE verzameld. Erik, Sigrid, Wessel, Cor en Fraukje waren ook aanwezig.

'Het verhaal is simpel, wij hebben Hensley Seferina gelokaliseerd op de Koeriersterespel. Hij wordt verdacht van verkrachting en is waarschijnlijk betrokken bij de gewelddadige straatroven. Als dat zo is, kan hij bewapend en gevaarlijk zijn. Wij moeten straks een vriendje van hem laten gaan, die zal hem waarschijnlijk bellen en dan is hij zomaar verdwenen en de vraag is, of we hem dan nog op korte termijn terugvinden.' Erik las verder voor welke informatie ze nog meer op het adres hadden gevonden. 'Ik wil graag dat er zo snel mogelijk wordt gehandeld. Snel naar het adres, aanbellen als het kan, anders deur eruit lopen.'

In een colonne van drie auto's vertrokken de politiemensen naar het adres. Ze reden via de Anne Vondelingweg, omdat daar meer snelheid kon worden gemaakt. Bij de kruising met de Groningerstraatweg werd het verkeerslicht genegeerd en werden de zwaailichten en sirenes kort aangezet. Bij de Lekkumerweg voorkwamen ze ternauwernood een aanrijding; een buschauffeur lette niet goed op en blokkeerde de doorgang. Via de stoep werd het obstakel omzeild. De buschauffeur tikte met zijn vinger tegen zijn voorhoofd. Op de Koeriersterespel werden de auto's naast elkaar gezet, met de neus naar voren. De mannen sprongen eruit. Twee van hen liepen onmiddellijk naar de voordeur, vier anderen posteerden zich achter de flat en de rest schermde de omgeving af. Er werd zowel gebeld als op de deur gebonsd. Het lawaai dan men maakte, zou een hardhorende kwartel verschrikt hebben doen opvliegen.

'Politie, openmaken!' schreeuwden de AE'ers. Het was nu zaak om zo intimiderend over te komen en dat had vooral effect op de buurt. Overal werden ramen en deuren geopend en verschenen verschrikte maar ook op sensatie beluste gezichten. Nogmaals timmerden de mannen op de goedkope voordeur, die rammelde en trilde in zijn sponningen en schreeuwden het uit. De brutaalste buurtbewoners waren nu naar buiten gekomen en kwamen dichterbij. Ze werden tegengehouden door de andere collega's.

'Pluisje!' schreeuwde er iemand, toen er niet werd opgedaan. Twee man kwamen aan lopen met de grote bonk tussen hen in. Op het moment dat ze het stuk staal naar achteren haalden om de deur eruit te rammen, werd deze opengedaan. Er klonk het rammelen van een ketting en het knersen van een slot. De mannen met het ramijzer deden een stap naar achteren. Er stond een kind op de mat, die met grote ogen naar de mannen opkeek.

'Dag meisje,' zei een van hen en deed zijn masker af, 'we komen voor Hensley Seferina. Is hij thuis? Hij is je broer zeker?' Het meisje bleef gebiologeerd naar de boomlange in zwarte kleding gehulde Friese politieman staren, als was het Steven Seagal in persoon. Maar er was niet veel tijd voor pedagogisch verantwoorde praatjes, het kind werd opgepakt en opzijgezet. De mannen liepen naar binnen, met de handen aan het wapen, de beugel van de holster los, maar nog wel geborgen. Klaar om het in een fractie van een seconde te trekken, te richten en een schot te lossen, als het nodig was. Het oortje van de portofoon begon te kraken. Erik, die op enige afstand stond en meeluisterde, hoorde het ook.

'We hebben hem, hij kwam door het raam naar buiten zetten! Uh, we hebben wel een ambu nodig.' Erik liep om de huizen heen en zag een paar collega's op hun hurken zitten. Tussen hen in lag een geknakte Hensley Seferina. Hij leek klein tussen de massieve mannen van de AE. Hij had duidelijk pijn en keek erg kwaad.

'Heeft hij al wat gezegd?'

'"Au", meer niet.'

'Goed zo. Hensley Seferina, bij dezen ben je aangehouden. We vertellen je straks wel waarvoor, als je naar het ziekenhuis bent geweest.' Hensley Seferina zei helemaal niets. Hij keek met donkere ogen naar zijn belagers.

'Doorzoeking!' riep een collega toen hij de auto van de Rechter Commissaris aan zag komen rijden.

Hensley had zijn scheenbeen gebroken en een pijnstiller gekregen, had een arts tegen Erik en Sigrid verteld. Verder een paar blauwe plekken en wat bulten, maar die trokken wel weg. Een kleine operatie was nodig om het scheenbeen goed te zetten en betekende dat Hensley een paar dagen ziekenhuis zou moeten houden. Ze mochten erbij, maar hij zou nog wel een beetje warrig zijn, dacht de dokter.

'Hensley! Hensley Seferina,' zei Erik nadrukkelijk toen hij naast het bed stond en naar de gewonde crimineel keek. Die sloeg zijn ogen op en leek te schrikken van de rechercheur die boven zijn bed hing. Erik had een zakje bij zich, een bewijszakje. Dat liet hij boven het hoofd van de gewonde verdachte bungelen.

'En wat is dit, denk jij?' Erik zag dat Hensley moeite had met focussen. Hij hield het plastic zakje stil en liet het hem rustig bekijken. Hensley probeerde iets te zeggen, maar kennelijk was zijn keel te droog. Er kwam gekraak uit. 'Ach, kerel hebben we zo'n *sed*?' Erik keek rond en zag een plastic fles met een tuitje eraan op het nachtkastje staan. Die pakte hij en stak de tuit in de mond van Hensley. 'Hier jongen, neem maar een slokje. Nu waar waren we, o ja, vertel mij eens wat dit is?'

'Geen idee, oordruppels?' zei de jongen en keek brutaal naar de rechercheur.

'Ja, zo ziet het flesje er inderdaad uit. Precies zo, van bruin glas en met een pipetje, maar er zit geen etiketje op en het is ook geen doorzichtige vloeistof, hè. Dus oormedicijn zal het niet zijn, denken we. Dat hebben we ook al aan je moeder gevraagd, maar je hebt ook geen last van je oren. Wel van anderen dingen, denken we, maar je hebt geen oordruppels. Dus een nieuwe kans, wat is dit?'

'Is niet van mij,' Hensley keerde zijn hoofd af en probeerde uit het raam te kijken. Erik hing het zakje met het flesje weer in zijn blikveld.

'We denken van wel, jij had het namelijk in je zak en niemand anders mist dit flesje. Het ruikt ook een beetje raar.'

Hensley schokschouderde in bed. Dat had hij waarschijnlijk beter niet kunnen doen, want hij vertrok zijn gezicht.

'*Mi ta malu*!'

'Ach, doet het een beetje pijn? Waarom spring je dan ook van de tweede verdieping uit het raam? Dat is ook niet verstandig, *buriku*. Zeker niet als er een betonnen stoep onder zit. Die geven meestal niet echt mee. Ik hoop dat je straks nog wel kunt lopen... met die *wesu*...'

Het brutale verdween even uit Hensleys ogen, maar hij wist vrij snel zijn onverschillige en brutale gezicht weer op te zetten.

'We willen graag weten waar dit flesje en zijn inhoud vandaan komt, zou je daar iets over kunnen zeggen?' Maar ook hierop gaf de getroffen jongeman geen antwoord.

'Goed, je geeft dus geen antwoord. Nu ja, maakt niet uit, als je hier weggaat, kom je gezellig bij ons logeren. Misschien mag je wel revalideren in de Marwei. Daar hebben ze vast nog wel een paar krukken waarmee je mag oefenen. Maar nog eens wat anders, zegt de naam Marjoleine je iets, Marjoleine Bosma?'

'Nee,' zei Hensley, nog voordat Erik zijn zin had afgemaakt.

'Wacht, ik was nog niet klaar. Marjoleine...' hij legde de nadruk op de naam en liet een stilte vallen, 'lag hier ook in het ziekenhuis, is dat niet toevallig? Niet op deze afdeling overigens, maar een eind verder. Ze is er erg aan toe, wist je dat?' Hensely schudde zijn hoofd.

'Ze was mishandeld, gemarteld zeg maar en verkracht op een meer dan gruwelijke wijze. Door meerdere mannen tegelijk. Iets ergers kun je een vrouw, wat heet, een kind nog, niet aandoen. Ze is getraumatiseerd voor het leven. Dat komt nooit meer goed.' Erik keek uit het raam. Hij wendde zich weer tot de persoon in het bed. 'Laffer gedrag kan ik me niet voorstellen en jij?'

Hensley reageerde niet. Hij keek met donkere ogen naar het plafond.

'Nou ja, daar komen we ook nog wel op terug, daar hebben we straks tijd genoeg voor. Ze heeft jou wel aangewezen, namelijk. O, ik verheug me echt op onze samenwerking! We hebben zoveel met elkaar te bepraten!' Erik lachte en zag dat Hensely zich niet verheugde.

'Ik heb jou niets te zeggen, boer, ik wil een advocaat!'

'Natuurlijk, dat willen jullie allemaal en die krijg je vast ook wel toegewezen. Als we je voorgeleiden, gaat er een fax naar de jeugdzorg en die zorgen daar wel voor. En nog eens wat, mijn naam is Van Houten en ik zou heel graag willen dat je me zo aanspreekt. Bij voorkeur met "meneer" ervoor, hè.'

'Meneer... Boer.'

'Het is al iets beter, we komen er wel. Nog eens wat, wie is Bayram? Die was hier om naar je te vragen.' Erik zag dat Hensley daar wel van opkeek. Een glimpje.

'Geen idee... Boer.'

'Meneer, graag, nou ja, daar gaan we nog aan werken. Maar Bayram, wie is dat, vertel mij er eens alles van?'

'Ken geen Bayram.'

'Natuurlijk wel, het is je beste vriend, denk ik zelf. Vertel eens iets over je beste vriend aan Ome Erik.'

'Ken geen Bayram...'

'Daar komen we dan ook nog op terug. Gaat helemaal goedkomen. We kunnen het straks ook aan hem vragen. Hij komt zo.' Hensely kon het niet laten om snel naar de deur te kijken. 'Rust jij maar goed uit en als je weer een beetje beter bent, kun je lekker verder uitrusten in de Marwei, is hier vlakbij, dus je hoeft niet ver.' Hensley

117

reageerde niet.

'*Mi tin ku bai. Te otro biaha!*' zei Erik. Hij liep de kamer uit en bleef op de gang wachten, buiten het zicht van de patiënt. Misschien zou Hensely hem terugroepen, maar dat bleef uit. Op de gang stond een leerling-agent te wachten. Erik moest naar hem opkijken.

'Jou ken ik ergens van,' zei Erik, 'maar de vraag is, ken je mij nu ook?'

'Ja, meneer, u bent rechercheur Van Houten,' zei de man gedienstig.

'Goed zo, je hebt bijgeleerd. Niet meer vergeten, nu. Ben je alleen hier?'

'Nee, meneer, mijn collega is koffie halen.'

'Weet je waarom je hier bent?'

'Ja, meneer, we moeten de verdachte in deze kamer beveiligen.'

'Heel goed, ik wil het weten als hij wat te vertellen heeft, ik wil weten wie hij op bezoek krijgt en ik wil weten met wie hij verder nog contact heeft.'

'Van iedereen? Ook zijn moeder?'

'Ik wil alles precies weten, hoe laat en hoe lang en wat ze met elkaar bespreken. Tot op de minuut en niemand komt hier binnen zonder legitimatie en die schrijf jij keurig over, naam, toenaam, adres, geboortedatum, relatie tot de verdachte, alles, begrijp je?'

'Ja, meneer.'

'En nog wat,' Erik had een stap naar achteren gezet, dan hoefde hij niet zo omhoog te kijken. 'Dit is een verdachte, hij is aangehouden. Dat betekent dat hij niet weg mag. Als hij niet luistert, leg je hem maar vast met een handboei aan het bed. Niet dat ik problemen verwacht. Met een gebroken scheenbeen kom je niet ver.'

'Komt in orde,' zei de aspirant en trok een notitieboekje uit zijn blouson.

'Daar reken ik ook op,' zei Erik en marcheerde de gangen door op weg naar de uitgang. Onderweg floot hij een liedje.

23

'We liggen wel mooi op een rijtje,' zei Erik tegen Sigrid. Ze zaten op de kamer van Wessel. Die was er nog niet, maar zou zo komen.

'Wie? Wat?'

'MCL, politiebureau, gevangenis, allemaal aan dezelfde straat. Dat is handig, niet?'

'Ja, en de brandweer er nog tussen. En de Albert Hein, dat is ook handig.' Wessel kwam binnenlopen. Keurig in tuniek en een onberispelijk gestreken overhemd met messcherpe vouwen in de mouwen. Hij deed het jasje uit en hing het op de kapstok. Vervolgens trok hij zijn stropdas los en smeet die in een la.

'Zo, dat is beter. Hebben we al koffie?' Erik had een kan vol meegenomen. Hij schonk drie bekertjes vol.

'Had je een officiële bijeenkomst?'

'Klachtencommissie, dan kun je er beter goed uitzien.'

'Hebben we gewonnen?'

'Het is geen kwestie van winnen of verliezen! Er is onrecht gedaan en dat moet recht worden gezet,' hij slurpte hoorbaar van zijn koffie, 'en ja, we hebben gelijk gekregen. Dat doet een oude man weer goed. Maar vertel mij eens alles en trouwens toch.' Erik legde het zakje met het flesje op tafel.

'Dit hebben we van Hensley afgepakt. Had hij in zijn fouillering zitten en weet jij wat dit is?' Wessel pakte het op en keek naar het bruine flesje.

'Oordruppels, schat ik in. Kijk maar, er zit een rubber knijpdopje op. Dit heb ik ook voor mijn kleinkinderen in huis.'

'Flesje wel, maar de inhoud niet. Ik ben langs de technische recherche geweest. Het moet nog formeel worden bevestigd, maar het is mba.'

'Aha, dus het is definitief opgedoken hier.'

'Yep.'

'En wat verklaart onze vriend hierover?'

'Geen enkel woord nog. Maar hij is bang, ik kan het zien aan zijn ogen. Hij kent Bayram, natuurlijk kent hij Bayram en hij is zo bang als een capibara, die recht in de ogen van de grootste anaconda kijkt die hij ooit heeft gezien. Maar hij zegt niets. Nog niet. Die moeten we nog laten sudderen. Ik denk wel dat hij een keer gaat zingen. Maar nog niet meteen. Hij doet nu nog heel stoer en brutaal. Hij noemde mij zelfs "boer".'

'Dat ben je ook.'

'Dank je, van je chef moet je het hebben'

'"Boer" is afkorting van "boeroe", dat betekent "blanke". Blanke Surinamers worden "boeroe" genoemd. Maar Hensley is toch geen Surinamer?'

'Nee, volgens mij komt hij van de Antillen.'

'Is er iets uit de doorzoeking van de woning gekomen?' Wessel bladerde door de papieren op het bureau.

'Nee, niet echt iets waar we wat aan hebben, zoals een bebloed stanleymes. Mogelijk één aanwijzing en dat is een stukje karton waarop een afbreekmes gezeten kan hebben. Je weet wel, zo'n ding met een reep aan mesjes, die je steeds kunt afbreken in een geel plastic heft. Iedereen heeft wel ergens zo'n ding en we kunnen het niet met zekerheid zeggen of het wel van zo'n hobbymes was ook nog. Maar we willen hem er wel mee confronteren.'

'Doe maar, zijn er nog andere plaatsen waar hij dat mes verstopt zou kunnen hebben? Schuur of garage of hangout?'

'Allemaal bekeken. Ik denk zo maar dat hij het mes allang niet meer heeft. Het kost ook helemaal niets.'

'Nu ja, nog iets over Marjoleine?' Wessel had zijn bril op de punt van zijn neus en keek naar Erik op.

'Nee, hij kent geen Marjoleine, kent geen Bayram, het gebruikelijke verhaal.'

'Wordt hij beveiligd?'

'Ja, koppel noodhulp staat er 24 op 24.'

'Fijn,' Wessel knikte, 'liever de uniformdienst dan de recherche. Dat scheelt ons weer mensen. Hoe lang moet hij blijven?'

'Zeker een paar dagen.'

'Is hij in verzekering?'

'Ja, meteen al. Wij hebben genoeg, ook al praat hij niet.'

'Goed, maken jullie dan maar een goed verhoorplan en begin er maar mee in het MCL.'

'Pak ik wel op,' zei Sigrid.

'Wat doen we met Marjoleine en Martijn?' vroeg Erik.

'Begin maar met een foto-Oslo, dan kunnen we later nog kijken voor een confrontatie. Heb je al DNA afgenomen?'

'Nog niet, doen we.'

'Heb je al met Seerp gesproken?'

'Ga ik zo bellen.'

'Ga maar bij hem langs, hij wilde jou ook graag spreken.'

'Doe ik,' zei Erik en liep de kamer uit.

'Nog iets, Erik?'

'Zeg het maar,' Erik bleef staan.

'Wat is een capibara?'

'Weet je dat niet? Haha, die is goed, jij weet toch altijd alles? Heer van het gras, dat betekent het, maar het is een waterzwijn. Het is het grootste knaagdier ter wereld en woont in Zuid Amerika.'

Een verdieping lager vond hij Seerp achter een stapel dossiers, met een potlood achter zijn oor en een goudkleurig leesbrilletje op zijn neus. Hij leek wel een boekhouder op zoek naar fraude met declaraties, alleen de klep en de stofmouwen ontbraken nog.

'Ha Seerp, wil het wat?' Erik grinnikte in zichzelf.

'We schieten niet echt op, nee. Ik hoop dat jij nog wat kunt bijdragen.' Het potlood viel op de grond. Het viel Erik nu pas op dat zijn oren nogal wijd van zijn hoofd wegliepen. Daar bleef natuurlijk geen potlood achter zitten.

'Wat heb je van me nodig?' Erik probeerde serieus te kijken.

'Ik zit te wachten op de verklaring van vriend Hensley. Ik zit een beetje vast met die El Pacho moordzaak. Een gruwelijke moord, zo te zien, roofmoord is nog het meest waarschijnlijk. Maar het past goed bij deze verdachte. Met een mes zou ik nog blijer zijn. Bij voorkeur een stanleymes.' Seerp pakte een dossier op en zwaaide ermee. 'En ik ben vooral zeer benieuwd naar de herkomst van de drugs, mba. Daar zijn nog meer mensen benieuwd naar, denk ik. Hebben ze mba gebruikt bij de verkrachting van Marjoleine?' Seerp had een andere map gepakt en bladerde erin.

'Bedoel je of ze zelf hebben gebruikt of dat ze het aan Marjoleine hebben gegeven?' vroeg Erik hem. Hij was op een stoel gaan zitten en leunde op twee poten achterover.

'Beide, je kunt het eenvoudig aan iemand geven in de suiker of in een snoepje of zoiets.'

'Klopt, en puur schijnt het ook erg vies te smaken.'

'Ja, maar suiker reageert ook met het spul,' wist Seerp. 'Het maakt de roes of de kick ook wat heviger.'

'Nu ja, kijk maar in de verklaring van Marjoleine,' zei Erik. 'En anders moeten we het haar nog een keer vragen. Ik neem aan dat je daar in die stapel ergens haar dossier wel hebt liggen?'

Seerp begon een stapel door te zoeken. 'Jawel, ik heb in principe alles wat er in de zaak is gebeurd, geprint en gebundeld.'

'Dat staat toch allemaal in de computer?'

'Noem me ouderwets, maar ik kan niet van een scherm lezen. Ik moet het op papier hebben. Anders heb ik geen overzicht.'

'Heb je al eens een e-reader geprobeerd?' Seerp keek alsof hij het woord zelfs nog nooit had gehoord en ook niet van plan was daar moeite voor te doen.

Erik grinnikte. 'Best, maar wat wil je dat ik ga doen, nu?'

'Ik denk dat het goed is om die Turkse man te pakken te krijgen. Vind je het niet gek dat een dertiger rondhangt met kinderen die tien tot vijftien jaar jonger zijn dan hij? Als dat geen loverboy is, eet ik een dossier naar keuze op.'

'Goed, baas, doen we. Mag ik het dossier uitzoeken?'

'En nu wegwezen, want ik heb nog meer te doen.' Seerp pakte weer een ander mapje op en begon erin te lezen. Erik liet zijn stoel weer op vier poten vallen en ging op zoek naar Sigrid.

'Het wordt tijd dat we die Bayram eens van straat plukken,' zei Erik tegen Sigrid, die hij in de recherchekamer had teruggevonden. 'Hij wordt steeds interessanter, die zou ik toch graag eens spreken en Seerp wil het ook graag. Ben jij nog verder gekomen met zijn documentatie?'

'Nee, niet echt,'zei Sigrid. 'Nog één aanwijzing, dat voel ik, dan hebben we hem.'

'Mooi. Ga jij nog wat leuks doen vanavond?' Erik keek zijn collega van opzij aan.

'Gewoon, boodschappen doen, eten koken, boek lezen, tv kijken en naar bed, niets bijzonders dus.' Sigrid keek recht voor zich uit.

'Leuk boek?'

'Weet ik nog niet, ik heb een boek gekocht van een Groninger schrijver, kan niet veel zijn, denk ik dan, maar hij kreeg wel vier sterren in de VN-thriller gids.'

'Komt er ook politie in voor?'

'Weet ik nog niet, misschien wel.'

'O, dat lees ik niet, die zijn altijd zo nep. Er klopt nooit iets van.'

'Maar waarom zoveel belangstelling voor mijn avondbesteding?' Nu keek Sigrid wel opzij.

'Ik weet het niet, ik heb een raar voorgevoel. Onbestendig. Nou ja, het zal wel, een fijne avond. We zien elkaar morgen bij de briefing.'

Erik pakte zijn tas in, griste nog wat dagrapporten mee en verliet het bureau. Hij overwoog of hij nog naar Josephine zou gaan. Met de sleutels in de hand zat hij in de auto te denken. Maar hij schudde zijn hoofd, startte en reed naar zijn eigen huis. Daar opende hij een zak Chinese tomatensoep en warmde de inhoud op in een pannetje dat nog van zijn moeder was geweest. Dat moest hij toch eens weggooien, het zag er niet meer uit, maar hij was eraan gehecht. Hij besmeerde een paar plakken roggebrood met Franse smeerkaas, pakte een flesje bier uit de kast en droeg alles op een blad naar de kamer. Met het dienblad op schoot at hij de soep en het brood en keek naar het Journaal op de tv. Er waren weer doden gevallen als gevolg van het gebruik van mba, meldde de presentator. Er kwam een deskundige van de Jellinek in beeld die uitlegde wat mba was en wat het met je deed. Hij riep de jongeren op – en keek daarbij intens in de camera – de drug niet te gebruiken.

'Dat lijkt me een goed plan, dat zal de jeugd doen sidderen, misschien moeten ze het eens bij spuiten en slikken behandelen,' zei Erik en zette de televisie uit. Hij bracht de vaat naar de keuken en slofte weer naar de bank. Daar pakte hij de stapel tijdschriften uit de mand en begon met het lezen van verplichte lectuur: "Aandachtspunten voor preventie van marginalisering van Antillianen". 'Nog beter,' zei hij hardop en sloeg het rapport open en sukkelde na de tweede pagina in slaap.

24

De telefoon ging. Erik ontwaakte uit een onrustige droom. Hij had op een klein schip op een hoge zee gevaren. De anderen waren al overboord geslagen en hij was alleen overgebleven, stuurloos en misselijk. Geen land in zicht.

Het was de meldkamer, Tjibbe.

'Erik, gedoe in het MCL, of je erheen wilt gaan. Jij had er toch een verdachte?'

'Wat is er aan de hand?'

'Weten we nog niet, die verdachte lijkt te zijn aangevallen. Guido is gewond geraakt.'

'Guido, wie is dat dan?'

'Collega uniformdienst, die daar ter beveiliging was.'

'Die lange, die aspirant?'

'Dat weet ik niet, weet alleen dat hij Guido heet.'

'Dank, ik ga ernaartoe. Wil je Sigrid ook bellen?'

'Sigrid de Wilde?'

'Ja, zeg maar dat ze ook naar het ziekenhuis moet komen.'

Erik sprong uit bed en zocht wat kleding bij elkaar. Hij kon zo snel geen onderbroek vinden. Dan maar een jeans aangeschoten zonder. Polo en jasje, dat moest maar genoeg zijn en met blote voeten in de schoenen. Heel modern, maar dat was niet de reden. Snel bolderde hij de trap af, keek nog in de spiegel en besloot in de keuken een paar handen water in zijn gezicht te smijten. De slaapkreukels zouden zo wel verdwijnen.

Er waren al een hoop collega's ter plaatse toen Erik aankwam. Hij liep door naar de kamer van Hensley.

'Wie was hier als eerste?' vroeg hij. Er meldde zich een geüniformeerde collega.

'Vertel, was je hier of ben je hier opgeroepen? Wat is er gebeurd?'

'Ik had noodhulp en reageerde op een melding.'

'Wie waren hier voor de beveiliging?'

'Guido en Jos.'

'Waar zijn ze?'

'Guido is naar de eerste hulp en Jos is met hem mee.'

'Goed en Hensley?'

'Wie?'

'De verdachte.'

'O, die. Die is niet meer, ben ik bang.' De kamer van Hensley was dichtgemaakt met witrood lint. Binnen was het licht uit.

'Dood? Hoe?'

'Weten we nog niet, de Technische Recherche is gebeld, maar nog onderweg. We hebben geen verwondingen gezien, het lijkt erop dat hij gestikt is.' De collega deed de deur open en scheen naar binnen met zijn Maglite. Hij verlichtte het verwrongen gezicht van Hensley. Er lag een kussen op de grond naast het bed.

'Heeft iemand iets gezien? Guido of Jos?'

'Die zijn nog niet gehoord.'

'Personeel dan?'

'Zijn we mee bezig, maar nog niets concreets voorlopig.'

'Goed, dat gaan we overnemen. Ik wil graag dat de Plaats Delict schoon blijft tot de TR er is. Dokters hebben we hier genoeg zeker, om de dood vast te stellen?'

'Er is wel een verpleegster bij geweest, maar geen dokter, volgens mij.'

'Het was maar een grapje, maar geen goede. Er moet natuurlijk een schouwarts komen.' Sigrid kwam aangelopen en Erik lichtte haar kort in.

'Zou jij naar de spoedeisende hulp willen lopen en kijken wat Guido en Jos te vertellen hebben? En,' hij wendde zich weer tot zijn geüniformeerde collega, 'wil jij eens uitzoeken of ze hier camera's hebben hangen en alle beelden in beslag nemen? Is er een chef van dienst hier?'

'Jawel, Stephan, die praat met iemand van het ziekenhuis nu.'

'Waar?'

'In de zusterskamer, geloof ik.'

'Goed. Ga jij achter die camerabeelden aan?'

Erik liep naar de zusterskamer en ging naar binnen. Daar was Stephan zichtbaar geagiteerd met een man aan het praten. Hij liep heen en weer, terwijl de onbekende man rustig op een hoek van een bureau zat. Stephan stelde Erik aan de man voor.

'Dit is Wander Blaauw, hij is de baas van het ziekenhuis.'

'En u bent?' zei Blaauw een beetje uit de hoogte en keek hem vanachter een modieuze rode bril vorsend aan.

'Erik van Houten, belast met het onderzoek. Het was mijn verdachte die het loodje heeft gelegd.'

'In mijn ziekenhuis, inderdaad, ik ben hier niet erg blij mee.'

'Dat begrijp ik, wij ook niet erg. Er is nog een collega bij gewond geraakt ook.'

'Wat ik niet begrijp is waarom deze man niet meteen is overgebracht naar Scheveningen, als hij zo'n gevaar liep.'

'Tja, dit konden wij ook niet helemaal bevroeden, eerlijk gezegd.'

'Maar u liet hem wel hier bewaken. Dat vind ik ook al helemaal niks. Het personeel wordt daar erg zenuwachtig van.'

'Dat was meer om te beletten dat hij er zelf vandoor zou gaan.'

'Nog erger dus, u weet niet eens waar u mee bezig bent!'

'We kunnen de toekomst niet voorspellen, nee, kunt u dat wel?'

'Ik kan wel risico's inschatten. In het vervolg wil ik dit zo niet meer. Dit soort mensen hoort niet hier, maar in het penziekenhuis in Scheveningen. Daar is het voor!'

'Nu, met deze verdachte heeft u verder geen last. We zullen het stoffelijk overschot weg laten halen zodra het sporenonderzoek klaar is. U begrijpt dat wij het personeel moeten ondervragen en dat we camerabeelden in beslag moeten nemen. En trouwens, Scheveningen is erg beperkt in haar handelen tegenwoordig. Het mag zich niet eens meer ziekenhuis noemen, meen ik.'

'Dat zal wel, daar hebben we het nog wel over. Maar ik zou het erg op prijs stellen als u verder zo discreet mogelijk tewerk gaat. De onrust is al groot genoeg zo, met al die agenten door de gangen. Kan dat misschien wat minder?'

'We moeten wel ons werk kunnen doen…'

'Ja, ja, maar doe dat dan zonder veel kabaal, als u wilt.'

'We doen ons best.'

Blaauw stond op, gaf de politiemensen een hand en liep de kamer uit.

'Een aangenaam heerschap, wel. Gaat het Team Grootschalig Optreden dit oppakken?' vroeg Stephan.

'Denk het wel,' zei Erik.

'Mooi, dan laat ik dit helemaal in jouw handen en ga ik fijn andere dingen doen. Er zal wel pers op af komen, dus het lijkt me zaak de hogere legerleiding in kennis te stellen.'

'Ik zal Wessel bellen, die doet het altijd erg goed als bliksemafleider.'

'Strak plan.' Stephan stond op, groette kort en verliet de kamer. Die ging zo snel mogelijk het ziekenhuis uit, nam Erik aan. Stephan had het niet zo op ziekenhuizen, wist hij. Erik pakte zijn telefoon en begon een aantal mensen te bellen.

George en zijn mensen hadden vele uren beelden zitten kijken. Het ziekenhuis bleek goed voorzien van camera's, maar alleen buiten en in de openbare ruimten. De opnames waren allemaal opgeslagen en bewaard. Erik en Sigrid waren op bezoek bij de infodesk en staarden naar het beeld dat op de wand geprojecteerd werd.

'Kijk, daar, dat zou hem moeten zijn!' riep George triomfantelijk. Hij wees op een vage vlek die linksonder door het beeld schoof. 'Dit klopt met het tijdstip, niemand anders is daar langsgekomen. Hij moet het zijn!' Hij had het beeld stilgezet en uitvergroot. Het plaatje was vaag en korrelig, maar toonde een manspersoon met een spijkerbroek aan en een lichte trui. Zo te zien een schriel ventje. Helaas had zijn trui een capuchon en helaas had dit kereltje de capuchon stevig over zijn hoofd getrokken. Helaas keek het mannetje naar de vloer voor zijn voeten en helaas was hij maar een paar seconden in beeld. Er was wat te zeggen voor een capuchonverbod, dacht Erik.

'Is dit alles?'

'Nee, verderop is nog meer,' zei George en begon met zijn speelgoed te spelen. Het beeld versnelde en een moment later kwam dezelfde jongeman weer in beeld. Dezelfde capuchon en weer keek hij omlaag.

'Waarom zijn die camerabeelden altijd zo slecht en waarom hangen ze altijd zo hoog?' zei Erik. Niemand gaf antwoord en dat had hij ook niet verwacht. 'Tja, we zoeken een kleine man met een spijkerbroek en een lichte trui met capuchon. Dat maakt de zoektocht aanzienlijk makkelijker! Hebben we iets van de Technische Recherche gekregen?'

'Niets bruikbaars in het zoeken naar een verdachte. Hensley is verstikt met een kussen van zijn eigen bed. Vezels genoeg, maar alleen van het kussen. Dat is daarna op de grond gegooid of gevallen. Niets van de verdachte. Helemaal niets,' zei Sigrid.

'Wat was er aan de hand met onze koene verdedigers die niemand tot de verdachte zouden toelaten? Wat waren die aan het doen? Dutje, koffie halen met zijn tweeën? Potje klaverjassen met de nachtzuster?'

'Nee, niet eens, nog zo'n mooi verhaal,' zei Sigrid. 'Er zat er een op de wc. Jos had last van zijn darmen. Moest iedere keer rennen. En de ander, Guido – die was nog maar een leerling-agent – zat op een stoel op de gang. Helaas met zijn rug naar de gang toe, dus hij zag onze man niet aankomen. Kreeg een klap op zijn kop en raakte weg... Weet niet meer wat er daarna is gebeurd... Aan de andere kant, niet ter verdediging, maar ze wisten niet dat Hensely gevaar liep – en wij ook niet trouwens... Het zag er niet naar uit dat hij zou opstaan en weglopen met platen en verse schroeven in zijn been.'

'En die klap staat niet op camera, naar ik aanneem?'

'Nee,' zei Sigrid, 'daar hangen geen camera's. Of de duvel ermee speelt. De dader heeft erg veel mazzel gehad of was akelig goed. Guido heeft niets gehoord en niets gezien.'

'Ik dacht dat dat alleen in films gebeurde. Out gaan na een klap op je hoofd.' Erik trok cynisch een wenkbrauw op.

'Kennelijk kan het in het echt ook.'

'Tja. En hoe is die Guido eraan toe?'

'Hij heeft een hersenschudding en voelt zich schuldig.'

'Mooi, dat zal hem leren om op de post in slaap te vallen. Zijn er nog getuigen die onze man hebben gezien? Het MCL heeft toch ook wel beveiliging?' Erik keek weinig hoopvol naar George.

'Nee en ja. Nee, we hebben geen getuigen. Niet aan wie we wat hebben en ja ze hebben beveiliging. Maar, dat zul je altijd zien, de beveiligers waren bij de spoedeisende bezig met een junk die door het lint ging. Dat klopt ook, want ze hebben het noodnummer politie gebeld. Er is nog een auto ter plaatse gegaan, maar de junk was toen al weg.'

'Heb je ze bevraagd?'

'Ja, er was daarvoor ook al opwinding geweest, een man had geprobeerd euthanasie te plegen op zijn vrouw. Maar die was nog lang niet dood en ze wilde ook niet echt. Er zijn nog wel collega's bij geweest, maar ik weet niet wie die zaak draait. Misschien is er wel geen zaak. Ik heb er verder niets van gehoord.'

'En die collega's? Die hebben ook niets gezien, zeker?'

'Die bij die "euthanasie" waren?'

'Nee, die bij die opstandige junk waren, gek!'

'Nope, ze zijn naar de achterkant gereden, hebben daar met de beveiliging gesproken, koffie gedronken en zijn weer met vervolg gegaan. De vleugel van Hensley lag aan de andere kant.'

'Je zou bijna denken dat hij het daarom gedaan heeft.'

'Die junk?'

'Ja, waarom niet? Als je een ziekenhuis binnen kunt sluipen 's nachts om een moord te plegen, dan kun je ook wel een afleidingsmanoeuvre creëren lijkt me. Is er iets van die junk bekend?'

'Nee, dat zouden we moeten navragen. Misschien staat het in de mutatie. Ga ik wel achteraan.'

'Mooi is dat, had ik een fijne getuige die ik eens fijn helemaal ging uitknijpen, krijgen we dit. Met een verdachte zonder sporen en met een onherkenbaar profiel.'

'Bayram,' stelde Sigrid.

'Lijkt er sterk op, ik denk dat we ons extra druk moeten maken om deze jongeman achterover te trekken en wat we ook moeten doen,' hij keek Sigrid strak aan, 'en wel onmiddellijk...'

'Ja?'

'Marjoleine beschermen. Die zal vast de volgende op zijn lijstje zijn. Waar is ze?'

'Thuis met haar moeder, denk ik.'

'Ik denk dat we haar moeten laten onderduiken, thuis beschermen wordt misschien te moeilijk. Dat zien we hier wel weer. Hoewel?'

'Hoewel wat?' zei Sigrid en keek hem bezorgd aan.

'Misschien moeten we haar wel gewoon thuis laten zitten.'

'Lokaas?'

'Yep, zij is misschien wel onze beste troef.'

'Maar dan brengen we haar wel in gevaar...'

'Dat doen wij niet, dat doet Bayram. Of wie het ook is die achter deze moord zit. Of moorden. Als we haar laten onderduiken, loopt ze ook gevaar en we regelen het goed, natuurlijk. We leggen er genoeg omheen. We vragen een observatieteam aan en doen zelf ook mee.'

'Hm, ik vind het maar niets.'

'Als jij een beter idee hebt, dan hoor ik het heel graag.' Maar Sigrid bleef stil. 'Dat dacht ik wel,' zei Erik. 'Ik ga naar Wessel om het te regelen.'

25

'Ik wil wel, maar ik kan niet,' zei Ferry. Hij leunde met zijn ellebo-
gen op tafel en keek Rick niet aan. Hij sprak ook niet erg hard, want
Rick moest hem vragen het nog eens te zeggen.

'Ik kan echt niet, Rick, ik heb beloofd om thuis te zijn vanavond.
Wij zijn al elke avond op stap. Ik doe het ook niet meer.' Zijn stem
klonk vaster nu.

'Godskaleklotenhoeren,' zei Rick en keek de kring rond, 'wij
hebben toch allemaal gezegd dat wij het niet zouden pikken! Dat
de stad van ons was en niet van dat tuig! Dat hebben we allemaal
gezegd en wij zouden pal staan! Allemaal! Jullie! En iedereen die er
nu niet meer is! Kijk nou toch, met hoeveel we nog over zijn.' Hij
telde hardop, 'Christus, nog geen elf man. Daar voeren we toch geen
oorlog mee! Wat zijn jullie voor labbekakken!'

'Je moet de mensen die er wel zijn niet afvallen,' zei Ferry, 'wij
zijn er allemaal wel en wij doen nog wel mee. Daar moet je niet
tegen tekeer gaan. Dat is fout!'

Rick bond wat in na die woorden.

'Je zult wel gelijk hebben, maar jij, Ferry, of moet ik je Brutus
noemen, jij wilt ook al afhaken en dat had ik nooit achter jou gezocht. Hoe lang kennen we elkaar nu al?'

'Lang, Rick, veel te lang. En wij doen het werk dat de politie zou
moeten doen en die lafbek van een burgemeester. Die doen het niet
en nu mogen wij het doen!'

'Maar we hebben het beloofd! Aan de stad en aan onszelf! Wij
zouden dit opknappen, weet je nog!' Rick keek de anderen allemaal
een voor een in de ogen. Sommigen keken weg, anderen keken rustig terug. Er was er zelfs een die een slok van zijn bier nam.

'Dit duurt te lang, dat weet je. Dit kan niemand volhouden. Mijn huwelijk gaat er nog aan kapot,' sprak Ferry op een zachtere toon.

'Maar dan zijn we verslagen. Wij hebben nog niets bereikt, niet echt! Ik vind dat we nog niet moeten stoppen. Ik vind dat we nog een week of wat moeten volhouden! Daar ga ik voor.' Ricks vechtlust kwam terug. Hij keek uitdagend naar de groep. De bierdrinker zette haastig zijn glas neer.

'Goed, wij zijn democratisch, denk ik?' Ferry keek naar Rick, die knikte. 'Dan gaan we stemmen. Wie is er voor om nog twee weken door te gaan?'

Rick stak zijn arm in de lucht. Zo hoog als hij kon. Het was een indrukwekkend gezicht, twee meter Rick en meer dan een halve meter arm. De knokkels met H A T E reikten naar het plafond. Maar hij bleef de enige. Niemand van de anderen deed hetzelfde.

'Wat?! Stelletje lamstralen, kom op! We gaan toch zeker door! Laat die vingers zien!' Maar ook deze bulderende oproep had niet meer de impact van eerst. Kelen werden geschraapt, hier en daar een kuchje, wat schaapachtig gelach en dat was het. De armen bleven omlaag. Rick was opgestaan en sloeg met zijn vuist op tafel.

'Moet ik dit alleen doen! Laten jullie me allemaal in de kou staan? Judassen! Dit zal ik niet gauw vergeten, reken daar maar op. Denk maar niet dat jullie bij mij moeten aankomen!' Hij keek nog een keer rond, stapte naar achteren, waarbij zijn stoel kwam te vallen en beende het zaaltje uit. Toen hij de deur achter zich dichtsloeg, hoorde hij zijn vrienden roezemoezen. Hij stond buiten. Door het raam kon hij de schimmen zien van de mensen die hij zojuist had verlaten. Woedend draaide hij een sjekkie en stak het uiteinde in brand. Bij zijn eerste gulzige trek brandde de sigaret al bijna half op, maar het smaakte hem niet. Hij hoestte een typisch rokershoestje, vermengd met een lichte astma. Nat en toch droog. Met een walgend gebaar gooide hij de peuk op straat en trapte hem uit. Alsof hij een vriend of een vijand dood stampte. Dat was er niet uit op te maken. Hij vloekte binnensmonds en liep het plein af en de Weerd op. Zijn

134

cowboylaarzen zette hij bij iedere stap zwaar neer. Hij wilde dat zijn houten zolen zijn voetstappen zouden weerkaatsen tegen de muren van de stad. De feestelijke led-verlichting in de Weerd brandde fel, maar gaf niet veel omgevingslicht af. In de Bagijnestraat was het pas echt donker. Maar Rick lette er niet op, hij marcheerde door. Hij sloeg de hoek om, de Bollemanssteeg in, waar hij woonde in een keurig appartement.

Toen hij de sleutel in het slot wilde steken, hoorde hij roepen. Het kwam gemoffeld over, alsof iemand het wilde smoren. Hij draaide zich om en keek de steeg in, maar zag niemand. Het klonk nog een keer. Het leek uit de richting van De Zak te komen. Rick borg zijn sleutels weer op en voelde in zijn zakken of hij iets bij zich had. Een mes of desnoods een boksbeugel, maar niets van dit alles. Boven had hij een arsenaal aan wapens, maar dan moest hij eerst naar binnen, de trap op, de vele sloten van zijn voordeur ontsluiten, daarna die van de kast waar het spul lag en dan weer naar beneden. Dat duurde te lang. Hij draaide zich om en probeerde voorzichtig, zonder geluid te maken nu, naar De Zak te lopen. Hij hoorde niets meer. Het viel niet mee om op die laarzen onhoorbaar te lopen en in De Zak zag hij geen mensen. Er was een parkeerterreintje achter de huizen, maar ook daar zag hij niemand. Hij liep door. Het was behoorlijk donker hier. Er hing wel een lamp, zag hij, maar die deed het niet. Hij liep verder, schuifelend langs de muren. Zijn sleutels tussen zijn vingers en zijn handen tot vuisten gebald: L O V E en H A T E.

Weer klonk er een verstikte kreet. Behoedzaam stak hij zijn hoofd weer om de hoek om het parkeerterrein op te kijken en toen zag hij ze. Een groep mannen was bezig met iemand in de hoek van het pleintje. Mannen? Hij kon het niet zien, het konden ook jongens zijn. Maar ze stonden om iemand heen die op de grond lag. Hoeveel waren het er wel niet? Zes of zeven? Kon hij die aan in zijn eentje? Zou hij teruglopen en de anderen bellen? Of een knuppel halen? Hij dacht er zelfs aan om de politie te bellen. Maar dit alles deed hij niet, hij bleef daar stilletjes staan kijken hoe een slachtoffer door de bende werd mishandeld. Rick zag een van de mannen uithalen en het slachtoffer tegen zijn of haar hoofd schoppen. Het protesteren en het schreeuwen was daarna afgelopen; de persoon stopte met bewegen en kwam plat op de grond te liggen.

In een opwelling rende Rick op de groep af en schreeuwde zo hard hij kon. Er kwamen geen woorden uit zijn keel, eerder rauwe kreten waarmee Schotse clans elkaar in de Highlands tegemoet traden. Rick sloeg de persoon die de trap had uitgedeeld met één rijtende klap neer en zag dat hij als een blok tegen de grond sloeg. De sleutelpunten hadden waarschijnlijk iets beschadigd, want hij voelde warme vloeistof over zijn vingers lopen. Het was niet zijn bloed. Tegelijk pakte hij een van de anderen in een nekklem, trok hem omlaag en kneep zo hard hij kon. Onder zijn arm hoorde hij de jongen – want dat bleek het te zijn en geen man – naar adem snakken en rochelen. De anderen herstelden van de schrik en hadden kennelijk nu in de gaten dat ze werden aangevallen door slechts één man. Een woesteling, dat wel, maar het was er maar een. Twee van hen vielen Rick frontaal aan, terwijl een derde hem van achteren tegen zijn benen begon te trappen. Met zijn vrije hand probeerde Rick vuistslagen uit te delen, die, als ze raak waren geweest, een ezel knock out zouden hebben geslagen, maar die nu slechts een enkele keer iemand schampten. Wel wist hij met de punt van een van zijn laarzen een keer te schoppen en het gevoeligste deel van een mannenlijf te raken. De ontvanger staakte de strijd, deed een paar jammerende stappen naar achteren en viel piepend in elkaar, zijn beide handen in het kruis als een dubbele Michael Jackson.

Watjes, dacht Rick. Hij voelde dat hij van achteren werd getrapt, tegen zijn onderbenen en zelfs in zijn rug. Hij liet de jongen onder zijn arm los, die zonder een woord in elkaar zakte. Die was lang genoeg vastgehouden. Rick draaide zich om en meteen sprong er iemand op zijn rug en probeerde zijn vingers in zijn ogen te steken.

Ook van voren begonnen de klappen te vallen. De vingers drukten door en een hand wist hij los te trekken, maar aan het andere oog werd de pijn steeds erger en Rick kon niet bij de hand waar die vinger aan vastzat. Hij brulde, toen de dunne vinger met een scherpe nagel in zijn oogkas drong. De vinger drukte door en wist tussen de oogbal en de holte te komen. Het bloed begon te vloeien en Rick voelde dat zijn oog uit de kas werd gewrikt. Hij probeerde weer de hand te pakken, maar twee anderen hielden zijn armen vast. Een moment wist hij zich met al zijn kracht los te rukken en liet zich op zijn rug vallen. Dat was bovenop zijn belager, die losliet, maar het was te laat. Het oog was eruit en Rick voelde het op zijn wang hangen en tranen van bloed erlangs lopen. Hij brulde en greep ernaar. Hij werd opnieuw geschopt, terwijl hij plat op zijn rug op de grond lag. Halfblind en in het wilde weg pakte hij een voorbijflitsend been en wist dat voor zijn mond te krijgen. Zonder erbij na te denken beet hij in een blote enkel. De eigenaar van die enkel had geen sokken aan. Hij beet tot hij bloed in zijn mond proefde, het scheuren van vlees voelde en nog liet hij niet los. Ook niet toen ze van alle kanten op hem in schopten en sloegen.

Iemand schopte hem in zijn gezicht. Het losse oog raakte los, knapte als een condoom gevuld met water en stuiterde weg. Zijn tanden scheurden een stuk vlees uit het magere been. Hij spuugde het uit, nadat hij het helemaal had losgetrokken. Het was een behoorlijke lap, dacht hij. Het kostte hem een hoektand, maar hij troostte zich met de gedachte dat de man er een litteken aan zou overhouden en misschien wel een levenslang trekkend been. Met een vrije hand sloeg hij woest om zich heen en kreeg opeens een balzak van iemand te pakken. Het was niet dezelfde als daarnet, dat dacht hij zeker te weten. Met alle kracht die in hem was, kneep en trok hij dwars door de spijkerstof in het teerste van de man. Hij had vast en liet niet meer los. Nooit meer, of ook dit lichaamsdeel moest te verwijderen zijn. Een oog voor een bal, de verschroeiende pijn in zijn gezicht maakte hem razend. Hij kneep en draaide zo hard hij kon. Hij hoorde iemand een bovenmenselijke kreet krijsen. Er daalde weer een regen van slagen en schoppen op hem neer. Bloed was in zijn goede oog gelopen en hij zag niets meer. Hij wist niet meer waar de pijn vandaan kwam en voelde zich slap worden. Hij brulde en krijste en bleef vasthouden, totdat hij weggleed in het eeuwige zwart.

26

In de grote huiskamer klonk het Allegretto Molto van het Strijk-
kwartet nr. 8 in C mineur van Dmitri Sjostakovitsj. Wessel van Veen
had het Joodse thema ontdekt dat de componist hier had hergebruikt
uit zijn eigen pianotrio nr. 2 en hij was trots op zichzelf. Hij probeerde zich voor te stellen welke gevolgen het bombardement op
Dresden had gehad. "Ter nagedachtenis van de slachtoffers van
fascisme en oorlog" stond er in de begeleidende tekst van de cd-
box. Er was verder niemand thuis, de installatie stond op zijn hardst
en de staccato klanken van de cello's en violen donderden door de
huiskamer. Dan weer veranderde het thema tot verontrustend snelle
halen over de snaren. Er kropen rillingen over zijn rug, toen hij zich
de vuurstormen die door de Duitse stad raasden, voorstelde, die de
magere man met de zwarte ronde bril ook voor zich moest hebben
gezien toen hij de muziek op papier zette. Het allegretto brak aan en
de muziek werd iets lichter toen een viool hoog een thema begon te
spelen en een cello een donkere lijn van zware noten. Het was hier
en daar bijna vrolijk te noemen, lichtvoetig zelfs, een dansje voor
de dood. Hij sloot zijn ogen en bewoog zacht heen en weer op de
klanken. Hij hoorde niet dat zijn telefoon ging. Maar bij een zachte
passage, de violen zoemden als insecten in een zomernacht, hoorde
hij het trillen op de keukentafel. Nee, riep hij hard tegen de muziek
in, maar draaide Sjostakovitsj toch naar een fluisterniveau, kwam
moeizaam overeind en nam de telefoon aan.

Een van zijn rechercheurs meldde de vondst van een lijk in de
Bollemansteeg.

'Niet-natuurlijk naar ik aanneem,' vroeg Wessel en keek verlangend naar zijn cd-speler, die verleidelijk naar hem knipperde met al
zijn gekleurde lichtjes.

'Hij ziet eruit alsof hij door een vrachtwagen is overreden, nee, dus.'

'Wie is er ter plaatse?'

'Iedereen zo'n beetje.'

'Ik kom eraan. Zijn jullie al begonnen met technisch onderzoek?'

'Yep, drie man sterk.'

Wessel had de afstandbediening nog in zijn hand, hij aarzelde. Toen drukte hij definitief op de uitknop, doofde de lichten, keek de kamer rond en ging op weg naar de hoofdstad.

Het lijk lag in een hoek van het parkeerplaatsje tussen het onkruid. Er waren felle lampen neergezet, die harde schaduwen trokken. Een man en een vrouw in witte overalls zaten geknield naast het lijk. Wessel liep naar ze toe en vond de rechercheur die hem had gebeld.

'Praat je me even bij?' vroeg Wessel.

'We hebben een toegetakeld lijk van een manspersoon, die eruit ziet alsof hij wel wat aankon. Het ziet eruit als een vechtpartij, mishandeling of zelfs een afrekening, kijk...' De rechercheur wees met het licht van zijn zaklamp wat aan. De bovenarm van het lijk. 'Geen kleine jongen, tatoeages ook. Kan een gewone flinke vechtpartij zijn, maar ook een nieuwe Carmen, Tijmen, Paolo, Meindert, Joseph of Manuel.'

'Hopelijk geen nieuwe Joseph! Wie heeft hem gevonden?'

'Een vrouw met haar dochter die hier haar auto kwam halen en zag dat hij nogal was toegetakeld. De uniformcollega's belden ons. We zijn meteen gestart met buurtonderzoek. Men heeft wel iets gehoord, eerder al, maar dat is kennelijk genegeerd. Niemand is gaan kijken of heeft zelfs maar de politie gebeld. De binnenstad, daar wordt altijd geschreeuwd.'

'Hangen hier toevallig camera's?'

'Nee, helaas.'

'Jammer,' beaamde Wessel en keek om zich heen. 'Weten we al wie het was?'

'Ja, toevallig wel, want een van de collega's herkende hem aan de tatoeages op zijn handen. Het is Rick van der Velde. Hij was de voorman van die burgerwacht, weet je nog? Hij is omgebracht. Zo ziet het er nu uit. Hij woonde hier.'

'Waar?'

'Daar, in een van die nieuwe flats.' De man scheen omhoog met zijn zaklantaarn naar een raam waar het licht aan was en beweging gaande.

'Is er iemand thuis?' Wessel bestudeerde het venster.

'Nee, dat zijn wij.'

Een van de technische rechercheurs kwam overeind en liep op de mannen af.

'Dag Bouke,' zei Wessel, 'vertel het eens.'

'Wat we nu kunnen zeggen, is dat het een niet-natuurlijke dood is, ongeveer maximaal twee uur geleden. Zijn linkeroog is uitgestoken tijdens de mishandeling, compleet verwijderd. Helemaal los, kijk hier is het. We hebben het verderop teruggevonden.' Hij hield een klein plastic zakje in zijn blauw gehandschoende hand omhoog. De rechercheur naast Wessel verlichtte het. Het gehavende oog keek de mannen dof aan. 'Verder overal blauwe plekken en kneuzingen, maar dat is – wat ik nu kan zien – niet de doodsoorzaak. Hou me ten goede, hè, dit soort uitspraken doe ik liever niet hier en ter plekke en in het donker, maar ja. De dood is waarschijnlijk ingetreden – maar dat zal de sectie verder wel uitwijzen – doordat er met een mes of ander scherp voorwerp in zijn hals is gesneden. Ondiepe sneden, zo te zien. Kan dus ook een hobbymes of zoiets zijn geweest. Zo.' Bouke maakte een gebaar, alsof hij een mes langs zijn eigen hals haalde. 'Echt snijden, alsof je een gipsplaat doorsnijdt. Nogmaals, het kan ook wat anders zijn, maar dat weet je. Het is een hypothese natuurlijk. Ik denk trouwens dat de neus ook is gebroken.'

'Maar naar Rijswijk met hem, denk ik?' zei Wessel. Bouke knikte. De collega van Bouke kwam nu ook overeind en ook zij had een zakje in haar hand.

'Dag mannen,' zei ze. Haar stem klonk licht en lief. Niet in overeenstemming met de gruwelijkheden waar ze allemaal mee bezig waren. Er waren veel collega's verliefd op Saskia van de TR. Maar ze had haar keuze nog niet gemaakt. Of misschien zou ze dat ook niet doen.

'Ik heb nog iets geks aangetroffen,' zei ze. 'Het slachtoffer had bloed en weefsel in zijn mond.'

'Dat kan toch,' zei Wessel, 'hij heeft klappen gekregen.'

'Maar dit was niet van hem zelf. Kijk maar,' en ook zij hield een zakje met inhoud omhoog. Het zag er vooral bloederig uit. Weer werd er extra licht op geschenen.

'Wat is dat?' vroeg Wessel.

'Ik denk een lap huid en weefsel van iemand anders. Niet van het slachtoffer. Kijk maar, er staan zwarte haren op. Ik kan het nu niet bepalen, maar het lijkt erop dat hij iemand heeft gebeten en fors ook, dit is puur een stuk vlees en huid in zijn mond. Kan wel uit een arm of been zijn.'

'Dat moet pijn hebben gedaan!'

'Jawel, het is uitgescheurd, dat kon ik zien. Ik zal het meteen insturen voor DNA-onderzoek, maar als we iemand vinden met een menselijke bijtwond, dan hebben jullie een verdachte, lijkt me. En een duidelijke, want het weefsel is verwijderd. Dat groeit niet mooi dicht, zelfs niet met plastische chirurgie.'

'Of een passend DNA-profiel, natuurlijk. Dat is ook goed,' zei Wessel. Hij pakte zijn telefoon en belde de districtchef.

'Heeft iemand die Rick omgelegd?' riep de chef door de telefoon. 'Waar zijn we in beland! Weet de burgemeester het al en is de pers er al van op de hoogte?'

'Voor zover ik weet niet, nee, maar dat kan niet lang meer duren.' Wessel had het toestel een beetje van zijn oor weggehouden. Het was mogelijk om het volume te verlagen, maar hij had nooit ontdekt hoe dat moest.

'Wat is er gebeurd?' vroeg zijn baas.

'Zware mishandeling zo te zien. Te zien aan zijn wonden heeft hij gevochten voor zijn leven. Zijn oog is uitgestoken, maar hij is door een snijwond en dus bloedverlies overleden, is de voorlopige hypothese.'

'Bah, doe mij een lol. Ik ga de burgemeester wel bellen, maar houdt de identiteit van die man geheim voor de media.'

'Dat zal lastig zijn, want hij is op de stoep van zijn eigen huis vermoord.'

'Probeer het maar zo lang mogelijk uit te stellen. Dit kunnen we nu echt niet gebruiken. Het zou ook wel leuk zijn als je een verdachte kon vinden en een beetje snel, graag. Moet ik nog komen?'

'Nee hoor,' zei Wessel. Zolang er geen camera's aanwezig waren mocht zijn baas van hem lekker thuisbijven. 'En we doen ons best, dat weet je.' Wessel knikte tegen een collega, die gebarend vroeg of hij wat anders kon gaan doen.

Misschien kon dit misdrijf aan een van de andere TGO's worden toegevoegd, dacht Wessel. Nog een extra onderzoeksteam zou wel veel vragen van de capaciteit.

27

Een observatieteam van acht man en vier rechercheurs werd belast met het opzetten van de val rond Marjoleine. Fraukje en Sigrid zouden in het huis van Marjoleine en haar moeder zelf komen logeren. Ze zouden als tantes van Marjoleine worden aangeduid. Tante Fraukje uit Harlingen en tante Sigrid uit Amsterdam. Zij zouden komen helpen en dat was een plausibel verhaal. Het was niet niks wat het meisje was overkomen en de moeder kon het alleen niet aan, niemand zou het een raar verhaal vinden. Het observatieteam zou de omgeving in de gaten houden en twee andere rechercheurs zouden ook in het huis verblijven, maar dan zoveel mogelijk onzichtbaar zijn. Als iemand ze zou zien en naar hen zou vragen, dan zouden het de bijhorende ooms zijn. De familie Bosma was erg op zichzelf en stond niet op vriendschappelijke voet met de buren, dus Erik verwachtte daar geen problemen. Fraukje en Sigrid hadden ma Bosma weten over te halen. Er was wat voor nodig geweest, had Fraukje verteld. Wat dat dan was wilde Erik niet weten, maar het was ze gelukt.

Het kwam goed uit dat een huis schuin aan de overkant te koop stond. Daar trok het observatieteam in. Het bord TE KOOP werd – in overleg met de makelaar – tijdelijk weggehaald. Voor de deur werd een onopvallende, maar geprepareerde auto geparkeerd. Die zat vol met verborgen camera's die alle kanten opkeken. Daarmee kon de omgeving in de gaten worden gehouden. Van elke auto die de straat kwam inrijden, werd automatisch het kenteken gecontroleerd. Ook in het leenhuis werden camera's gemonteerd, gericht op de voordeur van de Bosma's. Zelfs in een jiskefet in de tuin werden ook camera's geïnstalleerd, zodat ook daar een oogje in het zeil kon worden gehouden. In het huis aan de overzijde werden de monitoren neergezet.

In het huis van Marjoleine zelf werden geen camera's opgehangen, dat wilde de moeder per se niet hebben. Het was ook niet nodig, vond Erik. Als de moordenaar al binnen was, dan hielpen camera's ook niet meer. Ze hadden wel microfoons geplaatst, maar buiten medeweten van ma. Dat was een risico, maar Erik stond erop dat dit gebeurde. Hij stelde er Fraukje noch Sigrid van op de hoogte. Dit konden ze zeven dagen volhouden, dan zou het observatieteam weer voor andere klussen moeten worden ingezet. In het huis aan de overkant, waarvan de buren dachten dat het verkocht was en dat er nieuwe mensen waren komen wonen, waren de gordijnen dichtgetrokken. In de woonkamer was een valse wand opgesteld, zodat van buiten niet kon worden gezien dat er wel tien pc-schermen stonden te knipperen. Erik was door de achterdeur binnengekomen en had koffie gekregen van zijn collega's.

'George,' zei hij, 'zit jij hier zelf uit te kijken? Ik dacht dat het observatieteam dit zou organiseren?'

'Dat doen ze ook, maar je kent mij, hè, ik heb het grotendeels zelf geïnstalleerd en wil dan wel eens meedoen ook.'

'Maar wie stuurt nu de infodesks aan dan?'

'Dat komt goed, komt allemaal goed, dat is zo georganiseerd dat iedereen de werkzaamheden geheel zelfstandig en zonder mijn permanente toezicht uitstekend kan uitvoeren. Bovendien,' hij tikte iets in op een toetsenbord, 'ik heb hier alles onder vingerbereik.'

'Maar we zitten hier toch buiten een politiebureau of veilige locatie? Hoe kun jij dan in de politiesystemen komen?'

'Dat is an sich al heel simpel natuurlijk, maar ik doe alles over een beveiligde verbinding. Het gaat voor een deel over publiek netwerk, maar daar kan niemand iets van maken. Allemaal gescrambled, geen zorg hoor.'

'Als je maar weet wat je doet.'

'Je kent me toch?'

'Daarom juist.'

'Maar goed, kijk eens wat we hier hebben gebouwd. Straat, huis voorkant, huis achterkant. Buren, achterpad en daar de straat weer uit. Vanuit dit huis hebben we drie camera's op het pand, kunnen we ook boven naar binnen loeren. En kijk, daar ben ik best trots op, bewegingsherkenning. Als een beeld beweging geeft van meer dan een huisdier, komt die voor te staan. Vanzelf. Kijk maar.' Er liep een man door het beeld, met een mottige jack russell aan de lijn. Het hondje stond stil bij de camera-auto en plaste tegen de band. 'Ik kan hem de schrik van zijn leven geven. Ik kan door de microfoon praten en zeggen dat hij daarmee moet ophouden,' George grinnikte.

'Dat zou ik maar niet doen,' zei Erik droog.

'En kijk hier, zie je, er rijdt nu een auto de straat in.' En inderdaad, er verscheen een zilverkleurige Ford Focus. 'Kijk nu naar dit scherm!' Het kenteken verscheen in beeld en daarna het woord "match", er opende een venster, waar "code duizend" in verscheen. Niet bekend, niet gesignaleerd. 'Als er iets mee is, dan meldt het systeem dat hier, met een geluidsignaal. Hoe erger, hoe harder het signaal.'

'Hoezo, hoe erger?'

'Nou, verlopen APK, dat zal wel. Geen verzekering, ook nog tot uw dienst. Maar gestolen of zo, of als het kenteken ergens in een mutatie voorkomt. En… pièce de résistance!' George keek met glimoogjes naar Erik op en verwachtte kennelijk een reactie.

'Ja, wat dan?' zei Erik braaf.

'Als er een auto de straat komt inrijden en het kenteken overeenkomt met een "Bayram", dan gaat alles hier knipperen! Dat kan van alles zijn: tenaamgesteld, bekeuring, getuige in een mutatie, noem maar op! Vind je dat nu niet geweldig knap! Wordt allemaal in real-time uitgezocht en razendsnel, milliseconden! Goed, hè. Dat hebben ze in Amsterdam nog niet eens!'

'Als we maar op tijd zijn om hem te pakken. Hoe gaat dat verder?'

'O, het wordt allemaal doorgegeven door de centralist die hier gaat zitten. Die zit aan de knoppen en heeft hier een spreeksleutel. Hij staat in contact met iedereen hier.'

'Goed zo, ben jij dat dan?'

'Ben je gek, ik heb het neergezet, ik zit hier voor de kinderziektes en zo, daarna mogen jullie het lekker helemaal zelf doen.'

'Hoe zit het met de audio?'

'Hier,' hij wees op een paar luidsprekers die tussen de beeldschermen in stonden, 'loopt ook allemaal via de computers. Systeem slaat aan als er geluid is en geeft signaal als het buitengewoon is. Zoals schreeuwen of zo. Ik kan het nu wel harder zetten.'

'Ik vond het alleen goed als jullie mij niet in de weg lopen...' hoorde ze een wat ordinaire stem zeggen. Glashelder kwam het geluid door de speakers over.

'Dat doen we ook niet, maar we zijn wel altijd bij Marjoleine in de buurt. Het is goed dat ze nog niet naar school mag.'

'Dan mogen jullie oppassen ook, ik heb nog wat anders te doen!'

'Kijk,' zei George, 'ik laat het systeem stemmen herkennen. Dat moet hij nog leren, dus hij heeft het nog niet helemaal goed. Maar hier kun je zien wie er spreekt en hij voegt er een geschatte emotie aan toe. Grappig, hè. O, ik ben toch zo goed!' Op het schermpje was de naam "Sigrid" verschenen en eronder stond "kalm". Daarna kwam er "moeder" te staan en daaronder "geagiteerd".

'En als ze door elkaar praten?'

'Dan pakt ie de meest dominante stem. Als hij er twee herkent, komen die allebei in beeld, afwisselend. Als je wilt kan ik nog wat regelen.'

'Wat dan?'

'Dat alles hier gaat bellen, piepen en flikkeren als iemand een bepaald woord roept. Zoals "alarm" of "assistentie collega", dat is goed te herkennen.'

'Ik zal erover nadenken – mister whizzkid – en laat het je weten. Programmeer "assistentie collega" maar vast in. Dan hebben we dat vast maar.'

Erik pakte een stoel, zette die achterstevoren neer en ging erop zitten. Het wachten was begonnen. Er kwam een Corsa de straat inrijden. Een beeldscherm lichtte op: verlopen APK. Dank u wel, maar dat mochten de uniformcollega's een keer doen. Een Toyota zonder verzekering, idem dito. Twee mannen erin, die doorreden en niet stopten. Er liepen mensen voorbij met honden aan de riem, kinderen speelden en kwamen rolschaatsend voorbij. Uit het huis klonk af en toe een gesprek over koffie, over Cambuur of over een vrouw die haar man bijna vermoordde onder het gewicht van haar borsten, maatje dubbel L. Marjoleine riep af en toe ergens om. Een glas jus d'orange of een boterham. Die ging Fraukje dan voor haar halen, dan deed ze nog wat nuttigs. Erik vroeg zich af of hij de dames niet een notebook moest geven, dan konden ze nog wat schriftelijk werk doen. Voor de gelegenheid had hij zijn dienstpistool meegenomen in een schouderholster en dat zat niet zo prettig. Hij voelde het altijd, hoe hij ook ging zitten. Te langen leste deed hij het af en hing het over de leuning van de stoel. George keek ernaar, maar zei er niets van. Hij was burgerpersoneel, droeg geen pistool en leek er nog steeds niet helemaal aan gewend dat zijn collega's dat wel deden.

Er reed een motorrijder de straat in. Dat was lastiger, omdat die geen kentekenplaat aan de voorzijde had. Hij minderde snelheid. George had ergens wat aan een computer zitten prutsen en Erik haalde hem er bij.

'Hou die eens in beeld. Oscar, kom eens uit voor de Alpha,' zei Erik in de microfoon.

'Hier Oscar 1, zeg het maar.'

'Hebben jullie die motor in beeld, Oscar?'

'Affirmatief.'

'Kun je het kenteken lezen?'

'Mike, November, nul, vier, Romeo, Kilo. Gefabriceerd in Beieren, zo te zien, kleur zwart.'

'Genomen, Oscar, moment.' Erik kon zien dat de motorrijder was gestopt. Er zat een forse man op, geheel gehuld in zwart leer en met een grijze helm op.

'Op naam van Jaspers, Martin, geboren 8 juli 1959, nul en duizend,' zei George.

'Wat doet ie, Oscar?'

'Hij zit op zijn motor en doet verder niets.'

'Ik zie het ja, hoe ver weg zit je?'

'Tien meter.'

'Houd je gereed, misschien moet je optreden. Andere stations meegeluisterd?' Hij kreeg bevestiging van de andere Oscars.

'Oscar 1?'

'Zeg het maar, Alpha.'

'Kun je zien of hij iets bij zich heeft dat een wapen kan zijn?'

'Kan ik niet zien, Alpha, maar het kan best.'

'Oscars, vuurwapen in de hand nemen nu, nog niet richten!' De motorrijder stond bij Marjoleine voor de deur en deed niets. Hij bewoog niet, hij keek niet om zich heen, hij zocht nergens naar. Hij stond daar maar.

'Aan het postuur te zien kan dit nooit Bayram zijn,' zei Erik tegen George, 'maar hij kan erbij horen, natuurlijk. Wat doet hij daar? Waarom staat hij daar?'

'Alpha?'

'Zeg het maar, Oscar.'

'Wat doen we? Hij staat daar maar.'

'Niets, we wachten af. Als hij gaat bewegen of hij doet iets geks, kunnen we optreden. Wachten nog.'

'Vuurwapens nog in de hand?'

'Ja, maar geen vuurlijn nemen nog. Ik herhaal voor alle meeluisterende stations: geen vuurlijn!'

De man op de motor bewoog.

'Hij doet wat!' riep een van de Oscars. Dat had Erik ook gezien. Met een been zwiepte hij de jiffy uit en liet de motor naar een kant zakken. Die viel schuin weg, totdat hij door de ijzeren poot werd opgevangen.

'Wachten!' riep Erik, 'geen actie nog!'

De man zwaaide zijn been over het zadel en deed de kinband van zijn helm los, maar zette die niet af. Hij trok de sleutel uit het contact en stopte die in zijn motorbroek.

'Wachten nog,' zei Erik nog een keer.

De man keek nu naar het huis van de familie Bosma. Die naam stond op een dakpan aan de gevel. In vrolijke kleurtjes, iedere letter een andere kleur. Hij keek omhoog en liep naar de voordeur.

'Sieg, je krijgt bezoek!' riep Erik in de portofoon. Hij hoorde zijn stem echoën door het "George-systeem". Boos keek hij naar de whizzkid, die snel iets regelde, zodat de echo verdween. 'Houd de deur dicht, niet opendoen! Oscars, staande houden met vuursteun! Nu!'

Achteraf was het een grappig gezicht: vanachter een struik, uit twee auto's en uit de straat kwamen plotseling overal mannetjes te-voorschijn die brulden: 'Politie! Staan blijven!' tegen een verbijs-terde motorrijder. Zelfs een man met een hond bleek erbij te horen. Verbouwereerd stak de motorrijder zijn handen in de lucht. Snel kwamen de Oscars bij hem, pakten hem beet en trokken hem mee, weg van het huis. Hij werd in een verderop staand busje geduwd. Het gebeurde allemaal in een halve minuut. Daarna was de straat weer precies zoals die was. Alleen de zwarte motor stond nog in de goot. Het was toch echt gebeurd.

'Alpha?' kraakte de portofoon.

'Zeg het maar.'

'Het is Martin Jaspers. Vriendje van Moeder. Hij kwam eens ho-ren hoe het met Marjoleine is. Legitiem.'

'Zeker weten?' vroeg Erik.

'Jawel. Mag hij weg?' Erik keek vragend naar George, die schudde van nee.

'Best. Wil hij nu nog op bezoek?'

'Nee, hij stuurt wel een kaartje, zegt hij.'

'Bied hem maar excuses aan en stuur hem snel weer weg. Zeg maar dat hij zijn mond moet houden.'

'Genomen.'

'Oscar uit,' zei Erik. 'Had je niets over die vent?' vroeg hij George.

'Aangifte inbraak, anders niet.'

'Jammer.'

28

Zes dagen lang werden Majoleine en haar moeder de klok rond be-
waakt. Er ontstond een routine: er waren altijd twee extra mensen
in huis, die zoveel mogelijk probeerden het normale leven niet te
verstoren.

Bij de buren werd een korte briefing gehouden. Sigrid en Fraukje
waren er, Wessel en Erik, de commandant van het observatieteam en
een aantal rechercheurs.

'Hoe gaat het nu met het meisje?' vroeg Wessel aan Sigrid.

'Goed wel. Ze was dwars, in zichzelf gekeerd en nogal nukkig,
maar ze is nu toch wat opener en praat meer. Ze kijkt minder naar
MTV of muziekvideo's op internet en is socialer geworden. Niet
veel, een beetje.'

'Heb je het al eens gehad over die tatoeage?'

'Ja, ik ben er wel eens over begonnen, maar dan klapt ze meteen
dicht. Zegt dan uren niets meer of verdwijnt naar boven. Dat laat ik
maar een beetje rusten. Komt nog wel.'

'Wat is je tactiek nu dan?' vroeg Erik.

'We proberen een beetje mee te draaien. Zo doet Fraukje wel eens
de was en ik kook af en toe. Dan zitten we gezellig met zijn vieren
of vijven aan tafel en eten pasta of een gezonde salade. Het was
niet de opzet dat Marjoleine ervan zou opknappen, maar het is mooi
meegenomen. Ze lijkt het wel gezellig te vinden dat wij er zijn.'

'Dat is allemaal leuk en ook goed natuurlijk, maar wat levert het
ons op?' vroeg Wessel.

'Tot nu toe niets,' antwoordde Erik, 'en ik weet dat het duur is en
dat we ons dit nog maar een dag kunnen veroorloven. Het zoeken
naar ene Bayram op basis van dat signalement heeft tot nu toe niet
veel opgeleverd. George heeft verschillende, zelfs nationale zoek-

slagen gemaakt. Veel Bayrams, dat wel, maar volgens mij niet de goeie. Ik denk dat Marjoleine in gevaar is en dat hij nog ergens in de buurt is.'

'Staan zijn foto's op alle briefingen?'

'Ja, in heel Noord-Nederland wordt naar hem uitgekeken. Maar ja, het kan iedereen wel zijn. Het zou zelfs een vrouw kunnen zijn, die daar loopt.'

'En Marjoleine dan? Herkent die hem niet?'

'Ze kan het niet met zekerheid zeggen, nee.' Erik schudde zijn hoofd. 'Die foto is echt niet veel soeps.'

'Heeft ze de fotoboeken bekeken?' Wessel gaf niet op.

'Ja, een paar keer, maar niets.'

'Zou hij niet voorkomen in onze systemen?'

'Dat kan ik me niet voorstellen. Hij schijnt al een tijdje hier te zijn en met die mba te kloten. Dat maak ik op uit de verklaringen van Marjoleine.'

Wessel keek bedenkelijk. 'Dit was een plan, maar we hebben het observatieteam nog maar een dag. Ik heb al op mijn dak gehad dat ik ze zo lang heb geclaimd. Groningen belt twee keer per dag.'

'En dan?'

'Onderduiken, denk ik. Familie buiten de provincie of anders een Blijf-huis of zo.'

'Vind ik niets,' zei Sigrid.

'Voor mij is het ook niet de ideale oplossing, maar ik kan niet anders. Het spijt me.'

'Het spijt mij ook.'

'Heeft de tap nog iets opgeleverd?' vroeg Wessel.

'Van Marjoleines telefoon? Nee, ze gebruikt hem niet zo veel.'

'Ik wou dat ik zulke kinderen had,' zei Wessel zuinig. 'Nog 24 uur, meer niet. Daarna gaat het observatieteam naar Groningen en zullen we dit pand moeten ontruimen. Trouwens, George doet dit ook uit liefhebberij. Het staat helemaal niet in zijn taakomschrijving.'

Toen Wessel weg was, bleven Erik en Sigrid alleen achter. De centralist zat beneden achter de knoppen, Fraukje was weer teruggegaan en de Oscars waren allemaal de straat op.

'Kunnen we niet nog iets doen om hem uit de tent te lokken?' vroeg Sigrid.

'Uit de tent lokken? En dat uit jouw mond? Jij was er zo op tegen om Marjoleine in te zetten!'

'Ja, maar ik wil ook dat Bayram wordt gepakt.'

'We zouden hier en daar kunnen laten vallen dat ze een goed signalement heeft gegeven en dat we op het punt staan hem aan te houden.'

'Hoe krijg je dat gerucht op straat dan?'

'Dat is niet moeilijk, daar hebben we onze hobbyist weer voor.'

'George?'

'Geen ander, George heeft al een poosje aliassen voor op Hyves, Facebook, Myspace en Twitter. Daar heet hij Natalie of Pascal, is vijftien of achttien jaar oud en doet leuk mee in alles wat zich daar afspeelt. Hij heeft de identiteiten aan zijn eigen kinderen ontleend. Die heten niet zo, maar dan weet hij wat 'hot' is en wat 'not' is. Zo komen we aan heel veel informatie. Pascal kan dit verhaal wel eens starten, Natalie kan het bevestigen en zo komt het met de snelheid van het licht de wereld in. Dat is zo gedaan.'

'Maar hoe weten ze het dan?'

'Vrienden van Marjoleine? Of beter nog, vrienden van de vrienden van Marjoleine?'

'Het is te proberen.'

'En heeft die tactiek van jou nu gewerkt dan?' vroeg Wessel de volgende dag aan Erik.

'Tja, de laatste 24 uur gebeurde er... helemaal niets. Er kwamen auto's voorbij, er werden honden uitgelaten en er speelden kinderen en dat was het dan.'

'Het spijt me, maar ik kan het niet langer overeind houden. De korpsleiding heeft zich er persoonlijk mee bemoeid. We moeten afscheid nemen van de Oscars en die moeten als de wind naar Groningen. En George moet afbouwen, die hebben we ook elders nodig. Dus alle spullen moeten er weg worden gehaald. En wel meteen.'

'Dat is niet goed! Kunnen we er niet nog een week aan vastplakken dan?'

'Het gaat echt niet lukken, je hebt al meer gekregen dan waar je recht op had. Ma en Marjoleine moeten maar elders gaan logeren.'

'Dat zal ma beslist niet willen. Ze heeft al gezegd dat ze haar huis niet uitgaat.'

'We kunnen haar niet verplichten en Marjoleine dan? Kunnen we die wel ergens anders onderbrengen?' vroeg Wessel en keek indringend naar zijn collega's.

'Dat zou wel gaan. Ze kan, geloof ik, wel naar haar zus in Amsterdam. Daar hebben we het over gehad. Maar die kon haar pas na het weekend hebben. Dus de vraag is wat doen we dan aanstaande zaterdag en zondag met ze?' vroeg Sigrid, 'we hebben niemand meer om op te passen.'

'Hotel ergens?'

'Alleen Marjoleine of samen met moeder?'

'Niet alleen natuurlijk.'

'Dat is ook wat voor zo'n kind. Ik wil nog wel een weekend blijven.'

'Dat is veel te gevaarlijk, ik wil dat er dan nog iemand blijft. Fraukje?'

'Die heeft een feest van haar ouders, die zijn vijftig jaar getrouwd. Ze kan daar niet wegblijven.'

'Iemand anders dan?'

'Jij zelf?'

Erik keek sip, hij had gehoopt het weekend vrij te zijn om iets leuks met Josephine te gaan doen. Ze zouden naar de sauna Peize gaan en zich daar eens laten verwennen. Met thuislaten van telefoon en pieper.

'Als je niemand anders kunt vinden, doe ik het wel,' zei hij somber. De kans was niet zo groot dat ze nu nog iemand anders zouden vinden die een weekend lang met een chagrijnige moeder en een afstandelijke dochter in huis wilde gaan zitten. 'Laat ook maar,' en hij maakte een gebaar alsof hij de last wilde ontvangen die hij kreeg toegeworpen, 'ik doe het wel.'

Sigrid had maar gekookt, ma kon het niet opbrengen, had ze gezegd. Het was de stress, meende ze. Ze kwam tot niets. Na de koffie was ze naar bed gegaan, ze was "uitgeput". Marjoleine was naar haar kamer en zat achter de computer. En zo zaten Sigrid en Erik samen in een vreemde huiskamer, waar langs de muren planken vol waren gezet met glazen beestjes en beeldjes uit de Hummelcollectie. Een pianistje, een engeltje, een jongen met ganzen, een meisje met paraplu, een jongen en een meisje op een hek, een meisje met een beer... het was een omvangrijke collectie. Erik zat ernaar te kijken. Hij pakte er een op.

'Dat zou ik maar niet doen,' waarschuwde Sigrid, 'ze is er erg zuinig op. "Kijken mag, aanraken niet!", zei ze voortdurend.' Dus daar ging dat om, dacht Erik, die de kreet inderdaad vaker had gehoord.

'De meldkamer weet dat wij hier zitten, ik heb een portofoon bij me. Maar er is niemand extra in dienst, behalve straks om elf uur het horecatoezicht. Dus daar hebben we niets aan. Wat doen we, om de beurt slapen? Hoe deed je dat met Fraukje?'

'We sliepen gewoon, het hele observatieteam hing er immers omheen. Boven is er een kleine logeerkamer met twee bedden, daar sliepen we in. Als jij wacht wilt instellen, vind ik het goed, maar misschien kunnen we beter samen beneden blijven? De een op de bank en de ander op de stoel?' stelde Sigrid voor. 'Als er dan wat is, kunnen we elkaar snel wakker maken.'

'Laten we dat zo maar doen, ja.'

'Zullen we maar afwassen? Ma doet het toch niet en het geeft iets te doen.'

Ze liepen samen naar de kleine keuken. Er was geen afwasmachine, dus het moest heel ouderwets met een borstel in het sop. Erik had een theedoek bij wijze van schort voorgeknoopt en waste; Sigrid droogde.

'Vind je dat nu niet knus, wij tweeën samen aan de afwas?' vroeg Erik, die het een beetje gek vond.

'Gezellig hoor,' lachte Sigrid.

'Wat wil jij later worden als je groot bent?'

'Wat ik al ben, rechercheur, maar dan nog beter,' zei Sigrid terwijl ze een bord in de kast zette.

'Als je wilt doorstromen, moet je de opsporing verlaten en terug in het uniform. Het komt niet vaak voor dat rechercheurs carrière maken.'

'Ik weet helemaal niet of ik dat wel wil. Een hogere rang brengt ook meer verantwoordelijkheid met zich mee. Meer managen en minder met het vak bezig zijn.'

'Wil je dan geen korpschef worden? Je bent toch vrouw.'

'Wat bedoel je?'

'You better ride the wave now it's up. Vrouwen of allochtonen, die moeten het worden nu. Witte mannen staan stil, tot de vrouwen en allochtonen op zijn.'

'Ik vind dat heel slecht beleid.'

'Waarom dan, er zijn toch weinig vrouwen en allochtonen in de top. Het is een witte mannenwereld. Die vaak nog met elkaar onder de douche hebben gestaan op de politieacademie in Apeldoorn en daar hun ex-vrouw of nieuwe vriendin hebben leren kennen.'

'Dat is waar, dat is ook niet goed, maar om vrouwen nu voorrang te geven, daar doe je de vrouwen zelf ook geen plezier mee.

De goeie vrouwen haken nu af, omdat ze niet willen dat de buiten-
wereld denkt dat ze het baantje hebben omdat ze vrouw zijn en de
vrouwen die dan wel worden aangesteld, zijn minder capabel en
dan zegt men: zie je wel, ze kunnen het niet! Nee, dit is een slechte
dienst die ons vrouwen bewezen wordt. Van mij hoeft dat niet.'

'Zo had ik het niet bekeken. Ik ben het ergens nog wel eens met
de minister. Het is goed als er meer vrouwen komen.'

'Natuurlijk en het is gek dat ze er niet al lang zijn, maar niet op
deze manier. Als een vrouw wordt benoemd, dan alleen omdat ze de
beste is. Anders niet. Dan wordt het wat. Dit beleid bijt zichzelf in
de staart, maar dan is de minister al lang weg en mag de volgende
het opknappen. Als ik ergens kom, dan op eigen kracht!'

De afwas was klaar, de borden en de kopjes stonden weer in de
kast en de rechercheurs waren weer in de kamer gaan zitten. Erik
zette de tv aan, maar er was niet veel leuks op.

'Zeg,' Erik was voor het raam gaan staan. Sigrid zat op de bank
en keek naar zijn rug, hij voelde het. 'Waar ben jij nu bang voor?'

'Bang? Hoezo, wat een rare vraag.'

'Wij zijn allemaal wel ergens bang voor, iets wat we niet willen
toegeven, of wel natuurlijk.'

'Ik zou het niet weten,' Sigrid trok haar schouders een beetje op.

'Ik bijvoorbeeld heb hoogtevrees, niet echt heel erg, maar als ik
op een hoogte sta, dan ervaar ik een knijpend gevoel in de onderbuik.'

'O, daar heb ik niet zo'n last van.'

'Spreken in het openbaar, daar houden veel mensen niet zo van.'

'Nu ja, ik vind het niet zo heel erg leuk, maar om nu te zeggen dat
ik daar angst voor heb, nou nee.' Sigrid keek weer naar de tv, waar
op dat moment een quiz gaande was. De presentator liet kennelijk
een man kiezen uit een hele rij gewillige meisjes.

'Ik heb er ook geen last van, ik vind het wel leuk om een groep
mensen toe te mogen spreken.' Erik ging weer op de bank zitten en

keek ook naar het scherm. 'Spinnen, ben je daar misschien bang voor?'

'Wil je me misschien een angstcomplex aanpraten,' zei Sigrid en stond op, 'ik ga nog maar een keer koffie inschenken en spinnen zijn niet mijn hobby, maar zo bang als sommigen zijn, dat ben ik niet.'

'Ik ook niet, ik pakte ze vroeger altijd met de blote hand en zette ze buiten. Dat vond mijn moeder erg dapper. Die was wel als de dood voor spinnen, die zoog ze op met de stofzuiger en was dan nog bang dat ze het overleefd hadden en spoot DDT in de stofzuigerzak. Dat had je toen nog, konden we gewoon in spuitbussen kopen en mijn moeder spoot er kwistig mee in het rond, ze had de bussen zelfs bij zich als we gingen kamperen. Daar spoot ze de tent mee vol, tegen de muggen. En voor ons was het ook niet zo gezond.'

'Lekker,' Sigrid had de kopjes weer ingeschonken.

'Alleen slangen, ik weet het niet, maar daar heb ik niets mee.'

'Wat? Is de grote Erik de Noorman bang voor een slangetje?'

'Ja, ik weet het niet, die enge glibberige beestjes zonder poten? Huh...'

'Dat had ik nu nooit van je gedacht. Dat jij bang zou zijn voor slangen.'

'Lach maar, ik heb dat nu eenmaal, ik weet niet waarom en het gaat ook niet over. Vroeger als kind wilde ik het reptielenhuis in Artis ook niet in. Daar was het lekker warm, maar ik bleef buiten staan in de regen en iedereen binnen mij maar uitlachen. Ze wisten het, die etters, ze wisten het!'

'Arm kind,' Sigrid trok een bijpassende meelevende blik, alsof ze het graatmagere hummeltje in de regen zag staan huilen.

'En toen iemand een keer een hazelworm in mijn broodtrommel had gedaan, ben ik een week lang ziek thuisgebleven. Ik kon niet meer eten, echt niet. Nog steeds durf ik niet zo goed een trommel of zo open te maken. Met spinnen, muizen of ratten heb ik geen probleem. Ik hou wel van mangoesten, dat zijn mijn favoriete dieren.'

'Wat zijn mangoesten?'

'Een soort fretjes. Ze vallen cobra's aan en doden ze. Het zijn de enige vijanden van de cobra. Als kind had ik een boek met een fotoreportage waarin een mangoest een cobra pakt. Uren kon ik naar die foto's staren. Die grote cobra met zijn boos opgezette brede nek, die gedood werd door een klein diertje, de mangoest. Vooral de laatste foto, waarbij de mangoest de kop van de cobra had afgebeten en smakelijk zat te eten. Helemaal rood van het slangenbloed. Net goed, dacht ik dan.'

'Gelukkig zijn er niet veel slangen in dit land,' zei Sigrid droog en moest er een beetje om grinniken. 'En mangoesten ook niet, denk ik. Heb je misschien nog meer angsten, waar je me over wilt vertellen?'

'Enge mannen met grote pistolen, daar ben ik ook wel een beetje bang van,' zei Erik.

'Ja, wie niet.' Sigrid rilde, 'Zuster Anna, ziet gij al iets komen?'

Erik probeerde de straat af te kijken. 'Ik zie niets van hier, maar ik loop wel een rondje. Hier is een porto, zet hem maar aan. Ik neem er ook een mee. Laten we maar gewoon op het noodhulpkanaal gaan zitten. Dan horen ze ons meteen als er wat loos is.' Erik liep naar buiten, de straat door en achterlangs weer terug. Hij keek bij de andere huizen naar binnen. Daar stond de televisie aan of waren de mensen al naar bed. Er was helemaal niets aan de hand. Hij bleef een poosje in de achtertuin staan kijken. Sigrid zat op de bank en las een boek. Het was een knap meisje, dacht hij. Zoals ze daar zat te lezen. Niet aan denken nu, vermaande hij zichzelf, we zijn aan het werk! Hij kwam door de achterdeur weer binnen en sloot deze zorgvuldig achter zich af.

'Zo vredig als een Frans dorp de dag na een champagnefeest.'

'Mooi, zal ik eerst een dutje gaan doen, of wil jij eerst?'

'Doe jij maar, moet je iets hebben?'

'Ik heb een slaapzak en een kussen, dat is genoeg. Wassen en zo doe ik morgen wel.'

'Moet je je make up niet afdoen?'

'Die draag ik helemaal niet, mafkees.'

'O, welterusten.'

Erik deed de lichten uit, maar liet een klein lampje aan. Hij had de gordijnen en de vitrage helemaal opengedaan, zat op zijn stoel en keek beurtelings door de voor– en achterramen. Hij had zijn schouderholster weer afgedaan. Zijn Walther had hij in zijn schoot liggen, zijn rechterhand er losjes overheen.

'Kom nu maar, Bayram, dit spel heeft lang genoeg geduurd,' zei hij zachtjes voor zich uit. Op de klok was het kwart over twee geworden. Erik viel op zijn stoel in slaap.

Hij schrok wakker van een harde tik en een moment was hij kwijt waar hij was en waarom. Hij had pijn in zijn nek en zijn hals voelde vochtig aan. Toen wist hij het weer en weer klonk er een geluid, het kwam uit de keuken. Erik was klaarwakker nu. Hij probeerde zijn verstijfde spieren een beetje in beweging te krijgen, terwijl hij met open mond en opengesperde ogen naar de geluiden luisterde. Hij hoorde niets meer. Was het verbeelding? Hij had toch echt een geluid gehoord, misschien het werken van het huis of een huisdier? Toen klonk er een geknars, alsof er heel stilletjes iets werd verschoven, een stoel of zo. Hij overwoog of hij Sigrid wakker zou maken, maar dat zou misschien zoveel lawaai maken dat het de indringer zou alarmeren. De porto? Waar was de porto? Hij vond hem op tafel op standje 1, onhoorbaar. Maar nog wel aan, zag hij, want de lampjes van radioverkeer gingen af en toe aan. Zo voorzichtig mogelijk liet hij zich uit zijn stoel glijden. Zijn Walther stevig in zijn rechterhand. Zou hij de hamer spannen, zodat hij een single action schot kon lossen, als het moest? Beter van niet, misschien was het wel niets. Nu hoorde hij weer een geluid. Het leek nog het meest op het piepen van een scharnier. De deur van de keuken naar de gang mocht wel een drupje olie. Opeens bedacht hij iets. Misschien was het wel een van de bewoners, die een hapje eten wilde hebben in de keuken. Snel haalde hij zijn wijsvinger van de trekker en legde deze gestrekt langs de loop. Erik stond nu naast de deur naar de gang, die was dicht. Dat hadden ze gedaan om Marjoleine en haar moeder niet te storen met hun gepraat, maar nu was het onhandig. Hij knielde en legde zijn hoofd op de vloer. Hij probeerde door de kier onder de deur te kijken. Er bewoog wat! Maar wie was het? Dat kon hij niet bepalen. Er liep iemand door de gang! Hij zag het. Snel stond hij op. Zijn knie knapte; het klonk als een pistoolschot, maar er volgde geen reactie. Zou hij de deur openrukken en naar buiten springen of met een ruk de deur opentrekken? Had hij maar een Maglite meegebracht. Die had hij nu wel kunnen gebruiken…

Hij besloot de deur zachtjes open te doen. Hij drukte de klink zo traag in, dat bijna niet te zien was dat die bewoog. Langzaam nu, langzaam, tot hij niet verder kon. Erik hield de klink vast op het dode punt en begon zo onzichtbaar als hij maar kon, de deur te openen. Toen hij een smalle kier had, probeerde hij te zien wat er in de gang gebeurde, maar zag niets. Hij opende de deur verder en verder, tot hij erdoor kon. Als een schorpioen die een sprinkhaan besluipt, gleed hij de gang in. Hij keek naar links, naar de voordeur en naar rechts naar de keuken. Hij zag niemand. Maar de keukendeur stond open. Er was iemand in huis! Toen hoorde hij boven iets kraken. Stil sloop hij de trap op. Zijn pistool vooruit en zo diep mogelijk gebukt. Daar was het kraken weer, er was iemand boven! Nu wist hij het zeker. De keukendeur, de geluiden, dat was niet iemand die van boven was gekomen. Tergend langzaam kroop hij de trap op. Hij probeerde iets te zien op de overloop. Maar hij zag niets. Het was te donker. Weer dat gekraak. Er liep iemand... Maar er stond niemand om hem op te wachten. Boven aan de trap zag hij dat de deur van Marjoleines kamer openstond. Er klonk een schreeuw! Erik liet alle voorzichtigheid varen en stormde de kamer in. Daar trof hij Marjoleine die rechtop in haar bed zat met de dekens tot haar kin opgetrokken.

Voor haar bed stond een man en die man had een mes in zijn hand.

'Politie!' schreeuwde Erik zo hard als hij kon, 'laat dat wapen vallen!' Zijn stem dreunde door het huis, harder dan dit kon hij niet schreeuwen. De man schrok en draaide zich om. Hij bleek niet alleen een mes bij zich te hebben. In zijn andere hand had hij een vuurwapen.

'Laat dat wapen vallen of ik schiet,' bulderde Erik nog een keer. Hij maakte zich zorgen over Marjoleine, die nu pal achter de indringer in bed zat.

Er klonk een schot, maar dat kwam niet uit Eriks pistool. Het schot was bedoeld voor Erik. Hij dook naar de vloer en was net op tijd. De man sprong over hem heen en probeerde de trap af te komen. Toen hij over Erik heen wilde springen, wist die nog net een broekspijp te grijpen. Dat leverde hem een schop in zijn gezicht op. Hij uitte een kreet van pijn en moest loslaten om de moordenaar de trap af te zien daveren.

'Sigrid!' krijste hij, 'VUURWAPEN, HOU HEM TEGEN, VUURWAPEN, HOU HEM TEGEN!' Als dank draaide de man zich halverwege de trap om en vuurde nog een keer omhoog in de richting van Erik. Die kogel kwam terecht in het houtwerk, maar Erik hield wel zijn mond. Er klonk nog een knal. Dit keer was het een ander geluid. Hij kon niet bepalen of de schutter nog een keer had gevuurd, want hij was de trap al af en moest in de gang staan. Het klonk anders, een ander kaliber. Het moest Sigrid zijn, die schoot. Er klonken nog een paar zware geluiden, toen nog een schot en toen niets meer. Boven aan de trap lag Erik te wachten op wat komen ging. Hij durfde zijn hoofd niet in het trapgat te steken. Met het geluid van zijn eigen bloedsomloop bonzend in zijn oren schoof hij op zijn buik naar de rand. Maar keek niet. Hij riep.

'Sieg?' Hij hoorde niets.

'Sieg!' Nog een keer.

'Ja, kom maar,' klonk het dunnetjes en sneller dan de insluiper was Erik de trap af. Daar stond Sigrid, haar Walther nog in de hand.

'Waar is hij?' riep Erik en keek in het rond, 'heb je hem geraakt?'

'Nee, hij is weg!' Ze wees naar de keuken. Erik rende de keuken door en keek het duister in. Hij zag niets meer. Welke kant zou hij opgegaan zijn? Op goed geluk koos hij een kant, rende het tuinpad achter de huizen af, maar vond niemand meer. Hij bleef nog een poos zoeken en keerde toen weer naar huis terug. Daar was Sigrid al in contact met de meldkamer. Die hadden nu geen auto's beschikbaar. Er was een grote vechtpartij gaande in de binnenstad. Iedereen was daar naartoe. Marjoleine en haar moeder waren beneden en zaten op de bank met een deken om zich heen en grote ogen in witte gezichtjes. Net zo wit als het gezicht van Sigrid trouwens.

'Verdomme!' vloekte Erik hard, 'O, pardon, dat schoot eruit. Iemand gewond?' Niemand was gewond, maar iedereen was behoorlijk overstuur. Hij pakte de portofoon en begon wat te roepen, zonder dat hij wachtte tot de meldkamer hem toestemming gaf.

'Leeuwarden, graag auto's deze kant op. Verdachte op de voetjes verdwenen. En hij hinkelt, dus kan nooit heel ver zijn. Graag zoekslag maken nu. Nu maken we nog kans!'

'Wie is dit voor Leeuwarden?'

'Recherche,' Erik keek naar Sigrid, 'hebben we een roepnummer?' Zij schudde het hoofd. 'Nee, recherche, Erik!'

'Sorry, recherche, we hebben helemaal niets. Alles is bezig op het Ruiterskwartier. Daar wordt nu stevig gevochten, ik kan niemand missen nu.' Erik vloekte nog een keer, maar zonder dat de spreeksleutel was ingedrukt. Hij liet de porto zakken en keek naar de angstige gezichten van de vrouwen om hem heen. Hij schokschouderde en schudde zijn hoofd.

'Kom op, pak maar wat spullen, we gaan hier weg. Eerst naar het bureau en dan maar verder zien. Dat onderzoek pakken we morgen wel weer op, eerst jullie in veiligheid brengen.'

29 👁

Het was maar een klein kaliber kogel, die de schutter had gebruikt: 5,58 cm of .22. De kogel kwam niet voor in het IBIS-systeem, er werden geen hulzen gevonden. Zeker was dat deze was afgevuurd uit een handvuurwapen, misschien wel een sportrevolver. De man had een zwart mutsje gedragen, een donkere broek en een licht jack. Ze hadden hem allemaal gezien. Maar noch Sigrid, noch Erik konden een beter signalement geven dan de anderen. Alleen wist Erik zeker dat de verdachte raar had gelopen, trekkend met zijn been. Marjoleine was nauwelijks in staat om een woord uit te brengen. Toch was zij de beste getuige, werd besloten. Fraukje en Sigrid zouden nog een poging doen om haar te horen. Marjoleine en haar moeder werden overgebracht naar een hotel in een flat. Op de bovenste verdieping was een kamer gehuurd. De enige toegang tot de verdieping was via de noodtrap en die was op slot, alleen te openen van binnenuit of via de lift. De hoofdofficier van justitie had bepaald dat er beveiliging moest worden ingesteld. Twee man, de klok rond. Dat was een behoorlijke aanslag op de capaciteit van het district, maar het bevel lag er. Fraukje en Sigrid drukten op de knop voor nummer elf en de lift vertrok.

Marjoleine zat in bed en keek strak voor zich uit. Ze wiegde heen en weer en leek de omgeving niet waar te nemen. Er stond een televisie aan, zonder geluid, maar daar keek ze niet naar. Ze reageerde niet toen de rechercheurs haar vriendelijk begroetten. De psycholoog had gezegd dat het waarschijnlijk erg moeilijk zou worden om iets uit haar te krijgen, maar als ze geen druk zouden uitoefenen, mochten ze het van haar proberen. Ze mochten haar niet laten schrikken, geen plotselinge gebaren maken, niet bang maken, niet hard of snel spreken. Sigrid ging naast haar zitten op het bed en streelde haar haar.

'Ha, meisje,' zei ze zacht. Marjoleine reageerde niet. Ze maakte ook geen afwijzende beweging en dat vatte Sigrid maar op als een positief teken. 'Gaat het een beetje met je?' Sigrid streelde door en Fraukje was op een stoel gaan zitten. 'Alles komt goed hoor, we laten nu niemand meer bij je.' Sigrid probeerde weer wat dichterbij te komen, maar uit niets bleek dat het meisje dat ook hoorde. Een paar minuten bleven ze zo zitten, terwijl Sigrid af en toe een troostende zin uitsprak. Opeens stopte het wiegen. Marjoleine zat stil, maar keek nog steeds naar een plek op de muur.

'We moeten even terug naar afgelopen nacht. Het spijt me, lieverd, maar we moeten dit doen. Wil je voor mij terugdenken aan vannacht, alsjeblieft?' Dat riep wel een reactie op, Marjoleine verstrakte. Sigrid keek naar Fraukje, die knikte. Doorgaan dan maar.

'Kende je die man in je kamer?' Ze zei het zo zacht en vriendelijk mogelijk. Er leek een huivering door het kind te gaan. Sigrid had haar hand op de schouder van het meisje gelegd.

'Je kende hem, hè. Je wist wie het was.' Sigrid liet een stilte vallen. 'Wie was het, Marjoleine? Kun je ons dat vertellen?' Geen reactie nu. Ook geen siddering, niets. Het wiegen begon weer. 'Lieve schat, we doen dit niet om je te pesten, we moeten het weten. Dan kunnen we hem oppakken en dan gaat hij heel lang de gevangenis in. Daar kan hij je niets meer doen.' Marjoleine ging sneller wiegen, maar sprak niet.

'Het was Bayram, hè.' Sigrid speelde haar enige troefkaart uit. Het wiegen stopte. Het was Bayram, wie anders ook. Hij paste ook in het signalement dat ze al van hem hadden. Sigrid beloofde dat ze hem zouden pakken, ze beloofde dat niemand haar meer te na zou komen, ze beloofde van alles. Maar Marjoleine sprak niet. Ook Fraukje deed een poging, ook zij sprak heel zacht en langzaam, zonder stemverheffing en zonder stress in haar stem. Maar ook Fraukje kreeg de deksel niet los.

'Lieverd, het geeft niet, we houden er voor vandaag mee op. Rust maar lekker uit, schat. Hier is een kaartje, daar staat mijn nummer op, je mag me altijd bellen. Overdag, 's avonds en ook 's nachts. Het is goed. Als je gewoon wat wilt praten of als je bang bent. Maakt niet uit.' Ze stonden op en liepen naar de deur. Fraukje opende de deur en liep naar de collega die op de gang de wacht hield. Sigrid draaide zich nog een keer om.

'Dag meisje, het geeft niet hoor. Hier ben je veilig.' Toen ze de kamer wilde verlaten, hoorde ze iets. Ze draaide zich weer om en liep naar het bed.

'Bayram...' zei Marjoleine met verstikte stem. Ze hoestte en schraapte haar keel.

'Bayram Kalas...' zei ze en ze begon te huilen. Heel erg te huilen, het hield niet meer op. Sigrid nam het meisje in haar armen en troostte haar. Ze liet niet los, ook al liep het snot over haar armen.

'Het komt goed, liefie, alles komt goed.'

In de lift belde Sigrid Erik. Minuten later rolden de gegevens van Bayram Kalas uit de computer.

Erik zat in de briefingruimte met alle leden van zijn team die toevallig op het bureau waren. Ze hadden alles uitgedraaid wat ze van Bayram Kalas hadden kunnen vinden. De stapel was niet zo heel groot en dat was vreemd. George gaf een samenvatting.

'Kalas, Bayram, geboren 9 november 1977, dat maakt hem nu, uh, 32 jaar oud. Hij is geboren in Istanbul en, eens kijken, hier heb ik dat, naar Nederland gekomen met zijn moeder toen hij zeven jaar oud was. Er staat niet bij waarom. Ze zijn in Leeuwarden gaan wonen. Ah, ik zie het, ze zijn bij een broer van moeder gaan wonen. Een oom van Bayram. Die had een kleine groentewinkel aan het Vliet, maar die zit er nu niet meer. Ze woonden denk ik boven de winkel, want het adres is hetzelfde.'

'Weten we iets van moeder en oom?'

'Ja, dat ze allebei zijn omgekomen bij een auto-ongeluk in Oostenrijk. Dat was in 1989, toen was Bayram dus twaalf jaar oud. Hier staat dat hij ook een zusje had, die is ook overleden. Maar later pas, in een ziekenhuis.'

'Zat hij niet in die auto dan?'

'Jawel, hij heeft het als enige overleefd.'

'Gewond?'

'Moet ik nazoeken, weet niet of dat in deze papieren staat. Ik had nog niet zo veel tijd voor een analyse.'

'Weten we iets van de vader?'

'Ben ik nog niet tegengekomen.'

'Dit is allemaal wel leuk,' zei Erik korzelig, 'maar de vraag is, waar is hij nu?'

'Dat is wat lastig te zeggen. Hij staat nog steeds ingeschreven op het adres aan het Vliet, maar volgens mij is die groentewinkel er allang niet meer.' George bladerde door de papieren.

Sigrid trad de briefingruimte binnen.

'Ah, Sigrid, goed dat je er bent, we lopen net door de avonturen van Bayram Kalas. Maar we zijn nog niet zo heel ver.' Erik wees naar George, die het dossier nu over de tafel uitgespreid had. 'Wat voor een documentatie heeft hij verder nog?'

'Hij is een paar keer verdachte geweest, voor mishandeling en voor drugshandel, maar er is geen vervolging ingezet. Verder niets. Hij is hier twee keer een nacht te gast geweest. Maar de volgende dag heengezonden.'

'Wat was zijn adres toen en hoe lang is dat geleden?'

'Het Vliet nog steeds en dat is nu twee en drie jaar geleden.'

'Dan stel ik het volgende voor: we gaan eerst dat adres op het Vliet eens bekijken en jij gaat verder met het maken van de analyse. Vrienden, familie en bekenden wil ik graag leren kennen. Hebben we een recente foto van hem en dacty, als het kan?' Erik keek

George aan, die nog zat te bladeren.

'Die zouden we moeten hebben, denk ik. Maar ik heb die hier niet bij zitten.'

'Zou je een algemeen bericht willen maken voor de briefing en een nationaal opsporingsbericht?'

'Is goed, maar ik moet kijken of we wel een foto van hem hebben.'

'Hij is toch verdachte geweest?'

'Ja, maar die zaak is volgens mij erg verkloot indertijd. Daarom zijn de verdachten ook heengezonden. Had iets te maken met niet rechtmatig verkregen bewijs of zo. Volgens mij is alle info daarover destijds verwijderd uit het systeem. Zoiets kan ik mij herinneren, die advocaat zat er erg achterheen. Daar zijn nog brieven over heen en weer geschreven. Kom ik wel achter, maar ik heb iets meer tijd nodig.'

'Ja, ja, is goed, doe maar dan. Wij gaan naar het adres kijken. Sieg, ga je mee?'

Sigrid had haar jas al aan.

30

'Is het dit?' vroeg Erik.

'Ja, volgens mij wel. Kijk maar, daar is het ene nummer wegge-vallen. Dit moet het zijn.'

'Is dit een groentewinkel geweest? Maar hoe dan? Het lijkt eerder een garage te zijn.' Erik keek naar een grote groene deur. De recher-cheurs stonden aan de overkant van het Vliet. Boven de groene deur waren twee ramen zichtbaar waar dikke vitrage voor hing.

'Die winkel zal wel beneden in de garage zijn geweest,' opperde Sigrid, 'dat zie je wel meer, toch?'

'Het zal wel, maar dan moet je de deur wel zomer en winter open laten staan, anders kunnen de klanten niet naar binnen. Laten we een eindje doorlopen, als we niet willen opvallen. Is er iets meer bekend over het adres?'

'Is George ook mee bezig, hij zou bellen als hij iets had wat de moeite waard was.'

'Ik wil alles weten, wordt het gas en licht betaald, verzekerin-gen, wordt er post bezorgd en op wiens naam staat dit huis? Bel hem anders nu maar op.' Sigrid pakte haar telefoon en belde. Erik liep ondertussen door in de richting van een bakkerij verderop. Die was nog niet open, maar er liep wel iemand binnen. Hij tikte op de deur.

'Wij zijn gesloten!' riep een norse stem achter de toonbank. Erik tikte nog een keer, nu wat harder en dringender.

'GESLOTEN!' schreeuwde de man, die bezig was met schoonma-ken. Hij maakte een wegwerpgebaar. Erik tikte nog eens en maakte een gebaar van "hier komen". De bakker was het kennelijk zat. Hij kwam achter zijn balie tevoorschijn en liep stampend naar de deur.

'Kun je niet lezen, idioot. GESLOTEN! Daar staat het.' Hij wees op de tekst op de deur. Die vermeldde inderdaad dat de zaak niet open was. De man draaide zich weer om en liep terug. Erik tikte nog een keer en riep nu zonder geluid: "politie". Hij wilde dit niet hardop doen, om de buurt niet te alarmeren. Het getik bracht de man tot razernij, hij draaide zich op zijn hakken weer om en stormde op de deur af. Hij draaide het slot woest om en rukte de deur open.

'Sodemieter op, idioot, ga hiernaast maar je medicijn halen, ik ben dicht!'

'Politie, meneer, we willen met u praten.' Erik hield zijn legitimatie omhoog en liep naar voren, de man zijn eigen bakkerij indrijvend.

'O, ik dacht dat je een junk was die hiernaast moest zijn.' De bakker wees met zijn duim naar het pand aan de overkant van een zijstraat, naast de snackbar. Sigrid wilde ook naar binnen. De bakker wilde dat voorkomen, maar Erik liet haar binnen.

'Dit is mijn collega, Sigrid de Wilde, mijn naam is Erik van Houten, politie Fryslân.'

'Gaan jullie nu eindelijk eens wat doen aan de overlast van de junks hier?'

'Ik had begrepen dat er helemaal geen overlast was,' zei Sigrid, 'de gebruikers hebben er toch alle belang bij dat de buurt geen last van hen heeft?'

'Ja, de buurt wel, maar ik heb ze hier voortdurend over de vloer.'

'En maken ze er een zooitje van?'

'Nee, dat valt wel mee.'

'Maar waarom klaagt u dan?'

'Ze jagen mijn gewone klanten weg. Ouders durven geen kinderen meer ter sturen voor een halfje bruin en vier witte puntjes. Daarom.'

'Volgens mij valt het erg mee, maar daar komen we niet voor. Waarom bent u gesloten, zo op de dag?' De man was weer achter zijn toonbank gaan staan.

'Ik ben 's morgens altijd al heel vroeg open. De vroegste bakker van Leeuwarden. We zijn er al om zeven uur. Dan zijn die verrekte junks er vaak ook. Ze komen dan om een broodje vragen voor niets. Tuig is het. Ik denk dat ik daar maar mee op hou. Vroeger kwam half Leeuwarden hier, lekker vers brood halen. Maar de klad zit erin. Het gaat niet goed met deze stad, kan ik u vertellen. De hoge pieten met hun bemoeizucht en regeltjes, die maken alles kapot.'

'Dat zal wel, maar wat weet u van dat pand daar?' vroeg Erik en wees naar de overkant.

'Welk pand?'

'Dat kunt u vanaf daar niet zien, u moet hier komen staan, dat pand daar aan de overkant, met die groene deur.'

'De groentewinkel van Ahmed, bedoel je.'

'Maar nu niet meer.'

'Nee, Ahmed is niet meer. Ach, ja, dat is alweer een hele tijd geleden. De arme man. Dood op de Autobahn. Vreselijk was dat. Hij was onderweg naar huis, dat vertelde hij hier. Dat hij daarheen ging. Naar Turkije natuurlijk.'

'Kende u hem?'

'Ja, zeker, een allervriendelijkste man, werkte keihard, was altijd aardig voor iedereen. Zijn waar was niet zo goed, tweede keus, hè, maar hij was daarom ook heel goedkoop. De mensen kwamen graag bij hem kopen. Kijk, zulke Turken moesten er meer zijn. Dan had ik niet op de PVV gestemd. Toen was de buurt nog gezellig, zeg ik u. Wel buitenlanders hoor, maar dat waren goede mensen, vroeger. Ahmed is wel eens hier geweest om aan mij te vragen of ik het vervelend vond als hij ook brood ging verkopen. Turks brood, geen Hollands. Nou, die Turken kwamen toch niet bij mij voor gewoon brood. Wel voor gebak, dat lusten ze wel, maar een eerlijk volkoren, dat moeten ze niet. Daar halen ze de neus voor op. Toen vroeg ik of hij het erg vond als ik ook groente ging verkopen. Daar moest hij over nadenken. Ik ben toen zelf Turks brood gaan bakken en verdomd, het verkocht goed.'

'En kent u Bayram, zijn neef? Bayram Kalas?'

'Ja, ook wel. Maar alleen van zien. Ik ken hem niet persoonlijk. Hij kwam hier wel eens, maar we maakten nooit een praatje. Was een beetje een rotjongentje volgens mij.'

'Hoezo?'

'Volgens mij deugt die niet, vraag me niet waarom, maar die deugt niet.'

'Wat weet u dan van hem?'

'Hing altijd rond, werkte nooit, maar reed wel in een mooie auto. Die kon ik me nog niet veroorloven!'

'Misschien had hij die van zijn oom geërfd?'

'Van Ahmed? Welnee, die had moeite zijn hoofd boven water te houden. Die zal wel niet veel hebben nagelaten.'

'Wanneer heeft u Bayram voor het laatst gezien?'

'Wanneer? Weet ik niet hoor, misschien vorige week of zo.'

'Woont hij daar nog steeds dan?'

'Voor zover ik weet wel, ik zie die in Duitsland gemaakte auto van hem hier wel eens. Ik moet daar niets van hebben.'

'Heeft u misschien het kenteken opgeschreven?'

'Nee, daar let ik niet op.'

'Merk, type?'

'Een zwarte uit de vijfserie.

'Dank u voor de informatie, we gaan. Maar we komen snel nog terug. Wilt u tegen niemand zeggen dat wij hier zijn geweest.' Erik rende de zaak bijna uit.

'Hij woont daar gewoon! Waarom zijn we daar niet eerder achtergekomen?' Erik en Sigrid stonden in de zijstraat naast de bakkerswinkel. Ze konden de groene deur zien, door de etalageruiten. 'Wat heb jij?'

'Het pand staat nog steeds op de naam van zijn oom, oom Ahmed,' meldde Sigrid. Ze had net George aan de lijn gehad. 'De huur wordt nog steeds betaald, elke maand op tijd. Gas en licht ook. Als alles maar betaald wordt, vinden veel instanties het wel goed. Geen bijzonderheden over het pand verder. Ook niet bij ons, niet recent.'

'En de auto, die van Bayram?'

'Staat niet op dit adres en ook niet op zijn naam. Misschien een katvanger?'

'Ik zie hem ook niet staan, we moeten misschien nog in die achterstraten kijken. Als ik Bayram was, zou ik mijn auto ook niet voor de deur zetten.'

'Hij kan nog binnen staan, de deur is er groot genoeg voor.'

'Ja, zou kunnen. Is er een telefoonaansluiting op het adres?'

'Nee, dat had George al uitgezocht.'

'En Bayram, heeft die er een op zijn naam?'

'Hij zal vast een telefoon hebben, maar niet op zijn naam.'

'Niet veel dus, goed, we gaan rijden.' Ze liepen een paar straten terug, waar Erik had geparkeerd. Ze maakten een zoekslag door de zeeheldenbuurt en daarna nog een keer door de straatjes rond het Molenpad. Maar ze vonden geen zwarte BMW uit de vijfserie.

'Wij moeten zelf maar uit de buurt blijven,' zei Erik toen hij de auto had stilgezet op het Vliet, zodat ze zicht hadden op het pand. 'Hij kent ons. Ik wil zo snel mogelijk naar binnen, maar als hij niet thuis is, hebben we kans dat we hem kwijtraken. Heeft George al een nationaal opsporingsbericht uit doen gaan?'

'Was hij nog mee bezig, hij had nog geen foto.'

'Hoe kan dat nou?'

'Die is nooit gemaakt, er is veel misgegaan in die laatste zaak, volgens George.'

'Bel hem dan nog eens en voeg dat voertuig toe. Misschien kan hij een uitdraai maken van alle zwarte BMW's, type 5 in Leeuwarden.'

'Dat zal een lijst worden dan, ik bel wel.' Erik zette de auto in beweging en reed terug naar de Holstmeerweg.

'Ik wil zo snel mogelijk naar binnen, maar het zou wel leuk zijn als onze vriend er dan ook is. Zijn aanhouding gaat boven alles nu. Hè, hadden we maar een kenteken, dat zou fijn zijn.' Erik dacht hardop in de auto.

'Wil je het pand onder observatie hebben?' vroeg Sigrid.

'Meteen, vandaag nog als het kan, maar ik weet niet of we daar mensen voor krijgen. Er draaien al twee TGO's en Wessel schijnt ruzie te hebben met Groningen, omdat het observatieteam eerder terug moest.'

'Eerder terug, maar we kregen het toch voor een week?'

'Ja, ik heb begrepen dat we daar helemaal geen recht op hadden, maar dat Wessel dat wel had geregeld. Ik ben bang dat we onze gunsten nu een beetje verspeeld hebben. Wil je hem vast bellen?' Maar ze kreeg slechts zijn voicemail, waar nog altijd een stukje klassieke muziek op te horen was. Wessel was naar een vergadering, bleek uit zijn agenda. Hij zou die dag niet meer naar het bureau komen en nam zijn telefoon ook niet op.

31

'George, vriend,' zei Erik toen hij de infodesk op liep, waar zijn collega net bezig was een nieuwe computer te installeren.

'Als je zo begint, dan moet je wat van me.' George hervatte het roeren in het binnenste van een computer.

'Dat klopt. Het pand aan het Vliet is het goede pand. Ik wil wel instappen, maar ik wil ook zeker weten dat hij thuis is. Maar ik krijg waarschijnlijk geen observatieteam meer.'

'Dat denk ik ook niet, het observatieteam rijdt een zware klus in Groningen'

'En ik kan zelf ook niet voor de deur gaan staan, want mij kent hij.'

'Ja? En nu wil je dat ik daar ga staan? Dacht het niet hoor. Ik heb wat anders te doen en dat staat niet in mijn functiebeschrijving.'

'Daar kunnen we het over hebben, toevallig heb ik die functiebeschrijving van jou zelf mee helpen opstellen. Daar staat in "informatie verzamelen, analyseren, veredelen en toegankelijk maken ten behoeve van het opsporingsproces". Daar past een nacht observeren wel onder, dacht ik zo.'

'Jij bent mijn baas niet. Dat is Wessel.'

'Klopt, maar Wessel is er niet en onbereikbaar en volgens mij ben ik dan hier de chef.'

'Ik wil niet en ik ben er ook niet voor opgeleid!'

'Je hoeft ook niet, maar ik wil graag de observatiewagen voor de deur hebben, met een live video uplink.'

'Toe maar, daar moet je wel toestemming voor hebben van de officier. Heb je die?'

'Krijg ik zo, dat weet je. Kom op, waar is die wagen?'

'In de garage, ik wilde net iets nieuws installeren. Daar is deze computer ook voor. Op een bepaalde manier komt het wel goed uit. Maar je bent te vroeg. Hiermee neem ik de beelden op, maar alleen als die bewegen. Stilstaand beeld wordt uitgefilterd. Scheelt weer een hoop zoekwerk achteraf.'

'Mooi, knal dat er maar in en zet die auto op zijn plek. Liefst vandaag nog.'

'Dat gaat niet lukken, ben ik bang. Bovendien wil ik graag wel de toestemming zien.'

'Daar ga ik nu voor bellen. Als jij je best doet om dat ding er vandaag nog te hebben. Dit is een moordenaar, hij moet van straat af. Kunnen we die monitor bij de meldkamer zetten? Kunnen ze daar mooi uitkijken en waarschuwen als er iemand naar binnen gaat.'

'Kan.' Hij hoorde George aarzelen, alsof hij heen en weer getrokken werd door de uitdaging en het extra werk dat het hem zou opleveren.

'Ik kan het signaal doorlussen naar het systeem van CCTV, dan moet de meldkamer de beelden in principe kunnen zien. Maar als ik dat nog moet doen, wordt het wel overuren schrijven. Daar moet ik toestemming voor hebben van mijn chef en dat is Wessel.'

'En bij zijn afwezigheid ben ik dat. Dus doe het nu maar. Dan ga ik nu bellen.'

Erik liep terug, belde de officier met piket, kreeg eerst een kind aan de lijn, toen de man van de officier en uiteindelijk de officier zelf en kreeg toen inderdaad zonder veel problemen toestemming om observatie in te zetten. Erik wilde ook het arrestatieteam voor de aanhouding, maar dat moest worden voorgelegd aan de hoofdofficier. Vuurwapengevaarlijk was gemakkelijk aan te tonen in dit geval. Hij zou worden teruggebeld. Hij liep naar Sigrid.

'Arrestatieteam duurt nog wel een uurtje voordat ze er zijn. Die moeten vanuit Amsterdam of misschien zelfs wel Utrecht komen. Als hij thuiskomt, wil ik het liefst om vijf uur 's morgens instappen en meteen een doorzoeking doen. Wie weet wat we allemaal tegenkomen.' Sigrid keek op, ze zat te lezen in het dossier van Bayram dat George had aangevuld met de briefwisseling van de advocaat.

'Die laatste zaak van Bayram, daar kom ik van alles in tegen. Mishandeling, drugshandel, afpersing, poging tot doodslag zelfs, ook nog bedreiging van een politieambtenaar, het gaat maar door. Maar het onderzoek is inderdaad een puinhoop. Jij hebt er niets mee van doen gehad?'

'Nee, hoezo, komt mijn naam erin voor? Dat gebeurt wel eens, als ik toevallig een keer een verklaring voor iemand anders heb opgenomen of zo.'

'Nee, dat is het niet. Je komt hier echt niet in voor. Dat zeg ik.'

George kwam binnenlopen. Hij was weer gegrepen door de techniek en vroeg niet meer naar toestemming van de officier of het overwerk.

'Het werkt! We stralen live de beelden door. Alleen heb ik nog geen encryptie kunnen ontwikkelen. De beelden gaan over de ether. Iedereen die een antenne richt op die frequentie, kan deze beelden opvangen.'

'Is dat een probleem? Wat zien ze dan helemaal; een donker huis, verder niets.'

'Dat is zo, maar het mag niet, het zijn opsporingsbeelden, die mogen niet door de ether.'

'Kan wel zijn, maar nu moet het. Zullen we de auto gaan plaatsen?'

'Rijd jij mee dan?'

'Goed.'

Er was toevallig een parkeerplaats vrij tegenover het huis met de groene deur. Alleen moest de observatiewagen schuin worden neergezet. George parkeerde, stapte uit en stapte snel bij Erik weer in, die subiet wegreed.

'Hebben we beeld?' vroeg Erik aan George, die een notebook op zijn schoot had met een antenne eraan.

'Wacht effe. De auto staat schuin, dus ik moet wat aanpassen, maar dat moet kunnen. De camera's kunnen zoomen, tilten en pannen en dat zou ik hiermee moeten kunnen bedienen, als het goed is. Godver!'

'Wat is er?'

'Er is iets niet goed, ik moet terug.'

'Shit, moet dat?'

'Anders hebben we geen beeld.' Erik vloekte een keer en rondde een rotonde. Er stond een boerenhek op. Erik vroeg zich af waarom. Op alle rotondes was wel iets bijzonders neergezet, was hem al eens opgevallen. De volgende stond vol met heel grote rode bloempotten. Het was wel gezellig, die aankleding. Hij stopte honderd meter voorbij de camera-auto. George sprong eruit, liep nonchalant naar de wagen en stapte in, alsof hij een boodschap was gaan doen. Maar in plaats van wegrijden dook hij onder het stuur. Erik zag dat de auto af en toe een beetje schudde. Hij hoopte maar dat het niemand opviel. Het Vliet was een drukke weg, waar van alles gebeurde. Aan de overkant stond een vrachtwagen te lossen, daarachter stond een oude Mercedes dubbel geparkeerd met twee mensen erin. Te wachten? Hij keek naar het kenteken en belde de meldkamer. De tenaamgestelde klonk wel Turks, maar had een adres in Rotterdam. Verzekering was in orde, APK vervallen. Wat moesten ze hier, dacht Erik. De alarmlichten stonden aan, de twee mannen keken strak voor zich uit. George rukte de deur open. Erik schrok ervan, want hij had hem niet zien aankomen. Meteen begon George weer met zijn notebook te knoeien.

'Doen ze het nu wel?'

'Ja, zo te zien wel, ik heb beeld en, eens kijken, ja, ik kan de camera's ook bedienen. Hier, ik kan een omgevingsshot instellen, dan kun je zien wie er voorbijkomen, een naar links, een naar rechts en ik kan de front one richten op de deur van het huis. Hoever wil je inzoomen? Alleen de groene deur of het hele huis?'

'Doe maar het hele huis, ik wil ook de lampen kunnen zien die boven aangaan.'

'Goed, ik kan rear one en rear two ook nog op de stoep en het fietspad richten. Als daar wat aankomt of vertrekt kun je het ook nog zien. Zo, allemaal ingesteld. Nu moet ik het signaal nog naar de meldkamer brengen. Heb je al met ze gesproken? Ze zullen er niet blij mee zijn, ben ik bang. Ze hebben al zoveel te doen daar in Drachten.'

'De chef meldkamer is mij nog wat schuldig, zal ik die eens bellen?'

'Wie is dat?'

'Rita van der Plas, ze is van ons.'

'Ik weet nog dat we per bureau een eigen meldtafel hadden, dat was nog eens leuk.'

'Ja, ik ook. Het oude bureau Sneek had nog zo'n tafel. Maar het scheelt een hoop in de efficiency nu we dat met drie regio's tegelijk doen.'

'Dat zal wel, maar je kunt goed merken of er een Friese collega aan de knoppen zit of een uit Groningen of Drenthe. Die weten echt niet hoe het hier zit.'

'Zorg jij nu maar dat het signaal in Drachten komt, dan zal ik Rita wel bellen. Trouwens, kunnen we hier ook meekijken?'

'Op het bureau? Natuurlijk, waar je maar wilt. Het loopt via de ether, zei ik toch. Het kan via de computer, ik zet het gewoon achter een IP adres. Daar kan ik nog wel een wachtwoord op zetten, zodat niet iedereen het kan zien. Je kunt het zelfs thuis zien. Maar dan moet je wel wat software installeren om de camera's te kunnen bedienen.'

32

Terwijl George de nodige technische handelingen ging verrichten om de beelden daar te krijgen waar ze moesten zijn, belde Erik met Rita. Het was alweer lang geleden, maar ooit hadden ze samen een zeer kortstondige relatie gehad, tijdens een ME-opleiding. Ze waren alleen achtergebleven in een donker bos en probeerden tastend hun weg te vinden. Opeens had Erik haar hand gevoeld, die ze door de gleuf van zijn overall had gestoken. Ze hadden het – op de dennennaalden – zwijgend met elkaar gedaan, daarna hadden ze hun overalls weer aangetrokken en waren ze op zoek gegaan naar de rest van de groep. Dat was de enige middernachtelijke dropping, die destijds in de zomer en in de warmste nacht van het jaar plaatsvond, die Erik had gewaardeerd. Maar ze hadden er nooit meer over gesproken en nooit meer iets met elkaar gedaan. Nog steeds was er iets tussen hen, maar het werd niet uitgesproken. Toen Erik haar belde, voelde hij het ook weer, maar negeerde het. Hij dacht dat ze bezwaar zou hebben en dat had ze ook. Hij dacht dat hij haar kon overreden en dat kon hij ook. Maar het kostte hem wel moeite. Rita zou de coördinator bellen en hem vertellen dat zij de beelden moesten uitzien en Erik bellen als er iemand het pand zou binnengaan of als er een zwarte BMW gesignaleerd zou worden.

'We moeten eens wat gaan drinken,' zei hij.

'Ja, dat moeten we eens doen,' zei Rita en hij wist dat ze dat nooit zouden doen. Hij verbrak de verbinding. Op hetzelfde moment ging zijn telefoon.

'Dag jongentje, ben je druk?' Het was Josephine.

'Ja,' zei hij eenvoudig.

'Zal ik voor je komen koken? Vind je dat wat?'

'Hm. Wat dan?'

'Wat dacht je van Hoi Sin Kuen?'

'Chinese garnalen uit de wok?'

'Goed van je, dat je dat nog weet. Trouwens, het wordt een pasta met suiker, zout, wijn, peper en sesamolie. Met een velletje nori. Ga ik helemaal zelf maken. Ik heb toevallig een kilo overheerlijke garnalen weten te krijgen bij de visboer hier. Zo vers, ze leven bijna nog.'

'Klinkt wel goed. Lekker.'

'En dat is nog maar het voorgerecht. Daarna doen we een lekkere pasta from hell.'

'Met chilipeper bedoel je?'

'Ja, verse, ik heb een handvol op de markt gekocht. Zo vers als het maar kan. Zal exploderen in je mond.'

'Ik krijg het al warm als ik eraan denk. Maar het moet wel bij mij.'

'Ja, daar rekende ik ook op. Ik heb alles al ingepakt en kan zo vertrekken. Hoe laat kun je thuis zijn?'

'Ik kan hier zo wel weg, maar het kan dat ik weer weg moet, dat weet je.'

'Het is met jou ook nooit eens anders. Kom maar snel naar huis.'

'Goed, tot zo, meisje.'

George had alles geregeld. De meldkamer keek één beeld uit, zei hij, niet meer. Dan maar van het huis met de grote groene deur, had hij maar bepaald. Erik vond het goed. Hij kreeg een A4'tje mee met daarop het IP-adres, het wachtwoord en een site waar hij de noodzakelijke software kon downloaden. Dan kon hij zelf thuis alles in de gaten houden, als hij daar zin in had. Erik meldde dat hij naar huis ging en bedacht onderweg hoeveel hij van garnalen hield en van lichtzoete Elzaswijn.

Josephine was er al. Ze had koelboxen bij zich en haar eigen wok. Erik had ook een wokpan, van Tefal, maar die was niet goed genoeg.

Het moest een echte wok zijn, van gietijzer, die tot smelttemperatuur diende te worden opgestookt. Zijn gasfornuis deugde natuurlijk ook niet, ook al had hij speciaal een fornuis aangeschaft met een wokbrander. Maar dat was maar 3,5 kilowatt. Zelf had ze een wokbrander van 9 kilowatt.

Hij ging achter haar staan en zoende haar in haar nek. Ze kirde als een klein kind dat gekieteld wordt. 'Kom jij voor het mannetje eens lekker koken?' zei hij met een stem die velen van hem niet zouden herkennen. Ze draaide zich om en zoende hem, gulzig stak hij zijn tong in haar mond. Zo stonden ze innig te zoenen, als twee tieners op het vrijerslaantje. Toen liet ze los.

'Dat moet allemaal wachten, we moeten eerst wat garnaaltjes vermorzelen. Ga maar zitten en vertel tante Jo eens alles. Wat heb je allemaal gedaan en waarom ben je weer zo druk?'

'Dat is goed, popje. Eerst maar eens wat te drinken. Wat wil jij hebben?'

'Korenwijn en een koud glas. Dat moet je hebben. Heb ik zelf voor je gekocht.' Erik pakte de glaasjes, de bruine kruik uit het vriesvak en schonk ze vol met de stroperige vloeistof. De damp sloeg eraf.

'Wil je er een biertje naast?'

'Wil ik, wil ik, ik wil.'

Josephine maakte handig de garnalenrol klaar en had al wat voorbereid voor de pasta. Drie hele pepers werden door haar fijngehakt. Met peperhanden kwam ze op Erik aflopen.

'Eerst goed wassen!' riep Erik, die wel eens een dosis peperspray in zijn ogen had gevoeld. 'Neem dat stalen ei maar, daarmee kun je je handen wel wassen. Wacht, ik moet wat halen,' hij liep de keuken uit en kwam terug met een notebook computer.

'Je gaat toch niet werken, terwijl ik mij hier sta uit te sloven?'

'Ik moet dit doen, dit duurt niet zo lang. Echt, ik ga verder niets doen en ik blijf hier zitten, hoor.' Hij maakte verbinding met het internet, haalde de software op en tikte het adres in. Er verscheen een venster dat om een wachtwoord vroeg. Hij tikte het in. Er verschenen vier vensters tegelijk op het scherm. Met beelden van het Vliet en de groene deur. De software zorgde voor een bedieningsvenster en inderdaad, hij kon de vensters groter en kleiner maken en de camera's heen en weer zwaaien.

'Geweldig!' riep hij hardop.

'Ja, dat zal wel, wil jij de tafel dekken? Wel met een tafelkleed, alsjeblieft? En maak even de wijn open, wil je. Ik heb een fles mooie Pouilly Fumé koud gezet. Die vond je de vorige keer wel smakelijk, zei je. Fris, niet te zoet en een tikje brutaal. Ik vond het wel passen, hierbij.' Erik liep de vijf treden op naar de eetkamer, maar nam de pc wel met zich mee. Er reden auto's voorbij, fietsers en hij zag zelfs voetgangers voorbij kuieren, maar de voormalige groentezaak bleef zoals hij was. Hij dekte de tafel en ontkurkte de fles. Hij schonk de glazen iets te vol en kreeg zijn beloofde diner. De garnalen waren heerlijk, maar de pasta was heet.

'Ik voel mijn lippen niet meer,' zei Erik en nam een slok witte wijn, 'mijn tong ook niet, trouwens. "Pasta from hell" is nauwelijks overdreven. Mijn hemel, je hebt jezelf overtroffen.'

'Lekker iete mei Jo, maar nu een ding,' zei Josephine, 'je zit de hele tijd met een oog naar dat ding te loeren. Daar kom ik niet voor. Je doet hem nu dicht en kijkt naar mij, of ik ga wat anders doen. Ik heb ook nog wel werk.'

'Sorry, schatje, ik doe de deksel wel dicht.'

'Mooi, want ik heb ook nog een lekker dessert: compôte van pompoen en peer met slagroom en ijs'

'Dat kan ik wel gebruiken nu, ik brand nog.'

Toen Josephine naar de keuken was, opende hij stiekem de computer, maar zag dat er nog niets was veranderd. Snel keek hij nog de straat in om te kijken of er misschien een zwarte auto stond. Maar er stond geen auto die erop leek. Het was donker geworden en de straatlantaarns gaven niet genoeg licht.

'Zit je weer in je laptop te loeren?' riep ze vanuit de keuken. Ze kon precies door de trap heen gluren en hem zien zitten.

'Nee, hoor,' zei Erik en deed hem haastig weer dicht.

Ze kwam terug met twee grappig opgemaakte schaaltjes met een zoete drab erin, met bolletjes ijs en slagroom. Bovenop had ze een halve peer gestoken. Ze zette het zorgvuldig voor hem neer.

'Als ik er niet was, had je vast weer een diepvriesmaaltijd gegeten of patat. Je hele vriezer ligt er vol mee.'

'Ja, is gemakkelijk en ook nog te eten.'

'Maar dit is toch beter?'

'Ja hoor, schat,' hij nam een hap. Het was erg smakelijk. Hij leegde zijn schaaltje tot op de bodem en schraapte het ook nog schoon.

'Was het wat?'

'Heerlijk. Zal ik koffie zetten dan maar?' vroeg Erik.

'Nee, dat doe ik wel, jij kunt daar niets van. Help maar met afruimen.'

De volgende dag kwam Erik aanmerkelijk verkwikt op het bureau. Hij had twee keer zijn tanden gepoetst; Josephine was behalve kwistig met peper, nog ruimhartiger met knoflook. Hij liep voor de briefing naar de infodesk. George was er al, hij had ook niet anders verwacht.

'George, als je eens ziek wordt, of erger nog, een andere baan ambieert, vieren de boeven feest.'

'Ja, ja, dat zal wel.'

'Kunnen we terugkijken wat er vannacht allemaal is gebeurd?' Erik wist wel hoe hij zijn humeurige collega weer enthousiast kon krijgen.

'Ja of beter nee. De software werkte wel, maar er was zoveel beweging van verkeer dat ze toch te veel hebben opgenomen. In het huis is niemand geweest. Ook geen licht aangegaan of wat dan ook. Maar wel twee dingen. Hier, kijk maar mee. Ik zet het wel op het scherm.' Erik zag een Mercedes die langzaam voorbijreed. Daarna een tijd niets. Toen reed hij weer voorbij en stopte. Er zaten twee mannen in. Ze stonden een tijd stil en reden toen weer verder. De klok in beeld wees aan dat ze daar hadden gestaan tussen kwart over twee en kwart voor drie 's nachts.

'Die gozers heb ik al eerder gezien, de tenaamgestelde is ingeschreven in Rotterdam.'

'Klopt, die heb ik door de systemen gehaald. Dat is een beste crimineel. Ik weet niet of hij in die auto zat, maar als het hem is heeft hij een aardige website vol. Maar er staat op dit moment niets tegen hem open. Zelfs geen verkeersboete.'

'Wat doet hij daar?'

'Ik denk hetzelfde wat wij doen, op zoek naar Bayram.'

'Denk het ook ja, zullen we eens een praatje met ze gaan maken?'

'Dan heb je kans dat je je subject ook waarschuwt.' George zocht een ander stukje beeld op. 'Ik heb hier nog wat, misschien is het wat. Wacht, ik zoek het op. Ik had er een bookmark bijgezet, maar die bleef kennelijk niet plakken. Ah, hier is het.'

Erik zag onmiskenbaar een zwarte BMW langsrijden. Hij minderde vaart en reed toen weer door.

'Is dat Bayram?'

'Geen idee, weet ook niet of het zijn auto wel is. We kunnen niet zien wie er rijdt, want hij draaide zijn hoofd af. Alsof hij naar het pand keek.'

'Komt hij nog een keer terug?'

'Nee, dit is de enige keer. Je hebt nog geluk dat ik het zag!'

'Zeker geen kenteken?'

'Nee, volgens mij zijn de kentekenlichtjes kapot. Ik heb het wel geprobeerd, maar kan er niets van maken.'

'Inzoomen op de bestuurder?'

'Ja heb ik hier gedaan, maar je ziet alleen een vlek van iemands achterhoofd. Ik denk dat hij een wit petje op had.'

'Dank, George, blijven doorgaan en die Mercedes is ook interessant. Zullen we naar de briefing gaan, ze zitten al op ons te wachten!'

Erik vertelde het team wat ze hadden gedaan en George liet de beelden zien.

'Hij is dus in de stad,' zei Sigrid.

'Als dat hem is, wel.'

'Verdomd jammer dat we dat kenteken niet kunnen lezen.' George voelde zich toch al weer aangesproken.

'Ik heb een beeld van een paar seconden, het is een blur, maar ik ken toevallig software die er wat mee zou kunnen. Het is door de FBI ontwikkeld, maar het is niet goedkoop.' Hij keek naar Wessel.

'Jongens,' zei die, 'we zijn geen commerciële onderneming, we zijn wel budgetgestuurd en we moeten bezuinigen. Ik heb geen mandaat om software aan te schaffen. Ik kan het voorleggen aan commissie ICT, maar dat gaat een maand of wat duren. Ik ben bang dat we daar niets aan hebben.' Wessel trok er een gezicht bij.

'Dat wordt hem niet, George, misschien kun je nog iets anders proberen? Het zou mooi zijn als we het kenteken achterhalen.' Erik keek hoopvol naar zijn geniale collega. Die haalde zijn schouders op en mompelde iets.

'We kunnen in ieder geval proberen om elke zwarte BMW aan de kant te zetten en te controleren,' opperde Sigrid.

'Daar voel ik persoonlijk helemaal niets voor,' zei Wessel, 'we hebben te maken met een bewezen vuurwapengevaarlijk persoon, die er niet voor terugschrikt op politiemensen te schieten. Als die een stopteken ziet, wordt het een bloedbad.'

'Hebben we nog iets over Bayram? Vrienden, familie, andere adressen?' Erik keek de zaal rond.

'Nee, we hebben alles zo ongeveer. We zijn alle adressen al eens afgeweest, maar dat leverde niets op.'

'Doe het dan nog een keer.'

'Wat doen we met de briefing voor de uniformdienst?' vroeg George, die daar ook verantwoordelijk voor was.

'Niet staande houden, wel onmiddellijk meldkamer inseinen bij verdachte BMW en laat ze ook maar uitkijken naar die Mercedes. Die intrigeert mij ook. Kunnen we onze eigen arrestatie-eenheid op piket krijgen?' Erik wendde zich tot Wessel.

'Kan wel, mag ook, maar ik wil deze kerel door het arrestatieteam laten aanhouden. Geen risico's nemen, hier.'

'Ik zou hem het liefst zelf aanhouden,' zei Erik grimmig.

'Dan moeten we hem eerst vinden, en jij,' Wessel keek Erik doordringend aan, 'jij komt pas in beeld als hij veilig achter de deur zit. In twee dingen heb ik geen zin: een onderzoek door de rijksrecherche of een telefoontje naar Josephine, als je snapt wat ik bedoel.'

33

Wessel nam Erik apart.

'Ik meende wat ik net zei, dat wil ik nog benadrukken bij je.'

'Snap ik,' zei Erik en wilde doorlopen, maar Wessel hield hem tegen.

'We hebben geen helden nodig.'

'Nee,' zei Erik en liep naar zijn kamer. Hij startte zijn computer op, maar toen hij zag dat er 169 onbeantwoorde mailtjes stonden te wachten, sloot hij snel weer af. Een echte zegen voor de mensheid, dacht Erik en ging de gang op om koffie te halen. Sigrid zat achter een pc druk te typen. Fanatiek ook wel, er lag een verbeten trek om haar mond. Hij besloot haar maar niet te storen. George was er niet en Wessel had bezoek. Er lag meer dan genoeg werk dat hij kon doen, maar hij kon de moed niet opbrengen. Hij liep de trap af en slenterde de afdeling uniformdienst op. Hier en daar zat iemand in de kantoortuin achter een computer dingen te doen. Maar het waren allemaal collega's die Erik niet goed kende. De deur van de inspecteurskamer was dicht. Zeker ook een vergadering, dacht hij en liep verder. Misschien moest hij eens iemand bellen? Maar wie? Zijn moeder? Nee, dat had nu ook geen zin, die zou wel aan het tennissen zijn of bejaarden aankleden of zo. Toch maar mails gaan beantwoorden? Niet aan denken nu. Hij moest zijn reputatie als een notoire digibeet zorgvuldig in stand houden. Hij dwaalde door de gangen, kwam iemand tegen die hij kende en maakte een praatje totdat die persoon aangaf echt verder te moeten. Geen rust in de kont, zou zijn grootmoeder hebben gezegd. Hij liep weer terug naar de recherche, maar daar was nog niets veranderd. Hij ging een dossier lezen, maar ook daar was zijn aandacht niet bij. Hij was blij dat Sigrid hem kwam halen voor de lunch. In het bedrijfsrestaurant schepte hij een bakje vol salade en pakte een volle kop mosterdsoep, twee kroketten, drie glaasjes karnemelk, een glas vruchtensap en twee Italiaanse broodjes.

'Heb jij twee dagen niet gegeten?'

'Nee, hoor, maar ik heb trek. Als je kunt eten, moet je het doen, zei mijn oma altijd.'

'Zeker de oorlog meegemaakt?'

'Jawel, daar had ze het ook steeds over.'

Ze vonden een lege tafel en Erik stalde zijn etenswaren en drank zorgvuldig uit. Hij vond eten van een dienblad iets armoedigs hebben.

'Smakelijk,' zei hij en nam een hap van zijn mosterdsoep.

'Soep goed?' vroeg Sigrid. Maar voordat hij die vraag kon beantwoorden, ging zijn telefoon: George.

'Verdacht voertuig in zicht, kom maar meteen.' Voordat de zin was uitgesproken was Erik al opgesprongen en holde het restaurant uit. Over zijn schouder riep hij Sigrid mee te komen. Die was zo verstandig om haar broodje gezond gewoon mee te nemen.

'Er is twee keer een zwarte BMW langsgereden,' zei George, 'ik ben hem nu kwijt, maar ik denk dat hij nog terugkomt. Die Mercedes uit Rotterdam heb ik niet gezien. Kijk, daar is hij weer!' Het geprojecteerde beeld liet een zwarte auto zien, die nu een parkeerhaven inreed. De auto werd geparkeerd, maar er stapte niemand uit. Er gingen geen deuren open.

'Kun je inzoomen op de bestuurder?' George bewoog wat met de muis en het beeld van de zijruit werd groter. Alleen weerkaatste de zon in de ruit, dus was er niets te zien. Erik pakte zijn telefoon, belde de meldkamer en vroeg om de arrestatie-eenheid en het arrestatieteam.

'Dat duurt nog wel even, voordat de AE er is. Waar moeten ze heen? Laat staan AT, daarvoor moet de hoofdofficier toestemming geven,' zei de centralist. Erik vroeg zich af of iedereen vandaag dacht dat hij gisteren uit een ei was gekropen.

'AE hier op laten komen, ze moeten mee ter observatie, dus met de snelle auto's en laat het AT ook maar naar het bureau komen. De toestemming is er, hoor. Wij gaan zelf ter plaatse en zet er nog wat omheen, maar uit zicht, als je wilt.'

'Ik ga bellen,' zei de centralist.

'Zet een porto bij, George, we gaan naar actiekanaal 2, dan kun je doorgeven wat er gebeurt. Hebben we een auto?' Dit was weer aan Sigrid gericht. Die rende al weg om sleutels op te halen. Ze was snel terug.

'Geluk, de Subaru van het team verkeer was er. Ik heb de sleutels gepikt, dat zullen ze niet leuk vinden. Heb ook een porto!' Samen renden ze naar beneden, naar de garage. De groene Subaru Impreza stond operationeel geparkeerd.

'Team verkeer krijgt een spontane afdrijving van lendewater als ze weten dat wij ermee gaan rijden.' Erik startte de motor, die woedend jankend als een geschopte hond op gang kwam. 'Hoe werkt dit?' Hij keek naar het stuur. 'Is dit een automaat?' Hij gaf een beetje gas, maar de motor huilde alleen maar.

'Flippers,' zei Sigrid.

'Hè?'

'Flippers aan het stuur, rechts opschakelen, links neer.'

'O, ja, dat wist ik wel,' zei Erik. Hij trok voorzichtig aan zo'n hendel en drukte op het versnellingspedaal. En daar reageerde de auto prompt op. 'Kolere, wat een jankmachine.' Ze kwamen onbeschadigd de parkeerkelder uit. Op de Holstmeerweg gaf hij wat meer gas en de wagen bokte als een jonge hengst in een tuigje, die voor het eerst naar buiten mag. 'Hoeveel versnellingen heeft dit ding?'

'Veel, denk ik, staat op het dashboard wel ergens.'

'Verdomd, wij zitten al in de zes. Zal eens wat lager schakelen.'

'Leer je het nog wel, voordat we er zijn?'

'Ik doe mijn best!' riep Erik en probeerde de bocht te nemen, de

Langdeelstraat op, 'hoeveel PK heeft deze machine?'

'Ook veel,' zei Sigrid die zich aan de deur had vastgegrepen. Erik gaf gas en de auto sprong vooruit. De wielen kwamen los van de grond toen hij over de brug reed. Toen moest hij flink remmen om de afslag naar de Greunsweg te nemen.

'Ik krijg het wel te pakken, hoor. Wat een beest. Geen wonder dat ze niet willen dat anderen erin rijden! Je hebt er een cursus voor nodig.'

'Fijn, ik begon al te denken dat dit ons laatste ritje zou worden.'

'Dat komt goed,' zei Erik die nu met een iets normaler tempo een drempel probeerde te nemen. Er klonk een akelige klap. 'Christus! Wat is dat?'

'De spoiler denk ik,' zei Sigrid droog.

'Ik zeg wel dat jij met de sleutels aan kwam zetten.'

'Ik rijd niet!'

'Nee, maar ik had het ook gedaan voor een Corsaatje. Hebben we ook een mob in deze prollenbak?' Sigrid begon in het dashboardkastje te rommelen. 'Zet het noodhulpkanaal maar bij en roep George op.'

'Tot uw orders, chef.' Ze had de knop van de mob gevonden en het gekwetter van de meldkamer over vervallen APK's en niet-onherroepelijke vonnissen klonk gezellig door de auto. 'George, kom eens uit?' zei Sigrid in de porto.

'George, zeg het maar.'

'Wij zijn bijna ter plaatse, hoop ik,' toen Erik een rotonde weer iets te snel nam en Sigrid zich opnieuw moest vastklampen. 'Ontwikkelingen?'

'Bestuurder is uitgestapt en naar binnen. Kan niet zien wie het is, alleen beelden van achterkant. Een persoon, één. Manspersoon, zo te zien niet zo groot: 1,70 of zo. Kan onze verdachte zijn, kan ook niet.'

'Genomen, wij draaien nu het Vliet op, je moet ons zo in beeld zien komen.' Erik reed nu rustig met het verkeer mee.

'Zijn deze ramen verduisterd?' vroeg hij.

'Ja, lijkt er wel op. Daar wordt voor bekeurd en wij hebben het gewoon? Boeiend wel.'

'Toch wel handig, want deze auto valt daar niet op. Ik bedoel, hij valt wel op, maar niemand zal denken dat het politie is!'

'George?' vroeg Sigrid weer in de porto.

'Zeg het maar.'

'We rijden nu langs, zie je ons?'

'Nee, alleen zo'n proletenbak.'

'Dat zijn wij!'

'Hoe kom je daaraan?'

'Team Verkeer.'

'Die zullen wel blij zijn.'

'Dat zien we later wel. We gaan ergens staan.'

'Ga maar aan de overkant staan, er is een plaats naast de camerawagen.'

Erik maakte een rondje en parkeerde de sportwagen naast de andere politiewagen. Het verschil kon niet groter zijn.

'Ga jij achterin zitten?' vroeg hij aan Sigrid.

'Hè, waarom?'

'Dan ga ik op de bijrijderstoel zitten. Als iemand ons dan toch ziet zitten, denken ze dat we op de bestuurder wachten. Als we weg moeten, schuif ik snel door.'

'O, zo,' zei Sigrid. Ze stapte uit en ging snel achterin zitten. 'Wat een rotzooi hier.'

'Schuif maar aan de kant.'

'George?' vroeg Erik.

'Zeg het maar.'

'Waar is die wagen gebleven?'

'Staat verderop, voor die rijmende houthandel.'

'Heb je kenteken?'

'Ja, staat op naam van een katvanger.'
'Daar hebben we dus niets aan.'
'Nee.'

34

Ze stonden voor de deur en keken naar het huis met de groene deur. Er keek niemand met meer dan normale belangstelling naar hen. Van buiten waren ze nauwelijks te zien.

'George?' vroeg Erik weer.

'Zeg het maar.'

'Waar is de AE en het AT?'

'Onderweg.'

'Wil je nog een koppel deze kant opsturen? Ik wil hem niet verliezen als hij gaat rijden.'

'We zullen kijken, uit.'

'Ja, jij ook uit,' zei Erik en draaide zich halfom naar Sigrid, die de berg rommel aan een nader onderzoek onderwierp. 'Wat is dat voor een troep?'

'Mondstukjes voor de ademanalyse, bonnenboekjes, handschoenen, een paar meter afzetlint, hier een halve bezem. De gebruikelijke troep. Ze mogen die auto wel eens een beetje uitmesten. Hé, dit is misschien nog wel handig.' Ze haalde een leren tas te voorschijn.

'Wat is het?'

'Een verrekijker met nachtzicht zo te zien.'

'O, mag ik?' Sigrid gaf de kijker aan Erik die hem op het pand richtte. 'Ik zie niets door die vitrage heen. Ziet er wel nog redelijk schoon uit. Boven ook niets. Jammer dat we er niet doorheen kunnen kijken. Hoe werkt dat?'

'Het is beeldversterking. Het licht dat er is, wordt kunstmatig versterkt. Maar nu niet aanzetten; daar heb je niets aan en het is slecht voor je ogen.'

'Hoe weet jij dat zo goed?'

'Hebben we bij ME geleerd, jij niet dan?' Sigrid legde een onschuldige toon in haar stem.

'Dat hadden wij toen nog niet, nee.'

'Nu ik erover denk, het was niet bij ME, maar bij de module observatie in Zutphen.'

'Nou ja, ik zie niets. Probeer jij het maar eens.' En hij stak de kijker naar achteren door.

'Deur gaat open!' riep Sigrid en ze stelde de kijker bij.

'Shit!' riep Erik, 'hebben we geen camera?'

'Jawel,' er klonk een klik en toen nog een en nog een paar.

'In de kijker?'

'Ja, goed hè!'

'Ja, wat gaat hij doen?'

'Hij gaat naar de auto!' Erik klom omstandig naar de bestuurdersstoel en startte de Subaru, maar reed nog niet weg. 'George, kom eens uit?' riep Sigrid in de porto. Erik speelde een beetje met het gaspedaal. De motor jankte zachtjes. Als een tijger die zin heeft om eens uit te halen, maar daar nog mee wacht.

'George, kom eens uit?' riep Sigrid nogmaals.

'Hij gaat rijden, ik ga mee,' zei Erik. Ze zagen de auto vertrekken en het verkeer indraaien.

'George, geef eens antwoord!' Sigrid bleef volhouden. De zwarte auto voor hen rondde de rotonde en reed de Bleeklaan op. Tot nu toe in een bedaard tempo. Erik zorgde dat er een paar auto's tussen hen in waren en volgde.

'GEORGE!' er kwam nog steeds geen antwoord, 'Waar is die gek gebleven?'

'Misschien naar de wc?' zei Erik. Ze reden de Bleeklaan af. Het ging niet snel. Ze konden het gemakkelijk bijhouden. De peddels waren geen probleem meer voor Erik. 'Ik zoek wel contact met de meldkamer. Leeuwarden, kom eens uit voor de 61.01?'

'Wie was dat voor Leeuwarden?'

'De 61.01, kom eens uit?'

'Zeg het maar?'

'Wij rijden achter een zwarte BMW, Bleeklaan richting Groningerstraatweg. We zijn in afwachting van AE en AT. Graag AT met ons meesturen!'

'Genomen, 61.01, het AT is aanrijdend. Maar ik heb geen locatie van hen nu.'

'We blijven op afstand volgen en geven positie door.'

'Begrepen, 61.01.'

Ze waren bij de rotonde in de Groningerstraatweg en sloegen links af het Hoeksterend op.

'Kun jij hier komen zitten?' vroeg Erik. 'En heeft dit ding GPS?'

'Dat weet ik niet, twee keer. Maar zal het proberen.' Sigrid begon over de stoel heen te klauteren. Dat ging niet heel eenvoudig, een been kwam voorbij en Erik moest eroverheen kijken om iets van het verkeer mee te krijgen. Hij draaide zijn hoofd opzij en wierp een blik op haar gebruinde blote benen onder de zwierige rok. Ze verontschuldigde zich niet, trok het been weer naar zich toe en schoof op haar plaats.

De gevolgde auto reed de rotonde op bij de Noorderweg. Sigrid zat nu op de stoel naast Erik en nam de spreeksleutel van hem over. Rechtsaf de Noorderweg op, het ging allemaal in een kalm tempo. Ze hadden geen enkele moeite om hem onderweg bij te houden naar de rotonde voor het gymnasium. Sigrid lichtte de meldkamer in. Er was nog geen nieuws over het Arrestatieteam. Aanrijdend, maar dat was het een kwartier geleden ook al.

'Godver!' riep Erik. De auto was de rotonde opgereden, maar was niet afgeslagen. Hij draaide twee keer rond.

'Heeft hij ons gezien?' zei Sigrid.

'Het kan, het kan ook niet. Maar ik ga er nu af. Blijf jij kijken waar hij heen gaat!' Erik sloeg af en reed de Groeneweg op.

'Hij komt hierheen, geloof ik?' Erik sloeg af en meteen daarna weer, hij gaf gas en slipte met gierende motor de Nieuwe Buren in.

Woest schakelend trok hij door. Nog nooit was er een auto zo hard door de smalle straat gereden, zelfs de opgevoerde Golfjes van de drugsdealers niet. Omstanders en voorbijgangers scholden en riepen hen na. Een fietser moest hard remmen en liet zich vallen om een aanrijding te voorkomen. Een Mercedesbusje wilde achteruit een parkeerplaats uitsteken. Erik drukte met geweld op de claxon en ging nog wat harder rijden. Aan het eind van de straat moest een bestuurder van een Opel Vectra hard op de rem trappen. Erik trok de handrem hard aan en de racewagen draaide zijn kont naar buiten. Tegelijkertijd gaf hij weer gas en de auto draaide 90 graden. Slingerend kwam hij in de goede richting te staan om de Nieuwe Buren aan de andere kant weer op te rijden. Een moeder trok een kind aan de arm de stoep weer op en zwaaide met haar andere arm naar de woestelingen. Erik gaf weer gas en schakelde te laat door. De motor gilde het uit en de wagen sprong naar voren. Er klonken twee harde klappen, alsof ze iets raakten.

'Shit!' gilde Sigrid, 'hebben we iets overreden?'

'Nee, volgens mij niet,' en Erik reed door. Sigrid keek achterom.

'Er gooit iemand met iets!'

'Jammer dan, de volgende keer geven we hem wel een bekeuring.' Ze waren weer bij de Groeneweg aangekomen. Erik drukte zich tussen het verkeer door en vervolgde in de richting van de Prinsentuin. 'Zie jij hem?'

'Nee, ja, daar in de verte, daar gaat hij!' Sigrid keek gespannen door de voorruit. Erik haalde snel een langzamere weggebruiker in. Hij begon al wat te wennen aan de veel te snelle auto. Het ging nu soepeler dan het avontuur op de Nieuwe Buren. Er zaten nog twee auto's tussen hen en de auto die ze aan het volgen waren.

'We zijn er weer, maar ik weet nog steeds niet of hij ons heeft gezien.'

'61.01, kom eens uit voor Leeuwarden!' klonk het door de mob.

'61.01, zeg het maar.'

'Zijn jullie net op de Nieuwe Buren geweest?'

'Zeker,' zei Erik droog.

'We worden gebeld over een idioot in een blauwe Subaru die met meer dan 100 kilometer per uur door die straat aan het rijden is.'

'Zo hard was het nu ook weer niet,' zei Erik, 'maar wel iets sneller dan normaal, ja.'

'Je hebt bijna een fietser, een kind en een oude man doodgereden.'

'Ook wat overdreven, maar goed. We zijn er weer en er is niet echt iets gebeurd.'

'Doe je voorzichtig, goede man? Wat is je positie nu?'

'Westerplantage en alles gaat hier weer kalm, hoor. De man voor ons deed een dubbele rotonde. Nog iets van het AT gehoord?'

'Helaas, als ik iets weet, ben jij de eerste die het hoort. Uit.'

'Erik?' kraakte de porto.

'George, ben je er weer?' antwoordde Sigrid.

'Sorry, moest de kleine jongen een hand geven. Rijd je achter het subject?'

'Ja,' zei Sigrid, 'we zijn net de brug over en gaan nu de Harlingersingel af. Heb jij het noodhulpkanaal bijstaan?'

'Nee, maar zal het aanzetten. Heb AT gesproken net, maar die zitten nog bij Heerenveen. Ze rijden hard, maar het kan nog duren. Gaan we de stad uit, denk je?'

'Weten we niet, we draaien nu de Harlingerstraatweg op in de richting van het Europaplein.'

'Blijf doorgeven, ik probeer het AT bij jullie in de buurt te krijgen.'

Kalm reden ze de stad uit, de N383 op in de richting van Harlingen.

'Gebeurt er nog wat?' wilde George weten, 'doet hij nog rare dingen?'

'Nee, we rijden ongeveer 130, hij haalt rustig in en doet geen gekke dingen, zo te zien. Ik weet niet of hij in de gaten heeft dat hij een staart heeft. Deze auto is niet echt geschikt voor onopvallende observatie,' riep Erik door de auto, 'en comfortabel is anders.'

'Dat zal wel niet, maar je kunt er wel hard mee door de bochten,' hoorden ze George zeggen.

'Hij gaat sneller rijden!' Ze zagen het voertuig geleidelijk vaart meerderen, maar Erik bleef volgen. De weg naar Franeker was leger geworden. De snelheid liep op naar 150 kilometer per uur, maar niet lang. De BMW bleef nu links en ging niet meer naar rechts. Erik probeerde wel zoveel mogelijk rechts te rijden, maar moest steeds om vrachtwagens heen zwenken. De snelheid liep op tot 180.

'Hij trekt door tot 200!' riep Erik, die moest schreeuwen om zich verstaanbaar te maken. De Subaru leek er geen last van te hebben. Die voelde zich pas lekker bij snelheden boven de 200. Sigrid trok haar veiligheidsriem wat strakker aan. '200 nu en er voorbij!' riep Erik. Hij had nu de hoogste versnelling te pakken. De paddels schakelden niet meer verder.

'Hij moet ons nu wel hebben gezien!' schreeuwde Sigrid. Erik zag de verdachte auto voor hen uitlopen. Hij gaf gas bij. Zonder problemen gehoorzaamde de Subaru door soepel harder te gaan rijden. De motor liet weten hard aan het werk te zijn.

'240 nu!' brulde Erik. Hij zag dat de snelheidsmeter van zijn auto niet verder ging dan 280 kilometer per uur. '260! Houdt het nooit op?' De BMW liep zelfs nu nog op hen uit. Franeker flitste voorbij. De contouren van Harlingen werden zichtbaar.

'Daar zal hij vaart moeten minderen!' krijste Sigrid door de auto. Dat had Erik ook bedacht.

'Vraag eens waar het AT is en zeg anders dat ze over Joure naar de afsluitdijk moeten rijden, dan kunnen ze ons daar beter oppikken!' Sigrid begon dat in de spreeksleutel te brullen. Ze moest de volumeknop vol open draaien om nog iets te kunnen horen. De Subaru mocht dan voor de snelheid zijn gemaakt, vriendelijk voor zijn berijders was hij niet. De herrie in het interieur maakte gewoon spreken onmogelijk. De auto voor hen minderde snelheid, maar niet veel. Met 170 reed hij door Harlingen heen, hier en daar gevaarlijk inhalend. Erik deed hem na. De Subaru had er geen moeite mee. Erik schakelde twee keer terug, gaf gas en schakelde weer op, gierend haalde hij de verbaasde medeweggebruikers in. Er klonk een bericht door de mobilofoon. Erik kon het niet verstaan. Sigrid boog zich al voorover om het volume nog hoger te zetten.

'Niet genomen, Leeuwarden,' riep ze.

'AT is net door Sneek heen en is onderweg naar de Afsluitdijk. Snelheid zit er lekker in bij de jongens.'

'Hier is hij er wat uit, maar we zitten nog op een goeie 150 nu. Wij zijn Harlingen uit, het gas gaat er weer op.' De auto verdween weer uit het zicht. De bestuurder moest nu vol gas hebben gegeven. Ze zagen een pluim rook uit de uitlaat komen. De snelheid liep weer op. Het nieuwe stuk weg was nagenoeg verlaten en de auto bleef consequent links rijden. Erik bleef op een paar honderd meter afstand rijden, als door een lang touw verbonden met zijn voorganger. Al snel gaf de wijzer weer 250 kilometer per uur aan.

'Zo hard heb ik hier nog nooit gereden!' riep Erik, die zijn handen een beetje probeerde te ontspannen, 'gaat wel lekker snel zo!' Hij keek kort opzij en dacht dat Sigrid een beetje bleker was dan normaal. Zurich kwam in zicht en was net zo snel weer voorbij.

'Als hij de dijk op gaat, kunnen we misschien de collega's uit Noord-Holland Noord vragen een blokkade te vormen!'

'Goed plan! Ze kunnen de brug aan de andere kant open zetten! Vraag maar aan de meldkamer!' Sigrid begon het voorstel in de spreeksleutel te brullen. Men ging zijn best doen. De zwarte auto voor hen minderde wat snelheid, maar niet veel. Als een kanonskogel schoot hij de oprit naar de Afsluitdijk op, vlak voor een grote vrachtwagen langs, die daar kennelijk zo van schrok dat hij langdurig zijn op een misthoorn gelijkende claxon gebruikte. Dat bleef hij doen, toen een moment later een blauwe Subaru met een even grote snelheid voorbij kwam brullen. In zijn achteruitkijkspiegel zag Erik dat de truckchauffeur hen fanatiek naknipperde met alle lampen die hij had. Er was verder gelukkig niet zo heel veel verkeer op de A7. De beide auto's konden met grote snelheid blijven doorrazen.

'Ze hadden deze kant wel dicht kunnen zetten bij Kornwerderzand!' riep Erik. Sigrid schreeuwde terug dat ze het aan de andere kant aan het proberen waren. Er waren geen obstakels en de BMW passeerde met een snelheid van 180 kilometer per uur. Eenmaal over de brug ging het gas er weer op, maar Erik wist moeiteloos bij te blijven.

'Erik!' werd er geroepen door de porto.

'Kom maar uit!' riep Sigrid terug.

'Het AT moet nu in de buurt zijn bij jullie, ze meldden zojuist dat ze op de A7 waren bij het begin van de dijk. Hun snelheid ligt rond de 200, dus je zou ze zo achter je moeten zien aankomen.'

'Genomen, George, we zijn net de brug voorbij en de snelheid loopt almaar op. Kunnen we rechtstreeks met ze praten? Op dit kanaal, bij voorkeur?'

'Moment, ga ik proberen.'

'Ik zie wat komen,' schreeuwde Erik, die in zijn spiegel een auto langzaam dichterbij zag komen, die moet ver boven de 200 rijden. Hij loopt in! Wij rijden 220 nu!' Hij durfde maar een heel kort moment op de teller te kijken. De zijwind maakte de auto zoekerig bij deze snelheden.

'Sigrid!' klonk het door de porto, 'ze kunnen niet bijschakelen, maar ze kunnen wel met mij praten. Ze hebben zichtcontact met jullie nu. Ze vragen jullie om opzij te gaan. Ze gaan proberen de snelheid eruit te halen. Blijf meerijden, maar ga er niet tussen rijden. Vraag was nog of jullie bewapend zijn en of jullie toeters en bellen hebben?'

'De eerste vraag,' Erik keek heel kort naar Sigrid, 'nee, wij zijn beiden niet bewapend en toeters en bellen weet ik niet. Moeten we zoeken.' Sigrid begon naar knopjes te zoeken en klepjes open te maken. Achter de stoel vond ze wel een blauwe lamp. Ze toonde hem aan Erik.

'We hebben een plakpit gevonden, maar als je het niet erg vindt, doe ik met deze snelheid de raampjes niet open,' riep Erik. Hij vond een knopje en er begon ergens een sirene te loeien. 'Toeters doen het wel, misschien flitsers in de gril, maar dat kan ik niet zien. AT komt dichterbij. Ik ga naar rechts nu!' Er kwam een donkere Audi langszij rijden. Twee blauwe lampen knipperden aan de voorkant van de auto en achter de spiegel in de voorruit flitste er ook iets blauws. Een halve minuut reden ze naast elkaar, een collega grijnsde vriendelijk naar Erik. Toen was hij voorbij. Erik zag op de teller dat ze 225 kilometer per uur reden. Het begon al te wennen. De BMW was nog iets harder gaan rijden en liep een stukje uit. Er kwam een tweede auto dichterbij. Ook met blauwe flitsers, van hetzelfde merk en type als waar ze achteraan reden, maar van een recenter bouwjaar. Probleemloos haalde hij hen in. Erik moest hard remmen om hem voor te laten gaan en om niet achterin een vrachtwagen te ploegen die met een gangetje van negentig onderweg was naar het vasteland van Holland. De wagen slingerde en Sigrid uitte een hoge gil van schrik. Erik schreeuwde ook, maar alles ging goed. Hij flipperde terug, gaf een hoop gas en de auto sprintte weer voorwaarts, achter de blauwe lampjes aan die in de verte waren verdwenen. Hij trapte het gaspedaal nu tot op de bodem in. Hij schakelde pas toen de toerenteller diep in het rood stond. Bij iedere versnelling werd hij diep in zijn racestoel gedrukt, wat wel prettig aanvoelde. Hij dacht maar niet aan de collega's van team verkeer, die zo zuinig en trots waren op hun superbolide. Nu ja, hier was het ding voor. Had ie maar geen jankmachine moeten worden! De kleine stoet kwam alweer dichterbij. Ze reden nu in een kleine, maar waarschijnlijk snelste file aller tijden achter elkaar aan. Links en rechts slechts water.

'Lukt het om Den Oever dicht te krijgen?' schreeuwde Erik.

'Weet niet, zijn ze nog mee bezig!' De weg voor hen was gelukkig leeg. De Audi was rechts gaan rijden en de volg-BMW links. Erik reed ook links op enige afstand. Bayram reed nu in het midden van de weg. Hij moest wel in de gaten hebben dat hij werd gevolgd.

'Hoe ver nog naar Den Oever?'

'We zijn net Breezanddijk voorbij, een paar kilometer of zo,' riep Erik. In de verte reed verkeer. Bayram ging weer helemaal links rijden om te passeren. De Audi voegde ook in naar links en de AT-BMW hield in om hem ertussen te laten. Erik nam ook zijn voet van het gas om de ruimte niet te klein te maken. Bayram schoot als een raket langs een grote rode vrachtwagencombinatie van McDonald's. Precies op dat moment kwam de hamburgertruck naar links. De Audi probeerde nog uit te wijken om erlangs te glippen. Maar de chauffeur was kennelijk geschrokken van Bayram en had vol naar links gestuurd. De Audi boorde zich in de zijkant van de vrachtwagen, schampte af en werd naar links geketst als een bal op de pooletafel. Daar raakte de Duitse auto de middenberm en vloog eroverheen. Aan de andere kant van de weg sloeg de Audi een aantal keren over de kop, schoof op zijn dak meters door, draaide om zijn as en kwam uiteindelijk schuin op het talud aan de andere kant van de weg tot stilstand. Een wit bestelbusje, dat de Audi vlak voor zich voorbij zag komen, remde uit alle macht en gooide het stuur om. Hij kwam met een klap tegen de middengeleiding tot stilstand. De vrachtwagenchauffeur remde ook vol, met als gevolg dat de oplegger schaarde en omviel. De zijkant scheurde en duizenden hamburgers en verpakkingsmateriaal kwamen op de Afsluitdijk terecht. De politie-BMW kwam abrupt tot stilstand in het chassis van de truck. Het motorblok verfrommelde als een natte krant en de auto werd een meter korter door de impact. Erik zette al zijn kracht, gewicht en massa op het rempedaal van het paradepaardje van Fuji Heavy Industries. De heren in Japan hadden hun best gedaan om paardenkrachten uit de relatief kleine viercilinder te persen en hadden de wegligging zo optimaal mogelijk voor snelheid gemaakt, maar waren gelukkig niet vergeten ook de remmen in overeenstemming aan te passen. Het systeem met vier sensoren, vier kanalen en driefasen-ABS deed ratelend en bonkend zijn werk. Erik voelde het rempedaal trillen onder zijn voet. De hele auto schudde als een niet uitgebalanceerde wasmachine, die geladen met grind op volle snelheid centrifugeerde. Maar... bleef rechtuit rijden en vertraagde. Op een meter van de achterkant van de BMW was de snelheid er helemaal uit, stond de Subaru stil in een angstige stilte, want de motor was afgeslagen. Noch Erik, noch Sigrid sprak een woord. Een minuut of langer moest dat hebben geduurd. Toen trok Erik met geweld zijn vingers los van het stuur en rukte zijn portier open.

'MELDEN!' krijste hij tegen Sigrid, die opschrok, maar braaf de spreeksleutel pakte en tegen de meldkamer begon te roepen om een ambulance, politie, sleepwagens en een helikopter.

Erik rende naar het wrak, waarin zijn collega's zaten. De airbags waren allemaal afgegaan, overal hingen witte vellen, als een reusachtige slang die zijn huid had afgeworpen. Twee collega's zaten verdwaasd in de auto, maar ze leefden nog wel. Erik voelde aan hun hals en bij beiden voelde hij een hartslag.

'Hoe gaat het?' riep hij, iets anders schoot hem niet te binnen, 'zijn jullie gewond?'

'Benen,' kreunde de bestuurder. Erik keek naar beneden de auto in. Ondanks de veiligheidskooi, de gordels, de sportstoelen en de airbags, zaten de benen van de man totaal beklemd in een massa verwrongen materiaal. Dat zou knippen worden.

'Blijf rustig zitten, er is melding gedaan. Ambulance en brandweer komen eraan.' Hij rende om de auto heen naar de bijrijder. Die was er zo te zien iets beter aan toe. Maar wel te ver van de kaart voor een samenhangend gesprek.

'Ben je gewond? Heb je pijn? Bloed?' riep Erik naar hem.

'Nee, nee,' leek hij te zeggen, maar het kon ook iets anders zijn. Ook hier waren de airbags afgegaan. 'Blijf maar zitten, ik moet verder kijken!' Sigrid was nu ook uitgestapt en had een zaklantaarn gevonden met een rode kegel erop. Ze zwaaide ermee naar het verkeer dat aan kwam rijden. Ze konden op tijd stoppen, zetten de alarmlichten aan en er ontstond een file.

'Zijn de hulpdiensten onderweg?'

'Ja, van alle kanten, Noord-Holland en Friesland. Helikopter vliegt ook.'

'Ga jij naar de chauffeur, kijk ik naar de overkant!' Erik pakte de zaklantaarn van Sigrid af en klom over de middenberm. Daar was gelukkig al een file ontstaan en waren mensen aan het rondlopen. Er stonden een paar mannen om de bestelbus heen. Erik rende naar de Audi. Hij liet zich vallen en keek naar binnen. Er hadden drie mannen in de auto gezeten. Zo te zien hadden de bijrijder en de passagier de gordels goed om gehad, want ze hingen op hun kop. Erik knielde naast de bestuurder. Die was terechtgekomen in het dashboard en lag daar op een rare geknakte manier in. De helft van zijn hoofd was weg, in plaats daarvan keek hij in een bloederige brij. Christus, ook delen van de hersenen? Hij onderdrukte zijn weerzin en walging en tegen beter weten in tastte Erik naar de halsslagader. Hij keek niet, voelde het bloed dat nog warm was en kon geen hartkloppingen vinden. De man op de achterbank had achter de bestuurder gezeten. Ook hij had waarschijnlijk hoofdletsel, als hij naar het ingedeukte dak keek en de kapotte ramen, maar het was niet zo bloederig. Hier voelde hij wel een vage hartslag, maar de man was niet aanspreekbaar. Moest hij proberen hem eruit te trekken? Beter van niet, dacht Erik en rende om de auto heen naar de andere kant. De bijrijder had zijn nek gebroken, zijn hoofd hing er raar bij. Hier voelde hij ook geen hartslag. Hij werd misselijk toen hij tegen het hoofd stootte en voelde dat het bijna los zat. Het hing alleen nog aan wat vel, een paar pezen en een enkele spier. De misselijkheid ging snel weer over. Hij merkte dat er in de auto een luid getik klonk. Zal de motor zijn die aan het afkoelen was, dacht hij en negeerde het verder. Er kwam een man aanlopen met een verbandtrommel.

'Laat maar,' zei Erik en kwam overeind, 'misschien voor de man achterin, maar ik durf hem er niet uit te halen. Dat is werk voor de ambu en de brandweer straks.' De man bukte en keek de auto in. Hij zag de bestuurder en kwam haastig weer overeind, zette een paar wankele stappen, draaide zich om en gaf over in het gras.

Erik liep weer terug naar de man op de achterbank. Hij probeerde te zien wat er aan de hand was. Hij zat wel beklemd, maar hij kon niet zien hoe precies. Met afschuw voelde hij aan het lichaam. De man kon wel van alles hebben gebroken, maar hij kwam er zo niet achter. Hij bloedde niet, op wat schrammen in zijn gezicht na, voor zover hij kon zien. Toen rook hij benzine en een ijzige hand sloot zich om zijn hart van angst.

De braker begon te roepen: 'Pas op, hij brandt!' en hij wees op de voorkant van de auto. Daar was rook uit komen kringelen en nu ook vlammen.

'Heb je een brandblusser?' riep Erik, die snel een stap achteruit deed. De overgever liet zijn verbanddoos vallen en rende weg. Erik hoopte maar dat hij een blusser ging halen. 'Brand!' riep hij zo hard mogelijk, 'heeft iemand een blusser?' Op dat moment sloegen de vlammen door en begon de voorzijde te branden en te roken.

'Godver,' riep Erik en weerstond zijn neiging om weg te rennen. Hij liet zich op zijn knieën vallen en kroop naar de collega op de achterbank toe.

'Word wakker, wakker worden!' gilde hij en probeerde de gordel los te maken, maar hij kon met geen mogelijkheid bij de gesp. Gelukkig waren alle ramen gesprongen, maar de dakstijlen waren ingedrukt door de val. Er was maar weinig ruimte over. Hij moest naar binnen kruipen om de sluiting te vinden. Maar toen hij die had gevonden, wilde die niet los. Hij trok wat hij kon, maar de riem bleef het slachtoffer op zijn plaats houden. Erik hoorde dat de man weer terugkwam en dat hij kennelijk iets in het vuur spoot. Veel kon het niet zijn geweest, want het was zo op.

'Helpt het?' riep Erik.

'Nee,' zei de man en rende weer weg. Daar heb je godverdomme wat aan, dacht Erik, die nu de hitte van het vuur begon te voelen. In films ontploffen auto's altijd, dacht hij, maar in het echt branden ze gewoon uit. 'Ga los!' gilde hij tegen de sluiting van de riem. Maar die weigerde en zijn collega bleef bewusteloos. Erik waagde nog een poging, toen moest hij hem laten gaan. Het vuur werd intenser. Hij kroop dieper de auto in, probeerde de man wat omhoog te tillen en met de andere hand de riem los te maken. Waarom had hij toch geen mes bij zich! Wessel had altijd een Zwitsers zakmes bij zich en daar had hij hem vaak om uitgelachen. Dat had hij nu wel kunnen gebruiken. Erik voelde dat er aan zijn voeten werd getrokken.

'Nee,' schreeuwde hij en schopte naar achteren. Maar het vuur begon nu binnen te komen en de rook maakte dat hij moest hoesten.

Twee paar handen grepen hem nu stevig bij zijn enkels en trokken hem naar buiten.

'Nee! Loslaten!' riep hij en hij klemde zich vast aan het slachtoffer. Op dat moment staakte de sluiting zijn verzet en viel de man uit de bank. Erik greep zijn revers stevig beet en trok uit alle macht.

'Trekken nu, trekken!' schreeuwde hij vanuit het interieur van de auto. Twee mannen trokken aan Eriks linkerenkel en een aan de rechter. Ze moesten kracht zetten, want de forse AT-collega kwam niet eenvoudig door het kapotte raam naar buiten. Hij bleef ergens achter haken. Een van de helpers viel en liet zijn voet los. Erik verplaatste zijn greep en stak zijn voet weer omhoog. Een arm had hij nu onder de oksel van het slachtoffer en met de hand van zijn andere arm hield hij zijn jas vast.

'Trekken, harder nu!' brulde hij. De hitte van het vuur was voelbaar. Ook was de stank al te ruiken van verschroeid vlees. Erik keek naar binnen en zag dat de vlammen de pedalen hadden bereikt en waarschijnlijk waren begonnen aan de schoenen en voeten van de bestuurder. Hij voelde dat de mannen weer grip hadden gekregen en opnieuw begonnen te trekken. Toen zag hij dat de veiligheidsriem achter de wapengordel haakte.

'Wacht!' brulde hij, maar het had geen effect. Kennelijk rukten de helpers nu uit alle macht. Ze wilden hem en zijn slachtoffer uit de auto krijgen. 'Stop!' schreeuwde hij nog een keer. Er werd niet gestopt, maar nog meer kracht gezet. Erik begon nu te spartelen met zijn benen. Dat had als gevolg dat iemand een bankschroef om zijn enkel aandraaide. Zijn rechterenkel, daar moest een bodybuilder staan, dacht Erik. Maar hij wist zijn linkerenkel wel los te krijgen. Dat bracht de krachtpatser uit balans en Erik voelde een schrijnende pijn in zijn kruis, omdat zijn benen fors uit elkaar werden getrokken. Het gaf hem de kans om de wapengordel los te maken. Die zat los om het middel van de bewusteloze man en Erik kon de dubbele greep die nodig was om de gesp te openen, aanbrengen. De riem spatte open, vanwege de druk die erop stond. De mannen hadden hun greep weer hervonden en trokken nu met een gezamenlijke inspanning. De mannen werden uit het voertuig getrokken als een mismaakt siamees tweelingkalf, dat door een krankzinnige veearts uit de barende moederkoe werd bevrijd. Erik hield zijn collega stevig vast, ook toen ze een paar meter over het gras schoven en nog een paar meter omdat het vuur nu de hele auto had bereikt en de hitte onverdraaglijk was geworden. Terwijl hij overeind kwam, zag hij de andere mannen in de auto verbranden. Erik keek naar de man die hij zojuist uit een brandend wrak had getrokken en naar de mannen die daarbij hadden geholpen. Hij wilde overgeven, maar door een paar keer diep te ademen hield hij het binnen.

'Is er al een ambu ter plaatse?' vroeg Erik. Een van de mannen begon omhoog te klimmen, maar riep naar beneden dat hij niets zag.

Een ander knielde nu naast de AT'er neer en voelde zijn halsslag-ader, ook legde hij zijn oor op zijn mond.

'Hartslag en ademhaling!' riep hij en probeerde het veiligheids-vest los te maken, maar dat zat stevig vast met klittenband. Hij kon dat zo snel niet loskrijgen. Erik bukte voorover en trok de sluitingen los. De hulpverlener had er kennelijk verstand van, want hij trok een ooglid omhoog en keek in de pupillen.

'Reactie!' riep hij, 'ik weet niet wat hij heeft, maar volgens mij is hij redelijk stabiel. We moeten er nu snel een ambulance hebben.' De Audi begon harder te branden, de vlammen hadden de auto zelf onzichtbaar gemaakt. De brand brulde. Erik keek er niet naar, hij wilde de lijken niet zien bewegen in de vlammen.

'We moeten verder weg!' riep Erik en samen met de onbekende man sleepten ze de AT'er nog een paar meter over het gras, weg van de brand. De collega protesteerde niet. Erik hoorde nu een sirene: politie zo te horen. Hij stond op en klom het talud op.

'Ik ga iemand halen, jij blijft bij hem,' zei hij. Nu pas zag hij wat voor een ravage er was aangericht. Hij voelde een stekende pijn daar waar hij aan zijn enkels was getrokken, maar besloot het te negeren. Politiemannen in uniform probeerden de kijkers en de slachtoffers te scheiden. Er stond een groep mensen te kijken naar de brandende Audi. Anderen waren nieuwsgierig naar de vracht-wagen en het verfrommelde wrak van de politieauto. Erik zag een jongen van een jaar of vijftien, die een zwaailicht in zijn hand had. Dat had hij waarschijnlijk uit een van de auto's gehaald. Maar Sigrid zag hij nergens. Achter de vrachtwagen waren politiemensen bezig om linten te spannen en om mensen daarachter te krijgen. Er was nog geen brandweer en nog geen ambulance, maar hij hoorde wel sirenes naderen. Erik zag een paar mensen naast de AT-BMW staan, het was een onwerkelijk gezicht. Er was niemand in de buurt van de cabine van de vrachtwagen. Er liep een agent voorbij en Erik pakte hem bij zijn mouw. Hij kende hem niet.

'Waar zijn de ambu's?' vroeg hij. De agent trok zich los.

'Die zijn onderweg, wel rustig blijven, meneer!' zei hij en wilde doorlopen.

'Stoppen jij en hier komen!' riep Erik scherp. Hij werd opeens heel erg kwaad. Dat had effect, de agent bevroor op zijn plaats en draaide zich op zijn hakken om. Hij tastte al naar zijn riem naar een van de attributen die daar hingen.

'Pardon, meneer?' zei hij snijdend, 'we blijven wel normaal doen, hè!'

'Luister, idioot, hier heb ik geen tijd voor, ik heb onmiddellijk hulp nodig voor dat slachtoffer daar.' Hij wees op de brandende Audi.

'Voor hen is alle hulp te laat en ik moet u vragen zich te gedragen,' zei de oudere agent, een brigadier nog wel. Erik werd nu heel rustig en koud.

'Luister, uitgezakte wijkagent, jij gaat er nu en heel snel voor zorgen dat wij onmiddellijk een ambulance ter plaatse krijgen. Jij persoonlijk! En ik wil je naam en je personeelsnummer, want als we overal mee klaar zijn, zorg ik ervoor dat jij op rapport gaat.' De brigadier wilde protesteren en zelfs naar de wapenstok grijpen om deze opstandige burger eens mores bij te brengen.

'O ja, ik zag al dat je dacht met een nukubu te maken te hebben, maar ik ben nog steeds je meerdere en je doet precies wat ik je opdraag. Dit is een dienstopdracht! En waar is brigadier De Wilde?' De collega besefte nu dat hij fout zat; zijn schouders en zijn buik zakten uit.

'Voor jouw informatie, daar in het gras ligt een bewusteloze collega van je. Van het arrestatieteam. Hoewel collega? Hij heeft hulp nodig en zie je die verwrongen hoop ijzer daar? Daar zitten ook collega's in. Dus snel nu. Wegwezen!' De man knikte, draaide zich om en draafde weg.

Erik vond Sigrid, zittend naast een man op de geleiderail. De man zag er belabberd uit, vond Erik. Ze stond op en kwam naar hem toe.

'Dit is de chauffeur van de vrachtwagen, die is zo uit zijn cabine gekropen. Hij had niets, maar is wel overstuur. Er is een hulptransport van McDonald's onderweg. Die hebben dat goed voor elkaar, geloof ik.'

Erik vertelde wat hem was overkomen.

Sigrid keek hem met open mond aan. 'Maar is alles goed met je? Ik hoorde dat iedereen was omgekomen in de Audi!' zei ze.

'De twee collega's voorin wel, ben ik bang, de passagier niet, hoop ik dan maar.'

Er kwamen meer ambulances aan. Mannen en vrouwen in groen en geel verleenden hulp aan de slachtoffers: de AT'er uit de Audi, de mannen in de BMW en de bestuurder van het bestelbusje. De brandweer kwam ter plaatse met drie voertuigen en daarna nog twee. Ze blusten de autobrand, knipten het dak van de auto af en vouwden het naar achteren open. Er klommen twee mannen op de achterbank. Ze hielden de hoofden van de inzittenden vast, terwijl het ambulancepersoneel het onderzoek startte. Een van de AT'ers werd op een plank gebonden en uit de auto getild. De ander kon zijdelings worden verwijderd. Het uitgebrande en onderhand gebluste Audi-wrak, waarin de resten van de twee mannen nog te herkennen waren, werd met een doek afgedekt. Met geraas en geratel landde er een helikopter bovenop de dijk, slechts een paar meter van de gekantelde vrachtwagen verwijderd. De AT'er uit de Audi was er het slechts aan toe, hij werd met de vliegende ambulance naar Den Helder gebracht.

Erik en Sigrid zaten op de motorkap van een auto en keken naar het tafereel voor hen. Ze zeiden niet veel. Van de brandweer hadden ze koffie gekregen. Er kwam een agent in een groen hesje naar hen toe.

'Collega's?' zei hij. Dat kon Erik bevestigen. Ze moesten met hem mee voor de verklaringen.

'Dat is goed,' zei Erik, 'maar wacht een moment.' Hij pakte zijn telefoon en belde naar George.

'Heb je het meegekregen?'

'Ja, alles. Wat een chaos.'

'Dat kun je wel zeggen, ja.'

'Bayram?'

'Te laat, toen de collega's de brug bij Den Oever open kregen, was hij er al over heen. Dat was nog een klein drama, want de hulpdiensten moesten er vanuit Den Helder overheen. Er ging kostbare tijd verloren om die brug weer dicht te krijgen. Er voeren net schepen doorheen, die zagen hun kans.'

'Shit.'

'Zeg dat wel.' Erik keek peinzend naar de horizon waar de zon bijna onder was gegaan. 'We komen eerst maar eens naar huis.'

'Ja, doe dat maar. Sterkte ermee. O, ja...'

'Wat?'

'De collega's van team verkeer willen nog weten hoe het met de Subaru is...'

'Laat ze doodvallen!'

'Dat heb ik ze ook al gezegd.' Erik verbrak de verbinding en sjokte achter de politieman in het groene hesje aan die samen met Sigrid op weg was naar een politiebusje.

35

'Met Sigrid,' zei ze nadat ze de telefoon had opgenomen.

'Collega de Wilde?' hoorde ze een haar onbekende stem zeggen.

'Jawel, dezelfde' zei Sigrid.

'Met Jannie van het servicecentrum, wij werden gebeld door ene Marjoleine. Ze wilde haar achternaam niet zeggen, maar vroeg naar jou.'

'Heb je haar nog aan de lijn?'

'Nee, ze hing op toen ik je nummer niet wilde geven. Ze klonk een beetje wazig en erg jong.'

'Heb je een nummer van haar?'

'Nee, sorry.'

'Prima, bedankt.'

'Gedoe?' vroeg Erik die naast haar zat in de surveillancewagen op weg naar Leeuwarden.

'Dat weet ik niet, het schijnt dat Marjoleine mij probeerde te bellen.'

'Marjoleine Bosma?'

'Ik denk het. Ik ken wel een andere Marjoleine, maar die heeft mijn nummer en die zou nooit via het servicecentrum bellen. Ik probeer Fraukje wel.' Sigrid toetste een nummer in en kreeg haar collega aan de lijn. Ze vertelde dat Marjoleine had gebeld. Fraukje had wel een 06– telefoonnummer van haar en sms-te dat naar Sigrid. Toen Sigrid dat probeerde, klonk er een kinderachtige, ongetwijfeld grappig bedoelde voicemail. Ze sprak haar naam in en haar telefoonnummer en verbrak de verbinding.

'Zou je haar je nummer wel geven?' vroeg Erik.

'Ik had het haar al eens gegeven, het is raar dat ze dat dan niet belde, als ze mij wilde spreken. Nou ja, ik zal het op het bureau nog eens proberen. Misschien moet ik haar moeder bellen.'

'Het kan wel van alles zijn, we hebben nu iets anders te doen.'
De politieauto draaide de oprit op van het bureau Holstmeerweg. De
agenten stapten uit en moesten de achterdeuren opendoen, want die
zaten per definitie op het kinderslot. Erik bedankte hen voor de lift
en samen liepen ze naar de recherchekamer, waar de chef van dienst
al op hen zat te wachten. Hij wilde debriefen, maar niet iedereen
was al binnen. Er werd afgesproken dat een uur later te doen en hij
vroeg Erik en Sigrid of ze in de tussentijd vast wilden beginnen met
het proces verbaal van bevindingen.

'Moet dat echt nu?' vroeg Erik somber.

'Ik ga eerst Marjoleine bellen,' zei Sigrid.

'Doe het nu maar,' spoorde de chef van dienst Erik aan, 'hoe langer je wacht, hoe meer info je kwijtraakt. Gewoon rammelen, voor
je het weet staat alles op papier.'

Erik gromde.

'En nog wat, ik ben drie keer gebeld door de collega's van team
verkeer, ze willen weten hoe het met de Subaru is.'

'Zeg het maar, we mochten er niet in terugrijden. Volgens mij
mankeert er niets aan. Iemand zal hem wel mee naar huis nemen,
denk ik. Heb jij dat niet geregeld?'

'Nee, ik dacht dat jullie hem mee zouden nemen.'

'Shit!' riep Erik, 'volgens mij heb ik zelfs de sleutels in het contact laten zitten!' De chef van dienst had zijn telefoon al in de hand
en belde met de meldkamer. Hij vroeg naar het nummer van de ta-
keldoos. De berger die de rotzooi mocht opruimen.

'Hebben jullie de Subaru meegenomen?' vroeg hij hem.

'Nee, hoor,' hoorde Erik iemand zeggen, want de chef had zijn
telefoon op speakerstand gezet.

'Daar was niets mee aan de hand. We hebben hem wel weggezet,
omdat we anders niet bij het wrak en de vrachtwagen konden.'

'Waar dan?'

'Een paar meter verder, netjes in de kant geparkeerd,' zei de stem in het Fries.

'Wat heb je dan afgevoerd?'

'Ik kijk hier op de lijst, momentje. Een truck, een BMW, een Audi en een Mercedes Sprinter. Geen Subaru. Alle auto's staan bij ons op het terrein, behalve de vrachtwagen. Die wordt vervoerd naar de garage in Waddinxveen.'

'Zaten de sleutels nog in die Subaru?'

'Dat weet ik niet, maar het zal wel. Hebben jullie hem niet meegenomen dan?'

'Nee.' De chef bedankte kort en verbrak de verbinding.

'Dat kreng is toch niet gejat?' Erik begon te lachen, 'Dit kan er ook nog wel bij. Wie is daar nog meer bij geweest?'

'Weet ik nog niet, dat hoop ik bij de briefing te horen,' zei de chef van dienst. 'Het zou wat zijn.'

'Verkeer vermoordt me!' zei Erik nog nalachend.

'Dat denk ik ook, ja.' De chef van dienst liep de recherchekamer uit.

Sigrid kwam weer terug.

'Ik heb geprobeerd Marjoleine te pakken te krijgen, maar ik krijg nergens antwoord. Marjoleine noch haar moeder zijn nog in het hotel. Ze zijn vertrokken en niemand weet waarheen.'

'Maar we hadden toch beveiliging geregeld daar?' Erik keek Sigrid vragend aan.

'Toen niet, kennelijk. Moeder was aan het werk gegaan en Marjoleine zou op haar kamer zijn. Maar toen ze een keer gingen kijken, was ze weg.'

'Belde ze daarvoor of daarna?'

'Is dat belangrijk?'

'Als ze jou wilde spreken om iets te vertellen en je niet te pakken kreeg, is dat misschien de reden waarom ze is weg gegaan.' Erik was achter een computer gaan zitten en keek zuchtend naar het lege scherm.

'Ja, ik begin me nu toch een beetje zorgen te maken. Als je het goedvindt, ga ik erachteraan.'

Erik dacht na, zijn handen zweefden boven het toetsenbord.

'Ja, dit kan wat zijn. Je hebt gelijk. Dit kan wel wachten. Laten we naar het hotel gaan. Weten we wie we daar hadden?'

'Ja, Jelle Vos en Bas de Groot.' Sigrid liep de gang al op en Erik pakte de sleutel van een van de dienstauto's, die hij ergens op een bureau vond.

'Zullen we die kant uit gaan?' zei Erik tegen Sigrid, die al een paar meter voor liep.

'Hoezo, dit is korter, langs die kant moet je helemaal omlopen.'

'Dat weet ik, maar zullen we het toch maar doen?'

Sigrid keek vragend, maar draaide zich om en liep mee, de lange gangen door en langs een weinig gebruikte trap naar beneden.

'Ga je me nog vertellen waarom we de toeristische route nemen?'

'Omdat we zo niet langs bureau Verkeer komen,' zei Erik en opende het portier van de auto, 'wil jij het aan hen uitleggen?'

'Nee, liever niet.'

De hotelkamer van Marjoleine was een puinhoop. Kleren, cd's, schriften, make-up, stripboeken, pennen en potloden lagen door de kamer alsof er een poltergeist op bezoek was geweest. Het raam stond open waardoor het tochtte en losse papiertjes opdwarrelden.

'Hemel, is ze ontvoerd?' riep Erik.

'Dit is ongeveer zoals een normale meidenkamer eruit ziet, hoor. Je had mijn kamer moeten zien vroeger, daar is dit opgeruimd bij.' Sigrid pakte een schrift van de grond en begon te ontcijferen wat er instond.

'Kun je er wat mee?'

'Gebruikelijke meisjesdingen, zo te zien. Ze was heel ongelukkig, maar dat is ook niet zo gek. Nee, ik word hier niet veel wijzer van.' Ze legde het schrift weer weg en pakte een boekje op. Het leek Erik een agenda, maar veel dikker dan normaal. Er zaten ook plaatjes in, zag hij van een afstand. Hij liep naar het raam en deed het dicht.

'Kijk jij hier verder, ik ga met de collega's praten.' Hij liep de kamer uit en ging op zoek naar de mannen die voor de veiligheid van het meisje hadden moeten zorgen. Maar daar werd hij niet wijzer van. Ze hadden niet voor de deur gezeten, maar beneden.

'Kunnen we weg?' wilde een van hen weten.

Erik draaide zich om en keek de vragensteller aan.

'Hè?'

'Kunnen we gaan? Volgens mij heeft het geen zin meer dat we hier blijven.'

'Nee, ik wil graag dat jullie blijven. Ik wil een zoekactie op touw zetten en daar moeten jullie aan meedoen. Sterker nog, ik wil dat jij die actie gaat coördineren. Of hadden jullie wellicht iets beters te doen? Zeg het maar hoor? Nog wat schriftelijk werk afmaken misschien? Een paar fietsers opschrijven?' Het kwam er geknepen uit, merkte Erik zelf ook wel, maar hij was blij dat hij nog verstaanbaar was. Hij zag dat ze iets wilden zeggen, maar hij hief zijn hand op en maakte het internationaal stopteken.

'Eerst gaan jullie maar eens aan iedereen hier,' hij wees op de lobby en het restaurant, 'vragen of ze iets hebben gezien. En daarna,' hij wees nu naar de voordeur, 'gaan jullie naar buiten en een buurtonderzoekje doen om te kijken of ze Marjoleine voorbij hebben zien komen en zo ja, of ze alleen was of samen met iemand. Of hadden jullie dat misschien al gedaan?' Hij hield zijn hoofd een beetje schuin, 'want ik wil graag aangenaam verrast worden.' Maar de zultkoppen schudden hun hoofden. Nee, zover hadden ze nog niet gedacht en, nee, dat hadden ze nog niet gedaan. Erik probeerde zich in te houden.

'Snel dan!' riep Erik. De mannen sprongen overeind en renden bijna de lobby door op zoek naar personeel. Hoofdschuddend keek Erik hen na, draaide zich om en nam een lift naar de bovenste verdieping.

'Ze was behoorlijk van de leg,' zei Sigrid, die door de schriften en de agenda is heen was. 'Misschien heeft ze nog zitten msn-en of chatten met andere kinderen, maar dat weet ik zo niet. We moeten haar vinden.'

'Is ze zelf ergens naartoe gegaan, is ze meegenomen of is ze meegelokt?' Erik bladerde door een agenda en verbaasde zich over de plaatjes en tekeningetjes die erin stonden.

'Ze was wel in de war. Dat wisten we natuurlijk. Er kan toch niemand hier komen?'

'Die twee klungels beneden hadden iedereen tegen moeten houden of screenen. Het lag in de bedoeling dat er niemand naar boven kon zonder langs Knabbel en Babbel te komen. Maar ik steek er mijn hand niet voor in het vuur. De incompetentie van die mannen is schrijnend.' Erik pakte een schrift op van de grond, bladerde erin en legde het op het bureau.

'Laten we er voorlopig maar vanuit gaan dat ze zelf is weggegaan. Bayram is volgens mij niet teruggekomen in de tussentijd. Of hij moet doodleuk een rondje IJsselmeer hebben gedaan. Maar dat lijkt me niet erg waarschijnlijk.'

'Nee, mij ook niet. Maar toch? Hoeveel zou het zijn? Meer dan 400 kilometer, denk ik, als je over Amsterdam rijdt en meteen terug over Lelystad. 300 als je begint op de kop van de Afsluitdijk in Noord Holland, waar we hem zijn kwijtgeraakt. Hij had eenvoudig terug kunnen zijn hier. Zeker als hij zo door bleef jekkelen. Maar waarschijnlijk is het niet. Die auto is meteen gesignaleerd in het hele land.'

Erik keek naar buiten, over het grote plein waar auto's van alle kanten op af kwamen. Onwillekeurig keek hij naar voorbijrijdende zwarte BMW's.'

'Zoeken?' stelde Sigrid voor.

'Ja, we zijn al een zoekactie gestart. Ik heb Jut en Jul beneden opdracht gegeven, ze zijn het personeel aan het bevragen. Laten we maar gaan kijken of ze er niet weer een zooitje van maken.' Sigrid pakte een paar schriften en andere dingen bij elkaar en liep met hem mee. Op de drempel keek ze de kamer nog een keer rond.

'Waar ben je, kleine Marjoleine?' zei ze hardop, liet een licht grommend geluidje horen en volgde Erik naar de lift.

'Vertel mij, wat hebben jullie al bereikt?' zei Erik tegen Jansen en Janssen die in het restaurant aan een tafel zaten, 'jullie zitten hier gezellig, dus het moet wel klaar zijn, denk ik zo?'

'Niemand heeft wat gezien. Helemaal niemand. Wij hebben iedereen ondervraagd die hier aanwezig is of was vanaf vanochtend,' zei de domme brigadier en keek af en toe in zijn boekje.

'Heb je dat allemaal opgeschreven?' De cynische toon in Eriks stem kon niemand ontgaan.

'Ja, iedereen die we hebben bevraagd, naam en wat hij of zij aan het doen was.'

'En zijn jullie al buiten geweest? Hebben jullie al een buurtonderzoek gedaan? Waren er mensen in het restaurant, die nu weer weg zijn misschien?'

'Nee, nog niet.'

'Ga dat dan maar heel snel doen. Heb je de meldkamer al ingelicht? Zodat het korps mee kan uitkijken?'

'Ja, dat hebben we wel gedaan.'

'Dat valt dan alweer mee.'

'Heb je doorgegeven wat ze aan had?' vroeg Sigrid. De mannen keken elkaar aan.

'Heb jij dat gedaan?'

'Nee, dat zou jij doen, toch?'

'Weten jullie wel wat ze aan had, vandaag?'

'Uh, een spijkerbroek en een zwarte blouse!' zei een van de collega's.

'Blauw, die blouse was blauw en het was geen blouse, het was een jasje,' vulde de ander aan.

'Volgens mij was ie zwart,' de eerste weer.

'Nee, blauw, ik weet het zeker. Mijn dochter heeft ook zoiets. Daarom weet ik dat.'

'Heel donkerblauw dan, bijna zwart.'

'GENOEG!' Eriks voelde zijn bloeddruk gevaarlijk stijgen. 'Vind precies uit wat ze vandaag aan had, zorg voor foto's, bel die moeder, want die moeten we hier hebben. We zetten vanaf hier de actie op. De coördinatie doen we wel zelf. Jullie, nu de straat op en niet terugkomen zonder resultaat. Concreet resultaat! En ik wil weten of de auto van Bayram ergens is gezien! En jij!' hij wees op Sigrid, 'bel George, die moeten we nu hebben. Hij moet zijn magie laten werken!'

Drie paar ogen keek verschrikt naar Erik, die zo was uitgebarsten. Het was stil. De mannen aan tafel en Sigrid zeiden niets.

'Heb je het niet gehoord! Wegwezen nu. Uit mijn ogen!' schreeuwde Erik en de collega's sprongen tegelijk van tafel en verlieten op een drafje de zaal. Bij de deur kwamen ze bijna in botsing met een man, een jongen nog, met een witte buis aan. Die had haast om binnen te komen. Ze duwden hem zonder pardon aan de kant en drongen zich naar buiten. De jongen kwam binnen, hij was al net zo wit als zijn kleding. Hij wankelde, kwam naar hen toe, zei alleen maar 'Kom, kom snel!' en draaide zich weer om. Erik en Sigrid keken elkaar aan en volgden de jongen. Hij liep door het restaurant, langs de lobby en ging de keuken in. Door de keuken, een trap af en de kelder in, door een magazijn en na nog een deur stonden ze buiten op een helling. De jongen rende omhoog en liep naar een getimmerd hokje, naast de hotelflat, waarvan de deur open stond en een vuilcontainer zichtbaar was. Het stonk er en er mocht wel eens worden schoongemaakt. De jongen bleef staan en wees. 'Daar…' stamelde hij.

Snel liep Erik naar haar toe en voelde aan haar hals, maar daar was niets meer te voelen. Het hoofd was geknakt als het kopje van een afgebroken tulp en hing over de rand van de metalen container. De ogen waren nog open en staarden naar de lucht, maar zonder nog iets te zien. Teder drukte Erik ze dicht. Hij keek naar boven. Ze stonden recht onder haar raam. 'Ach, schatje,' zei hij zachtjes, 'ach, mijn schatje nu toch.'

36

Erik klopte op de deur waar Seerp kantoor hield. 'Carmen, Tijmen bijna, Rick en nu een kind van vijftien,' zei hij ter begroeting tegen de Groninger hoofdinspecteur. 'Ik hoor heel graag wat jij op het spoor bent.'

'Ook goedemiddag,' groette Seerp terug. 'Koffie?'

Erik viel neer in de stoel tegenover zijn collega. 'Graag. O ja, ik ben Hensley nog vergeten,' zei hij. 'Niet netjes van me.'

'Diens dood betreur ik om onderzoekstechnische redenen,' antwoordde Seerp. Hij pakte een thermoskan uit de vensterbank en schonk koffie in twee grote mokken met het logo van Omrop Fryslân erop. 'Als iemand me wat wijzer had kunnen maken, was hij het.'

'Nog steeds geen doorbraak?' vroeg Erik.

'Ja en nee,' antwoordde Seerp. 'Carmen: het DNA onder haar nagels was van Hensley. Het is duidelijk dat die twee met elkaar gevochten hebben. Maar of hij ook degene was die haar hals heeft doorgesneden...'

'Kom daar maar eens achter,' maakte Erik de zin af.

'Ze waren met meer,' knikte Seerp. 'Omwonenden hebben tumult op straat gehoord.'

'Maar niemand heeft iets gezien?'

'Niemand, tot dusver.'

'En onze volksheld Rick?'

'Die had een smakelijk laatste avondmaal. Een flinke hap uit een onderbeen. Getest op DNA, maar geen match met de database, dus we kennen hem niet.'

Erik keek hem hoopvol aan. 'Meldingen bij de eerste hulp?'

'Nee. Kan nog komen, als de boel gaat ontsteken. We houden

het in de gaten. Het moet een enorme wond zijn, daar loop je niet zomaar mee door.'

'Drugs,' suggereerde Erik. 'Met een flinke dosis mba voel je de pijn niet. Laatst zijn we tussenbeiden gekomen bij een vechtpartij, een man sloeg erop los, niet mooi meer en hij ging maar door. Later bleek dat hij een gebroken pols had. Had ie niets van gemerkt, met dank aan de drugs.'

'Tsja, maar in dit geval... met zo'n wond moet je iemand weken eronder houden. Dat kost nogal wat,' filosofeerde Seerp mee. 'Dan zouden we te maken hebben met een rijke organisatie...'

'Heb je ook weer gelijk in,' gaf Erik toe.

'Nu ja, ik sluit niks uit. Die Bayram is toch Turks? Wie weet zit daar iets achter.'

'Zou kunnen,' knikte Erik. 'Marjoleine gaf ook aan dat er drugs gebruikt werden in die kelderbox. Maar nu ga ik naar huis. Het was een lange dag. Lekkere koffie trouwens. Neem je die altijd zelf mee?'

'Door schade en schande wijs geworden, ja. Het kost wat moeite 's ochtends, maar dan heb je ook wat.'

'Alleen die bekers,' zei Erik en hij bekeek zijn mok hoofdschuddend.

'Overgehouden aan mijn derde scheiding,' reageerde Seerp laconiek. 'Mooi toch? Komen ze nog van pas.'

37 👁

Sigrid schrok toen de GSM in haar hand af ging. Even dacht ze dat Erik belde, maar het was Aafke, haar beste vriendin.

'Ben je thuis?' vroeg Aafke. 'Ik ben in Leeuwarden voor het werk. Hele dag geluld met erg saaie mensen en nu heb ik zin in wijn, bier en goed gezelschap.'

'In dat geval moet je bij mij zijn,' zei Sigrid. 'Daar heb ik ook zin in. Hoe laat ben je er?'

'Over twintig seconden.'

'Schiet dan op joh!'

De bel klonk en een moment later omhelsden de vriendinnen elkaar in Sigrids smalle halletje. 'Dit is goed zeg,' zei Aafke en ze keek Sigrid warm aan. 'En dit ook.' Ze hield een fles rum omhoog.

'Je had het over wijn en bier.'

'Bier is voor de boeren. Weet je nog, Antwerpen?'

Sigrid schoot in de lach. 'Ja, baco's in Karins appartement, waar we een paar dagen in mochten.'

'Tjonge, wat waren we toen zat. De wc was twee trappen lager, maar we hadden maar drie seconden nodig om te plassen en weer terug te lopen.'

'Dat tartte alle natuurwetten, ja. Maar eh, wordt dit net zo'n avond als toen?'

'Naar beste kunnen, ja. Hoezo, heb je geen cola in huis?'

'Jawel, maar ik heb morgenvroeg een briefing. We zitten middenin een zaak. '

Aafke keek haar streng aan. 'Wat is dat toch! Sinds je bent blauwgeverfd is er met jou niets meer te beleven! Je zou je achternaam wat meer eer aan moeten doen.'

Sigrid wierp haar handen in de lucht, alsof ze een doelpunt had gemaakt. 'En ik snap niet hoe jij het wilde leven volhoudt. Met twee kinderen, een man en een baan.'

Aafke maakte een wegwerpend gebaar. 'Nu ja, Chris vindt alles goed. Als ik 's avonds maar weer naar huis kom. Het maakt hem niet uit hoe laat, als ik maar niet ergens blijf slapen. Dat is zijn enige voorwaarde.'

Sigrid aarzelde. De briefing was al om zes uur 's morgens. Een biertje, dat was nog te doen, maar doorzakken op baco's leek haar een slecht plan.

'Compromis,' stelde Aafke voor, 'we laten de rum staan en pakken een biertje. Maar wel in de stad. We zullen het manvolk eens laten merken dat we er nog zijn!'

Sigrid stemde in. Schoorvoetend, maar ze had wel behoefte aan uitgaan en niet aan het werk en vooral niet aan Erik te hoeven denken en had Wessel niet zelf gezegd dat ze ook een leven naast haar baan moest hebben?

Voordat Sigrid de voordeur dichttrok, keek Aafke nog een keer goedkeurend naar binnen. 'Je woonkamer is een stuk gezelliger dan de laatste keer dat ik er was.'

'Yvette is langs geweest,' verklaarde Sigrid.

'Die mag bij mij ook wel eens langskomen dan. Alleen die foulard over die bank, dat is echt uit hoor.'

'Hm,' zei Sigrid. 'Waar gaan we naartoe?'

'Groningen, natuurlijk. Hier is werkelijk niets te beleven! En we pakken een taxi, ik betaal. Tenslotte hoef ik niet rond te komen van een ambtenarensalarisje.'

'Sa is't,' grinnikte Sigrid, die er nu zin in kreeg.

'Wat zeg je?'

'Zo is het. Dat is het enige Fries dat ik kan uitspreken.'

Aafke keek haar met opgetrokken wenkbrauw aan. De taxi kwam voorrijden en ze opende het bijrijderportier. 'Goedenavond meneer,' groette ze de chauffeur. 'Graag heel rap deze provincie uit.'

In discotheek The Palace behoorden ze tot de oudste aanwezigen. Op het podium speelde Sunnery James & Ryan Marciano van de Dirty Dutch Aftershock en elkaar verstaan was onmogelijk geworden. Aafke had al snel een groepje oudere jongeren om zich heen. Type gesjeesde student met een zelfstandig inkomen. Als de heren dachten aan Aafke een makkelijke prooi te hebben, zouden ze nog van een koude kermis thuiskomen. Aafke kon hen op elk front verslaan, net zo gemakkelijk op dure rode wijn, goedkope rosé en breezers als op meters bier. Voor een stevige joint of een lijntje coke deinsde ze ook niet terug. De arme jongens bleven de drank maar aanvullen. Zowel voor Aafke als voor Sigrid. Een van de jongens – hij zag er goed uit met een donkerblond, goed geknipt kapsel, een afgetraind lijf en een sensuele oogopslag – kwam naast Sigrid staan en begon wat in haar oor te brullen. Aanvankelijk hield ze hem af. Hij was zeker tien jaar jonger dan zij. Maar Aafke knikte haar bemoedigend toe. What the heck, dacht Sigrid en liet zich meevoeren naar de dansvloer. Drie biertjes later sloeg hij zijn arm om haar heen. Zij liet hem begaan. Waarom ook niet? Weer drie biertjes later zoenden ze elkaar in een donker hoekje van de discotheek. Aafke deed hetzelfde met twee andere jongens uit het groepje. Net toen Sigrid overwoog of ze zou ingaan op de uitnodiging van haar "vriend" om met hem mee naar huis te gaan, trok Aafke haar weg.

'We gaan, het is weer mooi geweest!' En voordat Sigrid daar antwoord op kon geven werd ze The Palace uitgevoerd en in de klaarstaande taxi geduwd.

'Mag ik je bellen?' riep haar tijdelijke amant haar nog na. De schat!

'Doe maar,' riep Aafke en Sigrid riep het ook.

'Maar,' zei Sigrid, toen ze al de hoek om waren, 'hij heeft mijn telefoonnummer helemaal niet.'

'Mooi toch,' zei Aafke en ze lachte uitbundig.

'Ja, mooi wel,' antwoordde Sigrid, maar ze dacht iets anders.

38 ◉

Toen Erik 's morgens binnenkwam, zat Wessel zoals gebruikelijk al geruime tijd achter zijn bureau. Hij riep hem binnen.

'Ik heb wat voor je.' Wessel gooide een bruine envelop op het bureau.

'Wat is het?'

'Foto's van de sectie op het stoffelijk overschot van Marjoleine.' Erik pakte de envelop op en haalde er een paar foto's uit. Het waren hard uitgelichte kleurenfoto's van delen van het lichaam van het overleden meisje. Erik bladerde ze snel door en bleef steken bij de foto van het bovenlichaam.

'Holy cow,' siste hij door zijn tanden.

'Dacht ik ook, toen ik het zag.'

Erik keek zeker een minuut lang naar de foto in zijn handen. Er zat er nog een achter, die een detail liet zien.

'Als dit geen aanwijzing is in de goede richting, dan weet ik het ook niet meer.'

'Wat een schoft!' Het was eruit voordat hij er erg in had. Niet erg professioneel.

'Ik ben het wel met je eens. Een extreem sadistische moordenaar, zoals we nog niet vaak zijn tegengekomen.'

'Volgens mij heeft hij het nog zelf gedaan ook.'

'Dat heb ik gelezen in het loopverbaal, ja. En ik denk niet alleen bij haar. We moeten die andere meisjes opsporen.'

'Ja, ga ik in gang zetten, mag ik deze meenemen?' Wessel knikte en Erik stond op.

'Erik?' vroeg Wessel, toen hij al in de deuropening stond.

'Ja?'

'Dit beest moet van de straat. Zorg ervoor.'

Erik knikte en liep weg. Sigrid was niet in de recherchekamer. Hij belde haar. Uit bed, zo leek het.

'Sieg, het was erger dan we dachten. Ik heb hier de foto's van Marjoleine van de lijkschouw.'

'Wat?' zei Sigrid, die er nog niet helemaal bij was.

'Hier, haar hele linkerborst is ondergekliederd met tatoeages, maar zo amateuristisch dat het is gaan zweren. Het ziet er niet uit, dat zal pijn hebben gedaan. Maar het plaatje slaat alles.'

'Wat dan?' Sigrid klonk wat schor.

'Laat ik het beschrijven: het is een soort doodskop. De tepel is de neus. Duidelijk aangebracht met ongeschoolde hand. Er staat een letter "B" in, dat is ook duidelijk te zien. Maar erboven, op de borst, staat: "**property of**:" met hele dikke letters en ook nog onderstreept. Het is ook rood en ontstoken.'

'Allemachtig!' Sigrid klonk wakker nu. 'Eigendom van... B?'

'Bayram, denk je niet?'

'Christus.'

'Ja, het wordt nog erger.'

'Kan dat?'

'Er staat ook een "B" tussen haar borsten gekerfd. Zo te zien is dat met een mes gedaan. Een vuil mes, want dat is ook gaan ontsteken.'

Deel II

Istanbul, Turkije

'Wij hebben toestemming!' Erik had net zijn mail geopend en las het bericht van de korpsleiding. Men had twee keer een reis naar en verblijf in Turkije goedgekeurd om onderzoek te doen in de zaak PO1203-569-012, zoals er droog stond vermeld. De mail was namens de korpsleiding naar Wessel verzonden, met een cc naar Erik. Er was al een vlucht geboekt. Op een zondag, zag Erik. KLM, vlucht KL1617 Amsterdam Schiphol – Istanbul Atatürk Airport, reistijd net geen drie uur. Vertrektijd: 9:55 uur Schiphol. Aan de mail waren twee e-tickets toegevoegd: economyclass. Het kon ook met de trein: München, Wenen, Zagreb, Sofia, Edime, Instanbul, maar dan was je 45 uur onderweg. Romantisch, maar niet van toepassing. Erik printte de email en de tickets en liep ermee naar Sigrid.

'Het is gelukt, dame, we gaan op reis!' En hij liet haar de papieren zien.

'Wow,' zei Sigrid, toen ze de tickets bestudeerd had. 'We reizen op een zondag. Hm, is dat wel handig?'

'Geen idee, we zien wel,' zei Erik luchtig en liep naar de kamer van Wessel.

'Ah, Erik,' zei Wessel, die met een leesbril op declaraties zat na te kijken. Vroeger tekende Wessel alles bijna blind, maar sinds de schandalen met de bonnetjes en declaraties van hoogmogenden, moest er door twee mensen worden getekend en als er iets mis was, waren de chefs verantwoordelijk. Hij had daar een enorme hekel aan en het betekende ook veel extra werk, maar het moest worden gedaan. 'Wee je gebeente als je straks iets fout doet met je onkosten, dan krijg ik je, goede vriend,' zei Wessel, toen Erik over Turkije begon.

'Dan krijg je mij?' vroeg Erik en keek onnozel, 'gezellig, wat gaan we doen samen?'

'Dat was een aposiopesis, waarde collega.'

'Een wat?'

'Een aposiopesis, je bent toch wel op school geweest? Of was je ziek die dag? Het betekent dat je een gewichtig woord veelbetekenend weglaat. "Ik krijg je en hak je in stukjes", dat wilde ik zeggen, maar ik liet de zin onvoltooid. Dat is elementaire kennis van de eerste rijkstaal. Trouwens, in het Fries komt dit natuurlijk ook voor.'

'Wat leren we toch veel van je.'

'Je grootje. Hier heb je een telefoonnummer. Het is van Ybe Dijkstra, tegenwoordig hoort hij bij het KLPD, Turkije desk, Zoetermeer. Ik wil graag dat je hem vandaag nog belt en een afspraak met hem maakt, voordat je gaat. We hebben al heel lang een goeie samenwerking met de Turkse politie. Ybe heeft er een paar jaar voor ons gezeten, dus die kan je op weg helpen. En o ja, je krijgt deze telefoon mee. Die doet het ook in het buitenland en je kunt er je e-mail op ontvangen. Hij is al ingesteld. Maar ga er spaarzaam mee om, want de kosten komen op mijn rekening hier.' Wessel overhandigde Erik een smartphone. Die had hij nog niet eerder gezien bij de politie.

'Zijn die dingen niet zo lek als een mandje?'

'Ja, normaal wel, maar deze is op een speciale manier geëncrypt. Je kunt ook alleen maar ons e-mailen, niet de rest van de wereld. Ybe heeft een lijst met namen en adressen voor jullie, daar kun je straks in Istanbul bij terecht. Er zijn op dit moment ook enkele collega's uit Rotterdam bezig, maar die zijn net weer weg als jullie komen. Ybe brieft jullie wel.'

'Goed, moeten we nog meer weten?'

'Nee, bel Ybe maar en doe hem de groeten van mij.' Wessel glimlachte. 'En Erik?'

'Ja,' zei Erik met de klink van de deur al in zijn hand.

'Doe voorzichtig en pas goed op Sigrid.'

'Doe ik.'

Ybe Dijkstra werkte al vijftien jaar in Zoetermeer en Den Haag. Maar hij bleek nog een huis te hebben aan de oude dijk in Snakkerburen, waar hij elk weekend naartoe ging als hij de gelegenheid had. Toen Erik hem belde, zag hij er al tegenop heen en weer te moeten rijden naar Zoetermeer en terug. Hij was dan ook blij verrast met het voorstel om in Snakkerburen af te spreken. Vrijdagmiddag om twee uur zou Dijkstra daar zijn.

Dijkstra deed zelf de deur open. Erik en Sigrid leken wel een echtpaar dat bij een oom op bezoek ging, zoals ze daar stonden op het tuinpad. Het huis bleek een soort bungalow te zijn. Aan de buitenkant zag het er klein uit, maar binnen bleek het verrassend ruim te zijn, met een prachtig uitzicht over grazige weilanden. Dijkstra was bijna net zo groot als Erik, maar aanzienlijk zwaarder. Hij had zwartgrijs krullend haar en een dito baard. Erik schatte hem toch al in de zestig. Het haar was meer grijs dan zwart.

'Kom binnen, jongens, blijf daar niet staan!' bulderde Dijkstra en gehoorzaam betraden Erik en Sigrid de strakke, moderne woonkamer. Erik keek rond en zag niet één item uit de Ikea catalogus en dat is knap met een moderne inrichting.

'Koffie?'

Dijkstra serveerde de koffie uit in een ibrik. Ze kregen kleine kopjes koffie met daarin een walgelijk zoete drab.

'Wat is dit?' vroeg Erik een beetje bot.

'Dit, mijn jongen, is de traditionele Turkse koffie. Er zit veel suiker in en kardemom, uh, kaneel. Gemaakt in een echt Turks koffiepotje van koper en van tin. Dat was oorspronkelijk gemaakt om koffie te zetten op het hete zand van de woestijn. Maar ik zou wachten met drinken totdat de poeder naar de bodem is gezakt. Hahaha. Maar geen zorgen hoor, in Istanbul kun je ook gewoon Amerikaanse koffie krijgen. Dan krijg je die laffe filterkoffie, die wij hier zo lekker vinden.' Erik vond het Turkse brouwsel niet echt te drinken, maar zag dat Sigrid de smaak wel kon waarderen.

'Goed, ter zake nu,' zei Dijkstra bars. 'Overigens, dat zou ik daar niet doen, meteen ter zake komen. Dat zijn wij misschien zo gewend, maar daar vinden ze dat heel ongemanierd. Als je uit eten gaat, dan komen de zaken hooguit bij het dessert of de koffie eens om de hoek kijken. Eerder is ongepast.'

Erik knikte, zo blond was hij nu ook weer niet. Aan de andere kant, ze kwamen daar voor het werk en ze waren nu eenmaal lompe Hollanders. Dus dat kon er ook nog wel bij.

'Ik heb het dossier gekregen van Wessel en er eens naar gekeken. Bayram, codenaam Bruin, is nu precies twee weken geleden uit Nederland vertrokken. Waarschijnlijk de grens over gewipt, vanuit Duitsland gevlogen en ondergedoken in Istanbul. Of misschien zelfs met de bus, dan is hij nog onvindbaarder.'

'De bus vanuit Duitsland naar Turkije?' Sigrid keek hem verbaasd aan.

'O ja, er rijden nog steeds goedkope touringcars heen en weer met Turkse mensen die in Duitsland werken en nog familie hebben in Turkije. Het is nu wat moeilijker, de route, maar ze rijden nog steeds, elke dag. Niet zoveel als vroeger natuurlijk, nu vliegen zo veel goedkoper is geworden.'

'O, dat had ik mij nooit gerealiseerd.'

'Er gaan wel mensen uit Nederland mee. Overstappen in Keulen of ook in Frankfurt. Of met de trein, dat kan ook. Maar daar is de controle weer wat strenger. En jullie hebben al een internationaal rechtshulpverzoek ingediend, maar daar is niets mee gebeurd. Dat snap ik wel, want zo werkt het niet en zeker niet op zo'n korte termijn. Kijk, ik wil niet zeggen dat het land corrupt is, zeker niet. Dat hoor je mij echt niet zeggen, maar hoe zal ik dat eens uitdrukken, je moet er wel een beetje de weg kennen.'

'Het enige wat we willen is Bayram ophalen. Kennelijk werken de autoriteiten niet erg mee om dat voor elkaar te krijgen.'

'Het heeft geen prioriteit, nee. Ze reageren in principe niet op een rechtshulpverzoek van iemand die ze niet kennen, voor een landgenoot die ze toch niet kunnen vinden. Het verbaast me enorm dat ze een ingezetene willen uitleveren. Meestal doen ze dat niet. Ik vind het wel dapper van Wessel om jullie te sturen. Erg dapper, wel.'

'Dapper?'

'Istanbul is heel erg groot, er zijn vele soorten politie, om over de militie nog maar te zwijgen en niet iedereen is er happig op om een paar Nederlandse dienders uit de polder het adres van een landgenoot te geven. Heeft hij nog wel een Turks paspoort? Want als hij die kaart speelt, kunnen jullie het schudden, zullen we maar zeggen. Een Turks paspoort is niet uitleveren, ook al ga je op je kop staan. Willen jullie misschien een glaasje leeuwenmelk?'

'Leeuwenmelk?'

'Raki.'

'Nee, dank u wel hoor.' Dijkstra stond op en schonk zichzelf een borrelglaasje in. Er steeg een lichte anijslucht op in de kamer.

'Het punt is dat je niemand kunt vertrouwen. Ze zullen je misschien niet allemaal tegenwerken. Maar meewerken is weer een ander ding. Mijn ervaring met de collega's daar is, dat ze je nooit rechtstreeks de waarheid willen zeggen. Het moet altijd via de nodige omwegen en omhalen. Dat is heel lastig. Je raakt er wel aan gewend, op den duur, maar daar hebben jullie geen tijd voor.

'Nee.'

'Daarom geef ik je de naam van een van mijn beste vrienden daar. Abdurrahman Otuzbirogullari. Hij is hoofdinspecteur, misschien wel commissaris of iets vergelijkbaars. Ze hebben daar wat meer rangen dan hier. Abdurrahman kun je vertrouwen en het mooiste is dat hij erg goed Nederlands spreekt. Hij is hier opgegroeid en bij de politie gegaan. Maar toen werd hij opgeroepen voor de dienstplicht daar. Hij kon eronderuit komen door bij de politie te gaan dienen en daar is hij gebleven. Kijk!' Dijkstra liet een foto zien waarop een lachende jonge Turkse man in de camera keek. Zijn arm over de schouders van Dijkstra, die op de foto geen baard droeg. Die lachte eveneens en had zijn arm ook over de schouders van Abdurrahman geslagen. Het zag er gezellig uit, als twee goede vrienden, misschien wel meer dan vrienden. Dijkstra gaf Erik een mapje.

'Dit heb ik voor jullie verzameld. Namen, adressen, telefoonnummers en ga zo maar door. Abdurrahman staat bovenaan. Ik heb hem al gebeld en ook het dossier over Bayram gemaild, dus hij weet dat jullie komen. Hij zou vast op zoek gaan, dat kan misschien weer werk schelen. Ook het adres van de Nederlandse ambassade staat erop. Niet dat jullie dat nodig zullen hebben, maar je weet het niet. Er zit nu wel een politie- en justitieattaché. Die heet Bustin, maar dat is een zo'n echte Haagse kwijl. Als je die kunt vermijden, zou ik het doen.'

'Ga jij zelf nog die kant op?' vroeg Sigrid.

'O, nee, die tijd is voorbij. Ik heb me misschien ook een beetje slecht gedragen daar. Dus ik zou mijn naam niet al te veel laten vallen en zeker niet tegen die Bustin. Met Abdurrahman kun je wel overal over praten hoor, dat is geen probleem. Maar hij is de enige.'

Ybe Dijkstra vertelde nog meer over het eten, de gewoonten, de drank, de waterpijpen en waar je beter maar kon wegblijven. Het interesseerde Erik maar weinig en hij was blij dat ze weer konden gaan. Met het mapje onder de arm, daar waren ze voor gekomen. Ze namen hartelijk afscheid en ook Dijkstra drukte hen op het hart voorzichtig te zijn. En de groeten aan Wessel. Ja, die zullen we overbrengen, riepen ze op het tuinpad.

'Heb je al gepakt?' vroeg Erik in de auto aan Sigrid.

'Nee, doe ik morgen wel. Moeten we zonnebrandolie meenemen?'

'Nee, joh, we zijn aan het werk, het is geen vakantie.'

'Nou ja, we zitten daar waarschijnlijk de hele zondag samen. Ik neem niet aan dat Abdurrahman ons zondag al wil zien. We kunnen beter wat leuks gaan doen. Ik zou wel naar het Topkapi paleis willen en de Hagia Sofia of de Blauwe Moskee.'

'Hm, neem maar een zonnebril mee, die zul je wel nodig hebben.'

Erik zette Sigrid thuis af en zei dat hij haar op zondagmorgen om half zes zou komen ophalen.

40 ◉

Om kwart over vijf 's morgens werd er aan de deur gebeld. Sigrid was al op, maar nog niet helemaal klaar. Het was een kwartier vroeger dan waar ze op had gerekend. Mopperend liep ze naar de deur, maar ze deed glimlachend open om niet in het gezicht van Erik te kijken, maar van een zichtbaar chagrijnige man met een baard van twee dagen.

'Schipholtaxi,' gromde het ongewassen sujet.

'U bent te vroeg.'

'Zou kunnen, dame, maar we moeten wel gaan, denk ik.'

'Goed, een moment.' Ze griste de laatste spullen bij elkaar en propte die in haar weekendtas. De laptoptas ging apart mee en nog een handtas. Ze keek rond, lichten uit, gas uit? en stapte braaf in de taxi.

'Is Erik er niet?' vroeg ze aan de chauffeur, die kreunend achter het stuur van de overjarige Ford Mondeo Station was gaan zitten.

'Erik?'

'Erik van Houten, halen we die nu op?'

'Daar weet ik niets van, mevrouw. Ik moest alleen u ophalen en naar Schiphol brengen. Dat is alles.'

'O,' zei Sigrid. Ze begreep er niets van. Moest ze nu alleen naar Istanbul? Ze probeerde Erik te bellen, maar kreeg meteen zijn voicemail. Onderweg naar Amsterdam probeerde ze hem nog een paar keer te pakken te krijgen. Zonder resultaat. Ook Wessel kreeg ze niet te pakken. Misschien zag ze hem daar wel, dacht ze. Ze leunde in de kussens en keek naar buiten naar het ontwakend landschap.

Ook op Schiphol zag ze Erik niet. Ze keek om zich heen en ijsbeerde door de terminal. Ze was ruim op tijd en besloot in te checken. Ze legde haar paspoort en het geprinte ticket op de balie en vroeg of haar collega Erik van Houten al had ingecheckt.

'Dat is informatie die wij niet mogen geven, mevrouw.'

'Wat is dat voor flauwekul,' zei Sigrid, die boos werd uit ongerustheid.

'Nee, mevrouw, dat is tegen het beleid van KLM. Ik kan u echt niet helpen.'

'Maar nu wel,' zei Sigrid en legde haar legitimatie op het smalle deskje.

De grondstewardess keek er nauwelijks naar. 'Ik kan u alleen maar vragen om naar de balie van de KLM te gaan. Daar. Misschien dat ze u daar verder kunnen helpen. Wilt u nu inchecken of niet?'

'Niet!' snauwde Sigrid en trok haar weekendtas van de weegband. De mensen in de rij achter haar keken haar vreemd aan. Ook bij de balie van de KLM stond een rij. Die was niet lang, maar er stond een familie te bakkeleien met een onwetende lokettist over een vlucht waarvoor ze te laat waren of die overboekt was of iets dergelijks. Stampvoetend ging Sigrid erachter staan en keek voortdurend om zich heen of Erik zich aan haar zou laten zien. De baliemedewerkster had het opgegeven. Ze was vertrokken en de familie stond er nog. Ze stonden nu ruzie te maken met elkaar. Dat was weer eens wat anders. Het oudste zoontje riep dat hij weer naar huis wilde en niet meeging. Het leverde hem oorvijg op en Sigrid had hem er nog wel een willen geven. Ze zag op de klok dat ze nog maar een uur hadden om aan boord te komen. De rij voor het inchecken was al wel kleiner geworden. Toen zag ze in de verte collega's lopen. Weliswaar van de Marechaussee, maar het was beter dan niets. Als die haar konden helpen, zou ze zich niet meer belachelijk maken, beloofde ze in gedachten. Ze liep snel naar de mannen toe.

'Heren!' zei ze. Ze leken nog geen achttien; echt net van school. Ook dat nog.

'Mevrouw?' Dat hadden ze dan nog wel geleerd op de Militaire Politieschool.

'De Wilde, politie Fryslân.' Ze sprak het stellig uit en liet hen haar legitimatiebewijs zien. 'Ik zou samen met een collega, inspecteur Van Houten, vandaag naar Istanbul reizen. Maar ik ben, uh, Van Houten kwijt.' Opeens besefte ze hoe belachelijk het klonk.

'Kwijtgeraakt? Hoe bedoelt u dat, mevrouw? Waren jullie hier en is hij nu weg? Schiphol is erg groot mevrouw.' Die rotjongens bleven maar mevrouw zeggen en haar behandelen als een achterlijk nichtje.

'Nee, wij zijn niet samen gekomen. Daarom zou ik graag willen weten of hij al was ingecheckt, maar dat willen ze me niet zeggen daar.' Ze hoorde hoe beroerd het klonk.

'Dat kunnen wij ook niet inzien, dat moet u bij de balie vragen mevrouw.' Nog een keer dat mevrouw en ze zou gaan gillen. Maar ze deed het niet. Ze toverde een moeizame glimlach tevoorschijn en legde uit dat ze daar al was geweest.

De twee kinderen, die zich nog niet eens hoefden te scheren, maar wel een doorgeladen Glock bij zich droegen, schokschouderden. Het was niet hun taak om passagiers te herenigen, zelfs niet als het politiecollega's betrof. Sigrid kon wel janken. Tot een van hen een helder ogenblik van dienstbaarheid overviel.

'We kunnen wel in de paspoortcomputer kijken?' Zijn collega keek hem vuil aan. 'Dan kunnen we zien of uw collega al door de paspoortcontrole heen is!' Hij werd er zelf enthousiast van.

'Ja, graag, als jullie dat willen doen,' greep Sigrid de reddingsboei en ze marcheerde achter de mannen aan door de gangen van Schiphol naar het kantoor met de computer. Maar dat leverde niets op. Er was geen "Houten, Erik Rembrandt van" door de paspoortcontrole gegaan. Eriks telefoon stond nog steeds op de voicemail. Ze wist nu niet meer wat te doen. Ze overwoog maar weer naar huis te gaan. Erik zou alle stukken meenemen, ze had zelfs geen naam of adres van hun contactpersoon. Dit had geen zin. Ze probeerde Wessel te bellen, maar ook daar stond de voicemail aan. De klassieke muziek op de achtergrond. Ze had al drie keer ingesproken, maar niemand had haar teruggebeld. Ze keek naar het schermpje van haar Nokia. Ze had een bericht! Dat had ze niet eens gemerkt!

'Ik kan niet met je mee. Zie je in Hotel Sapphire, İbni– Kemal Caddesi, 14 Sirkeci. Neem taxi.'

Ze staarde ernaar. Erik zou niet met haar mee vliegen? Waarom had hij daar niets over gezegd? Waarom had hij haar niet gebeld? Ze keek naar de afzender, maar er stond geen nummer bij. Ze belde nogmaals naar Erik, maar kreeg weer alleen de voicemail. Ze nam een besluit. Hoe vaag het bericht ook, ze zou gewoon gaan. Ze stond op, bedankte de collega's, pakte haar tas en liep weer terug naar de balie. De rij was opgelost en er zat alleen nog een grondstewardess achter de balie.

'U moet meteen door naar de gate, mevrouw,' zei die streng.

'Ja, ja,' antwoordde Sigrid, die nog steeds in de war was van het bericht. De KLM-mevrouw omcirkelde het gate– en stoelnummer en stuurde haar door. Sigrid genoot niet van de vliegreis, maar zat drie uur lang te piekeren wat er aan de hand kon zijn.

41 👁

In Amsterdam had het heel hard geregend, met hagel en af en toe onweer, maar in Istanbul was het 29 °C, lichtbewolkt en met een luchtvochtigheid van 66%. Sigrid vond vlot de bagageband en haar tas kwam relatief ongeschonden langs. Ze trok hem naar zich toe en bestudeerde de andere passagiers. Ze hoopte tussen de onbekende gezichten ergens Erik te zien. Onzin natuurlijk, hij had geschreven dat ze elkaar in het hotel zouden zien. Ze dwaalde door de gangen van het internationale vliegveld Atatürk, nog in de luxe van enige airconditioning. Met toeristen stond ze in de rij voor haar visum, dat ze gewoon in euro's kon betalen.

Toen ze de schuifdeuren door was, overviel de klamme hitte haar. Daar stond ze dan. Alleen en nogal hulpeloos. Drie tassen in haar hand en veel te warm gekleed. Ze werd meteen ontdekt door de ritjesjagers, die op haar afsprongen als vlooien op een hond. 'Taxi?' hoorde ze van alle kanten op zich af komen. Ja, ze wilde wel een taxi. Hoe kwam ze anders in de stad? Ze keek om zich heen, aanvaardde de netste chauffeur en liep het hem mee. Hij droeg haar tas en liep naar een van de tientallen gele Hondat is voor de terminal.

'Where to, lady?' vroeg hij en Sigrid gaf de naam en het adres van het hotel. Ze zag dat hij wel een meter had, maar die niet aanzette. Er stonden allemaal nullen in de display. O nee, ze was helemaal vergeten om Turks geld te halen. Wat hadden ze hier eigenlijk?

'Do you accept euro's?' vroeg ze.

'No problem, lady. I will give you fixed price, nice price. Is that okay with you?'

Ze dacht na, ze werd natuurlijk opgelicht. Wat nu?

'How much?'

'Because you are nice lady, only 50 euro's. It's cheap. Not expensive.'

Vijftig euro? Dat leek haar wel heel erg duur voor een ritje van pakweg een half uur. Zo lang duurde het om van het vliegveld in de stad te komen, had ze ergens op het internet gelezen. Ze was er helemaal vanuit gegaan dat Erik voorbereidingen had getroffen. Waarom was hij er toch niet?

'No! Use the meter!' zei ze streng.

'Meter is in lira, it's not so cheap.'

'Taksimetre!' riep Sigrid en wees priemend naar de meter. De chauffeur mopperde in het Turks, maar zette de meter uiteindelijk toch aan. Al verder mopperend reed hij weg. Hoeveel zou een lira waard zijn? Niet zo idioot weinig als destijds de Italiaanse lire, dacht ze. Was het niet een halve euro of zo? Of zoiets als de vroegere gulden? Het zou kunnen. Nu ja, dit overleefde ze ook nog wel, als ze maar bij het goede hotel kwam. De taxichauffeur trok weer wat bij.

'Where are you from?' wilde hij weten.

Dat was een vraag die nog heel vaak zou worden gesteld. Ze wilde Fryslân zeggen, maar bedacht zich.

'The Netherlands.'

'Sorry?'

'Holland.'

'Ah, Holland! Kijken, kijken, niet kopen,' zei de chauffeur met een zwaar accent. 'I have family in Holland, in Amsterdam, maybe you know them?' Hij noemde een onbegrijpelijke naam. Nee, die kende ze natuurlijk niet. De chauffeur dook de freeway op, toeterend en met zijn armen zwaaiend naar de andere gekken. Hij voegde in zonder echt te kijken of het kon. Japanse kamikazepiloten hadden nog een lesje van hem kunnen leren. Hij veranderde voortdurend van rijstrook, vloekend en tierend in het Turks nam Sigrid maar aan. Hij haalde zowel links als rechts in en duwde andere weggebruikers die hem te langzaam reden, agressief aan de kant. Thuis zou ze hem van de weg hebben gehaald en minimaal drie forse knakken hebben gegeven en zelfs wel op artikel 5 van de Wegenverkeerswet hebben aangehouden, maar hier trok ze de veiligheidsgordels extra stevig aan. Af en toe dwong ze zich niet naar de weg voor zich te kijken. Maar er gebeurde niets. Er werd ingehaald aan alle kanten, ingevoegd, hard gereden, maar ook heel langzaam. Omdat de auto's dichter op elkaar reden, had je vast ook minder asfalt nodig. Het ging sierlijk, als een soort ballet van blik. Stevig in de gordels vastgesnoerd keek Sigrid naar de oprijzende miljoenenstad. Heel Leeuwarden paste hier in één straat, dacht ze. Na een misselijkmakende rit door de straten van de hoofdstad zette de bestuurder de wagen stil.

'Hotel Sapphire!' zei de chauffeur triomfantelijk, alsof zijn broer de eigenaar was en hij het buitenschilderwerk voor zijn rekening had genomen. De meter wees 16,67 lira aan. De chauffeur rekende het om en vroeg twaalf euro. Dat was aanzienlijk minder dan de 50 euro die hij eerst vroeg, dacht Sigrid en ze gaf hem vijftien euro. Daar was hij kennelijk wel blij mee, want hij sprong uit de auto en droeg haar tas naar binnen.

Het hotel lag in de wijk Sirkeci op het historische schiereiland. Maar daar had Sigrid geen idee van. Ze wilde dat ze een kaart had bestudeerd. Ze voelde de klamme hitte, die haar Nederlandse kleren aan haar rug deden plakken. Ze rook de aparte lucht van zee, vermengd met verkeer en die van een hele grote stad. In de lucht zag ze grote vogels rondjes draaien. Het leken wel gieren op zoek naar een kadaver. Maar het hotel zag er schattig uit. Weliswaar een soort flatachtig bouwwerk, maar met coniferen in potten naast de ingang. De lobby was prettig koel en zag er heel oosters uit met een mooie tegelvloer en een bewerkt plafond.

'Goedemiddag,' zei ze in het Engels tegen de receptionist, een Turks uitziende jongeman met een helblauw colbertje aan. Ze nam dan maar aan dat hij Turks was, maar misschien was hij dat wel niet. Hij groette beleefd in het Engels terug en vroeg of hij haar kon helpen.

'Mijn naam is Sigrid de Wilde, uit Nederland, uh, Holland. U heeft een reservering voor mij?' zei ze in het Engels terug, maar sprak haar naam in het Nederlands uit. Het klonk te belachelijk omdat te verengelsen.

'Ik ga voor u kijken,' zei de jongeman en sloeg haar naam op een toetsenbord in. 'Ah, ja, daar bent u.' Hij vroeg haar een formulier in te vullen, wilde een kopie maken van haar paspoort en gaf haar een sleutel in de vorm van een plastic kaartje.

'Is mijn collega, meneer Van Houten, al ingecheckt?' Ze moest het toch weten.

'Sorry, wie?'

Ze spelde de naam en schreef het tenslotte maar op een stukje papier. Maar nee, Erik was er nog niet. Er was wel een kamer voor hem geboekt en gelukkig wel naast die van haar. Sigrid vroeg of ze het haar meteen wilden laten weten als Mr. Van Houten was gearriveerd. Dat zouden ze doen. Een andere jongeman met soortgelijk helblauw jasje pakte haar weekendtas op en liep haar voor naar de lift.

'O, mevrouw De Wilde?' riep de receptionist haar na, 'er is een brief voor u.' En hij gaf haar een witte envelop waar haar naam in duidelijke blokletters op was geschreven. Ze wilde de envelop meteen openscheuren, maar wist zich te beheersen tot ze op haar kamer op de tweede verdieping was. De kamer deed een beetje hoerig aan door het vele rood, maar dat kon haar nu niets schelen. Ze rukte de envelop open. Er zat een A4'tje in met daarop een handgeschreven tekst. Van Erik, ze herkende zijn handschrift.

Het loopt niet allemaal, zoals bedacht. Ontspan je maar, ik kom je vandaag nog wel halen. Het hotel heeft een sauna en een klein zwembadje en je zit overal dichtbij hier. Het Topkapi Paleis en de Blauwe Moskee. Ik ben er zeker voor 19:00 uur. Erik.

'Mooi is dat!' zei Sigrid, toen ze het briefje twee keer had gelezen. 'Lekkere jongen! Kon dit niet anders! Zit ik hier in Istanbul, met niks.' Ze smeet het papiertje op de grond, maar pakte het meteen weer op. 'Hij kan de pest krijgen,' zei ze nadat ze een minuut of tien op bed had gelegen. Ze stond op, pakte haar tas uit en koos een linnen zomerbroek en een bloesje zonder mouwtjes. Ze keek in de spiegel. Was dat niet te hip en te bloot voor hier? Ze trok het bloesje weer uit en koos iets met mouwen. Graag had ze haar bh ook nog uitgedaan, maar dat zou hier wel vloeken in de kerk zijn. Of in de moskee dan. De receptionist keek niet vreemd of verbaasd, viel haar op toen ze in haar witte linnen broek en lichtgele bloesje met de mouwen omlaag naar beneden kwam. Dan zou het wel goed zijn. Ze vroeg aan hem waar het Topkapi Palace was. Hij gaf haar een kaartje en tekende de route met pen erop. Dat was iets minder dichtbij dan ze dacht. Of ze het kon lopen? Wilde ze weten. Alles was te lopen, antwoordde de receptionist vrolijk. Maar ook nog in dit leven? Natuurlijk, het hotel stond in de achtertuin van het paleis en kon hij wat euro's wisselen? Ook dat kon hij. Ze kreeg een hele hoop lira's terug voor haar vijftig euro en besloot het er maar op te wagen, ze kon altijd nog een taxi aanhouden.

Buiten moest ze weer wennen aan de hitte. Ze stond in een vrij smalle straat. De receptionist had naar links gewezen, daar moest ze heen lopen. Het paleis was inderdaad dichtbij. Ze liep al snel tegen een muur aan en volgde die tot ze bij de ingang gekomen was. Het paleis was veel groter dan ze had gedacht. Het leek wel een ommuurd dorp. Bij de ingang bleek ze niet de enige te zijn, die naar binnen wilde. Er stond een rij. Een hele lange rij. Die heen en weer kronkelde tussen paaltjes en linten door, zoals op het vliegveld voor de visabalies. Daar had ze geen zin in.

Ze liep door, zonder te weten waar ze naartoe ging. Of zelfs maar waar ze was. Het kaartje van het hotel bood niet veel soulaas, maar het gaf aan dat er ergens water moest zijn. Daar zou ze dan maar eens naar op zoek gaan. Ze dwaalde door kleine straatjes, waar grappige houten huizen stonden. Sommige straten stegen en daalden en het lopen kostte haar meer moeite dan ze dacht. Wat weet ik over Istanbul, vroeg ze zich af. Niet veel... het ligt aan de Bosporus en voor een deel in Azië en het is veel moderner dan ik dacht, als ik naar de mensen en naar de auto's kijk.

Ze zag dat veel vrouwen hoofddoekjes droegen, maar net zoveel, of zelfs meer vrouwen met onbedekt haar. Ze viel niet echt op. En zo te zien liepen hier ook heel veel toeristen rond. Ze sloeg een hoek om en zag in de verte westers aandoende hotels. In de straat reed een grappig trammetje. Was dit niet een van de grootste steden van Europa? Op een pleintje waren wat terrassen en ze besloot wat te gaan drinken. Ze bestelde een cola light. Het was geen moeilijke bestelling en het stond dan ook snel op haar tafel, met ijsblokjes en een schijfje citroen. Sigrid viste het ijs uit haar glas, legde de blokjes in haar asbak en keek eens om zich heen. Dat was best plezierig. Ze had wat minder last van de warmte en er trok een stoet mensen langs haar heen. Een paar tafels verder zat een man alleen. Hij droeg een pak en een zonnebril en hij keek naar haar.

Heb ik iets van je aan, dacht Sigrid en keek terug. Maar de man wendde zijn blik niet af. Misschien had hij zijn ogen wel dicht, ze kon het niet zien achter die zwarte glazen. Het voelde wel een beetje vervelend. Ze keek de andere kant op, naar het plein, de mensen en het grappige trammetje dat weer langs kwam rijden. Af en toe blikte ze opzij, maar de man bleef maar in haar richting kijken. 'Lazer op gek,' mompelde ze. Hij zou ook nog wel blind kunnen zijn? Dat wist je maar nooit. Hij zat daar heel stil, op zijn tafel stond een klein koffie kopje. Maar, wacht, nee, er lag ook een krant op tafel. Dus was hij niet blind. Keek hij misschien ergens anders naar? Ze keek achter zich, maar daar was niets te zien, dan een muur en een boom. Hij moest wel naar haar zitten kijken!

Sigrid wenkte de ober en maakte het internationale gebaar van afrekenen. Hij sprak een paar woorden uit, die ongetwijfeld het bedrag voor de cola zouden betekenen. Ze pakte een bankbiljet en gaf het hem, in de hoop dat het genoeg was. Dat was het niet, hij trok nog twee biljetten uit haar hand, gaf een paar muntjes terug en liep weg. Heb ik nu twintig euro betaald voor een glas cola, dacht Sigrid en keek nog eens wat ze over had. Ze kon het niet uitrekenen. Wat was die lira toch waard? Had ze in het hotel maar beter gekeken. Ze stond op en liep snel weg, het pleintje af en zo snel mogelijk uit het zicht van de starende zonnebril. Maar waar ze bang voor was, gebeurde ook. De man stond op, pakte zijn krant en liep achter haar aan.

'Jezuschristus,' siste ze hardop en liep wat sneller, 'dit zal toch niet waar zijn? Krijg ik een vent achter me aan midden in Istanbul. Dit moet ik me verbeelden. Dit is te erg.' Ze versnelde nog wat meer en keek om zich heen. Ze liep nu bijna te snelwandelen. Ze keek niet om. In de verte zag ze witte koepels opdoemen. Daar zou ze maar naartoe gaan. Ik moet proberen in de buurt van mensen te blijven, dacht ze. Terug naar het hotel, dat was misschien beter. Een taxi, zou ze ergens een taxi aanhouden, dat was misschien nog wel beter? Ze zag wel verkeer rijden, maar geen gele auto, zoals een die haar naar het hotel had gebracht. Toen ze er een zag, bleek die vol te zitten met vrolijke toeristen in kleurige kleding. Ze zwaaiden terug toen ze haar hand opstak om de taxi aan te houden, maar de auto reed door. Aan de overkant reed er ook een, maar te snel. Die haalde ze niet meer in.

Ze sloeg een straatje in; het was afgesloten voor autoverkeer. Op de stoep stonden terrasjes met witte tafelkleden en mannen die met elkaar praatten. Hier en daar stonden fleurige bakken met planten.

Ze rende er bijkans doorheen, links en rechts kijkend of ze iemand kon vinden met wie ze kon praten. Maar ze zag alleen Turkse mannen met elkaar in gesprek.

Aan het eind van het straatje kwam ze weer in een grotere straat. Daar zag ze het rode trammetje weer, dat ze eerder had gezien. Het was een rijtuigje en zag er ouderwets uit. De deuren gingen open, ze sprong naar binnen en ging snel op een bankje zitten. Er stapten anderen in, maar niet de man met de zonnebril. Ze keek uit de ramen van de tram om te kijken of ze hem kon vinden, maar hij was nergens meer te bekennen. Zou ik hem zijn kwijtgeraakt, dacht ze. Misschien was hij helemaal niet naar mij op zoek, misschien heb ik me het verbeeld. Het was gewoon niet waar. Die man stond toevallig op en moest toevallig mijn kant op. Het was allemaal onzin.

Sigrid begon wat rustiger te ademen en vroeg zich af hoe ze aan een kaartje voor de tram zou komen en waar hij naartoe zou rijden. Ze wilde maar dat het ding zich eens in beweging zette. Op dat moment luidde de bel. Een vertrouwd geluid, de enkele 'ting' van de tram. Alsof ze weer in Amsterdam was. De tram begon te rijden, maar de deuren waren nog niet dicht. Op het laatste moment stapte hij in. De man met de zonnebril. Hij keek niet naar Sigrid, maar ging vooraan in de tram staan en hield zich vast aan een leren lus, die daar aan een fraai gestileerd koperen ornamentje hing. Sigrid hield haar adem in en keek naar de rug van de man. Dat was hem, dacht ze. Precies dezelfde man. Hij had haar gevolgd. Wie is het, wat moet hij van me?

Buiten zag ze een collega staan. Een jonge man, strak kijkend in een mooi blauw uniform. Hij stond naast een wit busje met blauwe strepen erop en het woord 'POLIS.' Misschien moest ze snel uitstappen en teruglopen naar die collega. Maar misschien sprak hij geen Engels of Duits of was hij al weg voordat ze de tram uitwas. Wanneer stopte hij nu eens? Er zaten wel deuren in, zag ze, maar die werden niet dichtgedaan tijdens de rit. Daar was het zeker te warm voor. Voor en achter kon ze eruit. Maar voor stond Zonnebril. 'TAK-SIM' zag ze ergens staan. Het zei haar niets. Links en rechts van de tram reden nu uitsluitend gele taxi's en waar waren jullie allemaal toen ik jullie nodig had, foeterde Sigrid stilletjes voor zich uit. Misschien moet ik eruit springen op een druk punt en snel in de massa verdwijnen?

Ze reden nu door een straat waar veel mensen liepen. De rails liepen gewoon midden door de straat, er was geen afscheiding of een duidelijke stoep. Toeristen liepen overal en de bestuurder maakte druk gebruik van zijn bel om zijn doorgang af te dwingen. Het deed haar aan de Leidsestraat denken, maar dan drukker. De bel, die aanvankelijk geruststellend had geklonken, maakte haar nu nerveus. Er reed een tram van de andere kant langs. Daar stond het ook op, 1 TAXIM TÜNEL. Een moment overwoog ze van de ene tram in de andere te springen. Het moment was iets te kort om de sprong ook echt te wagen en ze was Tom Cruise niet, dus beter van niet. Vriend Zonnebril bleef voorin staan en keek niet om. Sigrid ging staan en schuifelde naar de achterdeur. Als ze nu stopten, dan zou ze eruit springen en snel weglopen. Eens kijken of hij dat kon bijhouden. Ze keek om, Zonnebril had haar gezien. Shit, dacht ze, hij had de hele tijd in het spiegelende glas gekeken en haar precies kunnen zien zitten! Dat ze dat nu pas zag.

De tram belde en kwam nogal abrupt tot stilstand. Ze zag haar kans schoon en sprong door de deur naar buiten. Ze hoorde iemand, een mannenstem, iets roepen. In het Turks, waarschijnlijk. Het klonk nogal boos. Maar ze keek niet om, ze besefte ook dat ze niet voor haar rit had betaald. Een andere keer dan maar weer. Ze rende de straat op, zwenkte tussen mensen door en ontweek auto's, die een toeterend protest lieten horen, maar ze keek niet om. Ze rende een plein op. Daar stond een geel taxibusje klaar met de zijdeur uitnodigend open. De chauffeur stond ernaast te praten met iemand anders met een snor. De twee keken verbaasd toen Sigrid zich met een klap in de auto wierp en 'drive, drive!' riep. Haastig duwde de chauffeur de schuifdeur dicht, sprong achter het stuur en reed weg.

'Waarheen, juffrouw?' vroeg de chauffeur met een zwaar accent.

'Hotel Emerald?' riep Sigrid, 'nee, niet Emerald, een andere naam. Wacht, ik weet het binnen een paar seconden. Rijd nu maar!' Hoe heet dat verdomde hotel, dacht ze en voelde in haar zakken of ze iets had waar het opstond. Niets. Het was niet Emerald, het was iets met een 's', ze kon er niet meer opkomen.

'Welk hotel, juffrouw?' vroeg de bestuurder nog eens.

'Een moment, ik ben aan het denken, ik weet het binnen één minuut.' Was het Savon? Zoiets moest het wel zijn, ja. Maar het was iets met een edelsteen of zo.

'Sapphire! Dat is het. Ik weet het weer, hotel Sapphire. Kent u dat?'

'Ja hoor, juffrouw, ik breng u erheen. Het is maar een klein eindje, geen probleem.'

'O, dank u, dank u zeer,' zei Sigrid en zonk in de kussens. In minder dan een paar minuten reden ze de straat weer in waar het hotel stond, waar Sigrid haar koffer had staan. Ze rekende af, ook bij deze chauffeur waren de euro's geen probleem, maar het was een duur ritje. Ze nam zich voor onmiddellijk uit te vinden wat een lira waard was en snelde de lobby van het hotel in. Eerst naar de kamer, douchen en er niet meer uitkomen voordat die eikel van een Erik er is, dacht ze.

Toen de liftdeuren zich sloten, zag ze door de laatste kier nog net dat Zonnebril de lobby kwam binnenslenteren. Hij leek helemaal geen haast te hebben.

43 👁

De airconditioner in Sigrids kamer stond flink te blazen en maakte af en toe een reutelend geluid. Normaal gesproken had ze dat irritant gevonden, maar ze was te uitgeput om zich er druk over te maken. Na het douchen was ze naakt op het bed gevallen, had de dekens op de grond gegooid en alleen een laken over zich heen getrokken. Ze schrok wakker van een getik op de deur. Ze had de eerste momenten geen idee waar ze was. Tot alles haar weer te binnen schoot als een natte tennisbal in de nek. Er klonk nogmaals getik. Alsof iemand met een beringde vinger tegen het hout van de deur sloeg. Was het vriend Zonnebril? Maar waarom zou hij dan aankloppen? Deze gedachte kwam haar ook niet erg logisch voor. Na de derde keer, het tikken werd al een beetje bozer, besloot ze iets te roepen.

'Wie is daar?' klonk het bibberig uit haar mond.

'Erik, doe je open?' Tranen schoten in Sigrids ogen. Opgelucht en blij sprong ze op van het bed en rende naar de deur. Met de knop al in de hand besefte ze dat ze niets aan had.

'Momentje!' riep ze. Ze trok het laken van het bed en sloeg het om zich heen. Aankleden duurde nu te lang. Snel keek ze de kamer rond, er lagen wel overal kleren en andere dingen, maar dat moest dan maar. Ze trok de deur open en wilde Erik wel in zijn armen vliegen.

'Je bent al aardig thuis,' constateerde Erik met één wenkbrauw opgetrokken.

'Waar was je gebleven!' riep ze en sloeg hem op zijn borst.

'Ja, alles ging heel erg mis. Het spijt me. Maar heb je mijn briefje niet gekregen? En volgens mij had ik je ook nog een sms-je gestuurd.'

'Ja, dat allemaal wel, maar ik kon je niet bellen. Je nam de telefoon niet op en dat sms-je kreeg ik pas vlak voor vertrek, ik stond net op het punt weer naar huis te gaan en hier doet mijn telefoon het niet.'

'Ja, dat klopt, we hebben alleen een abonnement voor Nederland. Ik heb tijdelijk een smartphone gekregen, die werkt hier ook en je kunt er mee e-mailen en nog een paar dingen doen. Maar door al het gedoe heb ik je het nummer niet kunnen geven. Maar ja, nu heb je er niets meer aan, want je kunt mij er hier niet op bellen.'

'Ja, ja, ja, maar waarom was je er niet?' Sigrid voelde een huilbui opkomen.

'Josephine had gisteravond een auto-ongeluk.'

'Nee toch, wat is er gebeurd?'

'Ik was vroeg gaan slapen en toen werd ik gebeld. Ze was betrokken bij een aanrijding met een andere auto op de Groningerstraatweg. Kop-staart.'

'Ga weg, en toen?'

'Ze had iemand van achteren aangereden, helaas.'

'Was er iemand gewond?'

'Ja, de inzittenden van de andere auto, die zijn beiden met letsel naar het ziekenhuis vervoerd.'

'En Josephine?'

'Die had niets. Ze rijdt dan ook in zo'n grote tank van een auto van twee ton. Ze had wel de gordel om, maar de airbag is niet afgegaan. Maar er was een groter probleem.'

'Wat dan?'

'Ze had gedronken en ruim boven de toegestane hoeveelheid en je weet wat de collega's tegenwoordig doen.'

'Ja, botsen is blazen.'

'Ja, ze moest blazen en kwam nogal hoog uit. Ze is aangehouden en in een ophoudkamer gezet en daar begon ze te krijsen. Ze heeft zich erg misdragen.'

'Echt?'

'Ja, ze heeft eerst geroepen dat ze mijn vrouw was en dat ze mij onmiddellijk moesten bellen en toen dat ze de dochter van burgemeester Bakker was en dat die moest worden gebeld.'

'Dat is niet zo slim. Wie deed de voorgeleiding?'

'Kees.'

'Ach, dan moet je net Kees hebben.'

'Ja, maar hij belde mij wel, dus ik kon niet anders dan naar het bureau gaan.'

'Ja, dat kan ik mij voorstellen. Heb je haar gezien?'

'Ja, natuurlijk en toen ze mij zag, was het helemaal mis natuurlijk. Ze heeft de hele boel bij elkaar gegild en gesmeekt en gedreigd. En toen wilde ze weer dat haar vader niet zou worden gebeld en dat het niet in de krant kwam te staan.'

'Jeetje. En hoe liep het af?'

'De collega's hebben de zaak afgehandeld. Haar laten blazen, proces verbaal opgemaakt, een rijverbod opgelegd en de verkeerstechnische dienst maakt het aanrijdings-pv op. Maar ze is in alle opzichten de dader, dus dit zal niet zonder gevolgen blijven.'

'En haar vader, is die nog gebeld?'

'Niet door mij en ook niet door de collega's natuurlijk. Maar dit houd je niet onder de pet, ben ik bang.'

'Nee, heb je daar nog wat aan gedaan?'

'Hoe bedoel je?'

'Nou, heb je de collega's nog gevraagd dit stil te houden?'

'Aan Kees? Laat me niet lachen.'

'Nee, aan Kees hoef je zoiets niet te vragen.'

'Uiteindelijk heb ik haar weer mee gekregen en haar thuisgebracht. Maar toen was het onderhand al licht aan het worden. Ze wilde niet dat ik wegging, maar ik moest natuurlijk wel.'

'Wat een verhaal! Maar als je het niet erg vindt, ga ik me nu even aankleden.'

'Ja, doe maar,' Erik leek nu pas in de gaten te hebben dat ze slechts met een laken om op het bed zat. Hij leek naar haar been te kijken, dat een behoorlijk stuk dij bloot gaf. Zag ze een lichtje van verlangen in zijn ogen? Ze sloeg het laken er maar weer overheen. Nu meende ze toch echt wat teleurstelling bij hem te zien.

'Kleed je maar aan, ik zit in de kamer hiernaast, maar laten we op het terras beneden afspreken. Ik ben uitgedroogd en lust wel een glas bier.'

'Heb jij Turks geld dan?'

'Ja, hoor, genoeg voor ons beiden. Maar wel zorgen voor bonnetjes, hè.'

'Ja, hoor, ga nu maar. Ik zie je zo beneden.' Erik stond op, keek verlangend de kamer in en liep de deur uit. Hij zag er moe uit, vond Sigrid.

Ze trok een schone blouse aan, smeerde hier en daar wat make-up, maar besloot af te zien van lippenstift. Die had ze wel bij zich, maar die wilde ze alleen gebruiken als ze echt zouden uitgaan. Wel spoot ze een beetje Daisy van Marc Jacobs op. Haar favoriete parfum. Ze checkte haar uiterlijk in de spiegel. Geen slaapkreukels of andere onrechtmatigheden? Nee, prima. Ze nam de lift naar beneden en bedacht dat ze helemaal geen terras had gezien. Ze stapte uit in de lobby en vroeg ernaar. Opeens herinnerde ze zich vriend Zonnebril. Gelukkig zat hij niet meer in de hal. Het terras bleek achter het hotel te zijn, daar was een alleraardigste binnenplaats met een fonteintje en bloeiende bougainvilles. Glimlachend stapte ze naar buiten en zag Erik zitten. Voor hem stond een glas bier en aan tafel naast hem zat... vriend Zonnebril.

In verwarring wankelde Sigrid naar het tafeltje. Zonnebril stond op en stak zijn hand uit. Automatisch nam ze zijn hand aan. Erik stelde hen in fraai Engels aan elkaar voor.

'Mag ik je voorstellen aan luitenant Ismail Dümbelek? Ismail, dit is mijn collega: sergeant Sigrid de Wilde.' Als een robot schudde ze zijn uitgestoken hand en zocht naar woorden. Luitenant Dümbelek boog zijn hoofd in deemoed.

'Het spijt me heel erg voor het misverstand vandaag, mevrouw.'

'Hè?' zei Sigrid.

'Er was een klein misverstand,' zei Erik. 'Ismail hier was gestuurd om jou op te vangen, maar hij had geen duidelijke orders. Hij dacht dat hij je in de gaten moest houden.'

'O,' zei Sigrid, die het nog steeds niet helemaal begreep, 'was het de bedoeling om mij te volgen?'

'Nee nee, hij kreeg de verkeerde opdracht van zijn baas. Maar nu is alles in orde. Hij neemt ons mee naar het politiebureau, waar we majoor Abdurrahman Otuzbirogullari zullen ontmoeten.'

'Wat, nu?' vroeg Sigrid, die begon te wennen aan de nieuwe werkelijkheid. Het voelde alsof ze uit een droom was ontwaakt. Een kleine nachtmerrie.

'Er staat een auto op ons te wachten,' zei Luitenant Dümbelek beleefd. Hij had Eriks laatste woorden kennelijk begrepen en stond op. Erik stond ook op.

'Ga je mee?'

'Uh, ja, yes,' zei Sigrid en achter elkaar liepen ze het terras af, de lobby door en weer naar buiten. Dümbelek zwaaide, waarop een witte Nissan SUV zich losmaakte van de trottoirband en tot voor de deur reed. De Turkse collega trok de portieren open en maakte een uitnodigend gebaar naar Sigrid, die zich in de auto liet helpen. Erik ging naast haar zitten op de achterbank, Dümbelek nam plaats naast de chauffeur en begon in het Turks tegen hem te praten.

'Die vent heeft mij de hele dag achtervolgd,' zei Sigrid tegen Erik.

'Ja, dat is hier zo de gewoonte. Als er iets raars met je aan de hand is als buitenlander geven ze je een staartje. Hij heeft het niet helemaal goed begrepen, hij moest ons hier ontmoeten en meenemen naar het bureau. Nou ja, geen man overboord. We zijn er en op weg. Geniet maar van de stad.' En hij wees naar buiten. Daar reed het rode trammetje weer en Sigrid zei niets.

Nadat de grote Nissan zich door kleine straatjes had gewerkt, waren ze op een brede boulevard gekomen. Het was er druk, maar de chauffeur stuurde de auto vakkundig door het verkeer. 'Is het nog ver?' vroeg Erik aan Ismail.

'O, nee, we zijn er bijna. Dit is de Adrian Menderes boulevard en vanaf hier kun je het bureau bijna zien.' Een paar minuten later sloegen ze de weg af, reden langs een slagboom een parkeerterrein op en stopten voor een glazen deur. Ismail sprong naar buiten om het portier galant open te houden. Hij stak zijn hand uit, maar Sigrid deed of ze die niet zag en stapte zelfstandig uit. In de auto was het door de airco akelig koud geweest en buiten viel de warmte weer als een hete lap om haar heen. Kwiek liep de collega vooruit en opende de deur. Hij groette een man die aan een tafeltje in de hal zat. Als reactie salueerde de man half terug. Het was een onaf gebaar, zag Sigrid, het leek wel hoon uit te drukken, maar misschien was dat wel normaal hier. Er volgde een tocht door lange gangen met dichte, bruine deuren. Klapdeuren door, halve trappen op en af en door een gebouw dat overal had kunnen staan. Het was saai en grijs. Uiteindelijk bleven ze staan voor weer eenzelfde bruine deur. Ismail klopte erop en bleef wachten tot er een antwoord kwam. Dat duurde wel een minuut, toen werd de deur opengedaan. Een breed glimlachende collega stond in de opening.

'Collega's!' riep deze man met een onvervalste Rotterdamse tongval, 'treed binnen in mijn nederig stulpje!' Hij greep de hand van Sigrid, drukte er een kus op, sloeg vervolgens Erik op de schouders en trok hem mee naar binnen. Ismails werk zat er kennelijk op. Hij sprak een paar Turkse zinnen, groette hen in het Engels en vertrok.

'Abdurrahman Otuzbirogullari is de naam, maar in Holland werd ik Abduur genoemd, of af en toe Ab. Ik luister overal naar, maar liever geen Appie. Dat klinkt hier heel raar. Kom verder, ga zitten. Willen jullie een lekker kopje Nederlandse koffie?'

'Zullen we je Abduur noemen dan?'

'Prima en jij bent Erik en dan moet jij Sigrid zijn?' Dat kon ze beamen. 'Koffie wel?'

'Graag,' zeiden ze tegelijk.

'Mooi, let op!' Abduur zette drie kopjes koffie met een onvervalste Senseo. 'Heb ik uit Holland meegenomen. Ik kon maar niet wennen aan de Turkse koffie. Je kunt hier ook Amerikaanse koffie krijgen, maar die vind ik al helemaal niet te drinken. Dit is prima. Iedereen wil deze koffie, als ze het eenmaal hebben geproefd.' Hij zette de kopjes voor hen neer. 'Sorry, voor het misverstand. Ismail is een beetje rechtlijnig. Hij had de opdracht om jullie op te vangen, eventueel wegwijs te maken en naar hier te brengen. Maar dat is blijkbaar niet helemaal doorgekomen.'

'Nou ja,' zei Sigrid en slurpte van haar koffie. Ze wilde er ook geen halszaak van maken.

'Heb je de info gekregen, Abduur?' vroeg Erik.

'Jazeker, beste collega, maar vanavond spreken wij niet over zaken. Het is zondagavond en dan doen wij andere dingen. Ik stel voor dat ik jullie mee uit eten neem en de stad een beetje laat zien. Dan kunnen we morgenvroeg wel aan het werk. Hoe lijkt je dat?'

'Uh,' zei Erik, 'ja, je hebt natuurlijk gelijk. En jij, Sigrid?'

'Ik vind het goed hoor. We zijn er nu toch.'

'Sa is 't, drink op en dan gaan we. Ik ken een heel goed restaurant. Daar hebben ze leuke muziek, echt heerlijk Turks eten en een prachtig uitzicht.'

Abduur wist een kortere weg door het gebouw, want sneller dan dat ze waren gekomen, stonden ze weer op de parkeerplaats. Hij deed hetzelfde als Ismail had gedaan, zwaaide een keer in de lucht met een arm en weer kwam er een auto voorrijden. Een Mercedes dit maal.

'Niet slecht voor een onderbetaald Rotterdams inspecteurtje, hè, hahaha,' riep Abduur en hield de deuren ook weer open.

'Wow, Abduur, je hebt het aardig voor elkaar hier.'

'Ja, vanaf een bepaalde schaal heb je hier een privé-chauffeur, die je thuis komt ophalen en die ook de kinderen naar school brengt, als je dat wilt. Zover ben ik nog niet, wij moeten met zes man één chauffeur delen. Maar omdat het zondag is, was dat niet zo moeilijk en de auto is ook van de dienst.'

'Welke rang heb je hier dan?'

'Officieel majoor, vergelijkbaar met hoofdinspecteur of commissaris, denk ik. Maar de goedkoopste dan wel, voor jullie zou ik dan een schaal 13 zijn of zo. Dat klinkt wel leuk, maar het punt is dat er boven mij nog heel veel rangen zijn. Dus dat schiet niet zo op.'

Onderweg wees Abduur op de bekende plekken in de stad. Hij liet de chauffeur een rondje maken. Zo zagen ze door de autoramen de minaretten en de koepel van de Hagia Sophia. Een van de belangrijkste gebouwen van de stad, vertelde Abduur. De blauwe Moskee en ook nog het Topkapi Paleis, waar Sigrid nog naartoe wilde. Maar ze stopten er niet. De Duitse degelijkheid bracht ze naar wat een haven leek te zijn, daar leek het nog het meest op. Onder de banden waren de ruwe klinkers te voelen. Ze hielden stil voor het Hamdi restaurant en binnen wachtte hen een hartelijke begroeting. De patroon kwam de zaal in en kuste Abduur op beide wangen. Hij leidde hen naar een tafel in een soort serre, met een wit kleed erop en een prachtig uitzicht over de stad aan de overkant en een grote drukke brug in de verte. Voor hen lag een groot plein waar mensen liepen en bussen parkeerden. Abduur wees op de bezienswaardigheden, hier waren de minaretten en koepels van de oude gebouwen ook goed te zien.

'Je hebt niet overdreven, Abduur, althans wat het uitzicht betreft. Nu moeten we het eten nog proeven natuurlijk. Wat beveel je ons aan?' zei Erik.

'We zijn in Turkije, dus wat eten we?' vroeg Abduur.

'Uh, shoarma?' zei Erik lachend.

'Nee, sufferd, hoewel je dat wel kunt krijgen als je dat wilt. Nee, echt Turks is kebab. Dat zou je toch moeten weten.'

'Kebab. Dönner kebab?'

'Kan, maar we kunnen kiezen uit zeer vele soorten. Houden jullie van lam?'

'Jawel hoor.'

'Dan kan ik urfa kebab met eggplant aanbevelen. Lam, gegrild natuurlijk, tomaat en munt en aubergine. Dat is hier heerlijk en niet zo'n kleffe hap met patat en mayonaise zoals je in Nederland in de snackbar krijgt. Als we wat meer tijd zouden hebben, dan zou ik jullie Testi kebabi aanbevelen. Dat is kebab die in een gesloten pot van klei wordt gemaakt. Dat is echt heerlijk, je weet niet wat je proeft. De ingrediënten worden in een kruik gestopt die wordt afgesloten met deeg en sudderen dan drie tot vier uur op een houtskoolvuurtje. Maar dan moet je de tijd hebben en ze doen dat hier alleen voor minimaal vier personen.'

'Dat doen we de volgende keer,' zegde Erik toe.

'Deal. We gaan een fijn wijntje drinken, maar eerst een glaasje raki. Ze hebben hier volop keus. Zal ik maar kiezen?'

'Ja, doe maar.'

Na de maaltijd was het stilaan donker geworden. Het uitzicht was sprookjesachtig: de stad was feeëriek verlicht met schijnwerpers die de mooiste gebouwen aanstraalden.

'Dat was inderdaad erg lekker,' zei Sigrid toen ze uitgegeten waren, 'zelfs het toetje van yoghurt en honing. Dat zou ik thuis nooit nemen, maar hier is het heerlijk.'

'Ja, hè.'

'Zeg Ab?' vroeg Erik, toen ze aan de koffie zaten. Ditmaal wel Turkse koffie in heel kleine kopjes, 'hoe zit de politie hier in elkaar?'

'Ah, dat zijn zaken en aan tafel spreken wij hier niet over zaken!'

'We zijn domme Hollanders toch, daar trekken we ons gewoon niets van aan!'

'Nou goed dan. Ik kan er wel iets over zeggen. Het Turkse politieapparaat bestaat uit twee afzonderlijke instanties, de Emniyet en de Jandarma. De Emniyet is het nationale korps en met ongeveer 55.000 personeelsleden vooral actief in de grote steden, zoals hier. Ikzelf ben in dienst van de Emniyet. De Gempo zou je misschien wel kunnen zeggen. De Jandarma is veel groter, zeker zo'n 280.000 collega's. Deze gendarmerie vervult alle politietaken buiten de grote steden. Verzorgt grensbewaking, de uitvoering van antiterreurbeleid en de training van zogenaamde burgerwachten. Het heeft eigen forensisch-chemische laboratoria, antiterreur-eenheden en een aparte toeristenpolitie. De Jandarma kan worden gezien als een militaire organisatie en deze status is in 1930 bij wet vastgelegd. Je zou kunnen zeggen: een kruising tussen onze oude Rijkspolitie en de Marechaussee. Organisatorisch is er een strakke scheiding tussen Jandarma en Emniyet. Zo hebben we beiden onze eigen trainingsinstituten en zelfs een eigen opsporingsregister. Dat maakt het samenwerken niet zo heel eenvoudig, hè. Er zijn soms echte ruzies tussen de collega's. We kijken op elkaar neer.'

'Dat lijkt me ingewikkeld.'

'Ja, jullie dachten dat jullie een probleem hadden met regio's die een beetje moeilijk tot samenwerken te bewegen zijn, maar dat is niets bij wat hier soms gebeurt. De Jandarma heeft ook een afdeling geheime politie. Dat wordt overigens steevast ontkend. Zelfs tegen ons!' Hij snoof. 'Maar iedereen weet het natuurlijk. Punt is dat de medewerkers rechtstreeks uit de militaire politie komen en die worden weer uit het leger geworven. Het is een politieke politie, maar wordt ook gebruikt tegen ons, zeg maar. Alles is geheim, wij weten zelfs niet waar ze zitten, wat ze doen en met wie ze contact hebben. Daar kunnen we beter niets mee te maken hebben. De zwarte honden!' Hij keek kwaad.

'Heb je er ooit mee te maken gehad?'

'Jawel, wat bij jullie door de Rijksrecherche wordt gedaan, wordt hier door de geheime politie gedaan. Er wordt gezegd dat verdachten niet meer worden teruggezien. Maar dat weet ik alleen van horen zeggen.' Hij keek om zich heen.

'Martelen?' vroeg Erik.

'Wie zal het zeggen? Maar genoeg over het werk. We zijn nu vrij en laten we gezellig doen. Vond ik altijd een mooi Nederlands woord: gezellig. Eén ding, als jullie nog een uurtje vrij hebben, moeten jullie toch echt naar de Kapalıçarşı, de Grand Bazaar. Als ik tijd heb ga ik mee. Ik heb een neef daar, die echt een hele leuke kraam met sierraden heeft. Goed spul en als jullie zeggen dat jullie vrienden van mij zijn, zal hij je een goede prijs geven. Toeristen worden opgelicht natuurlijk, maar mijn naam is genoeg. Hij weet dat hij dan niet moet sollen. Het is heel simpel te vinden, want hij staat in het begin.'

'Is het veilig om daar alleen heen te gaan?'

'Ja wel, hoor. Er zijn hier heel veel toeristen.'

'Ik vond het maar niets om te worden gevolgd door Zonnebril. Dat gaf me een onbehaaglijk gevoel,' zei Sigrid.

'Dat was een misverstand, die arme Ismail, het is een doodgoeie jongen, hoor.'

'Het zal wel, maar hij joeg me de stuipen op het lijf.'

'Weet je dat hij uit een zeer machtige familie stamt? Hij zal het nog ver brengen.'

'Is dat belangrijk hier?'

'Nee, het kan ook wel zonder, maar – laten we zeggen – het helpt wel. Ismail laat zich er nooit op voorstaan, hoor. Maar het is wel zo.'

'Hebben ze geld?'

'Ja, ook, maar vooral veel macht. Heel veel macht. Het komt trouwens wel meer voor.'

'Wat?'

'Dat toeristen, vooral blonde vrouwen, gestalkt worden.'

'Lekker.'

'Die hebben nu eenmaal veel geld, denken ze, en als ze maar aanhouden, krijgen ze daar ook wat van. Jullie hebben bedelaars die te lui zijn om te stalken, die staan maar gewoon voor de ingang van het station en wachten tot iemand iets in hun smoezelige handjes komt stoppen. Hier doen ze nog wat voor hun geld.'

'Ik houd er niet van om te worden gevolgd,' zei Sigrid wat gepikeerd.

'Ik kan je wel een paar kreten leren hoor. Je kunt bijvoorbeeld roepen: "bırak beni!", dat betekent: "laat me met rust!"'

'Bırak beni!' riep Sigrid.

'Ja, heel goed. Of als je beleefd wilt zijn, kun je tegen hem zeggen: "Lütfen beni takip etme?!" En dat betekent zoiets als: "Wilt u alstublieft ophouden mij te volgen?" Dat is toch een beetje netter.'

'Lütfen beni takip etme?!' zei Sigrid hardop voor zich uit. De ober die aan kwam lopen om de tafel af te ruimen, stopte in zijn vaart en zei een paar woorden in het Turks. Hij draaide zich om en liep snel weg.

'Wat zei hij?' vroeg Erik.

'Dat hij hier alleen maar werkt,' antwoordde Abduur.

'O, hemel, dat was niet de bedoeling, wil je hem mijn excuus aanbieden?' zei Sigrid en ze kleurde.

'Dat zal ik zo doen. Nog één die misschien ook voor andere dingen wel handig is?'

'Oké.'

'Het is wel handig om het woord "dursana!" te kennen. Dat betekent: "Stop!". Dat komt overal wel van pas.'

Rond half twee werden ze voor het hotel afgezet. Om acht uur de volgende dag zou een auto hen weer naar het politiebureau brengen.

'Dat is wel vroeg,' zei Sigrid, maar Erik vond het prima. Ze stonden voor de deur van de kamer van Sigrid en keken wat ingewikkeld naar elkaar. Geen van beiden zei wat. Tot Erik de stilte verbrak.

'Morgen vroeg op, hè?'

'Ja.'

'Ontbijt om zeven uur?'

'Dat is midden in de nacht,' kreunde Sigrid.

'Heb je minder tijd nodig? Om acht uur worden we al opgehaald.'

'Nu vooruit, zeven uur dan. Zie je in de ontbijtzaal.'

'Slaap lekker.'

'Jij ook.'

Sigrid kroop in bed, viel bijna meteen in slaap en droomde van vriend Zonnebril.

45 👁

Zijn telefoon ging. Erik werd wakker en besefte dat hij in bed lag in een verre hotelkamer in een vreemd land. Hij keek naar de klok op het nachtkastje. 06:30 stond er en de telefoon was de wekker. Hij moest opstaan. 'Ik wil niet,' zei hij hardop in de kamer en trok het laken weer over zijn hoofd. Hij dommelde weer weg, maar vijf minuten later begon het jengelen opnieuw. Hij zwaaide zijn benen over de rand en bleef zitten. Ze hadden zeven uur afgesproken, dus was het nu tijd om eruit te komen. In de badkamer stond zijn toilettas. Hij trok de rits open en zette de potjes en tubes op een rij op de wastafel. Hij spoelde zijn gezicht met warm water, liet twee druppels scheerolie op zijn hand vallen en wreef er wangen, kin en bovenlip mee in. Met het vijfbladige scheermesje trok hij de ochtendbaard van zijn gezicht.

Er komt echt een tijd dat we twaalf mesjes hebben, dacht hij. Hij moest denken aan het boek van zijn vader. Zijn vader had één boek geschreven en zelf uitgegeven. Dat wil zeggen, hij had het in eigen beheer laten drukken en er een ISBN-nummer voor aangevraagd. Daarin beschreef hij hoe zijn eigen vader, Eriks opa dus, zich elke morgen schoor. Met een speciale scheermok, waarin schuim werd geklopt met een marterharen kwast. Het schuim werd opgebracht en moest een paar minuten intrekken. Vervolgens werd het krabbertje gebruikt, met slecht één mesje en zonder batterijtjes. De ontstane wondjes werden gedept met een stukje aluinsteen. Het was een ochtendritueel en keerde dus elke morgen terug. Zijn vader had het als klein jongetje in diepe bewondering aanschouwd, onthouden en later opgeschreven. Erik had geen kinderen, niemand die ooit enige belangstelling zou hebben voor zijn rituelen. Laat staan daar een boek over zou schrijven. Soms voelde dat als een gemis.

Toen elk haartje vakkundig vijf keer was onthoofd, stapte hij onder de douche met zijn shampoo uit Brazilië, zijn Hair Care, zijn
gelscrub en zijn speciale spons en mopperde. Zoals in zoveel hotels
was er weer niets bedacht om deze collectie op uit te stallen. Er was
wel een zeepbakje, maar daar paste natuurlijk niets in. Ja, zeep. Het
onooglijke hotelzeepje. Dat bleef in de verpakking en waarom moest
je altijd douchen in het bad? Wat was dat toch voor een armoede?
Niemand gaat meer in bad, maak dan toch een mooie douche in de
badkamer!

Na het douchen droogde hij zich af en gebruikte alle handdoeken
die het hotel hem ter beschikking had gesteld. Hij smeerde zijn gezicht in met 24H Hydraterende Gel en zijn haar met styling gel. Zijn
grootvader had dit allemaal eens moeten meemaken, dacht hij, toen
hij naar de uitstalling keek.

'Goedemorgen!' sprak hij opgewekt tegen Sigrid die al aan een
tafeltje in de ontbijtzaal zat. 'Hebben wij goed geslapen na alle opwinding van gisteren?'

'Ja, hoor,' zei Sigrid en keek naar hem op, 'wat gaan we vandaag
doen?'

'Eerst naar het bureau, daar krijgen we inzicht in de informatie
over onze vriend en dan moeten we kijken of wij hem ergens kunnen
aanhouden.'

'Ik neem aan dat de Turkse collega's dit doen?'

'Vanzelf. We hebben een internationaal verzoek tot rechtshulp ingediend, maar daar zijn ze niet zo happig op, geloof ik.'

'Weet jij hoe het systeem hier werkt?'

'Nee, alleen wat we van Ybe hebben gehoord en dat is het dan. Ik
hoop dat Abduur ons wat wijzer kan maken.'

'Ja, heb jij al naar het ontbijtbuffet gekeken?'

'Nee, jij wel?'

'Ja, er liggen allerlei dingen op die ik niet thuis kan brengen,
maar ze lijken me nogal vet. Ik houd het bij koffie en jus d'orange.'

'Jij bent niet zo'n ontbijter dus?'

'Nee.' Erik stond op en laadde drie borden vol met eten. Hij had trek. Een bord voor het brood, een voor het beleg en een voor de hapjes ei, worst, spek en gebakken aubergine. Hij vulde drie glazen met jus, pakte een kan koffie van het buffet en ging op zoek naar de melk.

'Ga je dat allemaal opeten?' vroeg Sigrid toen ze de bergen voedsel op tafel zag verschijnen.

'Ik weet niet of het genoeg is, maar dan kunnen we nog bijhalen. O, daar staat nog fruit. Haal ik ook. Wil je echt verder niets?' Haar krullen dansten om haar hoofd, zo heftig schudde ze van nee.

Stipt om acht uur kwam er een agent de lobby binnen. Erik zat op een van de banken en probeerde een Turkse krant te ontcijferen. Sigrid was er nog niet, die moest nog naar haar kamer om tanden te poetsen. De agent keek rond in de lobby en kwam tenslotte op Erik af.

'Mister Van Houten?' vroeg hij met een verwoestend accent.

'Yes,' zei Erik. En schudde hem de hand. Een krachtige greep, voelde hij. 'We moeten nog even wachten, mijn collega is er nog niet. Vrouwen!' De agent leek het niet helemaal te begrijpen, dus maakte Erik het in gebaren duidelijk. Hij wierp zijn handen in de lucht en rukte zijn hoofd naar achteren. Dat leek hij te bevatten. Erik ging weer op de bank zitten en wees op een stoel tegenover hem. De agent ging niet zitten, maar bleef een beetje stram staan wachten.

Sigrid kwam de lobby binnen en ze gingen op pad. Dezelfde rit in de Nissan naar het bureau, maar nu met een zwijgzame Turkse collega aan het stuur. Hij bracht hen naar dezelfde kamer in het grote gebouw. Hij klopte, deed de deur open, liet hen naar binnen en verdween. Ditmaal zat er een jonge vrouw achter het donkerbruine bureau. Erik groette haar en zei in het Engels dat ze voor Abduur kwamen.

'Abduur?' zei ze. Ze keek verward.

'Ja, onze collega, wij komen uit Nederland.' Het werd er niet beter op. 'Wat is zijn volledige naam ook al weer?' vroeg Erik aan Sigrid.

'Abdurrahman,' zei Sigrid.

'O, ja, u bedoelt majoor Otuzbirogullari.' Het licht brak eindelijk door. Wat een stomme kip, dacht Erik, wie konden ze anders bedoelen, ze stonden in zijn kantoor en zijn naam stond op de deur. Hij trok de deur weer open en keek nog eens naar het bordje, maar er hing helemaal geen bordje op de deur.

'Is dit het kantoor van majoor Otuzbirogullari?' vroeg hij. Hier waren ze gisteren toch ook geweest. Hij herkende de route en de inrichting van het kantoor. 'Dit is zijn kantoor toch?' Sigrid maakte een gebaar alsof zij het ook niet wist. Geen flauw benul dus, dacht Erik.

'Nee, nee, dit zijn kantoor is,' zei het meisje gebrekkig Engels. Ze glimlachte er wel bij, maar het zag er moeizaam uit. Erik vroeg zich af of ze een pak slaag had gekregen. Haar ogen waren rood en haar gezicht was wat vlekkerig. Misschien was ze wel ziek? Ze pakte een telefoon, toetste een kort nummer in en begon druk in de hoorn te praten. Het gesprek was kort en ze legde weer neer. 'Alstublieft hier zitten, iemand komt en praat met u.' Erik en Sigrid keken elkaar aan.

'Wat is dit nu weer?' zei Sigrid. 'Ik vind het maar een raar land.'

'Je lijkt Obelix wel. Rare jongens, die Turken. Gisteren waren we toch ook hier, in dit kantoor? En daar,' Erik wees op een plaats in het kantoor, 'stond Abduur. Precies op die plek, naast die dossierkast. Ik weet zeker dat er een bordje met zijn naam op de deur hing. Heb jij het ook gezien?'

'Nee, sorry, heb ik niet op gelet.'

De deur ging open en een man in een indrukwekkend uniform trad binnen. Zijn schouders waren bijna te smal voor alle sterren die erop moesten. Ze liepen waarschijnlijk in zijn nek door. Hij was goeddoorvoed, maar zijn uniform was keurig op maat gesneden. Het meisje achter het bureau was opgesprongen en stond in de houding, zag Erik. Dat was nog eens discipline, dat moest hij thuis ook eens invoeren! En elke morgen appel op de binnenplaats, met een groet aan de vlag.

'Münevver Göbek,' zei de man. 'Commandant.' Erik en Sigrid gaven hem een hand en spraken hun namen op zijn Nederlands uit. Göbek sprak enkele woorden tot de kamerbewoonster, die haastig haar computerscherm uitzette en het kantoor uit rende. Huilde ze nou? Wat een hiërarchie, het was wel duidelijk wie de baas was, vond Erik.

'Gaat u zitten,' zei Göbek en wees op de bank in de hoek van het kantoor. Ze gehoorzaamden braaf aan de gebiedende stem. Deze man was vast niet gewend dat iemand niet deed wat hij zei.

'Dus u bent de politiemannen uit Nederland,' hij keek naar Sigrid. 'Neemt u me niet kwalijk, politiemensen is beter, wellicht. Wat is uw rang?' Hij sprak vlekkeloos Engels, met een licht Amerikaans accent.

'Inspecteur,' zei Erik.

'Ah, een inspecteur, die zetten de mannen aan het werk, toch?' Hij glimlachte naar Erik, die een beetje stompzinnig teruglachte.

'Hier zou u luitenant zijn, dat is ongeveer vergelijkbaar en u, mevrouw, welke rang bekleedt u?'

'Ik ben eh, sergeant, zouden jullie hier waarschijnlijk zeggen.'

'Aha, nog beter. Sergeanten vormen de ruggengraat van de strijdkrachten. Zonder hen werkt er niets!' Sigrid trok haar gezicht in een halve grijns, zag Erik. De man straalde een immense macht uit. Misschien kon hij mensen wel met een enkel woord van de aardbodem laten verdwijnen. Erik – die niets had met autoriteiten – was onder de indruk en dat was iets nieuws.

'Vrienden,' zei de Generalissimo, zoals Erik hem in gedachten al had genoemd en hij zette bedachtzaam zijn vingertoppen tegen elkaar. Het klonk dreigend, 'gisteren had u een ontmoeting met majoor Abdurrahman Otuzbirogullari, klopt dat?'

'Ja!' zeiden Erik en Sigrid bijna tegelijk en Sigrid knikte met haar hoofd om dat te bevestigen.

'De majoor was nog niet zo lang binnen onze troepen, maar hij ontwikkelde zich erg snel. Hij was een rijzende ster.' En hij zweeg weer. Het viel Erik op dat de Generalissimo de verleden tijd gebruikte. Hij voelde zich misselijk worden.

'Was?'

'Ik moet u helaas vertellen dat de majoor dood is.'

'Dood?' riep Erik.

'Het spijt mij. Ik heb begrepen dat u de laatste personen zijn die hem levend hebben gezien. Zijn jullie niet met hem naar een restaurant geweest om kebab te eten en raki met hem te drinken?'

'Ja, we zijn naar het Hamdi restaurant geweest.' Erik kon het niet geloven. Hij zag dat Sigrids mond opengevallen was.

'Maar hoe, wat…' stamelde hij.

'Dat weten we nog niet, we hebben zijn auto gevonden in een van de voorsteden, vlakbij zijn huis.'

'De Mercedes?'

'Ja, en hij zat erin.'

'Dood?'

'Ja, er was op hem geschoten.'

'Geschoten? Hoe vaak?' Erik wist ook niet waarom hij dat vroeg. Het was het eerste waar hij op kwam.

'Vaak, mijn vriend, heel vaak. Alsof de moordenaar er zeker van wilde zijn dat hij echt dood was.'

'En waar was zijn chauffeur?'

'Die was al thuis. Hij is naar zijn eigen huis gereden en Otuzbirogullari heeft het laatste stuk zelf gereden. Dat was de afspraak.'

'Weet u ook wie het gedaan heeft en waarom?'

'Nog niet, nee.'

'Gebeurt dit soort dingen vaker hier?'

'Soms ja, maar niet vaak, dank Allah daarvoor!' De Turkse generaal sloeg zijn ogen naar het plafond. 'Het spijt mij, maar we zullen uw verklaringen moeten opnemen. U was bij hem, gisteren.'

'Ja natuurlijk, geen probleem. Kunnen we iets doen? Wat gaat er nu gebeuren?'

'We stellen een onderzoek in en zullen degene of degenen pakken die hier verantwoordelijk voor zijn. De collega's zijn woedend, dat zult u begrijpen.'

'Ik begrijp het volkomen.' Erik knikte.

Generalissimo Göbek stond op, schudde hen beiden indringend de hand en liep de deur weer uit.

'Allemachtig!' riep Erik.

'Zeg dat wel,' Sigrid keek hem verbijsterd aan. 'Ik kan het niet geloven. Gisteren hebben we nog zo zitten lachen? En nu? Doodgeschoten in zijn eigen auto…'

'Ik kan er ook niet bij. In mijn werkzame leven heb ik nooit veel last gehad van al die onbekende lijken, maar dit is toch heel anders.' Erik plofte weer in de bank neer. Opeens had hij het koud, maar het was helemaal niet koud in de kamer.

'Wat nu?' vroeg Sigrid.

'Geen idee, maar er zal wel iemand komen om onze verklaringen op te nemen. Misschien worden we nog wel bij het onderzoek betrokken, weet ik veel?' Hij stak zijn handen in de lucht en liet ze weer vallen.

'En de reden dat we hier zijn?'

'Dat moeten we straks nog maar eens bekijken. Het zou wel mooi zijn als we Bayram mee naar huis zouden kunnen nemen.'

'Zou dat er nu nog van komen? Ik weet niet hoe het hier gaat, maar ik kan mij voorstellen dat ze hier een heel groot TGO gaan opzetten. Of hoe dat hier dan ook heet.'

'Misschien dat dit onderzoek nu wel wordt gedaan door de

Jandarma? Wie zal het zeggen. Die hebben alles in eigen huis.'

De dame aan het bureau keerde niet meer terug. De Friese politiecollega's wachtten een uur in het kantoor van hun vermoorde vriend. Erik had geprobeerd kasten open te krijgen, maar die waren op slot. En de papieren die wel voor het oprapen lagen, waren voor hem onleesbaar. Twee keer was hij de gangen in gelopen en had hier en daar iemand aangesproken. Maar niemand sprak Engels, Duits of Frans en daarmee was Eriks repertoire ook wel op, als je Nederlands en Fries niet meetelde.

'Zou je Wessel niet bellen?' vroeg Sigrid.

'Dat is een idee, ja. Hij moet dit ook weten en misschien heeft hij een telefoonnummer van iemand die wij kunnen bellen. Ik denk dat ze ons hier gewoon zijn vergeten.'

'Het lijkt erop.'

Erik pakte zijn smartphone en drukte op het nummer. Er klonk een Turkse stem van een vrouw, die de boodschap in het Engels herhaalde. Er was geen verbinding te maken met het gekozen nummer. 'Shit.'

'Kom je er niet door? Heb je wel bereik?' Erik bestudeerde het schermpje.

'Volgens mij wel. Kijk maar, alle balkjes zijn gevuld hier bij het woordje GPRS.'

'Probeer het nog eens? Of een ander nummer, heb je niet een ander nummer? Van het bureau of zo?'

Hij probeerde het. 'Niets.'

'Balen.'

'Zeg dat wel.'

De deur ging open en er stapten drie mannen binnen. Twee van hen droegen burgerkleding, ze zagen eruit alsof ze naar dezelfde goedkope winkel waren geweest. Een donkerblauw pak met een wit overhemd. De derde was fleuriger gekleed. Hij nam het woord.

'Goedemorgen, U zijn Van Houten en de Wilde?'

'Dat is wij,' zei Erik automatisch.

'Goed, mooi, heel goed, mijn naam is Döndü Cort en ik ben tolk.' Een van de pakken zei iets in het Turks. De tolk knikte. 'Dit zijn twee collega's van de Jandarma Ankara. Zij willen graag van uw beiden een verklaar afnemen.'

'Verklaring.'

'Ja, precies, verklaring, mooi, heel goed.'

'Doen we dat hier?' vroeg Sigrid. De tolk sprak tot de mannen, die kennelijk hadden geoefend in boos kijken. Ze waren er goed in.

'Nee, deze heren brengen u mee. Ieder apart. U eerst, u graag dan wachten hier,' zei hij en wees weer op de bank, waar ze al een tijd hadden gezeten.

'Ik ga met jullie mee?' zei Sigrid, 'en Erik wacht hier?'

'Ja, heel goed, mooi, zo gaan we doen.' Hij klapte in zijn handen.

'Tot straks,' zei Sigrid tot Erik, die weer op de bank was gaan zitten. Het duurde twee lange uren voordat Sigrid weer terugkwam. Erik had geprobeerd contact te krijgen met Leeuwarden via zijn smartphone, maar bellen, e-mailen, noch sms-en wilde lukken. Sigrid zag er geschokt uit. De twee pakken keken nog steeds niet erg vriendelijk.

'Ze zijn niet erg collegiaal, deze houten klazen,' zei ze.

'Peppi en Kokki?' vroeg Erik.

'Niet praten, alstublieft,' zei pak nummer 1, 'komt u mee.' Erik keek verwonderd naar de twee mannen en naar Sigrid.

'Wat is dit nu?' vroeg hij.

'Niet praten, komen, jij, nu.' Erik werd bij zijn armen gepakt en bijkans de kamer uit getrokken.

'Wat is er aan de hand?' vroeg hij nog. 'Ik ben een politieagent, uit Nederland!' riep hij, maar de mannen liepen onverstoorbaar verder door de gangen. Een voor hem en een achter hem. 'Waar is de tolk?' Hij kreeg geen antwoord en de mannen marcheerden voort door de eindeloze gangen. Uiteindelijk kwamen ze bij een hoorkamer, waarbij vergeleken de hoorkamers in Leeuwarden door mensvriendelijke binnenhuisarchitecten waren ontworpen. Het was er warm en het stonk er aanzienlijk naar braaksel en ranzig zweet uit ongewassen oksels. Hij voelde de raki en de knoflook van gisteren. Gelukkig bleven ze nog binnen.

'Zitten jij!' werd Erik toegevoegd en hij kreeg een duw in de richting van een aangevreten plastic stoel.

'Luister eens vrienden,' Erik sprak zo eenvoudig mogelijk Engels, 'ik weet dat jullie je collega hebben verloren, maar ik ben ook een politieman, net als jullie. Abduur heeft in mijn land gewoond. Ik zal jullie alles vertellen, maar er is geen reden om je op deze manier te gedragen!'

'Stil! Niet praten, behalve als we je iets vragen!' Dit was bijzonder oude stijl, dacht Erik. Misschien zou het nu wel handig zijn als de tolk erbij was, maar die was nergens te bekennen.

'Paspoort!' Het werd gesnauwd. Erik trok het rode boekje uit zijn binnenzak en smeet het op de formicatafel voor hem. Het werd weggegrist en een van de heren van het komisch duo begon erin te bladeren. Hij sprak ondertussen tegen zijn collega in het Turks, terwijl Erik zich zat af te vragen waarin hij was terechtgekomen. Zouden verdachten in Nederland zich ook zo voelen? Vast niet, die kregen een kopje koffie en zelfs een sigaretje, als ze daar behoefte aan hadden. En de rokende rechercheurs rookten gezellig met ze mee.

'Waarom heb je het gedaan!' schreeuwde Peppi opeens hard in het kamertje. Hij had Eriks paspoort in zijn zak gestoken.

'Mag ik mijn paspoort terug,' zei Erik en stak zijn hand uit.

'Hou je bek!' riep Peppi. Kokki was achter Erik gaan staan.

'Waarom heb je het gedaan? Waarom heb je hem vermoord?'

'Jullie zijn gestoord!' riep Erik, 'wat denken jullie nu wel, ik ben geen crimineel, ik ben van de politie. Net als jullie!' Op dat moment werd hij hard naar achteren getrokken. Kokki had zijn arm om zijn nek gelegd en bracht een verwurging aan. Erik was er totaal niet op verdacht. Hij viel achterover, voelde de lucht uit zich geknepen worden en bleef alleen hangen omdat Kokki hem vasthield. Hij rook een combinatie van tabak, knoflook en aftershave. Als in een reflex bracht hij zijn armen naar boven naar zijn aanvaller. Hij voelde dat hij werd geslagen door Peppi. Met een wapenstok leek het wel. Een scherpe pijn trok door zijn rechterbovenarm, die vervolgens slap naar beneden viel. Kokki trok de verwurging nog verder aan.

'Praten jij!' siste hij in het oor van Erik. Zijn adem rook niet eens bedorven, dacht hij. Lekker fris naar pepermunt.

'Fuck… you…,' bracht hij er met moeite uit. Het klonk als in een film waarin de held de keel wordt dichtgeknepen. Het klinkt dus echt zo, dacht hij nog. Het antwoord leverde hem nog een klap met de stok op en een nog strakker aantrekken van de klem. Hij hoorde in de verte Peppi en Kokki nog wat roepen.

Hij kwam bij in een andere ruimte. Het was er donker en er hing een bepaald onaangename lucht. Een grondlucht van oude urine en kots met boventonen van mensenpoep. Het deed hem denken aan de toiletgebouwen van overvolle Franse gemeentecampings tijdens een hete zomer. Hij voelde een stekende hoofdpijn opkomen. Zorgvuldig betastte hij zijn schedel, maar voelde geen nattigheid. Gelukkig, geen bloed, dacht hij. Wel voelde hij een paar flinke bulten. Zijn ogen begonnen aan het donker te wennen. De ruimte was groter dan hij dacht en hij lag op de grond. Voorzichtig ging hij zitten. De vloer was droog, dat was een meevaller. Wel stoffig, voelde hij, maar droog. Hij probeerde op te staan, maar dat werd meteen afgestraft met lichtflitsen en pijnscheuten. Haastig ging hij weer zitten. Langs de kant voelde en zag hij vaag een soort bank. Daar ging hij op zitten. Het was meer een verbrede richel.

Toen de pijn weer tot een dragelijk niveau was gezakt, keek hij om zich heen. Hij zat domweg in een cel! In een donkere Turkse cel, als een ordinaire gevangenisboef. Hij lachte schamper. Rechercheur Van Houten der Nederlandse politie bevindt zich in een ophoudruimte aan de verkeerde kant met de deur op slot. Het moet niet gekker worden, dacht hij. Maar wel even controleren of de deur inderdaad op slot is. Hij stond op. Dat was niet gemakkelijk, maar het lukte toch. Hij voelde een zware pijn in zijn been. Hij reikte ernaar en stuitte op een gevoelige plek. Maar de huid was niet beschadigd en het bot niet gebroken, want hij kon er nog wel op staan.

De deur was op slot, althans afgesloten. Hij vloekte. Het was een gladde deur, zonder klink of grendel. Gemaakt van ijzer en afgewerkt met klinknagels die ooit zwaar in de verf waren gezet en nu aan het roesten waren. Maar nog niet zoveel dat de deur niet meer deed waarvoor hij gemaakt was: de ruimte hermetisch afsluiten. Dit kon toch niet waar zijn! Hij riep het een paar keer hardop. Toen dacht hij aan Sigrid. Wat zouden ze met haar hebben gedaan? Een paar minuten gierde de angst door hem heen. Zouden ze Sigrid ook zo hebben behandeld? Zou ze ook ergens op de grond liggen in een vuile cel? Allerlei scenario's speelden hem door het hoofd en van geen van alle werd hij vrolijker. Hij moest hieruit zien te komen. Hard sloeg hij op de deur en riep wat. 'Hey there! Hello!' En ook nog 'Tesekkür ederim!' het enige toepasselijke Turks dat hij kende. Maar de deur was zo dik dat de klappen die Erik er eerst met de vuisten, daarna met de vlakke hand op stond te geven, nauwelijks te horen waren.

Na een poosje gaf hij het op. Er zat geen raam in de cel, maar in de hoek vond hij een gat in de grond. Daar kwam de stank uit. Dit zal toch niet het poepgat zijn, dacht Erik, maar hij moest tot de conclusie komen dat dat wel het geval was. Verder was er helemaal niets. Een deur, een richel op om te zitten en een gat in de grond. Er was ook nergens een knopje om iemand te bellen. 'Onze verdachten thuis hebben het maar goed,' zei Erik hardop.

Hij ging op de richel liggen. Die was niet breed genoeg, dus lekker lag het niet. Maar het was beter dan niets. Gisteravond, was het pas gisteravond dat ze nog gezellig zaten te eten? Hij keek onwillekeurig naar zijn pols. Maar daar zat geen horloge meer. Alleen een witte streep huid herinnerde daaraan. Ook zijn zakken waren leeg en hij had ook geen riem meer om.

Het was een gezellig etentje geweest met Abduur. Hij leek erg ontspannen te zijn en zich nergens zorgen over te maken. Had hij niet geweten wat er aan de hand was? Kennelijk niet, anders had hij zich vast anders gedragen? Na het eten waren ze in de auto gestapt en bij het hotel weer afgezet. Erik probeerde de rit na te gaan, maar kon zich niets bijzonders herinneren. Ze hadden grapjes gemaakt, over de Nederlandse politie gesproken en Abduur had een aantal namen genoemd van collega's en gevraagd of hij die kende. Een paar wel, anderen weer niet. Zouden ze toen al een staartje hebben gehad? Erik had er totaal niet op gelet. De chauffeur was het ook niet opgevallen. Althans, Erik had het niet gemerkt. Hij probeerde stap voor stap weer terug te halen wat er die avond was gebeurd. Maar niets zorgwekkends stond hem bij, op één ding na. Abduur had tijdens de rit een paar keer in het Turks wat gezegd tegen de chauffeur, die daarop wel een vrij lang antwoord had gegeven. Abduur had niet gezegd waar het over ging en had daarna in het Nederlands verder gesproken. Nu hij dit terughaalde, had er niet wat spanning doorgeklonken in de stem van de chauffeur? Maar omdat hij de taal niet verstond, hij genoeg bier en raki ophad en Abduur er verder niets over zei, had hij er geen aandacht aan besteed.

Ondanks de pijn, de angst, de stank en de onaangename ligplaats dommelde hij weg. Hij werd wakker toen de deur werd opengetrokken en er licht naar binnen scheen. Erik schrok, hij was echt in slaap gevallen en had van heel andere dingen gedroomd. Daar gaan we weer, dacht hij en verwachtte Peppi en Kokki. Hij probeerde zich schrap te zetten. Naam en dienstnummer, dacht hij, naam en dienstnummer. Als een mantra klonk het in zijn hoofd. Erik overwoog een uitval te wagen. Misschien kon hij een van de clowns in een aanhoudingsgreep nemen en hem zijn wapen afnemen. Maar hij verwierp het idee weer. Ze waren met zijn tweeën, getraind, gewapend en gewend aan deze omstandigheden en bereid tot alles, dus daar kon zijn situatie alleen maar slechter van worden. Hij zou in ieder geval niets zeggen, wat ze ook zouden doen. Hij vroeg zich af hoeveel hij kon hebben. Normaal was hij niet zo heldhaftig. Over een pijntje kon hij enorm zeuren en kleinzielig doen, als je Josephine mocht geloven. Die huldigde het standpunt dat alle mannen watjes waren en dat alleen vrouwen echt pijn konden verdragen en verwees dan naar de geboorte van kinderen. Dat zij dat dan nooit had meegemaakt, waar Erik haar dan fijntjes op wees, deed er niet toe. Als Erik besloot eens een dagje in bed te blijven als hij zich grieperig of beroerd voelde, hoefde hij niet op medelijden van haar te rekenen. Als hij een kopje thee wilde, moest hij het vooral zelf komen halen.

Het was maar één man, zag Erik nu. Zijn ogen begonnen aan het licht te wennen. Hij stond op en leunde tegen de muur van zijn cel. Eén man kon hij misschien nog hebben. Misschien moest hij hem in een keer uitschakelen met een goede klap of trap. Op de neus of het strottenhoofd, dat was vaak wel voldoende.

'Erik?' hoorde hij zeggen, het was op zijn Amerikaans uitgesproken. Het klonk wel vriendelijk. Hij liet zijn armen een beetje zakken.

'Erik, het spijt me verschrikkelijk. Alsjeblieft, kom met me mee.'

'Hè, ben jij dat Ismail?'

'Ja, kom met me mee, snel!' Erik kwam haastig de cel uit en liep achter Ismail aan, die bijna de gangen door rénde.

'Wacht!' riep Erik, die niet verwacht had dat er opeens snelheid moest worden gemaakt.

'Opschieten alsjeblieft, we praten later!' riep Ismail over zijn schouder en sloeg weer een hoek om in een van de lange gangen. Erik deed zijn best om het tempo bij te houden. Ismail duwde een donkergroene deur open en wenkte Erik. Ze stonden in een trappenhuis, dat kennelijk niet vaak werd gebruikt. Het rook er muf en er was geen licht. Ismail knipte een zaklantaarn aan die maar weinig licht gaf. Hij begon de trappen af te lopen en gebaarde dat Erik achter hem aan moest komen. Een verdieping lager en weer drie deuren later stonden ze opeens in een parkeergarage. Daar stond de bekende Nissan op hen te wachten. Ismail sprong zelf achter het stuur en chauffeerde de auto de garage uit. Hij liet Erik op de achterbank zitten.

'Plat liggen alsjeblieft!' zei hij toen ze de uitgang naderden, 'laat je niet zien!' Erik vouwde zich zo goed mogelijk op achter de voorstoelen, waar hij een paar snoepjes op de vloer vond. Hij voelde en hoorde hoe de auto stopte en het raam werd opengedaan. Ismail sprak een paar woorden in het Turks tot iemand die hij niet kon horen. Het duurde een minuut of wat en toen trok de Nissan weer op. Plotseling stroomde het zonlicht de auto binnen, ook op de vloer achter de banken. Erik moest zijn ogen dichtknijpen. Hij voelde dat ze met behoorlijke snelheid een paar bochten namen.

'Je kunt weer overeind komen,' zei Ismail. Erik kwam overeind en kroop naar de voorstoel. Hij zat daar knipperend tegen het felle licht een beetje bij te komen. Zijn hoofd deed pijn, zijn schouder was stijf en zijn been wilde ook niet meer mee. Ismail manoeuvreerde de SUV met snelheid en behendigheid door het drukke verkeer van Istanbul. Dat nam hij maar aan, maar waren ze nog wel in Istanbul?

'Waar zijn we?' vroeg hij en hoorde hoe onnozel het klonk.

'Istanbul,' zei Ismail.

'Waar gaan we nu naartoe?'

'Terug naar het politiebureau.'

'Waar waren we dan, niet in een politiebureau?'

'Jawel, jawel, maar anders. Speciale politie: Jandarma. Geheime politie, weet je wel?'

'Ja, daar heb ik over gehoord. Maar wat is er gebeurd? Waarom hebben ze me ontvoerd?'

'Normale procedure. Ze zijn ervan overtuigd dat jij de moordenaar bent, vandaar.'

'Maar dat ben ik niet!'

'Wij weten dat, maar zij niet. Of ze geloven het niet. Je bent een buitenlander, dat is genoeg voor ze.'

'Waar is Sigrid, is ze ook in dat gebouw? Dan moeten we terug om haar te halen, we kunnen haar niet alleen laten daar!'

'Nee nee, ze is veilig bij ons, maak je geen zorgen.'

'En hoe weet jij dat ik Abduur niet heb vermoord?'

'Dat is simpel,' zei Ismail.

'Waarom?'

'We weten wie het gedaan heeft.' En hoeveel Erik ook aandrong, meer wilde hij niet zeggen.

47 👁

Ze keerden terug naar het bureau dat hij al kende. Ismail bracht hem naar binnen en begeleidde hem naar het kantoor van commandant Göbek. Die zat op een grote leren bank. Zijn indrukwekkend uniformjasje hing over een stoel en hij had zijn das losgeknoopt. Zo zonder attributen deed hij Erik denken aan de slager in zijn geboortestad. Die had ook zo'n grote snor gehad, een bril en onderkinnen en altijd, zonder uitzondering, hadden ze een plakje worst van hem gekregen. De commandant sprong op toen hij Erik zag binnenkomen en schudde hem de hand met een pompende beweging.

'Het spijt ons enorm! Excuses, duizendmaal excuses. Ga zitten alsjeblieft. Kan ik iets voor je laten halen? Koffie, thee, water? Iets sterkers misschien, whisky, rum, raki?'

'Nee, nee, dank u, water is goed en misschien wat koffie?'

'Natuurlijk!' Hij klapte in zijn handen en de bediende kwam binnen. In het Turks gaf de commandant door wat hij wilde hebben. Erik was in de bank gaan zitten en genoot van het comfort en de luxe van de airconditioner. Nu nog een slokje water en hij kon er weer tegen. Misschien een aspirientje?

'Heeft u misschien een middeltje tegen hoofdpijn voor me?' vroeg hij. De man was zo gedienstig als wat, dus waarom niet. En jawel, er werd weer in de handen geklapt en de bediende kwam haastig binnen. Een paar minuten later kwam hij terug met een blad met drinken en een glazen potje met daarin witte pillen. Dankbaar nam Erik er twee en spoelde ze weg met ruim water. In de tussentijd had de commandant zich uitgeput in excuses.

'Zo, dat is beter,' zei Erik. 'Kunt u mij nu vertellen waar mijn collega is?'

'Maakt u zich geen zorgen, we hebben haar naar het hotel gebracht.'

'Loopt ze geen gevaar om ook ontvoerd en gemarteld te worden?'

'Nee, nee, dat is geen probleem. Onze vrienden van de Jandarma zijn niet naar haar op zoek.'

'Alleen naar mij?'

'Ja, uh, nee.'

'Maar wat is er gebeurd?'

'Zij leiden feitelijk het onderzoek naar de moord en ze hebben een verdachte. Een lange, blonde buitenlander. U voldoet aan de beschrijving van de verdachte.'

'Maar waarom hebben ze me niet gewoon ondervraagd? Zoals normale mensen?'

'Ze dachten dat wij u beschermden.'

'En daarom hebben ze me ontvoerd en gemarteld?'

'Ik ben bang van wel.'

'Maar nu ben ik bevrijd door een van uw mannen. Gaan ze nu niet nog meer moeite doen om mij te vinden?'

'Waarschijnlijk wel, ja.'

'En wat gaat u daaraan doen?'

De commandant keek alsof hij iets vies proefde. 'Hen overtuigen dat iemand anders de moordenaar is, niet u.'

'En u weet inmiddels wie Abduur neergeschoten heeft…'

'Om eerlijk te zijn; nee, we hebben geen idee.'

'Echt niet?'

'Nee.'

Dat bracht Erik in verwarring. Ismail had immers gezegd dat ze de verdachte kenden. Maar deze man ontkende dat of hij wilde het niet zeggen. Misschien had Ismail zich versproken? Hij was ergens in terechtgekomen en overzag de gevolgen niet, voor geen meter.

'Kan ik nu naar mijn collega?'

'We hebben haar in een ander hotel geplaatst. Voor alle zekerheid.'

'En waar is dat?'

'In de stad. Ik zal meteen zorgen dat u erheen gereden wordt.' De generaal nam de telefoon en sprak een paar zinnen. Erik dronk zijn koffie op en stond op. Een geüniformeerde politieman kwam binnen. De man sprong in de houding, salueerde en wachtte zijn instructies af.

'Deze man spreekt geen Engels, het spijt me. Maar hij is zeer betrouwbaar en brengt u naar het hotel.'

'Dank u wel.' Erik wilde de kamer al uit lopen, achter de collega aan, toen hem iets te binnen schoot. 'Commandant, ze hebben mijn paspoort, telefoon, portemonnee en horloge afgenomen. Kan ik die terugkrijgen?'

'Natuurlijk, dat is stom van me!' Hij bukte en trok een tas naar zich toe. Uit de tas kwam weer een plastic zakje, keurig dichtgeseald en daarin zaten al Eriks parafernalia. Hij boog toen hij de spullen aan Erik teruggaf. Die boog terug, bedankte nog een keer en liep met de hakkenklappende agent mee.

Buiten stond dit keer een Peugeot klaar om hem naar het hotel te brengen. Het was niet heel ver. Ze stopten op de hoek van een straat voor een modern uitziend gebouw met een roze gevel. Solida Hotel, las Erik. Nu ja, het zag er niet heel erg vreselijk uit. Zijn chauffeur was niet uitgestapt. Toen Erik het portier had dichtgedaan, reed hij meteen door. 'Jij ook tot ziens,' riep Erik hem na en liep de lobby binnen. Stoffige meubels met vlekken, verschoten plastic planten en niemand te bekennen. Dit is een behoorlijke verbetering, dacht Erik en liep naar de verlaten balie. Hij drukte op de knop van een bel, waarbij hij maar aannam dat die voor de service was. Er gebeurde niets. Nogmaals drukte hij, met hetzelfde resultaat. Achter de lobby was een bar. Daar liep hij naar binnen, maar ook hier was niemand. Eetzaal, ook al leeg. Dat ging weer lekker. Hij liep terug naar de lobby en vroeg zich af wat te doen. Hij wist ook niet in welke kamer hij was ondergebracht of waar Sigrid uithing. Net toen hij achter de balie een deur wilde openen, verscheen er iemand.

'Mister Van Houten?' Het was een nog jonge man, hij hoefde zich nog niet te scheren. Erik knikte.

'Welkom in Solida,' lispelde de jongen, 'volgt u mij maar.' En hij liep de hal in naar de lift. Erik liep mee. De jongeman drukte eerst op de knop voor de bovenste verdieping – acht, zag Erik – en stak toen een sleutel in het paneel. Het wordt gekker en gekker, dacht Erik. Hij was op zijn hoede, maar had geen keus. De lift stopte en het viel Erik op dat er geen getal in het display stond. Waren ze de achtste verdieping voorbijgegaan? De jongeman liep de gang in, die er netjes uitzag. Niet in overeenstemming met de lobby beneden. Hij opende een deur aan het eind van de gang en ging hem voor naar binnen. Dit was geen kamer, maar een compleet appartement!

Het strekte zich uit over de hele breedte van het hotel. Met aan drie kanten ramen. In het midden stond een tafel waaraan zeker twintig mensen konden zitten. Erik zag een pantry, een complete bar en twee zithoeken. Bij een ervan stond een enorm televisiescherm.

'We zijn er,' zei de jongen en overhandigde hem een doosje. 'Hierin zit de sleutel van de lift. U kunt van de verdieping direct naar de begane vloer komen.'

'Bedankt,' zei Erik een beetje bedremmeld. De jongen wilde weer weglopen. 'Sorry, weet u misschien waar mijn collega is?'

'Ja, ze slaapt in die kamer daar.' En hij wees op een deur die Erik nog niet had gezien. 'Kamer nummer een. Uw kamer is daar.' Er stond een grote twee op de deur die hij aanwees. Je mocht je eens vergissen. 'Als u me nodig heeft, pak dan een van de telefoons en toets een negen. Ik ben altijd in de buurt.' Hij verliet discreet het appartement. Op de diepglanzend gepolitoerde tafel stond een enorme fruitschaal met allerhande soorten vruchten erop. Erik pakte een appel en tikte zachtjes op de deur met het nummer 1. Er klonk geen antwoord. Hij klopte nog eens, nu wat harder. Weer niets. Die slaapt vast, dacht Erik en klopte weer wat harder. Toen er nog niets gebeurde, deed hij de deur open. Nu begreep hij waarom Sigrid niet reageerde. De deur gaf toegang tot een klein halletje en daarachter was weer een deur. Daar tikte hij op en nu klonk er een bekende stem. Hij opende de deur en stond eindelijk in haar kamer.

'Erik!' riep Sigrid uit. Ze stormde op hem af en omhelsde hem. 'Wat ben ik blij je te zien!' Hij hield haar stevig vast. De geur van haar haar prikkelde in zijn neus en ontroerde hem. Behoedzaam maakte hij zich van haar los.

'Anders ik wel, hoe is het met jou?'

'We zijn erop vooruitgegaan,' zei Sigrid en wees om zich heen, 'maar ik kon er niet erg van genieten. Niemand wist waar je was. Ismail zei wel dat hij je wel terug zou vinden, maar ik wist niet hoor…'

'Sliep je?' vroeg Erik met een blik op de warboel op het bed.

'Ja, ik was uitgeput, ik moest een dutje doen, maar vertel me alles. Alles!'

'Dat is goed, maar ik wil eerst een ding heel graag.'

'En dat is?'

'Wat drinken en een lange hete douche.'

'Dat kan, we hebben hier echt alles. Wat wil je, een koude Heineken?'

'Normaal niet, nee, maar nu zou ik daar wel zin in hebben.'

'Haal ik voor je,' zei Sigrid. Ze liep naar de lounge en kwam terug met een groot glas bier. 'Loop maar mee, dan zal ik je laten zien waar je kunt douchen.' Ze liepen naar de kamer en Sigrid deed een andere deur open: 'Kijk, een inloopdouche met regenkop en jet-streams, infraroodsauna en bubbelbad. Is het niet enig? En hier,' ze deed een kast open, 'liggen fluffy handdoeken en daar,' ze deed een andere kast open, 'hangen de badjassen. Ga jij maar douchen en dan hoor ik straks je verhaal wel.' Ze trippelde de badkamer uit en deed de deur discreet achter zich dicht.

Erik dronk met grote slokken zijn glas bier helemaal leeg. Hij was uitgedroogd. Hij kleedde zich uit en keek naar zichzelf in de grote spiegel. Hij schrok ervan. Hij was vuil en hier en daar waren stevige blauwe en groene plekken aan het ontstaan. Zijn gezicht zag er ook niet erg florissant uit.

In badjas en op slippers kwam hij de kamer weer in. Sigrid zat op de bank en had de reusachtige tv aan gekregen. Ze lachte lief naar hem. 'Ben je wat opgeknapt?'

'Ja, dat had ik wel nodig. Maar waar zijn we hier?'

'Het is een safehouse voor hotemetoten die worden bedreigd en uit het zicht van iedereen moeten worden gehouden en het wordt gerund door de Emniyet, heb ik begrepen. Waarschijnlijk wordt het ook voor privéfeestjes gebruikt. Werd je hier gebracht door een heel jonge jongen?'

'Ja.'

'Dat is Saban. Vergis je niet, hij is ouder dan hij eruit ziet. Hij werkt ook voor de politie. Hieronder is het een normaal toeristenhotel, alleen op deze verdieping kan niemand komen. Maar wat is er gebeurd! Je ziet er niet uit! Vertel me alles!'

Erik vertelde haar wat hem was overkomen. Hoe Peppi en Kokki meteen in de aanval waren gegaan, hoe ze hem bewusteloos hadden geknepen en vervolgens naar een ander bureau hadden gebracht en hij daar helemaal niets van had gemerkt.

'Ze moeten me gedrogeerd hebben, want zolang blijf je niet weg, als de bloedtoevoer wordt afgeknepen! Ik heb niets gegeten of gedronken, volgens mij.'

'Ben je gewond? Je hebt daar overal blauwe plekken,' zei Sigrid en wees naar zijn been. De kamerjas was opengevallen.

'Ja, alles doet wel pijn en is een beetje stijf, maar het gaat wel.' Hij stroopte de mouwen van zijn jas op en keek naar de binnenkant van zijn armen. 'Kijk!' Aan de binnenkant van de knik van zijn rechterarm zat een zwartpaarse vlek.

'Mijn hemel, wat hebben ze met je gedaan?'

'Ik heb een paar flinke klappen gehad. Toen ik wakker werd, lag ik in een cel. En daar is Ismail me komen bevrijden.'

'Waar zijn we in vredesnaam in terechtgekomen? Dit is toch een democratisch land, dat bijna lid is van de Europese Unie?'

'Geen idee, maar weet je nog dat Abduur het hierover had? Sigrid?' Erik keek naar zijn collega. 'Huil je?'

'Nee, iets in mijn oog, geloof ik. Wacht.' Ze stond snel op en liep naar haar kamer. Hij overwoog haar te volgen, maar dat was misschien niet goed nu. In plaats daarvan liep hij naar de bar en ging op zoek naar een nieuw flesje bier.

Sigrid was teruggekeerd, opgefrist leek het wel. Erik besloot er niets over te zeggen.

'Wil je ook wat drinken?' vroeg hij, 'fris of wijn misschien? Dat hebben ze hier ook. Ze hebben echt alles. Meer dan ik thuis heb.'

'Bier. Ik ben niet zo'n wijndrinker.'

Erik stond op en haalde een biertje voor Sigrid.

'Ik zou met iemand willen praten over deze hele affaire. Iemand die we wel kunnen vertrouwen. Is hier een telefoon? Misschien moeten we Wessel eens bellen. We moeten toch iemand vertellen waarin we zijn beland.'

'Ja, daar,' zei Sigrid en ze wees op een toestel aan de wand. Erik stond op en pakte de hoorn op.

'Niets,' zei hij, 'geen toon ook. Wat moeten we doen om die Saban hier te krijgen?'

'Een negen draaien.' Erik drukte de toets in.

'Er gebeurt niets. Er is geen toon, niets. Staan er nog andere telefoons hier?' Ze gingen op zoek en vonden er twaalf, maar geen van alle werkte.

'Die jongen zei toch dat we hem te allen tijde konden bereiken?'

'Ja, tegen mij ook.'

'Gek is dit. Ik ga wel naar beneden om hem te zoeken. Zal me even aankleden.' Erik liep naar kamer twee. Zijn koffer en zijn tassen stonden op een rijtje opgesteld. Hij legde de koffer op bed en draaide de combinatie om het slot te openen: 0307, de verjaardag van zijn moeder. Die kon hij nog wel onthouden. Soepel sprongen de ritssluitingslipjes uit hun gevangenhouding en kon hij de koffer in twee volgeplakte helften scheiden. Hij staarde naar de inhoud. Hier zijn ze in geweest, constateerde hij. Hij had een warme rode trui op het laatste moment in zijn koffer gestopt. Je wist maar nooit. Die had hij losjes bovenop de andere spullen gelegd. Maar de trui was nu tussen de andere kleren gestopt. Het kon niet anders, dacht hij. Ik weet zeker dat ik dit niet zo heb ingepakt! Hij haalde de inhoud uit de koffer, maar zo te zien was alles er nog. Vervolgens bestudeerde hij het combinatieslot. Daar was niets aan te zien en hij wist zeker dat de combinatie niet voor had gestaan. Hij draaide altijd een paar keer aan de wieltjes om zeker te zijn. Het wordt gekker en gekker, dacht Erik en onwillekeurig keek hij om zich heen. Hij keek in hoeken en loerde door ventilatieopeningen, hij draaide schilderijtjes om en tilde schemerlampen op. Maar nergens vond hij iets dat op camera's of microfoons kon duiden. Hij kleedde zich aan. In de kast had hij een plastic zak gevonden, daar deed hij zijn vuile kleren in.

'Heb jij uitgepakt hier?' vroeg hij toen hij in een linnen broek en een wat gekreukeld overhemd met korte mouwen weer binnenkwam.

'Ja, hoezo?'

'Ze hebben mijn bagage doorzocht.'

'Weet je het zeker?'

'Ja, er zat een trui heel anders in dan ik hem erin had gestopt. Heb jij iets gemerkt?'

'Nee, maar ik ben niet zo'n nette inpakker eerlijk gezegd.'

'Waarom verbaast me dat niet?'

'Bedankt hoor. Kan het niet op het vliegveld zijn gebeurd?'

'Nee, want ik heb er nog wat uitgehaald toen we in Saphire waren. Het zou me niets verbazen als we in de gaten worden gehouden.' Erik keek ook hier om zich heen en begon een speurtocht door het appartement. Hij nam zelfs de fruitschaal onderhanden. Sigrid bleef op de bank zitten en keek met verbaasde blik naar haar baas, die als Inspecteur Clouseau over de grond kroop.

'Kun je iets vinden, Sherlock Holmes?'

'Nee, maar je weet het niet. Dat spul is zo klein, het kan overal in zitten. Nou ja, maar oppassen wat we hier doen.'

'Was je wat van plan dan?' vroeg Sigrid. Er klonk iets van hoop door in haar stem, vond Erik.

'Ik ga eerst eens op zoek naar Saban. Als ik over een kwartier niet terug ben, moet je maar... Ja, wat dan?'

'Hou eens op. Ik ga liever met je mee.'

Samen liepen ze naar de gang en drukten op de knop van de lift. Er gebeurde niets. Op het aluminium paneeltje zat een knop met een driehoekje dat naar beneden wees. Erik drukte twintig keer op de knop, maar dat veranderde niets.

'Lekker, doet het ook al niet. Er zal toch wel een andere uitgang zijn?' Hij liep de gang door naar een deur recht tegenover die van hun appartement. Hij pakte de knop en duwde en trok vervolgens. 'Op slot! En goed ook, er zit zelfs geen beweging in. Niet eens een millimeter!' Hij liep naar de zitkamer en ging op zoek naar andere deuren. Achter de pantry was een kleine deur, maar die was ook op slot. Erik probeerde de sleutel die hij van Saban had gekregen, maar die paste nergens op. 'De ramen, kijk eens of ergens de ramen open kunnen?' Sigrid liep naar de vensters en begon naar een openings-mechaniek te zoeken.

'Niets. Die ramen kunnen hier nergens open!' Erik liep naar haar toe en bestudeerde het glas.

'Moet je zien hoe dik het is!' Hij wees op de sponning, 'Dat is driedubbel gelaagd, hoor maar.' Hij sloeg ertegen. De ruit gaf niet mee. 'Volgens mij is het kogelwerend ook nog!' Hij pakte een bier-fles van de tafel en sloeg met de bodem tegen de ruit. Er klonk een droge tik, maar er gebeurde helemaal niets. Buiten konden ze ver-keer zien in de straat, er reden auto's en er liepen mensen, maar niemand keek omhoog.

'Het glas is ook zo donker, ik denk dat wij wel naar buiten kunnen kijken, maar niemand naar binnen.' Hij liep weer het appartement in en ging nu de wanden afvoelen.

'Wat zoek je nu?'

'Misschien is er ergens een bedieningspaneel dat we niet hebben gezien. Achter een luikje of zo. Misschien kunnen we daar wat mee? Ik zie ook nergens lichtknopjes.'

'Nee, daar is een afstandsbediening voor.'

'O, ik dacht dat die voor de tv was.'

'Ja, ook, maar ook voor de lichten, de airco en de dvd-speler.'

'Handig. Waar is dat ding?' Sigrid gaf het hem, Erik keek ernaar, drukte eens op een paar knoppen. De tv ging aan en uit, de lampen eveneens en ergens begonnen ventilatoren te draaien. Op een goed moment werden zelfs de ramen zwart.

'Wat doe je?' vroeg Sigrid verschrikt.

'De ramen, daar zit wat in. Het zijn waarschijnlijk SPD smart windows.'

'Maak ze weer eens doorzichtig!' Erik drukte op een andere knop en er stroomde weer licht door de ramen naar binnen.

'Super de luxe, allemaal.'

'Ja, maar we zijn hier wel mooi opgesloten. Het is een luxe gevangenis. Van de ene cel in de ander.'

'Ja, maar deze is wel een beetje beter, toch? Beter dan koud beton en een gat in de grond.'

'Maar toch, de deur is op slot. Waarom doen ze dit? Wat moeten ze toch van ons?' Erik smeet de afstandsbediening op de bank en ijsbeerde door de ruimte. Hij drukte nog dertig keer snel op het liftknopje en rammelde aan de deur in de gang. Hij nam een aanloopje en wierp zich tegen die deur. Maar de deur gaf niet mee.

'Kon jij geen sloten openmaken?' vroeg hij.

'Nee, helaas. Ik weet wel iemand die daar heel handig mee is. Fraukje!'

'Ja, daar hebben we nu wat aan!' snauwde hij.

'Je hoeft niet kwaad te worden, ik heb het niet gedaan!'

'Nee, sorry, maar ik houd er niet van om opgesloten te zitten en zeker niet in een vreemd land, waar ik ontvoerd word en in elkaar geslagen!'

'Maak je maar niet druk, er zal straks wel iemand komen.'

'Iemand komen? We zitten hier gewoon gevangen. Ze kunnen met ons doen wat ze willen, misschien zitten ze wel mee te kijken?

Weet jij veel. Heb jij enig idee?'

'Nee, maar als ze ons echt wilden opsluiten, dan vast niet hier. Misschien is het wel een misverstand?' Erik probeerde weer een deur open te krijgen. Ditmaal de deur achter de pantry. Hij rommelde door de laatjes en keek in de kastjes op zoek naar iets wat hij zou kunnen gebruiken. Hij vond een ontbijtmesje, een kurkentrekker en een paar vorkjes. Daarmee begon hij in het slot van het deurtje te poeren, maar het leverde niets op. De deur weerstond de aanval met bestek glansrijk.

'Geef het nou maar op,' zei Sigrid, 'het zal wel goed komen. Probeer je maar even te ontspannen.' Ze zette de tv aan. Er waren eindeloos veel Turkse zenders, ze zapte er allemaal langs. Ze kon er maar twee verstaan: Al Jazeera in het Engels en BBC World. Ze koos voor de laatste. De beelden lieten rellen zien. Aanhangers van oppositieleider Mousavi werden uit elkaar geslagen, geknuppeld en toen ze op de grond lagen nog geschopt door de oproerpolitie, tijdens het wegslepen. Erik gaf zich gewonnen en kwam kijken.

'Teheran?'

'Ja, vreselijk. Moet je kijken hoe ze tekeer gaan.' Een betoger werd door vier agenten in elkaar geslagen: je zag het bloed spatten.

'Amsterdam, tijdens de wereldtop.'

'Was jij bij de ME?'

'Ja, natuurlijk. Ik was sectiecommandant. We hebben in mijn tijd veel meegemaakt. Dat was mijn eerste optreden, eerste echte optreden dan. Stenen koppen en op linie optrekken tegen de anarchisten.'

'Gingen jullie ook zo tekeer dan?'

'Aanvankelijk natuurlijk niet, maar als het echt menens wordt, dan kan er een klap teveel vallen.'

'Zoals daar nu?' Op de tv werd er weer op losgeslagen.

'Nee, dit is wel heel erg.' Hij plofte op de bank naast haar neer. Daar vielen ze beiden in slaap. In Teheran gingen honderden demonstranten de straat weer op.

49 👁

Sigrid schrok wakker. Erik lag met zijn hoofd op haar schouder en sliep. Zijn mond was een beetje opengezakt en in zijn mondhoek zat een druppeltje spuug. Vertederend vond ze dat. Ze glimlachte en streek heel zachtjes over zijn dichte haardos. Toen wurmde ze zich voorzichtig onder hem vandaan. Hij gleed onderuit en kwam te liggen, met zijn voeten nog op de grond. Behoedzaam stond ze op en legde zijn benen in een meer aangename positie. Hij mompelde wel wat, maar werd niet wakker. Sigrid liep naar haar kamer en kwam terug met een sprei, die ze over haar collega heen drapeerde. Ze was het wel met Erik eens, dit was nu een gevangenis geworden en wat een puinhoop was het! Erik mishandeld en ontvoerd, Abduur dood en nog geen woord over Bayram, voor wie ze toch waren gekomen. Ze had zich verheugd op het onverwachte uitstapje samen met Erik naar een exotisch land. Alleen maar een boef aanhouden en terugbrengen, meer was het niet en dan zouden er vast nog wel momenten zijn om iets leuks te doen of te zien, zo had ze gedacht. Ze voelde tranen opkomen, maar door een slok water te nemen en een paar keer diep in te ademen wist ze te voorkomen dat het een huilpartij zou worden. Ze kende zichzelf. Als ze zich nu zou laten gaan, zou ze niet meer kunnen ophouden. Ze spetterde ook wat water in haar gezicht, depte zich droog en bracht een dagcrème aan. Daar knapte ze wat van op. Het werd tijd om een plan te maken, dacht ze. Orde op zaken. Wat gaan we doen en vooral hoe? Ze zou Erik wakker maken. We gaan andere wetten stellen, zei ze hardop in haar badkamer.

Erik was wakker en zat rechtop op de bank. Tegenover hem zat iemand anders. Sigrid herkende Ismail, haar oude belager, maar nu was ze blij hem te zien.

'Ismail, hoe ben je binnengekomen?' vroeg ze en realiseerde zich dat hij toegang moest hebben en dat Erik hem dat waarschijnlijk ook had gevraagd.

'Dat vroeg ik hem ook al,' zei Erik. Hij richtte zich weer tot de man tegenover hem.

'Ismail, Abduur is dood. Doodgeschoten, dat weet je toch. Heb je nieuws, is er een verdachte? Zit Bayram hier nu achter of niet? Hoe zit het allemaal! Ik ben godbetert door een paar fijne collega's van je als een crimineel opgepakt, hoe is dat mogelijk!' Erik was opgestaan en had de laatste woorden bijna geschreeuwd. Hij wilde Ismail vastpakken en de antwoorden er desnoods uitslaan.

'Sorry, ik kan er niets over zeggen. Ik weet het ook niet. Ik heb de opdracht om jullie naar het vliegveld te brengen. Jullie gaan naar huis.' Ismail glimlachte erbij, alsof het een cadeautje was.

'Godzijdank,' liet Sigrid zich ontvallen.

'Ho ho, wacht eens,' Erik was het er niet mee eens, 'we zijn hier gekomen om Bayram te zoeken, hem te arresteren en mee te nemen en we hebben nog niets ondernomen om hem te arresteren. We kunnen nu niet naar huis! Onze toestemming is nog steeds geldig!'

'Het spijt me, echt, maar geloof me: het is beter als jullie vertrekken. We kunnen jullie veiligheid niet garanderen. Jullie moeten vertrekken, nu. Bovendien, wisten jullie niet dat Bayram ook de Turkse nationaliteit heeft?'

'Ja, dat zal wel, maar ook de Nederlandse, dus valt hij gewoon onder de Nederlandse jurisdictie. Het is een moordenaar, een vrouwenhandelaar, een drugsdealer en wat al niet. Allemaal ook op Nederlandse bodem uitgehaald en met een Nederlands paspoort en wij hebben de toestemming om hem mee te nemen.'

'Dat was aanvankelijk ook zo, maar het is op hoog niveau besproken en is er iets anders beslist.' Ismail keek alsof het hem echt speet.

'Wat dan?' vroeg Erik.

'Hij is toch echt een Turk en Turkije levert nu eenmaal geen landgenoten uit. Ik kan er niets anders van maken. Ik ben bang dat het verhaal hier stopt. Jullie zijn niet welkom meer. Het is niet mijn beslissing, dat snappen jullie toch wel.'

'Zou ik met je chef mogen praten?'

'Nee, dat is helaas niet mogelijk. Alsjeblieft Erik, maak het nu niet moeilijker dan het is. Laat me jullie naar het vliegveld brengen. Over drie uur vertrekt er een vlucht naar Amsterdam. Die hebben we voor jullie geboekt.'

Erik keek woedend naar zijn Turkse collega. Hij zei een paar momenten niets, draaide zich om en liep naar zijn kamer. Sigrid zuchtte en vertrok naar haar eigen kamer. Een paar minuten later kwamen ze bijna tegelijkertijd hun kamer weer uit, gepakt en wel. Ismail was aan de telefoon en sprak opgewonden in het toestel. Het ging in rap tempo en in het Turks, dus de Friese rechercheurs begrepen er niets van.

'Ik vind het maar niets, we zijn nog nergens aan toe gekomen!' Erik gromde.

'Het lijkt me maar beter dat wij nu eerst teruggaan. Moet je eens kijken wat er allemaal is gebeurd! Daar zijn wij helemaal niet voor opgeleid,' bracht Sigrid daar tegen in. Erik zweeg. Ismail was uitgebeeld, glimlachte vriendelijk en pakte de grootste tas van Sigrid aan.

'Galant, hoor,' zei Erik en droeg zijn eigen bagage naar de lift. Buiten stond de bekende Nissan weer te wachten. Ismail zette de tas van Sigrid achterin. Erik deed hetzelfde met zijn tassen. Hij ging naast Ismail zitten en Sigrid stapte achterin. Erik keek nog eens naar het hotel. Van de buitenkant zag het er inderdaad normaal uit. Er begon iets te praten in het dashboard. Ismail negeerde het.

'Politieradio?' vroeg Erik.

'Ja, is niet voor mij,' zei Ismail en chauffeerde door het drukke verkeer. De stem in het vooronder bleef doorgaan. Erik kon niet verstaan wat er werd gezegd, maar wel dat er kennelijk op antwoord werd gewacht. De stem werd steeds meer kortaangebonden. Hij meende zelfs een keer de naam van Ismail te horen. Maar zeker wist hij het niet.

'Weet je zeker dat het niet voor jou is?' vroeg hij nog een keer.

'Ja hoor, is voor iemand anders.' Ismail bukte voorover en morrelde wat aan een knop. De stem was nu nog wel hoorbaar, maar zo goed als onverstaanbaar. Zwijgend reden ze kilometers door, op weg naar het internationale vliegveld van Istanbul. Ismail sloeg van de weg af en draaide een smallere straat in. De stad veranderde om hen heen. De huizen werden armoediger en hier en daar hingen mensen op straat die de witte Nissan nakeken alsof ze de paus verwachtten.

'Shortcut?' vroeg Erik. Ismail knikte kort. Hij had zichtbaar moeite met het laveren door de smalle straten. Hier en daar stond een autowrak, waar hij ruim omheen stuurde. Groepen kinderen speelden op straat en pas na flink toeteren en langzaam doorrijden weken ze uiteen als een kudde schapen op een boerenweg. De gaten in de weg kon hij niet altijd ontwijken en zelfs de stoere Nissan had er moeite mee.

'Weet je zeker dat we goed gaan?' riep Sigrid vanaf de achterbank. 'Wat is dit voor een sloppenwijk?'

'Dit lijkt mij ook wel een vreemde route,' zei Erik, die zag dat kinderen op een stukje braakland een fikkie aan het stoken waren en daarboven wat aan het braden. Hij hoopte maar dat het geen kat was. Hij zei er niets van. 'Maar onze vriend hier lijkt te weten wat hij doet.' Ismail keek kort opzij, knikte Erik toe en concentreerde zich weer op de weg. 'Je verveelt je geen moment hier.' Erik drukte op het knopje van het handschoenenkastje. Het sprong open en gaf zijn inhoud prijs. Een automatisch pistool zat vastgeklemd in het kastje.

'Je bent goed voorbereid,' zei Erik. Ismail klapte het kastje snel dicht en zei niets. Hij sloeg weer een hoek om en ze reden een soort industrieterreintje op. Er stonden vervallen loodsen en hier en daar een gewoon huis. Ze reden langs een autosloop, waar de stapels banden tot op grote hoogte waren opgetast. Ook zag Erik een berg halfvergane accu's liggen. Hij wees Sigrid erop.

'Er moet hier nog heel wat gebeuren, denk ik. Waar gaan we toch heen? Hoe lang zijn we nu al onderweg? Veel langer toch dan gewoon via de snelweg? Dit lijkt er niet op. Ismail, gaat het echt goed?'

'Ja, ja, geen zorgen…' En het industrieterrein was alweer verlaten. Het landschap werd een beetje vriendelijker, hier en daar was een stukje groen te zien. De huizen werden netter, kleine villa's. Het was nog geen Bos en Duin, maar wel aanzienlijk beter dan daarvoor. Ismail reed onverstoorbaar door. Hij had de snelheid verhoogd, er waren hier beduidend minder kuilen en gaten in de weg.

'Ik weet niet waar we nu weer zijn, maar volgens mij nog lang niet in de buurt van het vliegveld.'

'Waar komen we nu weer in terecht?'

'Ik ga niet opnieuw een cel in…,' zei Erik. Hij keek naar het dashboardkastje. 'Draagt hij ook nog een wapen bij zich, denk je?'

'Dat weet ik niet, niet op gelet ook,' zei Sigrid. 'Wat wil je dan doen? Geen gekke dingen toch?'

'Weet ik veel, weet jij waar we zijn en waar we heen gaan? We maken hier de gekste dingen mee.'

Ismail remde af en reed een oprit in. 'Wat nu weer?' riep Erik. Er ging een hek automatisch open. Ismail reed snel naar binnen en het hek sloot zich achter hen. De auto stopte voor een kapitaal pand, geheel wit met gebeeldhouwde balustraden en een lusthof eromheen. Kwiek sprong Ismail uit de auto, liep eromheen en opende de deur voor Sigrid. Hij reikte haar zijn hand en hielp haar naar buiten. Erik stapte zelf uit.

'Welkom!' zei Ismail en huppelde de trap op, wederom met de tas van Sigrid in zijn hand. 'Kom, volg mij maar.' De rechercheurs keken elkaar aan. Erik knikte, liet zijn schouders hangen en sjokte achter de chauffeur aan.

'Schiet mij maar in de feestverlichting,' zei hij, 'laten we maar kijken wat wij hier nu weer komen doen.' Hij keek om zich heen. 'We gaan er in ieder geval niet op achteruit.' Sigrid liep achter hem aan op zoek naar hun gastheer. In de hal kwamen ze Ismail weer tegen, dit keer vergezeld van een oudere dame. Ze kwam met uitgestrekte arm op de Friezen afgelopen. Erik pakte automatisch de uitgestoken hand aan en schudde deze lichtjes. Hij fronste zijn wenkbrauwen en zag dat de dame het zag.

'Welkom, beste vrienden,' zei ze in accentloos Engels, 'ik neem aan dat mijn zoon goed voor u heeft gezorgd?'

'Uw zoon?'

'Ja, Ismail hier is mijn oudste zoon,' ze wees op Ismail, die er schaapachtig lachend bij stond. 'Maar hemel, waar zijn mijn manieren, loop maar mee, jullie lusten vast wel iets verfrissends.' Ze draaide zich om en liep het huis in. Ismail stuiterde erachter aan.

'Doen we dat?' fluisterde Sigrid tegen Erik. Die keek nieuwsgierig in de richting van de deuren waar hun gastheer en gastvrouw heen liepen.

'Laten we maar gaan kijken, we hebben nu alles al meegemaakt.' De moeder van Ismail had een dubbele deur opengedaan en liep er tussendoor. Ze kwamen uit op een heel groot terras, afgezet met bewerkte zuilen. In de verte was de zee te zien. Onder een grote parasol was een tafel neergezet met een groot aantal stoelen eromheen.

'Ga zitten alsjeblieft,' zei de dame allercharmantst en ging zelf zitten in een van de van dikke kussens voorziene tuinstoelen. 'Ismail!'

De aangesprokene trok hoffelijk een stoel naar achteren en liet Sigrid plaatsnemen. Die lachte vriendelijk en ging zitten. Erik liep naar de balustrade, keek naar beneden en zag een minutieus aangelegde en goed onderhouden tuin met vijvers, gazons en een omzoming met bomen. Toen liep ook hij naar de tafel.

'Thee?' kraaide Ismails moeder en zonder het antwoord af te

wachten schonk ze de reeds klaarstaande kopjes vol.

'Het spijt me,' zei Erik,' vergeef me mijn ongemanierdheid, maar waarom zijn we hier?' De dame keek geschokt en vervolgens keek ze naar Ismail.

'Geduld, mijn jongen, geduld, alles zal duidelijk worden, maar eerst drinken we een kopje thee.'

'Goed, mevrouw,' zei Erik en pakte zijn kopje thee aan. Het leek hem geen dame om tegen te spreken. Hij zag Sigrid gniffelen, terwijl ze van haar thee slurpte. Er werden ook nog hapjes aangeboden, scones, sandwiches, zoete koekjes en taartjes. Beleefd knabbelden ze hier en daar een hoekje af. Erik zat te draaien op zijn stoel. Onrust kolkte door hem heen. Na wat beleefdheden te hebben uitgewisseld, te hebben aangehoord hoe moeilijk het is om tegenwoordig goed personeel te krijgen en een weersvoorspelling te hebben vernomen, kwam men eindelijk terzake.

'Ismail, wil jij onze gasten informeren?' zei de dame en stond op uit haar stoel. Ze groette, wandelde de deuren weer door en verdween uit het zicht.

'Ja, Ismail, informeer ons alsjeblieft!' zei Erik, die het onderhand niet meer kon houden.

'Goed,' zei Ismail en deed een Amerikaanse cowboy na door aan zijn denkbeeldige hoed te tikken. Hij haalde een tasje tevoorschijn dat hij naast zijn stoel had staan. Ritste het open en haalde een dossiermapje tevoorschijn. 'Kennen jullie deze man?' en hij legde een foto op tafel op een A4'tje afgedrukt met een kleurenprinter. Het was een haarscherpe afdruk.

'Ja,' zei Erik en hij sprong op van de zenuwen, 'dat is onze man, dat is Bayram. Hij is degene voor wie we komen!'

'Dat weten we,' zei Ismail.

'Waar is hij? Weet je dat?'

'O, ja, dat weten we.'

'Goed, kunnen we dan gaan en hem oppakken?'

'Ik ben bang dat dat nu niet mogelijk is.'

'Ik heb hier een internationaal opsporingsbevel. Dat is geldig, zelfs hier.'

'Ook dat weet ik, maar we zullen moeten wachten.'

'Wachten, waarom?'

'Die informatie kan ik nu niet prijsgeven. Maar ik beloof je dat je binnenkort een antwoord krijgt.'

'Wat is hier toch allemaal aan de hand? Kun je ons niet wat meer vertellen?'

'Nee, alleen dat we hopen een grote vis te zullen vangen.'

'Voor ons is Bayram die grote vis. Hij wordt verdacht van meerdere moorden.'

'Kun je ons een paar dagen tijd geven?'

'Ik wil meedoen.'

'Wat wil je?'

'Ik wil erbij zijn, ik wil deelnemen aan jullie onderzoek!'

'Dat is niet gebruikelijk.'

'Ik heb het formulier bij me, ik kan de minister van justitie bellen, haar handtekening staat op het formulier!!'

'Ik vraag je alleen een paar dagen geduld te hebben, dat is alles. Daarna, als alles goed gaat, kun je Bayram krijgen, geboeid en al.'

'Sorry Ismail, maar ik heb een hoop meegemaakt de laatste paar dagen en ik wil weten wat er aan de hand is. Ik wil meedoen. Ik denk dat we contact moeten leggen met onze liaison en jouw departement van justitie.'

Ismail keek nadenkend naar zijn Nederlandse counterpart. Daarna staarde hij over het terras in de richting van het water van de baai. 'Best, wacht hier.' En hij liep het terras af, in de richting waar zijn moeder verdwenen was.

'Waarom wil je dat?' vroeg Sigrid, 'straks hebben we Bayram toch en daar kwamen we voor. Kunnen we nog een paar dagen rond-kijken in de stad, ik denk dat we vrij zijn om te gaan en staan waar we willen, toch?'

'Zeg het maar, ik kijk nergens meer van op. Ik zou met Leeuwarden willen bellen. Dit is een avontuur waar ik niet op zat te wachten. Jij wel?'

'Ik had mij er ook wel iets anders bij voorgesteld. Maar je moet toegeven, die moeder van Ismail woont hier prachtig!'

'Dat is waar. Heb je al naar die tuin gekeken? Daar achter, zie je die vijvers? Volgens mij zitten ze vol met Japanse koikarpers. Daar, kijk maar, langs die twee pauwen kun je ze zien zwemmen.'

'Heb je enig idee waar we hier zijn?'

'Volgens mij nog wel in de stad. Istanbul scheidt Azië van Europa en het ligt aan de Bosporus. Tussen de Zwarte Zee en de Middellandse Zee, is het niet? Maar ja, waar we nu precies zijn, dat weet ik ook niet. Volgens mij nog wel in het Europese deel van Turkije. Als ik het mij goed herinner, zijn er twee bruggen tussen Europa en Azië en daar zijn we niet overheen gereden.' Erik was naar de rand van het terras gelopen. 'O, kijk daar eens, ze hebben ook nog een zwembad daar beneden. Een deel open en een deel dicht. Grappig. Volgens mij kan het dak ook nog schuiven.' Ismail was weer terug gekomen. Zijn moeder liep weer achter hem aan.

'Tjonge, het is wel een moederskindje hoor,' siste Sigrid, 'kan niets zonder mammie.'

'De minister van justitie gaat akkoord met jouw aanwezigheid bij het onderzoek. Maar alleen als observator, niet als deelnemer. Je kunt je niet mengen in internationale zaken. Is dat akkoord, moeder?'

'Ja, dat is akkoord. Ik zal dit opnemen met je superieuren. Dus, willen jullie mij verontschuldigen?' De vrouw boog zich naar Ismail, zodat hij haar een zoen kon geven. Erik en Sigrid kregen een slap handje. Er kwam een soort butler aanlopen, die een tas droeg. Hij wilde dat ze met hem mee ging. Ze riep iets in het Turks naar hem. Hij draaide zich op zijn hakken om en verdween weer in de richting waaruit hij was gekomen. 'Sorry, maar de plicht roept, lieve vrienden. Ik moet gaan.' Ze schreed het terras weer af. De butler achterna.

'Een klucht van John Lanting is er niets bij,' mopperde Erik. Ismail was ook weer met zijn moeder mee. Er verscheen nu een vrouw van in de veertig, schatte Erik. Ze had een zwart jurkje aan met een wit schort ervoor. Zwijgend begon ze het theeservies op te ruimen. Erik vroeg of ze nog een glas water kon halen, maar kennelijk sprak ze geen Engels of was het haar verboden om met vreemden op het terras te spreken. Ze reageerde niet. Ismail kwam weer terug.

'Zo, dat is opgelost. Kom, dan wijs ik jullie je kamers. Jullie zijn een paar dagen onze gasten.'

'Je moeder heeft een prachtig plekje hier,' zei Sigrid.

'Ja, het huis is al generaties lang in onze familie,' zei Ismail en Sigrid kon zien dat hij er trots op was.

'Dus op een dag is het van jou?'

'Misschien, misschien, Allah zal het zeggen…'

'Is je familie rijk, Ismail?'

'Nou, niet zo rijk als Warren Buffet of Bill Gates, maar we redden het aardig, ja.'

'En je vader, wat doet die?'

'Niet veel, denk ik. Die is al twee jaar dood.'

'Oh, sorry, Ik wist niet…'

'Geen probleem, je had het ook niet kunnen weten.'

'Dus je moeder woont daar alleen?'

'Ja, maar ze is er zelden. Ze woont meestal in haar appartement in Ankara.'

'Werkt ze daar?'

'Ja, heel veel,' Ismail lachte.

'Oh, ik dacht dat...'

'Ze een treurende weduwe was? Nee. Mijn moeder is waarschijnlijk een van de machtigste mensen in dit land.'

'Echt?'

'Ja, ze is de minister van justitie. Het is haar handtekening, op jullie formulier.'

50

'We gaan naar een dorpje met de naam Alan,' zei Erik die was teruggekomen van de briefing met het team van Ismail.

'Waar ligt dat?' vroeg Sigrid. Ze had op bed liggen lezen: 'The
Lost Symbol' van Dan Brown in het Engels.

'Dat ligt helemaal aan de andere kant van het land, vlak tegen de
grens met Iran aan, in de bergen.'

'En wat is daar?'

'En wie, dat is voor ons leuker.'

'Bayram?'

'Yep. Die heeft daar een boerderij. Ze noemen het anders, ben de
naam weer vergeten, maar laten we het daar maar op houden.'

'En wat doet hij daar?'

'Van daaruit drijft hij handel met vriendjes in Iran. Die leveren
hem papaver, daar maakt hij morfine van en daarvan weer heroïne.'

'Ik dacht altijd dat hier ook papaver werd verbouwd?'

'Was ook zo, gebeurt ook nog wel, maar de controle is hier strenger. In Iran zijn ze met andere dingen bezig. Daarom is dit waarschijnlijk lucratiever.'

'Ik vind het maar moeilijk te geloven.' Sigrid legde het boek
opengevouwen op het bed.

'Wat?'

'Dat die Bayram een internationale boef is. Hoe oud is die jongen
nu helemaal, amper dertig toch? En hij hangt in de stad rond als een
verveelde puber, omringd door kinderen.'

'Die zet hij misschien in als drugskoeriers?' Ze keken elkaar
zwijgend aan.

'Het blijft moeilijk voor te stellen dat hij dat allemaal heeft opgezet,' zei Sigrid.

'Dat heeft hij ook niet, hij is maar een schakeltje in het netwerk. Ismail is ook helemaal niet in hem geïnteresseerd, hij zit achter iemand anders aan. Maar ik ben er nog niet achter wie dat is.'

'Accepteren ze dat we meegaan?'

'We?'

'Ja, wij gaan toch naar dat dorpje, Alan?'

'Er is geen "we", ben ik bang en nee, ze doen lastig. Ze negeren me gewoon. Spreken ook regelmatig Turks met elkaar en ik ben bang dat alleen ik mee mag naar Alan. Ze zijn niet zo heel modern. Een vrouw meenemen op een missie, dat wil er nog niet in hier.'

'Mooi is dat, jij gaat op avontuur en ik kan hier een beetje gaan zitten lezen?'

'Het spijt me, we hebben ons hier ingedrongen. Daar houden ze niet zo van, maar ja, ze moeten wel.'

'Ik vind het maar niets, waarom kunnen we niet gewoon wachten tot ze Bayram hebben aangehouden? Laten ze hun eigen zaakjes regelen!' Sigrid klonk nu echt verontwaardigd.

Erik keek haar vragend aan en zette een grote zwarte weekendtas op het bed.

'En wat zit daar allemaal in?'

'Uitrusting, die mocht ik lenen. Wel een beetje luguber, het was van een van de mannen van het team en die is vorige maand doodgeschoten bij een actie. Het zou mijn maat wel zijn, zeiden ze.'

Sigrid zei niets. Ze keek fronsend toe hoe Erik de tas openritste en de inhoud eruit schudde. 'Het lijkt wel een ME-tas.' Erik pakte een jasje en probeerde of het paste. Het was van een heel dicht geweven stof. 'Lijkt wel kevlar. Het is niet zwaar en het past ook goed.'

'Zitten er kogelgaten in of oud bloed?'

'Nee, gek, ik denk niet dat ze dat terug zouden hebben gestopt, denk je wel?' Sigrid haalde nors haar schouders op. Erik paste nog meer kledingstukken. De doodgeschoten man moest inderdaad even groot zijn geweest als hij. Er zaten twee paar schoenen in de tas. Soldatenkistjes en een soort zwarte sportschoenen. 'Met stalen zolen, dan toch,' zei Erik, 'kijk maar, ik kan ze niet vouwen en zo te voelen is er ook een stalen neus in verwerkt.'

'Passen die jou ook?'

'Maat 44, dus dat moet kunnen, lijkt me.'

'Ook lekker fris, schoenen van een dode man.'

Met weerzin rook Erik aan het schoeisel. 'Ruikt nergens naar, hij was zeker erg schoon op zichzelf of hij heeft ze niet vaak aangehad. Olala, kijk eens hier…' hij haalde een zwart foedraal uit de tas.

'Wat is dat, een pistool?'

'Yep,' Erik trok het zwarte pistool uit zijn hoes. Hij bekeek het nauwkeurig. 'Het is een CZ, type 75 Automatisch, Tsjechisch dus.' Hij keek nog eens in het foedraal en haalde drie magazijnen tevoorschijn.

'Lijkt wel op onze Walther,' zei Sigrid. 'Zitten er ook patronen bij? Dat zal toch niet?'

'Nee, de houders zijn leeg, het wapen is goed onderhouden zo te zien. Goed vet ook. Maar wat is dat hier?' Erik had het pistool omgedraaid en keek naar de onderkant. Hij pakte een van de magazijnen en klikte die in de kolf. 'Dat is gek,' mompelde hij en pakte een tweede magazijn. Dat was van een ander formaat dan het eerste. 'Dat moet hier!' en hij schoof het onder de loop voor de trekkerbeugel. 'Het is een dubbelgeladen wapen, kun je mitrailleur mee spelen! Daarom ook een extra koeler op de loop. Wat een gek ding.'

'Maar geen patronen om af te schieten,' mopperde Sigrid. 'Dus je hebt er niets aan. Je kunt er hooguit mee slaan of mee gooien.' Erik borg het wapen weer op en graaide verder tussen de uitrustingstukken. Weer hield hij iets omhoog om het Sigrid te tonen, maar die vond het genoeg geweest.

'Wanneer moet je weg?'

'Over een uur zouden ze me komen halen,' Erik keek op de klok, 'en dat is nu over tien minuten, ik mag me wel aankleden.' Hij pakte de spullen van het bed en liep naar zijn eigen kamer.

'Moet je ook nog oorlogskleuren op?' riep Sigrid hem na, maar hij gaf geen antwoord. Ze keek uit het raam met een verbeten trek om haar mond. Nog geen vijf minuten later was hij terug en hij had alles aangetrokken.

'Je lijkt wel een lid van het arrestatieteam,' zei ze kribbig. 'Heb je alles aangetrokken wat je in de tas kon vinden?'

'Zo goed als, het is wel een beetje warm.'

'Heb je dat allemaal wel nodig?'

'Ze smeten me die tas toe en zeiden er verder niets bij.'

'Ik weet niet of je dat pistool wel bij je moet dragen, dat vinden ze vast niet leuk.'

'Hm, het zat wel in de tas, nou ja, ik houd het maar bij me. Ik vraag wel aan Ismail wat hij ermee wil. Ik neem trouwens ook mijn mobieltje mee. Als ik terug ben kunnen we Wessel bellen.'

'Hoe gaan jullie erheen? Met de auto zal het wel een poosje duren.'

'Vliegen, geloof ik, ik begreep dat ze een Hercules hebben voor dit soort acties. Het is een groot land en sommige delen zijn met een auto niet eens te bereiken.'

'Misschien moet je er wel uitspringen. Zat er ook een parachute in die tas?' Erik werd een beetje wit.

'Dat zal toch niet? Nee, er zat niets in die tas dat op een parachute lijkt.'

'Hoor eens, je moet het allemaal zelf weten, maar ik ben het er niet mee eens. Ik vind dit een onbezonnen daad. Die lui kunnen het af zonder jou. Je verstaat ze niet eens, hoe communiceer je dan tijdens een actie?!'

'Ah, daar komen ze,' zei Erik, blij met de onderbreking. Er stond een donkergrijs bestelbusje zonder ramen voor de deur. Iemand was uitgestapt en stond omhoog te kijken. 'Ik ga, ze wachten op me.' Hij liep naar de deur. 'Je ziet me wel weer verschijnen hè.'

'Dat mag ik hopen ja.' Sigrid stond het huilen nu nader dan het lachen. Erik stapte de deur uit. Hij keek niet om.

De zijdeur van de VW Transporter werd opengetrokken. Er zat een aantal mannen in, in dezelfde kleding als Erik. Er werd niets gezegd. Hij stapte in en wrong zich op een bank naast een rij Turkse collega's. De chauffeur stapte ook in en de auto zette zich in beweging. Aanvankelijk leek het of het busje helemaal geen ramen had, maar nu zag hij dat de ramen donkergetint waren. Buiten zagen ze schimmen voorbijtrekken, terwijl het een stralende dag was en de zon ongenadig brandde. In het busje was het koel, bijna koud zelfs. Net als de sfeer. De mannen maakten zonder woorden duidelijk dat ze niet op hem zaten te wachten. Ze reden de snelweg op en voor het eerst zei iemand iets. Het was in het Turks, dus Erik kon het niet verstaan. Het was zeker grappig, want een paar anderen lachten. Geen dijenkletser, maar meer een soort grinniken. Het zou over hem kunnen gaan, maar misschien ook niet. Hij knikte vriendelijk tegen de mannen die hun hoofd draaiden om naar hem te kijken. Ismail was er niet bij, ook niet op de voorbank. Zwijgend keek Erik naar buiten en af en toe op zijn horloge; ze waren nu al anderhalf uur onderweg. Naar een vliegveld ergens, vermoedde hij. Net toen hij een beetje wegdommelde, remde het busje af, maakte een scherpe draai en stopte voor een slagboom. Een man in uniform kwam naar het raampje. Hij keek wie er aan het stuur zat, deed haastig een stap naar achteren, salueerde en maakte een gebaar van doorrijden.

Het was inderdaad een vliegveld, zag Erik. Militair, zo te zien: er liepen soldaten rond en er reden legertrucks heen en weer. Ze reden het vliegveld in hoog tempo over en stopten bij een viermotorig propellervliegtuig. Het was grijs geschilderd en de laadklep achter in het vliegtuig stond open. De mannen klommen soepel uit de bus. Ze zeiden nog steeds niet veel. Iemand schreeuwde iets en ze gingen op een rij staan. Erik stond er een beetje bij, moest hij er nu naast gaan staan? Of juist niet? Weer klonk er een bevel. Ze sprongen in de houding en het was echt springen, zag Erik. Een van de anderen liep voor de mannen langs en zei een paar woorden. Toen weer een bevel en het moment was weer voorbij. De mannen lachten en pakten hun tassen uit de auto.

Er kwam een jeep voorrijden. Het was een echte jeep, maar wel van Russische makelij. Naast de bestuurder zag Erik eindelijk een bekend gezicht: Ismail. Als een kat sprong Ismail uit de auto, liep op Erik af en schudde hem de hand. Toen riep hij iemand bij zich en zei in het Engels tegen hem dat hij zich over Erik moest ontfermen. De persoon die nu oppasser was geworden protesteerde, maar een blik van Ismail deed hem snel zwijgen. Hij salueerde en Erik meende een woord op te vangen.

'Overste? Noemde hij je overste?' vroeg hij verbaasd.

'Ja, waarom niet. Ik ben luitenant-kolonel.'

'Hè, luitenant, zei je ooit?'

'Klopt toch ook, alleen kwam er nog iets achter.'

'Jij bent een fraai portret,' zei Erik.

'Dat is niet onwaar. Ga jij mee met de sergeant? Hij zal op je letten. En Erik?'

'Jawel, overste,' zei Erik en salueerde.

'Zul je jezelf onzichtbaar maken tijdens de actie?' Erik tikte nog een keer aan zijn denkbeeldige pet en liep zijn begeleider achterna. Die was over de laadklep het vliegtuig ingelopen. Er stonden een paar rijen stoelen achter de cockpit. Daar moest hij gaan zitten, wees de sergeant hem aan. Ondertussen werd de jeep van Ismail naar binnen gereden en vastgesjord. Er werden ook kisten ingeladen, mooi afgewerkt met kunststof of aluminium. Erik vroeg zich af wat erin zat. Hij stond naast de stoeltjes in het vliegtuig, die er niet erg comfortabel uitzagen. Zijn reisgezelschap kwam nu ook naar binnen. Ze zochten allemaal een stoel uit, maar lieten er steeds een tussen. Ze stonden ook wel heel erg dicht op elkaar en Ismail kwam erachteraan. Hij zei niets, maar liep door naar de deur voor in het vliegtuig en verdween uit het zicht.

De mannen gingen zitten en gespten zich vast in de riemen, die aan de stoeltjes hingen. Er klonk een kabaal; met een hoge elektrische zoemtoon en een luid geknars sloten de laaddeuren zich. Een van boven en een van beneden, die de streep ertussen steeds kleiner maakte totdat er niets meer te zien was. Er ging een groene lamp branden, pal voor Eriks neus. Hij hoorde dat de motoren werden gestart, maar kon niet veel zien buiten. Het duurde zeker een kwartier voordat alle motoren lekker draaiden en toen ze dat eenmaal deden, was de herrie binnen oorverdovend. Erik keek naar zijn kameraden, die hadden allemaal een koptelefoon op. Waar hadden ze die zo snel vandaan gehaald? Hij wees op het hoofd van de anderen en daarna op zijn eigen oren en warempel, hij kreeg er ook een toegesmeten. Dat was niets te vroeg, want het vliegtuig was gaan rijden en weer gestopt, waarbij de motoren op vol vermogen werden aangezet. Met een schok kwamen ze weer in beweging. Zelfs met de dempende koptelefoon op was het lawaai van de razende propellers als van een op hol geslagen fabriek. Erik stak zijn duim op naar zijn begeleider en wees op zijn oren. Die glimlachte zelfs. Erik vroeg zich af of er massieve wielen onder het transportvliegtuig zaten, zo rammelde het tijdens het rijden op de startbaan, het leek wel of er geen einde aan kwam, maar toen waren ze los. Het kostte kennelijk veel moeite. Een Hercules was een mooi vliegtuig om te zien, maar je moest er niet in hoeven zitten. Hij vroeg zich af hoe het zou gaan als ze volgeladen waren. Het duurde zeker twintig minuten voordat ze de kruishoogte hadden bereikt. Toen klonk er een signaal. Iedereen deed de gordels af en stond op om door elkaar te lopen. Er stonden twee jeeps in het ruim, zag Erik. Die andere had hij in het begin helemaal niet gezien. Ze waren met negen man, elf als je Ismail en hemzelf meetelde. De kisten werden geopend. Er kwamen automatische geweren uit. Het leken wel AK-47's. Avtomat Kalasjnikova obraztsa

1947, zoals de officiële Russische naam voor dit wapen luidde. Dat had hij ooit onthouden van een documentaire op Discovery. Ismail kwam de laadruimte binnen. Ook hij kreeg een automatisch wapen. Erik liep naar hem toe en vroeg zich af of hij er ook een zou krijgen.

'AK-47?' vroeg hij en wees naar een geweer.

'Nee, nee, geen beledigingen alsjeblieft, dit geweer is veel beter! Het is de Mehmetcik 1, van Turkse makelij. Superieur! Dat wil zeggen, nu wel. Ze hebben het kaliber zwaarder gemaakt en nu is het perfect. Ik zou niets anders willen.'

'Krijg ik er ook een?' vroeg Erik. Ismail begon te lachen en schreeuwde iets in het Turks naar de mannen, die zich allemaal omdraaiden en lachten. Ze stootten elkaar aan en wezen op de Friese rechercheur. Erik lachte wat mee, als een boer met kiespijn.

'Beter van niet,' zei Ismail en hij laadde zijn Mehmetcik door er een patroonhouder in te schuiven en een grendel over te halen. Erik wilde dat ze de CZ die hij in zijn uitrusting had gevonden niet hadden afgepakt. Dan had hij nog wat gehad… Hij begon zich af te vragen of dit een goed idee was geweest. Waarom moest hij per se mee? Wat had dat voor zin? Sigrid had een punt gehad, besefte hij nu wel. Wat deed hij hier in vredesnaam in een brullende Hercules met een stel Turkse bruten, die hem liever kwijt dan rijk waren. Hoe zouden ze op de plaats van bestemming te werk gaan? Ze zouden toch niet echt springen? Hij keek rond en zag een rek met parachutes aan de wand. Maar niemand maakte aanstalten om er een te pakken. Ze waren allemaal bezig met het nakijken, schoonmaken en laden van hun Turkse wondergeweren. Ismail stond met een paar anderen een plattegrond te bekijken. Ze waren er maar druk mee, elkaar dingen aanwijzen en in het oor schreeuwen. Erik ging weer op een stoeltje zitten. Hij zou het wel zien. Langzaam kwamen de mannen tot rust en namen hun plaatsen weer in.

Er werd niet meer gesproken, kennelijk waren ze in de buurt van hun bestemming. Ze hadden bijna drie uur gevlogen. Was dat land echt zo groot? Het leek wel of ze snelheid aan het minderen waren. Ja, het was echt zo, de vaart werd eruit gehaald, de motoren draaiden minder snel. Het vliegtuig begon te dalen. Ismail bleef dit keer in het ruim en ging ook op een canvasstoeltje zitten. Hij brulde wat bevelen naar de mannen, die prompt hun riemen begonnen vast te gespen.

'Maak je riem vast!' riep Ismail naar Erik, 'dit wordt een harde landing. De landingsbaan is kort. Een beetje te kort voor de C30,' en hij lachte luid. Dat was geen fijne mededeling, dacht Erik en trok de vierpuntsgordel zo strak aan dat hij nog nauwelijks kon ademhalen. Hij zag dat Ismail niet had overdreven, want de anderen keken strak voor zich uit. De spanning was voelbaar. Al die tijd waren ze aan het dalen, Erik kon het voelen. Buiten was het donker geworden. De motoren waren nu helemaal uitgezet, leek het wel. Ze maakten een scherpe duik, Erik werd in zijn riemen gedrukt. Er begon iemand te bidden, zo klonk het althans. Zijn buurman gaf hem een duw en het hield weer op. De motoren begonnen weer te draaien, maar Erik had geen idee hoe hoog of laag ze zaten. Plotseling stootten ze op de bodem en er ging een ziedende schok door het vliegtuig. De motoren begonnen vol gas te malen alsof ze eraf moesten. Die werden waarschijnlijk in de achteruit gezet! Alles rammelde en trilde toen de wielen de grond weer raakten. Er viel een parachute uit zijn rek op Eriks hoofd. Hij schrok zo, dat hij een kreet slaakte. Dat kwam hem op een boze blik te staan van een van de anderen, die waarschijnlijk weer schrok van Eriks schreeuw. Nu leek het hele vliegtuig scheef te trekken! Erik merkte dat hij zich schrap zette, hij klemde zich vast in zijn stoeltje en drukte zich met zijn voeten in het canvas. Alles in het vliegtuig schudde en maakte lawaai. De motoren buiten draaiden op vol vermogen. Het zou hem niets verbazen als ze gewoon van de vleugel af zouden scheuren. Ergens achter hem sloeg metaal op metaal met een geweld alsof Thor met zijn hamer op het aambeeld in de hemel aan het timmeren was. Hij hoopte dat de jeeps goed vastgesjord waren, hij keek maar niet achterom. Boven alles uit hoorde hij dat de remmen werden aangetrokken. Het gieren van de banden was binnen te horen. Het hele toestel werd nu weer naar de andere kant getrokken. Misschien heft het elkaar op, dacht Erik positief en opeens kwam alles tot rust. Ze stonden stil. De motoren werden een voor een tot zwijgen gebracht en de stilte trad in. Er klonk wel een zachte fluittoon, maar dat was niets vergeleken met de hel die daarvoor had geklonken. Er ging een groen licht aan en de mannen wierpen de gordels los, sprongen uit hun stoeltjes en schreeuwden allemaal door elkaar. Ze waren net zo opgelucht als Erik, die voelde dat er een traan langs zijn wang liep. Van de spanning, dacht Erik. De laadklep werd al geopend en de mannen begonnen met het losmaken van de jeeps. Erik keek en zag dat er nog maar een sjorband echt goed vast zat. De andere waren allemaal losgetrild. Dat zou leuk geweest zijn, overreden door een jeep op drie kilometer hoogte.

51

De Turkse nacht was donker. Zijn ogen waren er nog niet aan gewend, ondanks dat het in de Hercules niet erg licht was geweest. De jeeps werden langzaam naar buiten gereden en de mannen stapten in. Het was wat krap met zijn allen. Erik vond een plekje op het reservewiel, waar hij achterstevoren op ging zitten. Comfortabel was het niet, hij hoopte dat ze niet erg ver zouden moeten rijden. Achter hen verdween het vliegtuig in het donker. Het vliegveld waar ze waren geland – was het wel een vliegveld? – werd snel verlaten. Ze passeerden een hek en dat was het dan.

Het was koud, hij was blij dat hij de volledige uitrusting had aangetrokken. Huiverend klampte hij zich vast aan de jeep en probeerde er niet uit te vallen toen ze over de lokale wegen begonnen te bonken. Hij vroeg zich af of er wel vering was aangebracht in dit type jeeps. Heel af en toe kwamen ze een straatlantaarn tegen die een beetje licht gaf, maar voor het grootste deel was de Turkse nacht eindeloos zwart. Boven hen waren wat sterren te zien, maar Erik keek niet te veel omhoog, bang dat hij zou vallen. Hij begon zich af te vragen wat ze zouden gaan doen. Hij was alleen maar meegekomen om Bayram aan te houden en mee naar huis te nemen. Maar die kon nooit mee in de jeeps, die zaten al veel te vol.

Eindelijk stopten ze. Het was een plek als alle andere, donker en verlaten van God en de wereld. Gedempt spraken de mannen met elkaar. Kennelijk waren ze in de buurt. Er werden helmen opgezet waar nachtzichtcamera's op waren gemonteerd. Ismail had er gelukkig ook een voor Erik. Hij zette hem op en iemand deed hem voor hoe je de kijker aan moest zetten. De mannen waren erg serieus nu, er werd niet meer gelachen en nog maar nauwelijks gesproken onder elkaar. Erik schrok toen de kijker begon te werken. Hij zat maar voor een oog, dus met het andere oog was hij stekeblind, maar met de nachtkijker zag hij de contouren van de dingen om hen heen. Ze waren in de bergen, die hij kon zien alsof ze getekend waren. In de verste verte was er niemand. Geen huis, geen boerderij, geen dorp, niets dan kale bergen. Er groeide ook niets dan wat onkruid. Als iemand eenzaam wilde wonen, dan kon hij hier zijn hart ophalen. De reis te voet begon. Ismail kwam naast hem lopen.

'Kun je wat zien?' vroeg hij.

'Uitstekend met één oog, het andere is blind.' Ismail lachte kort, 'wees alert, denk om je veiligheid!' en hij liep de nacht weer in naar de kop van de kleine groep dappere mannen. Erik probeerde ervoor te zorgen dat hij niet de laatste man werd. Als hij hier zou zoekraken, had hij echt een probleem. Ze hielden een straf tempo aan en dankzij de nachtkijker kon dat ook. Je zag alle hindernissen alsof het dag was, maar wel zonder kleuren. Een slechte zwart- wit televisie, dacht Erik, daar doet het nog het meest aan denken.

Ze gingen omhoog nu en hij merkte dat zijn conditie niet meer was zoals vroeger. Hij begon al snel te hijgen. Bij Jove, hoe hielden zij het vol? Niemand van de anderen leek er last van te hebben. Zijn benen begonnen te schroeien en het zweet druppelde langs zijn kevlar kleding in zijn ondergoed. Het was onbehaaglijk koud geweest toen ze uit het vliegtuig stapten, maar nu wilde hij dat hij minder kleren had aangetrokken. Tandje voor tandje trok hij een rits los van zijn schervenwerende vest. Het hielp niet echt. Met dank aan kevlar, dacht hij. Met een ouderwets, kilo's wegend vest had hij dit vast niet gered.

De groep stopte, godzijdank. Even bijkomen! Er ging een fles water rond. Gretig nam Erik een paar slokken en begon meteen te hoesten. Daar moesten de mannen om lachen. Het was geen water, maar raki of een ander zelfgestookt smerig drankje. Maar dat moment duurde maar heel kort, ze waren allemaal veel te gespannen voor om grappen te maken. Dankzij de nachtkijker kon Erik dat goed zien. Ismail briefde de groep opnieuw. Hij wees naar een heuveltop in de verte. Zou daarachter de boerderij of wat het dan ook maar was, van Bayram liggen? Waarvoor ze waren gekomen? Het zou hem benieuwen. De middernachtelijke droppings bij de ME op de Veluwe had hij ook al nooit zo heel leuk gevonden. Ah, de wapens werden tevoorschijn gehaald, doorgeladen en een laatste keer nagekeken. De meesten hadden ook een paar handgranaten bij zich, zag Erik. Die had hij nog niet eerder gezien. Kolere, trekken we ten strijde? Het waren meer soldaten dan politieagenten. Ismail zag hem naar de granaten kijken.

'Flash and stun,' zei hij kort en Erik knikte, alsof hij dat al had begrepen. Sommigen klikten een groot vizier op hun Mehmetcik, waarschijnlijk ook met nachtzicht. Het ging gebeuren, opeens zetten ze zich weer in beweging en het ging weer omhoog, de heuvel op. Erik had nog steeds moeite met ademhalen, de lucht moest hier erg ijl zijn. Maar hij klaagde niet en rende dapper mee met de rest, voor geen prijs bleef hij achter. De top van de heuvel kwam in zicht en het tempo ging eruit. In plaats van rennen werd er nu stap voor stap gelopen. Een man met het wapen in de aanslag voorop, die steeds naar opzij en naar de grond keek. Een ander er vlak achter, die keek wel naar voren. De rest in een enkele sliert erachteraan. Erik als een na laatste. De laatste was zijn oppasser, de sergeant, die overigens vaak achterom keek. De verkenner liet zich plotseling op zijn buik vallen. Iedereen verstijfde en dook in elkaar. Erik ook, maar omdat hij zo ver naar achteren stond, zag hij niets. De anderen kropen op hun buik naar voren en verspreidden zich. Hij deed maar mee. Zo lagen ze gezellig op een rijtje bovenop een heuveltop en voor het eerst kon hij daar wat zien. Daar lag het doel. Maar om dit een boerderij te noemen moest je wel veel fantasie hebben. Het leek meer op een Duits concentratiekamp. Er stond een hek van zeker drie meter hoog omheen, voorzien van dicht op elkaar geplaatst prikkeldraad. In het midden iets wat nog het meest op een loods leek en die was helemaal dicht, zonder ramen en niet zichtbaar vanuit waar zij lagen. Voor het eerst zag Erik ook beweging. Tussen de loods en het hek liepen mensen en die waren bewapend. Met hele grote geweren.

Ik ben in MacGyver terechtgekomen, dacht Erik bijna hardop. En wat nu? Kwam het A-team met een omgebouwd busje door de hekken te rijden? Wat zouden ze gaan doen? Voor de tweede maal had hij spijt dat hij was meegegaan. 'Sorry, Sieg,' mompelde hij. Hij kreeg het opeens heel erg koud, zo erg dat zijn tanden zouden klapperen als hij zijn onderkaak niet zo stijf had aangeklemd. Er werd een teken gegeven: de Turkse AE begon naar beneden te tijgeren. Als slangen gleden ze over de grond, bijna zonder geluid te geven. Dat had hij ook ooit moeten doen, maar dat was alweer lang geleden. Zijn voordeel was dat hij geen geweer op zijn armen hoefde te dragen, noch enig andere uitrusting. Op ongeveer vijftig meter van het hek was een natuurlijke bult in het terrein, daar verzamelden ze zich weer. Erik kon er niet helemaal achter liggen en drukte zich maar zo plat mogelijk tegen de grond. Hij dacht aan het ongedierte dat hier vast wel zou zitten. Schorpioenen zonder twijfel, maar ja, dat moest dan maar. Slangen? Die kwamen hier ook voor. Adders, heel veel addersoorten zaten hier. Addergebroed! Was dit niet het land van de reuzenadders? De Macrovipera lebetina obtusa? Hij speurde om zich heen en probeerde het donker te doorboren met zijn kijker. Maar het was een lichtversterker en waar geen licht was, zag je ook niet veel. Hoorde hij niet iets? Ratelde er iets? Bewoog er iets? Zelfs met zijn nachtkijker op, zag hij niets. God, nee, laat het niet waar zijn. Erik wilde weer opstaan, niet meer op de grond liggen, maar dat zou nu vast niet als een juiste actie worden gezien.

De wacht kwam voorbijlopen, hij had een stormlantaarn in zijn hand. Het was bijna kijken in het licht van een vuurtoren met de nachtkijker op. Erik kneep zijn kijkeroog dicht en keek met zijn blinde oog. Dat was beter. Hij kon goed zien dat ze voor het gebouw een klein vuurtje hadden gemaakt en dat daar nog twee mannen zaten. Een van de collega's naast hem begon zijn geweer aan te leggen. Er klonk een zachte 'poff,' meer een zucht dan wat anders en de man met de stormlantaarn zakte in elkaar.

Godallemachtig! dacht Erik, schieten ze die kerels zonder enige waarschuwing overhoop? Er klonken nog twee gedempte knalletjes en alle drie de mannen waren niet meer. Bij Allah, waarschijnlijk. Zijn hart bonkte in zijn keel, zo koelbloedig, zo zonder enige menselijkheid had hij nog nooit iemand van zo dichtbij zien doden. Ze stonden op en liepen gezamenlijk in de richting van het hek. Geconcentreerd en op hun hoede, nog steeds een kijkend naar de grond en de ander vooruit.

Het toegangshek was slecht beveiligd: twee kettingen met een groot hangslot. Daar maakte de schaar korte metten mee. Had iemand ook nog een betonschaar van een halve meter meegenomen, dacht hij verbaasd. Waar had hij die dan gelaten? De ketting werd opgevangen en zachtjes op de grond gelegd. Een ander was het hek langsgelopen en had aan de randen gevoeld. Maar kennelijk was er geen elektronica aangetroffen. Zonder problemen ging het open. Er stonden drie middelgrote vrachtwagens voor de deur. Er was dus wel een weg naartoe, ze hadden niet hoeven lopen.

De loods was van simpele, golfijzeren platen, die flink verroest waren. Er liep een koppel naar links en een koppel naar rechts. Die gingen bij de neergevallen mannen kijken en die waren dood en bleven dat ook. Ten teken daarvan stak een van de mannen een duim omhoog. In het midden van de loods zat een grote deur. De vrachtwagens konden er door naar binnen rijden en die deur was dicht. Ze liepen ernaartoe. Erik hoorde de mannen iets fluisteren, het leek op 'camera', maar zeker was hij er niet van. Hij keek omhoog en verdomd, daar leek een kleine zwarte dôme te zitten. Hij trok de sergeant aan de mouw en wees naar boven. Die leek te schrikken en siste iets tegen de anderen. Een geweer werd geheven, er klonk weer een plop en de camera was niet meer.

Dat was het sein, Ismail rende naar de deur en probeerde die open te trekken. Hij zat potdicht. Iemand anders kwam naar voren en deed iets met het slot. Iedereen deed snel een paar stappen achteruit en stak de vingers in de oren. Er klonk een knal en ook het slot was niet meer. Snel werd de grote roldeur opengetrokken. De mannen stormden met de wapens in de aanslag naar binnen. Om daar op een nieuwe muur te stuiten met een betere deur dan die daarvoor. Ook hier werd springstof aangebracht. Een knal, de deur vloog open en er kwamen twee mannen naar buiten rennen met zware automatische wapens. Net zo snel en zo vakkundig als daarvoor werden ook hun kaarsjes uitgeblazen. Erik rukte zijn nachtkijker af, hij had in het mondingsvuur van een van de geweren gekeken en zag nu sterretjes met zijn nachtoog. Hij kneep zijn verblinde oog dicht en wist met zijn andere nog iets te zien. Het was goed dat hij zijn nachtkijker af had, want opeens gingen er lampen aan die de loods en de omgeving in het licht zetten. Daar hadden de anderen niet op gerekend, want overal hoorde hij gevloek en zag hij dat ze hetzelfde deden als wat hij zo juist had gedaan.

Ismail stond een paar meter voor Erik met zijn wapen in de aanslag te vloeken. Hij tastte in het rond. Er kwam nog een man door de opengeblazen deur, met een pistool of een revolver in zijn hand. De man schoot in de richting van Ismail. Die zag hem niet komen, hij was nog steeds verblind door de halogeen lampen. Zonder erover na te denken wierp Erik zich op zijn Turkse collega. Samen vielen ze op de grond. Hij hoorde de kogels over zich heen fluiten. Dat was een bekend geluid; tijdens zijn ME-opleiding was er ook eens met scherp over hem heen geschoten. Een kogel floot echt door de lucht, wist hij. Het was geen filmisch grapje. De man schoot zijn magazijn leeg en probeerde daarna weg te rennen. Een van de anderen had kennelijk het zicht weer terug, want hij ging de man achterna en wist hem te tackelen.

'Gaat het?' vroeg Erik aan Ismail, nadat hij van hem af was geklommen. Ismail zei niets, keek om zich heen en ging rechtop zitten. Zijn geweer gericht op de deur. Op zijn knieën kroop hij naar voren en riep een paar woorden tegen de anderen.

'Je hoeft me niet te bedanken, hoor,' mopperde Erik en bleef een moment liggen. De verrassingen waren vast nog niet voorbij. Zijn oppasser kwam naar hem toe en klopte hem op de schouder. Erik keek om en zag dat de sergeant grijnsde.

'Teşekkür ederim,' zei hij.

De groep stond nu om de deuropening heen. Binnen brandde licht, maar Erik kon niet zien wat er gebeurde. Iemand drukte zich met zijn rug tegen de muur en gooide een granaat naar binnen en meteen daarna nog een. Vrijwel onmiddellijk klonken explosies, gevolgd door een lichtflits. Brullend stormde iedereen de deur door. Erik stond alleen in de Turkse nacht. De mannen schreeuwden, maar daarna werd het stil. Waren ze gedood? Of misschien in een bodemloze afgrond gevallen? Even voelde hij zich radeloos. Wat moest hij nu doen? Stel je voor dat hij hier alleen zou blijven, zonder de groep politiemensen en met vijf dooien om zich heen… Hij was niet helemaal alleen, verderop lag nog een boef plat op de grond. Hij was geboeid aan handen en voeten en had een zak over zijn hoofd. De man lag er wel heel stil bij. Tegen beter weten in liep Erik naar de man toe. Hij keek een poosje op hem neer en bestudeerde de man. Maar de man bewoog niet, geen beweging, geen adem, niets. Erik begon zich zorgen te maken. Hij zou toch niet dood zijn? Allemachtig, wat ben ik aan het doen, dacht hij en knielde bij de man neer. Behoedzaam duwde hij een keer tegen zijn schouder, maar er gebeurde niets. Na enige aarzeling stak hij zijn hand uit en voelde aan de hals van de man op de grond. Niets. Hij voelde helemaal niets.

En toen doofde het licht, zowel de floodlights die de omgeving in brand zetten, als de lichten binnen gingen uit. Het was weer zo donker als het graf. Erik zag geen hand voor ogen en hoorde evenmin iets. Wat nu weer? Hij zou hier toch niet echt alleen overblijven?

Hij wist niet eens waar die jeeps stonden. En als hij die zou kunnen vinden kon hij er nog niets mee, want ze zouden de sleutels er vast niet in hebben laten zitten. En zelfs al kon hij een auto aan het lopen krijgen, dan zou hij nog niet weten waar het vliegtuig stond.

Hij herinnerde zich dat hij zijn telefoon bij zich had. Toch fijn dat hij die weer had teruggekregen van de generaal, dacht hij, maar waar is het ding? Ergens in een van de vele zakken van zijn uniform. Hij klopte ze af, maar kon hem niet vinden. Hij had dat ding toch bij zich? Toen vond hij hem in een afsluitbare zak in zijn broek. Hij zette hem aan. Geen bereik. Dat had hij ook niet gedacht. Maar hij had wel een beetje licht.

In de fabriek was het nog steeds stil. Erik besloot te gaan kijken. Behoedzaam liep hij in de richting van de deur. Hij struikelde en uitte een korte schreeuw van schrik. Met het LED-lampje van zijn telefoon scheen hij op de vloer. Daar lag een tros touwen en daarover was hij gestruikeld. Binnen in de loods was het donker en stil. Hij bleef in de deuropening staan en luisterde zo goed hij kon, maar hij hoorde niets, helemaal niets en hij zag ook niets. Zat hier een put achter de deur, waarin iedereen te pletter was gevallen? Er waren zwaar bewapende politieagenten naar binnen gerend en die waren weg. Verdwenen, spoorloos.

Hij schuifelde naar binnen en voelde zijn eigen hart. Het was dus geen onzin, dat je je hart in je keel kon voelen kloppen, dacht hij. Dat voelde hij nu: letterlijk. Hij schoof zijn rechtervoet over de vloer naar voren, maar voelde geen afgrond. Gewoon een harde vloer, zoals je in een loods verwacht en waarschijnlijk van beton. 'Shit,' zei hij hardop en liet zich op zijn knieën vallen. Hij begon nu met zijn handen de vloer af te voelen. Niets, hij voelde een gladde vloer met hooguit vuil en stof.

Als een werkster die weinig zin had, dweilde hij de vloer en kroop meter voor meter vooruit. Af en toe zette hij zijn telefoon aan en probeerde iets te onderscheiden. Hij kneep zijn ogen samen en bewoog het toestel rond als een lantaarn. Maar meer dan een halve meter zicht had hij niet en hij hoorde nog steeds helemaal niets. Erik ging rechtop zitten en strekte zijn handen voor zich uit: hij greep in de lucht.

Opeens hoorde hij iets, zijn hart sprong weer in zijn keel en probeerde via zijn slokdarm het lichaam te verlaten. Maar hij kon niet thuisbrengen wat het was. Iemand of iets maakte dat geluid. Hij hield zijn adem in en richtte zijn hoofd in de richting van het geluid, maar het was al weer weg. Even verbeeldde hij zich dat hij werd geobserveerd door iemand met een nachtkijker. De angst sloeg nu echt toe. Zonder te bewegen bleef hij in dezelfde houding zitten. Het geluid was een beetje schuifelend, ergens achter hem. Maar zeker weten deed hij het niet. Misschien was het een beest, een rat of een egel. Of een slang? Het zweet brak hem uit.

Na drie minuten als bevroren te hebben gezeten, liet hij zich weer voorover zakken en tastte zich verder op weg naar… Naar wat? Het luik waardoor de mannen waren verdwenen? Een deur naar een andere ruimte? Hij had geen idee wat hij aan het doen was, maar buiten zitten wachten was ook geen optie. Weer klonk er ergens een krassend geluid en weer sloeg zijn hart een slag of twee over. Hij moest er belachelijk uitzien, waarschijnlijk pikzwart van het vuil met opengesperde ogen en dito mond, starend in de donkere duisternis.

Maar meer dan dat geluid kwam er niet en het was weer net zo stil als daarvoor. In zijn oren hoorde hij zijn eigen bloed ruisen. Kwam hij nog eens bij de overkant? Wat was dit voor een loods? Een hangaar voor jumbo's? Het ging maar door. Misschien moest hij de muur aftasten, er zou vast ergens een lichtknop zitten, maar dan moest hij eerst op een muur stuiten. Hij keek achter zich, de deuropening waardoor hij was binnen gekomen, was iets lichter dan de loods zelf, maar dat was het dan. Zou hij teruggaan? Als hij recht terugliep naar de deur, kon er niets fout gaan, toch? Hij sprak nu tegen zichzelf.

Voorzichtig stond hij op. Het was ook wel idioot om over de grond te kruipen. Een zaklantaarn zou nu heel handig zijn geweest. Hij schuifelde terug, vond de deur weer en begon de muur af te voelen. Hij hoopte dat er in de buurt van de deur een knop zou zitten en die vond hij ook.

'Verdomd!' zei hij hardop en schrok van zijn eigen stemgeluid. Hij drukte erop, maar dit had geen gevolg. Tegen beter weten in begon hij driftig op de knop te duwen: aan – uit – aan – uit. Wel dertig keer, maar uiteraard zonder enig effect. 'Geen paniek, geen paniek,' zei hij zachtjes tot zichzelf en met die mantra in zijn hoofd besloot hij de muur te volgen. Dat moest iets meer opleveren dan rondkruipen over een smerige vloer. De muur bood allerlei obstakels en na drie meter haalde hij zijn pink open aan iets scherps. IJlings stak hij de bloedende vinger in zijn mond om hem er meteen weer uit te halen en al spugend te proberen vuil met bloed kwijt te raken. Hij vloekte weer hardop. Hij liep verder en hoedde zich ervoor de wand te intensief af te tasten.

Erik was nu niet bang meer, zijn angst maakte plaats voor boosheid. 'Hé!' riep hij, 'is er nog iemand hier! Laten jullie mij gewoon hier alleen achter!' Het echode door de ruimte. Maar er gebeurde niets. Zelfs het krassen was niet meer hoorbaar. Opeens vond hij een deur. Hij was van ijzer en voelde glad aan. Erik voelde aan de kruk, maar kreeg er geen beweging in: de deur leek wel vastgelast. Was het wel een kruk? Hij hield zijn telefoon erbij en zag een zacht glanzende deurklink, maar geen slot. Er waren ook geen kieren waardoor hij kon gluren. Maar het was een deur, ontegenzeggelijk. Zouden ze daardoor zijn verdwenen?

Hij verzamelde moed en klopte. Zijn knokkels maakten nauwelijks enig geluid en het deed nog pijn ook. Hij ging er met zijn rug tegenaan staan en schopte naar achteren. Dat gaf een doffe klap, zonder betekenis. Had hij maar dat stuk gereedschap meegenomen dat ergens aan de wand had gehangen. Nu wist hij niet meer waar dat precies was geweest.

Na nog een paar vruchteloze schoppen naar achteren ging hij op zoek naar de halve hark of bezem die hij ergens was tegengekomen. Net toen hij een paar meter het donker in was gestommeld, vloog de deur open en sloeg met een klap tegen de muur naast het kozijn. Erik sprong in de lucht van schrik, maar wist nog net te blijven staan. Knipperend tegen het plotselinge licht zag hij zijn verdwenen maten op hem af komen lopen. Schijnend met zaklantaarns lichtten ze de loods uit en even later wist iemand het licht ook binnen weer aan te krijgen. Hij kon ze wel kussen, allemaal, zo opgelucht voelde hij zich. Hij keek de ruimte rond en zag dat de loods helemaal leeg was. Hij had niet zo moeilijk hoeven doen. Nieuwsgierig blikte hij de ruimte in waar de mannen zojuist verschenen waren. Daar zag hij een andere deur openstaan en daarachter, badend in het licht van tl-lampen, een soort laboratorium. Een paar mannen en vrouwen – ook vrouwen, zag hij dat nu goed? – zaten op de grond, hun handen geboeid. Ze hadden allemaal een zak over hun hoofd.

Ismail kwam breed lachend op hem af en sloeg Erik een paar keer op de schouders. 'Dat hebben we goed gedaan! Kom maar eens kijken, goede vriend!' En hij trok Erik aan zijn mouw mee naar binnen. In een ruimte die nog groter was dan de loods waar ze uit kwamen, stonden lange tafels met krukjes ervoor. Boven elke tafel hingen rijen tl-balken en er stond allerlei chemische apparatuur, die Erik nog wel herkende van zijn middelbare schooltijd.

'Hier gebeurt het, hier wordt het spul gemaakt. Zie je die mensen?' Ismail wees op de gevangenen, die stil op de grond zaten. Erik zag dat ze allemaal teenslippers aan hadden en een soort zwarte pyjama's droegen. 'Die sloebers werkten hier gewoon als slaven! We hebben de verblijven gevonden waar ze sliepen. Volgens mij mochten ze nooit weg. Ze zijn geroofd uit de dorpen hier in de buurt. Hun familie is verteld dat ze om het leven zijn gekomen. Kun je nagaan!

Wat een tuig!' Ismail spuugde op de grond. Hij wond zich er echt over op, zag Erik.

'En?' vroeg Erik, hij durfde het bijna niet te vragen, bang voor het antwoord dat hij al kende, 'Bayram Kalas?' Ismail keek getroffen.

'Nee, we waren te laat. We hebben geen enkel kopstuk, ben ik bang. Bewakers,' hij wees met zijn kin naar de buitendeur, 'en deze mensen hier, maar dat zijn meer slachtoffers dan daders. Kalas is nog niet in onze handen. Het spijt me.'

'Was dit zinloos?' Erik wilde graag ergens tegenaan schoppen, het liefst heel hard, maar er was niets in de buurt.

'Nee, zeker niet, we hebben de organisatie wel pijn gedaan. Maar ik weet eerlijk gezegd niet of dit het enige laboratorium was. Er kunnen er nog wel veel meer zijn. Eén ding weet ik wel, de productie hier was groot, erg groot. Dus misschien was dit het wel en we hebben een paar verdachten die we eens fijn gaan horen. Wat zij weten, dat weten wij binnenkort ook,' Ismail lachte kort en grimmig. Erik was blij dat hij zelf geen verdachte was.

'En nu?'

'Nu gaan we naar huis. Er blijven een paar mannen achter, tot de opruimploeg komt. Dit alles moet worden ontmanteld en vernietigd, voor zover het niet als bewijs kan dienen. Kom, we gaan. Wat heb jij uitgespookt, toen we weg waren? Je ziet er niet uit!'

Erik zei niets, hij liep achter zijn Turkse collega aan de loods uit. Een van de mannen had al een jeep opgehaald en moeiteloos vonden ze de weg terug naar het klaarstaande vliegtuig. Toen ze waren opgestegen en Erik in het stoeltje hing, kon hij niet meer wakker blijven. Zelfs het zware geronk van de motoren droeg daaraan bij.

52

Hij werd wakker toen iemand hem heen en weer schudde. Erik droomde dat hij op een strand stond en omringd was door een razende menigte. Hij zag jonge jongens zonder T-shirt en met glimmende, kaalgeschoren hoofden. Hun ogen groot en de agressie voelbaar als de tanden van een Mechelse politieherder in het kuitbeen van een voetbalsupporter. Van alle kanten kwamen ze op hem af en het schreeuwen zwol aan tot een massaal gekrijs dat dreunde in zijn oren. Hij voelde meer dan hij zag, dat er nog twee collega's achter hem stonden. Ze stonden rug aan rug aan rug en van alle kanten kwamen de hooligans op hen af.

De jongen die dichtbij stond, had ogen die bijna groter waren dan zijn hoofd en waar alleen nog maar waanzin uit sprak. Erik moest wel schieten, hij kon niet anders en hij zag dat zijn politiekogel de blote borst van de jonge jongen opentrok. Het gebeurde steeds weer opnieuw. Iedere keer zag hij de kogel inslaan en het gat ontstaan in de borst van die jongen. En steeds weer zag hij de jongen tot stilstand komen, de verbazing op zijn gezicht aftekenen en naar beneden kijken.

Erik was blij dat Ismail hem wakker maakte. Een moment lang had hij werkelijk niet het minste idee waar hij was. Het gedreun van de motoren was zo overweldigend dat hij zijn mond opendeed om de druk wat te verminderen.

'We gaan zo landen, doe je riem vast!' riep Ismail tegen hem en gebaarde naar de stoel. Erik deed wat er was gevraagd. Het vliegtuig maakte opeens een scherpe draai, Erik voelde misselijkheid opkomen. De gevangenen, die achterin op de grond zaten, waren er niet op bedacht en hadden ook geen gordels om. Ze tuimelden over elkaar heen en schreeuwden boos. Omdat ze allemaal geboeid waren met de handen op de rug, konden ze zich ook nauwelijks vasthouden. De mannen in de stoeltjes lachten er ruw om. Ze konden er niet mee zitten. Een van hen stond op en trok de kluwen uit elkaar. Iemand verzette zich en moest het bekopen met een paar schoppen van de legerschoenen. Dat bracht hem tot bedaren.

De landing werd ingezet. Vlak na het neerkomen trok het toestel scheef en leek het voorover te duiken. Ook de mannen konden zich niet bedwingen en lieten angstkreten horen. Het ging goed en enigszins schokkend en bonkend kwamen ze tot stilstand. Als dit een charter naar Salou was geweest, was er vast niet voor geklapt. Erik haalde weer adem en zag dat de collega's ook witjes zagen. De verdachten bewogen zich helemaal niet meer en niemand sprak een woord. Langzaam stierf het gebrul van de motoren weg en opeens was het stil in het vliegtuig. Ismail doorbrak de stilte en stond op. Hij drukte op de knop en de laadklep zakte weer onder dezelfde luide protesten als bij het begin van de reis. Snel laadden de mannen alles uit. De verdachten werden naar geblindeerde busjes overgebracht die al stonden te wachten. Nog eens twintig minuten later stonden Ismail en Erik alleen op de landingsbaan. Alle anderen waren vertrokken en de zon begon weer op te komen. Erik staarde ernaar. Wat hebben we meegemaakt vannacht? Vroeg hij zich af. Wat een krankzinnig avontuur. Hij keek om zich heen, benieuwd wat ze nu zouden gaan doen. De busjes waren weggereden, de mannen hadden de jeeps meegenomen. Alleen het grote vliegtuig stond er nog. Het was helemaal leeg. Af en toe klonk er een kraak of een tik uit zijn binnenste, als protest waarschijnlijk. De bemanning was ook vertrokken. De laadklep lag nog op de grond, als de uitgestoken tong van een vermoeid nijlpaard dat het niet meer op kon brengen hem weer binnen te halen. Ismail bediende iets en de klep sloot zich weer. IJzer knerpte op ijzer.

'Wat gaan we nu doen?' Erik begon zich een beetje ongemakkelijk te voelen en Ismail zei niets. Toen de klep dicht was, pakte hij zijn telefoon en sprak daar heel kort iets in. Eén zin maar, verder niets. Nog geen minuut later kwam er een donkere limousine voorrijden. Ismail trok de deur open en wenkte Erik.

'We gaan,' zei hij en stapte achter in. Haastig liep Erik om de auto heen en dook aan de andere kant naar binnen. Nog voordat hij de deur had dichtgetrokken, was de chauffeur al op snelheid en reed in hoog tempo het vliegveld af. De zon kwam op en verblindde de chauffeur, die haastig de zonneklep naar beneden trok en uit zijn binnenzak een zonnebril tevoorschijn haalde. Een Ray-Ban, zag Erik.

53 ◉

Erik werd teruggebracht naar de villa van Ismails moeder. Hij werd alleen gelaten in de hal. Wacht, had hij gezegd, hij zou zo terug zijn. Nu pas voelde Erik zich moe, de adrenaline was uitgewerkt en hij besefte dat hij een nacht had doorgehaald. Na een nachtdienst had hij dat soms ook; een dipje als de zon was opgekomen. Als hij nu ging slapen, werd hij voor vijf uur niet meer wakker. Maar als hij over het dipje heen wist te komen, kon hij uren wakker blijven. Niets aan de hand. De man met de hamer kwam dan wel, maar later.

Hij ging zitten op een niet al te comfortabel bankje en vroeg zich af of Sigrid nog zou slapen. Het was nog vroeg en hij hoorde niets. Erik wilde wel gaan kijken, maar Ismail had gezegd op hem te wachten. Hij deed niets anders dan wachten op die man. Alsof hij niets anders te doen had.

Erik hoorde iets ergens dieper in het huis. In de rechtervleugel woonde Ismails moeder. Daar waren de deuren en ramen ook beter beveiligd, met driedubbel glas en alarmsystemen had Ismail hem verteld. Ook waren er overal camera's aangebracht. Niet erg opvallend, maar als je goed keek zag je ze wel. Misschien waren er ook nog wel een paar die echt niet te zien waren. In de andere vleugel, daar waar Sigrid nu waarschijnlijk nog in bed lag, was minder tijd en geld besteed aan beveiliging. Degelijk hang- en sluitwerk, dat was alles. De deur naar de ministeriële vertrekken was alleen met een pasje te openen en viel snel weer in het slot als er iemand was gepasseerd en er zat iemand achter, een man in een zwart pak met een bril op. Die had hij zien zitten toen Ismail verdwenen was, gebruikmakend van zijn eigen pasje. Lekker, in je eigen huis ook nog te moeten worden beveiligd. Erik zakte weer een beetje weg en zou in slaap zijn gevallen als Ismail de hal niet in was gekomen.

'Erik, mijn vriend, slaap je alweer?'

'Ik sliep niet, ik rustte mijn ogen een kort moment. Hoe gaan we verder? Hebben we enig idee waar Bayram is gebleven?' Erik zag Ismails gezicht betrekken, alsof hij iets vies proefde.

'Hij had daar moeten zijn, geloof me, het klopt niet dat Bayram daar niet was. Ik begrijp er eerlijk gezegd ook niets van! Er is maar een conclusie mogelijk.' Hij zweeg en staarde door de grote ramen die uitzicht boden over het dal en met in de verte de Bosporus.

'Hij werd getipt?'

'Ja. En dat wil er bij mij eerlijk gezegd niet in. Alleen een heel kleine groep mensen wist dat wij gisteravond zouden gaan. En alleen mijn plaatsvervanger en ik wisten waar wij heen zouden gaan.'

'En de piloten.'

'Nee, zelfs die niet, die hebben ons wel naar een vliegveld ge-bracht, maar zij kenden de locatie van de loods natuurlijk niet. Ik snap het niet. Heb jij er met iemand over gesproken?'

'Ik? Natuurlijk niet, alleen met Sigrid, maar ik wist zelf ook niet waar we heen gingen. Bovendien spraken wij Nederlands onder el-kaar. En dat deden we ook nog hier, in je moeders huis.'

'Weet je dat heel zeker?'

'Absoluut! Als er een lek zit, dan is het niet bij ons.'

'Heb je ook niet met iemand gebeld?'

'Nee, ik had niet eens bereik daar.'

'Ja, daar hebben wij voor gezorgd. We blokkeren altijd al het ver-keer, als we een instap doen.'

'Je wordt bedankt en nu?'

'We gaan de mensen horen die we hebben aangehouden. Maar ik betwijfel of dat ons verder helpt. Deze lui weten van niets. De enigen die wat zouden kunnen vertellen, zijn helaas omgekomen.'

'Zijn er geen sporen of aanwijzingen ter plaatse gevonden?'

'Wat we vonden, hebben we meegenomen. Helaas is de loods helemaal afgebrand. Ongelukje met de chemicaliën denken we.'

'O,' zei Erik en vroeg zich af of zijn Turkse collega's ergens voor terugdeinsden.

'Enfin, jullie zijn voorlopig onze gast. Je kunt hier blijven zolang je wilt. Als je iemand nodig hebt, dan vind je overal van dit soort knopjes aan de muur.' Ismail wees op een discreet drukknopje. 'Als je daarop drukt, komt er iemand naar je toe. Aan hem of haar kun je vragen wat je wilt hebben. Eten, drinken, iets te lezen of wat anders. Als je wil, kun je ook naar de welnessarea. Die is daar verderop in de tuin. Sauna, hotsprings, Turkse baden, zwembad... Moet je vragen of ze dat voor jullie klaarmaken. Duurt een halfuurtje of zo.'

'Wow!' zei Erik, 'maar wat ga jij doen?'

'Ik ga weer terug naar de stad en probeer uit te vinden wie er gelekt heeft en waar we onze wederzijdse vriend kunnen vinden.'

'Kan ik helpen?'

'Misschien, maar nu niet, ik zou maar wat gaan slapen en dan laat ik later weer van me horen.' Erik stond op en wilde al naar de deur van de gastenvleugel lopen. Hij hoorde een geratel, dat steeds luider werd.

'Wat is dat?' Ismail, die de deur naar buiten al open had gedaan, draaide zich om.

'Moeder wordt zo opgehaald. Ze is deze week in Ankara.'

'O,' zei Erik weer en zag een wolk blaadjes in de tuin opwaaien toen de donkergroene helikopter langzaam landde. Er ging een deur open in de andere vleugel. Er kwamen twee mannen naar buiten. Een droeg een paar tassen, de ander keek in het rond. Typisch beveiliging, dacht Erik. De moeder van Ismail kwam naar buiten en hield met een hand haar hoed op haar hoofd. Het gezelschap liep snel in de richting van de helikopter. Voordat ze instapte, keek ze om. Ze zag Erik staan, die breeduit voor het raam stond en zwaaide kort. Erik zwaaide terug. Toen stapte ze in. De deur ging dicht en de helikopter steeg snel op. Enkele minuten later waren ze verdwenen en vroeg Erik zich af of hij dit alles wel echt had meegemaakt. Misschien was een dutje doen toch niet zo'n slecht idee.

Sigrid sprong op toen Erik de kamer binnenslofte en zijn tas op de grond liet vallen. Hij zag dat ze op hem af wilde vliegen, maar zich toch inhield. Hij bleef roerloos staan en wachtte wat er ging komen. Na de korte aarzeling sloeg ze haar armen om hem heen en zoende hem lichtjes op de wang. Daarna liet ze weer los. Erik rook haar parfum en nog iets. Iets van haarzelf, dacht hij, het was sterker dan het parfum en hij vond het lekker.

'En?' vroeg ze.

'Het is niet goed gegaan,' Erik keek zorgelijk, ging zitten, legde zijn voeten op de salontafel en trok vruchteloos wat aan zijn veters.

'Wat? Wat ging er fout dan? Je bent toch niet gewond of zo?' Ze liet haar ogen over zijn lichaam glijden.

'Nee, nee, dat was het niet, hoewel er doden zijn gevallen.'

'Doden!' riep ze, 'dóden? Wie dan?'

'Boeven, alleen boeven hoor, niemand van ons.'

'Shit, maar toch. Werd er geschoten?'

'Ja, over en weer, maar wij hebben gewonnen hoor.' Weer begon hij wat aan zijn veters te peuteren. Sigrid kon het kennelijk niet aanzien, want ze hurkte bij hem neer en begon zijn schoenen uit te trekken. Erik wilde protesteren, maar hij voelde zich opeens doodmoe. Hij liet het toe en hoopte dat de opstijgende odeuren niet te zwaar zouden zijn. Moest hij er wat van zeggen? Hij liet het maar toe. Sigrid reeg de veters uit de laarzen en trok de schoenen een voor een van zijn voeten. Ze liet ze met een bonkend geluid op de grond vallen. Het viel kennelijk mee met de lucht.

'Ah,' zei Erik, 'dat is beter.'

'Ja, ja, dat zal wel, maar vertel me alles en laat niets weg. Alles wil ik weten!' Erik begon te vertellen vanaf het moment dat hij uit de villa vertrok tot het moment dat hij weer terugkeerde en liet helemaal niets weg.

'En Bayram?'

'Niet dus, in geen velden of wegen. Ismail maakt zich zorgen, hij denkt dat er een lek zit in zijn eigen organisatie. Trouwens, wist je dat Ismail luitenant-kolonel is?'

'Luitenant-kolonel?' Sigrid zette grote ogen op. Daarboven verscheen vervolgens een denkrimpel. 'Dus ik ben in Istanbul een dag lang achtervolgd door een luitenant-kolonel? Dat is toch hoogst merkwaardig? Waar is hij nu?'

'Terug naar Istanbul. Hij zou contact opnemen als hij meer wist. Ondertussen kunnen we hier blijven zolang we willen. Moeder is ook vertrokken.'

'Ja, dat had ik in de gaten.'

'En heb jij nog iets meegemaakt, toen ik niet keek?'

'Niet veel, heb hier zitten lezen en ben vroeg naar bed gegaan.'

'Heb je nog wat te eten gekregen?'

'O, ja, dat wel, we hebben heerlijk gegeten. Buiten op het terras. Ik heb heel leuk met de moeder van Ismail gesproken. Dat is een hele aardige vrouw en ze was heel belangstellend. Ze wilde weten of wij samen iets hadden. Nou, ja, niet echt, natuurlijk, daar is ze veel te beschaafd voor, maar het kwam wel een keer ter sprake.'

'Ben je nog wat nuttigs te weten gekomen?'

'Nee, niet echt. Alleen kwam er nog een bekende langs.'

'O, ja?' Erik masseerde zijn voet en probeerde heimelijk te ruiken of er geen al te kwalijke geur mee kwam.

'Ja, onze politiebaas, weet je wel, die man met sterren en balken behangen, die wij de eerste keer tegenkwamen. De generalissimo zelf. Hij kwam later op de avond aanzetten en was nogal verbaasd mij daar te zien. En hij was overstuur ook, want hij begon een beetje in het Turks te brullen tegen onze gastvrouw.'

'O?' zei Erik en ging wat meer rechtop zitten.

'Ja, het ging wel ergens over, volgens mij, want Ismails moeder verschoot van kleur. Je hoort dat wel eens zeggen, maar ik zag het echt gebeuren. De kleur trok weg en ze verstrakte helemaal.'

'En toen?'

'Toen stond ze op, snauwde een paar woorden tegen onze arme korpschef en vroeg keurig aan mij of ik haar wilde excuseren en samen verdwenen ze ergens in die vleugel. Onderweg maakten ze nog ruzie, dat kon ik horen. Maar in het Turks, dus ik verstond het niet.'

'En verder?'

'Dat was het, ik heb ze beiden niet meer teruggezien. Ik bleef daar heel alleen achter. Met de bedienden, hoor, dus ik kreeg nog wel een fruitcocktail en koffie. Ik wist niet zo goed of ik nu moest blijven zitten of niet. Uiteindelijk ben ik maar naar onze vertrekken gegaan.'

'Hm,' zei Erik, 'interessant wel, maar waarom? Ik heb geen idee. Joost mag weten waar dit allemaal over ging. Het kan overal over zijn gegaan, natuurlijk. Misschien wel over nieuwe auto's of zijn onkostenvergoeding.'

'Ja, maar dan was hij niet zo geschrokken van mijn aanwezigheid, denk ik. Ik had het idee dat ze jouw naam ook een keer noemden, maar zeker weten doe ik dat niet. Misschien dacht hij dat wij allang weg waren?'

'Tja, misschien kunnen we het eens omzichtig aan Ismail vragen.'

'Misschien, ja. Jij wilt nu eerst slapen zeker?'

'Daarstraks viel ik bijna om, maar nu gaat het weer beter. Ismail vertelde me dat hier een wellness area is, daar mogen we gebruik van maken. Gewoon op zo'n knoppie drukken.' Erik was opgestaan en drukte op een van de knopjes die in elke kamer waren aangebracht. Binnen twee minuten werd erop de deur geklopt. Op de vraag of ze gebruik konden maken van de sauna, werd "vanzelfsprekend" geantwoord.

'Goed, dan ga ik nu eerst maar snel douchen. Ik wil de faciliteiten van de grande dame niet besmeuren met mijn modder, bloed, zweet en huidvet. Wessel kan nog wel wachten,' zei Erik en hees zichzelf overeind. Hij voelde zich niet al te fris meer. In de badkamer zag hij in de spiegel dat het iets erger was dan hij dacht. Zwarte vegen op zijn gezicht en zijn handen zagen eruit alsof hij een programma over dirty jobs had gepresenteerd. Hij pelde de kleren van zijn lijf en liet ze in een hoek op een stapeltje vallen. Daar keek hij straks wel weer naar. Er kwam een krachtige straal uit de douche en hij zette de kraan zo heet als hij kon verdragen. Hij zeepte zich in met de douchegel die hij op de wastafel had gevonden. Het eerste water werd zwart, maar het vuil spoelde snel weg. Er stond ook shampoo en daar waste hij zijn haar mee. Ook dat was echt nodig. Zijn haar voelde stroef aan vanwege het opgelopen vuil en het zweet. Hoorde hij wat? Ging de deur van de badkamer open? Hij spoelde met water het sop uit zijn linkeroor en stak zijn hoofd buiten de straal.

'Sieg?' vroeg hij, maar er antwoordde niemand. Hij fantaseerde dat zijn collega zich naakt bij hem onder de douche zou voegen en zijn rug zou inzepen. Hij hoorde niets meer en ging verder met het uitspoelen van de shampoo. De gedachte aan een sensuele zeepmassage onder de douche wond hem op en zijn mannelijkheid begon zich half op te richten. Hij keek door de dampen heen of er iemand in de doucheruimte was of niet. Maar er was niemand.

Zijn gedachten gingen weer naar de schietpartijen van afgelopen nacht en zijn halve erectie verdween met het zwarte douchewater en het witte schuim. Hij zette de douche uit, reikte naar een smetteloos witte en fluffy handdoek en was nog steeds alleen.

Gekleed in slechts de badjas, maar wel stevig dichtgeknoopt, kwam Erik weer tevoorschijn. 'Ik ben schoner en iets frisser, zullen we maar naar het saunaparadijs gaan? Ik heb hier ook een badjas voor jou en handdoeken genoeg.' Erik keek verbaasd om zich heen, geen Sigrid. 'Sieg?' riep hij en deed hier en daar een deur open. Misschien was ze naar het toilet of zich aan het omkleden in haar eigen kamer? Hij klopte op haar deur en riep haar naam nog een keer. Er klonk geen antwoord. Voorzichtig deed hij de deur open, eerst op een kier om haar niet te laten schrikken voor het geval ze hem niet had gehoord. Maar ook haar kamer was leeg. Het bed opgemaakt en een sprei eroverheen. Niet de wanorde die hij had verwacht. Misschien kwam er iemand om de kamer op te ruimen? Hij riep nog een paar keer, maar Sigrid bleef onvindbaar. Dan was ze zeker al naar de sauna gegaan. Hij keek nog een keer rond of ze niet ergens verstopt was en liep toen naar buiten in de richting waar het welnesslandschap zou moeten zijn.

Aan het eind van de tuin vond hij een granieten trap, die eruit zag of hij uit de rotsen was gehouwen. De trap liep in een halfronde vorm naar beneden en kwam uit op een marmeren terras, zo'n meter of zes lager dan de tuin. Hier zag Erik een openluchtzwembad met azuurblauw water in de vorm van een acht. De ene helft was diep en de andere helft ondiep. Daar was het water lichter van kleur. Over het smalste gedeelte van de acht liep een gebogen bruggetje en er spoot een fontein. Gewoon water, zo te zien, geen champagne. Het terras werd omzoomd met een balustrade van uitgewerkte stenen kolommen die met marmeren platen was afgewerkt. Hier en daar stonden standbeelden: leeuwen, vrouwenfiguren, amfora's. Hij liep naar beneden en vond een deur. Toen hij die opende, sloeg de stoom hem in zijn gezicht. Hij zag niets.

'Hello stranger,' hoorde hij een vrouwenstem omfloerst zeggen en daar zag hij Sigrid zitten met een badjas aan. 'Ik dacht dat je nooit zou komen. Welkom in de Grot van Alladin.'

'Tjee, Sieg, wat is dit hier?'

'Dit is een natuurlijke bron met warm water. Het water bevat helende mineralen. Zullen we in bad gaan?' Ze stond op en zette haar drankje, het leek op een cocktail, op een tafeltje. Met een vanzelfsprekendheid alsof het zo hoorde, deed ze haar badmantel uit en liep naakt langs Erik heen naar de andere kant van het zwembadje in het midden van de koepel. Erik wist niet zo goed waar hij moest kijken. Hij werd getroffen door de schoonheid van haar slanke lijf, haar parmantige kleine borstjes en de manier waarop ze naar het water liep.

Langzaam liep Sigrid de treden af die naar het warme water leidden en slaakte verrukte kreetjes en zuchtjes toen de weldadige warmte haar lichaam meer en meer overspoelde. 'Kom erin, gek, het is heerlijk!' Erik stond daar maar, als een grijnzende idioot op het dorpsplein die naar copulerende hondjes kijkt. Hij wist niet of hij naar haar moest staren of naar het wonder van de koepel en de bron. Langzaam trok hij zijn badjas uit en hoopte maar dat er niet te veel bloed zou vloeien richting zijn schaamstreek. 'Laat hem niet hard worden nu!' dacht hij uit alle macht. Hij probeerde zich iets walgelijks voor de geest te halen, maar het hielp niet zo veel. Hij voelde zich verstijven, maar gelukkig niet zo heel erg. Snel liep Erik naar de trap en klotste het water in.

'Shit!' riep hij en trok zijn voet terug, 'dat is heet!'

'Ja, lekker warm, voorzichtig gaan zitten dan.' Het hete water was wel een goed middel voor het opkomende gevaar, want toen hij Sigrids naaktheid net boven het water uit zag komen, begon er weer wat te groeien. Maar met een half verbrande voet had hij iets anders om aan te denken. Traag probeerde hij aan de hitte te wennen en dompelde zich steeds dieper in het water.

'Aaach,' zei Erik toen hij er helemaal doorheen was en kon gaan zitten op het bankje onder water naast zijn collega, als een vermoeide man die eindelijk de weldaad van het hete water rond zijn kruis voelde spoelen. Hij zorgde ervoor haar niet aan te raken.

'Is het niet heerlijk! En dat hebben mensen zomaar in de tuin, leuk, hè. Maar we mogen er niet langer dan een half uur in blijven zitten, is mij verteld.'

'Hoezo, loopt de meter dan af?'

'Nee, maar de mineralen in het water zijn te sterk, dat is niet goed voor je huid.'

'O,' Erik liet zich wat onderuit glijden, hij was nu gewend aan de warmte van het water en voelde zich zweven. Languit liet hij zich in de natuurlijke stenen tobbe drijven. Hij vermeed naar zijn naakte collega te kijken, die net onder handbereik naast hem zat. Zijn benen zakten langzaam naar beneden.

'Hè,' zei Erik, 'hoe diep is deze badkuip hier?' Hij voelde geen bodem.

'Ze weten het niet, we zitten recht op de bron. Het zal wel heel diep zijn. Af en toe gaat hij ook nog borrelen. Dat schijnt een hele bijzondere sensatie te zijn.'

'Wanneer gebeurt dat dan?'

'Is niet te zeggen.' Erik gluurde naar zijn partner en raakte per ongeluk haar been aan. Ze negeerde het, zag hij. Zou hij verdergaan? Beter van niet, maar het was wel een beetje een kwelling zo. Hij liet zich weer drijven en liet nu ook zijn hoofd achterover in het water zakken. Heerlijk zo. Hij dacht terug aan de nacht en aan de dingen die ze hadden meegemaakt. Hij dacht aan de doden die er waren gevallen, maar ook aan de paniek toen hij alleen was in die loods. Hij zweefde tussen waken en slapen in het gloeiende water. Sigrid zei iets, maar omdat zijn oren ook onder water zaten, verstond hij het niet. Plotseling hoorde hij iets heel anders. Een gerommel en gedreun. Erik was in een keer wakker en ging rechtop zitten.

'Wat is dat?' hij wilde al op de kant klimmen.

'De bron laat van zich horen! Rustig maar, houd je vast en geniet ervan.' Er kwam een kolkende hoeveelheid water aan, die zich een uitweg zocht door de badkuip. Het water spoelde en spatte over de randen en verdween ergens in de goten rond de kuip. Lucht of gas begon mee te komen en het water schuimde en bruiste. Erik en Sigrid werden heen en weer geworpen en grepen zich spontaan aan elkaar vast. Het was een aangename sensatie, vond Erik, de belletjes leken zich vast te zuigen aan zijn huid en dat voelde goed en Sigrid voelde ook goed. Licht als een veertje lag ze in zijn armen en even

sloeg ze haar benen om hem heen. Zo dansten ze op de warme gol-
ven die met een klap over de rand spoelden. Zo plotseling als het
begon, zo plotseling was het weer over. Sigrid liet Erik los en ging
weer op het bankje zitten. 'Geweldig, hoe vond je het?'

'Bijzonder wel.'

'Lekker, hè.' Erik wilde haar zoenen. Zich naar haar toe te laten
drijven en zijn lippen op haar lippen drukken. Hij verlangde er hevig
naar haar naakte, natte vrouwenlijf te omhelzen. Maar net toen hij
zichzelf voldoende had overtuigd, stond ze op en stapte het water
uit. 'Kom op, we moeten eruit. Anders zitten we er te lang in. Wie
het eerst in het zwembad is!' En ze rende op natte blote voeten over
het marmer de grot uit. Erik klom verdwaasd uit de bron omhoog en
ging haar achterna.

Het moment was weg en deed zich niet meer voor, dat voelde
Erik wel. Ze zwommen wat in het zwembad, dat erg koud aandeed
na de hete bron en gingen beurtelings in de sauna en in het stoom-
bad. Toen ze waren uitgespeeld, stonden ze naast elkaar bij de balustrade met de badjassen weer aan en keken uit over de Bosporus. Er
voeren vooral grote tankers over het water, maar te ver weg om naar
te zwaaien.

'Heerlijk!' Sigrid ging op een ligstoel zitten en keek naar de lucht.
'Er komt trouwens wel een flink pakket wolken aandrijven. Het zal
toch niet gaan regenen, mag ik hopen?'

'Nee joh, welnee, toch niet in deze tijd. Hoewel, het zijn wel dreigende wolkenpartijen, ja.'

'En wat is het plan? Wij kunnen hier nog wel dagen op kosten van
de belastingbetaler een beetje in bad gaan zitten, maar we hadden
een missie, dacht ik zo.'

'We zijn afhankelijk van Ismail, ben ik bang.' Erik was naast haar
gaan zitten.

'Zullen we niet gewoon naar huis gaan? We hebben het geprobeerd, hebben van alles meegemaakt en het is niet gelukt. Zal niet

342

de eerste keer zijn, toch?' Sigrid keek peinzend over het water naar de wolkenformaties in de verte, die snel dichterbij kwamen.

'Ik denk dat we nog een kans hebben. Ik zal straks eens proberen of ik Ismail ergens te pakken kan krijgen en het met hem overleggen. Het zou wel heel mooi zijn als we Bayram mee naar huis konden nemen. Heb je nog wat van dat spul?'

'Jawel, lekker, hè, maar er zit wel alcohol in, ik hoop dat je dat hebt gemerkt.' Maar Erik gaf geen antwoord, hij was in slaap gevallen. Sigrid bleef zwijgend naast hem zitten en maakte hem pas wakker toen de eerste regendruppels begonnen te vallen. Het onweerde al toen ze samen hand in hand door de tuin renden op weg naar het gastenverblijf.

De badjassen waren drijfnat geworden. Sigrid had ze uitgewrongen en in de badkamer te drogen gehangen. Ze had zich aangekleed, maar Erik bedacht dat hij niet veel had geslapen. Hij kon beter proberen een paar uur mee te pakken. Met een laken omgeslagen stond hij naast Sigrid voor het grote raam in de zitkamer. Ze keken naar buiten.

'Het gaat wel tekeer zeg,' zei Sigrid toen er in de verte boven de Bosporus weer een elektrisch vuurwerk losbarstte. De klappen van de donder volgden vrijwel onmiddellijk en hagelstenen regenden neer. Ze stuiterden – zo groot als golfballen – op het gazon, waar ze tot rust kwamen en de bodem met ijs bedekten. Ze hoorden de hagel op het dak ranselen en zagen de bomen lijden onder de geseling. Hier en daar begonnen takken af te breken.

'Het zal zo wel minder worden,' schreeuwde Erik boven de herrie van de donder en de hagelstenen uit, 'zo lang kan dat nooit duren!'

'Dank je, maar ik ben niet bang,' riep Sigrid terug, 'het is wel fascinerend om naar het onweer te kijken' en ze wees op de stralende strepen die voortdurend in de lucht werden getekend. 'Kijk, die moet inslaan ergens, kijk maar, hij raakt de grond!' De hagel verminderde en de stenen werden kleiner, maar de neerslag nam niet af.

'Met bakken, heet dat. Zo noemde mijn moeder dat altijd. Het kwam met bakken uit de hemel vallen. Je zult maar op een camping staan nu, met vier kinderen met natte sokjes aan, huilend en wel. Dan ben je niet blij.' Erik trok het laken strakker om zich heen en huiverde een beetje. 'Wordt het nu nog niet minder?' De hagel was overgegaan in regen, maar het leek harder te regenen dan dat het net hagelde. Al snel kwamen er op het gazon plassen te staan. Het water kon niet wegkomen en het bleef ook maar onweren.

Nadat ze een half uur of langer naar het noodweer hadden staan kijken, besloot Erik dat hij nu toch echt moest gaan slapen. 'Maak je me wakker als er iets is?' Sigrid sloeg haar arm om hem heen en drukte zacht een kus op zijn wang. 'Tuurlijk, slaap lekker.' Als een Romeinse keizer schreed Erik met zijn laken om naar zijn kamer, liet zich op het bed vallen en viel snel in slaap, ondanks het geklater van de regen op het dak en het onophoudende donderen buiten.

Tegen het einde van de middag was het onweer over op wat flitsen na in de verte. Het had uren geregend, de tuin stond blank, de terrassen stroomden over, de oprijlaan was een bergbeek geworden en nog steeds regende het. Sigrid was op de bank in slaap gesukkeld en schrok wakker toen er hard op de deur werd geklopt en daarop meteen werd opengedaan. Ismail stond in de kamer. Hij had een elegant burgerpak aan; jasje, overhemd, maar zonder das. Hij zag er erg goed uit, dat was haar nog niet eerder opgevallen. Een gladde huid, mooi haar en een gespierd lichaam, zonder een randje vet. Dat zag ze bij Erik wel. Niet dat dat erg was, maar Ismail was meer een sportman zo te zien. En ook weer niet te afgetraind, dat vond ze niet zo mooi. Een vlakke buik en een mooie borstpartij, dat moest het zijn. Goede wangen en bovenarmen waren ook belangrijk. Dat was niet goed bij Ismail, zijn wangen deugden niet. Die waren een beetje olieachtig, dat vond ze niet zo lekker. Bovendien had hij een forse baardgroei; zijn baard schemerde nu al weer door zijn wangen heen. Ook dat was een beetje een afknapper, maar daar kon ze zich wel overheen zetten. Dromerig keek ze op naar haar Turkse collega, totdat hij begon te spreken.

'Is Erik hier?' vroeg hij wat kortaf.

'Ja, maar hij slaapt. Is dat normaal, zoveel regen?'

'Nee, niet echt, het regent hier soms, maar zo lang en zo veel, dat hebben we nog niet meegemaakt.'

Buiten waren mannen bezig overtollig water af te voeren en te voorkomen dat het het huis binnenliep. Ze hadden gele regencapes aan, maar werden desondanks nat. Het water liep van hun gezichten naar beneden, alsof ze heel hard moesten huilen en de tranen overal vandaan kwamen.

'Had je nieuws?'

'Misschien wel, ja, maar wil je Erik roepen?' Sigrid wilde protesteren, zeggen dat hij het haar ook kon vertellen, maar ze slikte haar boze woorden in, stond op en liep naar de kamer waar Erik lag. Ze stapte de kamer binnen na zacht op de deur te hebben getikt. Daar lag hij, op zijn zij met zijn hoofd onder een kussen. Ze trok het kussen weg en schudde hem aan zijn schouder. Hij werd wakker, draaide zich om, deed zijn ogen open en glimlachte naar haar.

'Morgen, schat, is het al zo laat?' zei hij. Een warm gevoel kroop in haar buik. Ze weerstond de neiging hem over zijn haar te strijken en er een kus op te drukken.

'Nee, Ismail is er, hij wil je spreken.'

'Ik kom eraan.'

55 👁

'Hij is terug in Istanbul,' zei Ismail, toen Erik aangekleed en wel de zitkamer binnenkwam. Hij had zo snel geen kam kunnen vinden, dus zijn haar zat nog in de war. Aan Ismails gezicht zag hij, dat hij dat had gezien en werktuigelijk haalde Erik zijn hand door zijn kapsel.

'Hoe weet je dat?'

'We hebben informanten, net zoals jullie. Hij is gezien en wij hebben er observatie op gezet. Ik stel voor dat wij daarheen gaan.'

'Goed,' zei Erik, 'ik ga met je mee, even wat spullen pakken.'

'Dat zal lekker worden, ik ga ook mee. Ik blijf hier niet weer zitten kniezen. Ik ben geen huismoeder.' Sigrid was opgestaan. Ismail keek verstoord naar de vrouw en toen naar Erik. Die wierp hem een verontschuldigende blik toe, alsof hij zich voor Sigrids gedrag wilde excuseren.

'Maar niet in de weg lopen dan.' Schokschouderend liep Ismail de kamer uit. 'Over tien minuten in de hal, ja?'

'Prima, hoor,' zei Erik en was al naar zijn kamer onderweg. 'Trek wat warme kleren aan, Sigrid!'

'Ja, ja.'

Nog voordat de tien minuten om waren, stonden ze alle drie klaar in de hal. Onder een grote paraplu werden ze naar de Nissan geleid. Het was nog steeds niet droog.

'Kunnen we wel rijden met die regen?' vroeg Erik, toen hij op de bijrijderstoel klom.

'Fourwheeldrive en snorkel, we kunnen diep gaan, heel diep,' antwoordde Ismail en hij grijnsde. Hij zag er eng uit zo, dacht Erik. Ismail startte de auto en stuurde door de plassen de oprijlaan af. Hier en daar kwam het water al tegen de onderrand van de portieren. Bij het hek aangekomen zagen ze dat de weg een rivier geworden was. Met snelheid stroomde het water omlaag.

'Kunnen we daar wel doorheen?' wilde Sigrid weten.

'Wel ja, het is niet te diep, toch?' zei Erik. Ismail keek bezorgd, maar schudde zijn hoofd. Hij zette de auto stil en samen keken ze naar de voorwerpen die voorbij kwamen drijven.

'Allah is met ons,' zei Ismail, gaf een beetje gas en draaide de auto de straat op. Het water was inderdaad niet diep en de wagen behield haar grip. Met de versnelling in de lage gearing sukkelden ze de helling af en reden langzamer dan het water langs de banden stroomde. De ruitenwissers konden hun werk niet aan. Ismail moest uitwijken voor een auto die midden op de rijbaan stond. Er zat niemand in, misschien was de motor uitgevallen en was de bestuurder hulp gaan halen?

'Pas op!' riep Sigrid. Een andere geparkeerde auto was gaan schuiven en kwam schuin over straat aanglijden. Ismail stuurde er handig langs.

'Er komt ook modder mee, van boven op de berg, dan wordt het wel link!' Voor het eerst leek Ismail onzeker.

'Kunnen we niet beter teruggaan, nu het nog kan?' stelde Sigrid voor, die tussen de mannen in was gekropen en meetuurde door de voorruit.

'We zijn zo beneden en dan zal het wel beter gaan,' zei Ismail. Maar eenmaal aan de voet van de heuvel was er nog veel meer water. Het kwam nu tot aan de portieren. Stapvoets probeerde Ismail de weg te vinden. Er waren geen andere auto's op de weg, niet met bestuurders erin. Hier en daar waren mensen bezig hun huisraad een verdieping hoger neer te zetten. Een man met grote laarzen aan schudde zijn vuist toen ze voorbij kwamen rijden.

'Ik begin het met Sigrid eens te worden, misschien moeten we niet doorrijden naar de stad. Dit is gekkenwerk,' zei Erik tegen Ismail. Die zweeg. Hij klemde het stuur vast en staarde door de voorruit naar de regen.

'Je wilt je vriend toch pakken, nietwaar?' zei hij na weer een tijdje door het water te hebben geploeterd.

'Natuurlijk, maar het is de vraag of we daar kunnen komen. Alles staat onder water hier. Moet je kijken! En het wordt maar niet droog. Je hebt zelf gezegd dat dit niet normaal is. Moeten we nog door de tunnel ook? Dat kun je vergeten nu, ik geef het je op een briefje!' Ismail keek woedend opzij en gaf geen antwoord. In plaats daarvan trok hij de spreeksleutel uit het dashboard en begon te spreken. Maar er kwam geen antwoord. Nogmaals schreeuwde hij wat in de microfoon, maar zonder resultaat. Ismail reikte over Erik heen, opende het dashboardkastje en begon met de knoppen van de mobilofoon te spelen. 'Zal ik het doen, voordat we verdrinken?' vroeg Erik vriendelijk maar met een snijdende ondertoon.

'Weet jij hoe het werkt dan?'

'Kom zeg, dat is een Motorola Two-Way Radio system. Dat kennen wij ook hoor. Welk kanaal moet je hebben?'

'Doe maar vier en zet hem eens wat harder?' Erik schakelde het kanaal in en zette het volume hoger. De auto werd gevuld met opgewonden gekwetter in het Turks. Ook al konden ze het niet verstaan, de paniek die erin doorklonk, was onmiskenbaar.

'Wat zeggen ze?' wilde Erik weten toen ze er een tijdje naar hadden geluisterd.

'Van alles, iedereen roept door elkaar. De meldkamer heeft de regie niet meer. Overal vandaan meldingen van wateroverlast. En,' Ismail luisterde, 'je had gelijk, de tunnels zijn afgesloten, onder water gelopen. De verkeerspolitie kan het niet aan, de brandweer is ingeschakeld. Er wordt om helikopters gevraagd, maar die kunnen vanwege de neerslag ook niet vliegen nu.' Ismail keek grimmig door de voorruit en laveerde de auto door het wassende water. Er klonk nog steeds een hoop geschreeuw door de radio.

'Wat zeggen ze nu?'

Ismail luisterde nog een keer. 'De weg naar het vliegveld is afgesloten. Voorlopig kunnen jullie dus niet naar huis. Het leger wordt ingezet.'

Ismail keerde de auto en ze reden langzaam terug naar het huis van zijn moeder. Er stond een man voor het hek van het huis, die op de bel drukte. Toen Ismail aankwam, rende hij naar de auto. Sigrid schrok van de blik in zijn ogen, hij sloeg op het plaatwerk van de wagen en schreeuwde in het Turks. Ismail opende het raam en praatte met hem. Toen zag Sigrid dat hij iets in zijn armen droeg. Het leek een prop kleren, natte kleren. Ismail drukte op een knop en het hek ging open, de man rende de tuin in op weg naar de voordeur.

'Wat is er aan de hand?'

'Ik ken deze man, hij redde een baby uit een auto die te water was geraakt, de moeder is weggespoeld, die kon hij niet meer redden. En hij kan ook niet naar zijn eigen huis, dat staat onder water.'

Ze kwamen allemaal samen in de grote keuken van het huis. De man was over zijn toeren. Hij schreeuwde en tierde en wilde de baby niet los laten. Hij bleef ook maar rondjes om de tafel rennen.

Ismail riep iets in het Turks dat klink als een bevel. De man stopte met rennen en keek hem met grote ogen aan. Ismail zei nog iets. Aarzelend liep de man daarop naar Sigrid, die vragend naar Ismail keek.

'Wil jij je over de baby ontfermen?' vroeg Ismail haar. 'Daar heb ik geen verstand van en onze vriend is er niet toe in staat.' Wijfelend nam Sigrid de natte prop over, niet goed wetend wat ze nu zou moeten doen. Voorzichtig stak ze haar hand in het bundeltje, maakte het gezichtje van de baby vrij en keek in twee prachtige ogen.

'Ik moet nu proberen contact te zoeken met de politie in de stad, wil je eens kijken hoe dat kind eraantoe is?' De man, die op een stoel was gevallen, sprong weer overeind en Ismail snauwde hem iets toe. Prompt ging hij weer zitten, hij liet zich achterovervallen en werd door de zitting van de stoel gestuit.

'Goed,' zei Sigrid, 'maar zoveel verstand heb ik niet van kinderen. Heb je iets in huis, luiers of zo, babymelk?'

'Dat niet, maar er is van alles, je moet maar improviseren.'

Sigrid trok even een wenkbrauw op en liep toen met de baby naar het gastenverblijf. Ismail belde met de politiecollega's in de stad.

'Het spijt me, maar ik moet nu naar het hoofdbureau,' zei hij toen hij klaar was het telefoneren. 'Ze kunnen het werk niet aan. Het observatieteam is teruggeroepen en ingezet daar waar het nodig is. Alle verloven zijn ingetrokken en ik moet zo snel mogelijk komen.'

'Hoe kom je daar dan?' vroeg Erik.

'Ik word opgehaald, de generaal wil mij daar hebben. Ze zullen zo wel hier zijn. Er zijn plunderaars aan het werk gegaan en we moeten alles op alles zetten om de rechtstaat te handhaven. Vooral in het westen van de stad is het erg, er zijn ook doden gevallen.'

'Dat klinkt ernstig,' zei Erik. 'Maar hoe kan het opeens zo'n noodweer zijn?' Hij keek naar buiten, het regende nog steeds. 'Zoveel regen, dat is toch niet normaal. Dat moet wel te maken hebben met global warming. Had Al Gore dan toch gelijk?'

'Tja, zeg het maar. Het regent hier wel eens, maar zo erg heb ik het nog nooit meegemaakt.'

De man zat op de stoel en had niet meer gesproken, hij leek in lethargie weggezakt. Hij wilde geen koffie en ook de handdoeken die hem werden aangeboden sloeg hij af. Erik drapeerde er dan maar en om zijn schouders.

Ergens in het huis ging een bel. Ismail stond op. 'Dat zal voor mij zijn. Het spijt me, maar ik moet andere dingen gaan doen. Ik neem contact op zodra ik kan. Als we Bayram kunnen pakken, zullen we het doen, maar ik ben bang dat dat nu geen prioriteit heeft. Nogmaals, jullie kunnen hier blijven zolang je wilt.' Erik vergezelde Ismail naar buiten.

'Ik heb ook de kinderopvang gebeld,' zei Ismail, 'zodra het kan komen ze de baby ophalen.'

Erik keek nieuwsgierig naar het voertuig dat de oprit op was komen rijden. 'Dat is prima, uitstekend.'

Uit het voertuig waren twee soldaten gekomen, ze stonden voor de deur te wachten. Ismail sprak kort met ze. De soldaten salueerden tegelijk. Het wagentje leek op een verhoogde jeep. Het had gewoon vier wielen, maar het deed Erik denken aan de voertuigen die in Zuid-Afrika werden gebruikt. Zo te zien was het gepantserd en zou het ook door diep water kunnen rijden.

'Mooi he,' zei Ismail. 'Het is een Cobra. Turks ontwerp, van Otokar Otobus Karoseri Sanayi. Komt overal doorheen!'

'Gemaakt door een busfabrikant?' vroeg Erik en hij klonk sceptisch.

'Maar wel erg goed. Er is geen terrein dat hij niet aan kan!' Ismail klom aan boord. De soldaten stapten ook in en startten de motor. Erik zag Ismail grijnzen toen de pantserauto het terrein af reed. Erik draaide zich om en liep weer terug naar het huis. Het was droog geworden en in de verte leek het op te klaren.

56 ◉

Sigrid schreef in een ambtshalve verstrekt notitieblokje. Ze had een net en regelmatig handschrift, zag Erik. Goed te lezen ook en mooi verdeeld over de minuscule pagina's. Hij schreef aanzienlijk slordiger, in grote halen, raar verdeeld en vaak ook nog onleesbaar. Zelfs hijzelf kon zijn eigen handschrift niet altijd ontcijferen.

'Wat ben je aan het schrijven?' vroeg hij, toen hij zijn schoenen had uitgedaan en zijn jas – geleend van Ismail – had uitgetrokken en te drogen had gehangen.

'Aantekeningen voor het loopverbaal thuis,' zei ze en keek naar hem. Erik werd getroffen door haar blik. Het leek wel alsof ze had gehuild.

'Waar is de baby?'

'Hiernaast, ze slaapt,' zei ze kortaf en ging door met het kriebelen van woorden in haar boekje.

'O,' Erik keek uit het raam. 'Het klaart op, het regent al bijna niet meer.'

'Dat is mooi,' zei Sigrid. Het klonk zo afwezig dat Erik omkeek, maar ze zat driftig te schrijven en keek niet naar hem. In de naastgelegen kamer hoorde hij wat. Hij wilde iets zeggen, maar Sigrid was al opgesprongen om te gaan kijken. Ze gluurde door een kier van de deur, maar deed die vervolgens weer dicht.

'Niets aan de hand, ze slaapt gewoon. Een beetje onrustig, maar ze slaapt wel. Ze moet iets te eten hebben. Misschien werd ze nog wel gevoed.'

'Je weet toch dat er straks iemand komt om het op te halen?' Erik probeerde het niet te drastisch te laten klinken.

'"Het" is een haar, dat ten eerste en ten tweede, volgens mij ben ik niet blond. Natuurlijk komt er iemand om haar op te halen, maar dat kan nog een poosje duren, denk ik.' Het klonk erg kribbig.

'Zeg jij het maar, het is droog nu. Nu ja, droog, het regent niet meer. Ismail zou het regelen. Hij heeft eindeloos zitten bellen.'

'Dat zien we dan wel weer. Wat we nu moeten hebben, is flessenvoeding.'

'Kan ze geen gewone melk drinken dan?'

'Nee, nog niet. Ik schat dat ze nog maar een paar maanden oud is. Tot een maand of zes krijgen baby's flessenvoeding of borstvoeding. Dat is ze nog niet, denk ik. Ik kan wel proberen of ik een pureeprakje kan maken, van fruit of zo. Misschien wil ze dat wel eten. Zoiets zullen ze toch wel hebben? Als jij hier blijft oppassen, ga ik naar de keuken.' Voordat Erik iets kon zeggen was Sigrid opgestaan en weggelopen. Hij liep naar zijn eigen kamer en pakte de mobiele telefoon, die hij gisteravond aan de oplader had gehangen. De batterij was vol en hij had zowaar bereik! 'Yes!' riep hij en belde naar Wessel.

'Leuk weer eens iets van jullie te horen,' zei Wessel droog. Erik vertelde in het kort wat er allemaal was voorgevallen.

'Ik heb iets op het nieuws gezien, het is nogal wat daar bij jullie. Natte voeten?'

'Dat nog wel, maar hier zitten we redelijk droog, boven op een heuvel. Maar we kunnen niet weg. We zitten hier vast.'

'Mooi is dat, allemaal op kosten van de belastingbetaler en waar is Bayram gebleven in de tussentijd?'

'Hij is gesignaleerd in de stad, maar toen we hem wilden gaan aanhouden, konden we niet verder. Ismail is wel vertrokken in een speciaal legervoertuig. Maar men heeft nu andere dingen aan het hoofd dan het vangen van een internationaal opererende boef.'

'En wat nu?' zei Wessel, die het antwoord ongetwijfeld al wel kende.

'Tja, ik denk niet dat we op korte termijn nog op Bayram zullen gaan jagen. Ik ben bang dat we naar huis moeten komen zodra het weer het toelaat en de wegen naar de vliegvelden weer open zijn.'

'Het lijkt me ook de hoogste tijd. Toen ik jullie daarnaartoe stuurde verwachtte ik niet dat je als een heuse Jack Ryan zou ontpoppen. Grote goedheid en genade, Erik, wat is er in je gevaren! Je bent een rechercheur uit een provinciestad! Dit is echt niet te geloven, wat je me daar allemaal vertelt. Ik wil dat je helemaal niets meer doet en echt zo snel mogelijk hier terugkomt. We zijn hier ook gebeld door mensen van de Turkse ambassade en van het ministerie. Jullie zijn daar echt niet meer welkom.'

'Ja maar, Bayram is hier, we kunnen hem aanhouden. Misschien niet naar Nederland krijgen, maar Ismail...'

'Nee! Laat ze dat zelf maar opknappen! We zijn er daar klaar mee. Jullie komen naar huis, hoor je!'

Erik zag alweer een klein streepje blauwe lucht in de verte. Hij zei niets terug en hield de telefoon een stukje van zijn oor weg.

'Ik heb er spijt van dat ik jullie heb laten gaan, tegen mijn eigen oordeel in en nu zitten we ermee. We zullen het er hier nog eens uitgebreid over hebben. Het internationaal rechtshulpverzoek staat en verder horen we het wel.' Er vielen een paar woorden weg, de verbinding was niet zo heel goed meer.

'Ja, dat denk ik ook. Het gekke is wel, dat Ismail daar helemaal niet zo op gebrand lijkt te zijn. Ik heb steeds het idee dat hij blij zou zijn als Bayram met ons mee het land uit zou gaan.'

'Ja, natuurlijk, vind je dat raar?' Wessel kwam weer glashelder door. 'Zodra jullie een vlucht kunnen boeken, vandaag of hooguit morgen, hoor ik het!' En hij verbrak de verbinding.

'Je bent de eerste die het hoort,' zei Erik tegen een dode lijn. Wessel had erg kwaad geklonken, zo was hij anders niet. Zo boos tenminste niet. Wat was er over en weer besproken? Wie had wat gezegd over hen en over Bayram? Wessel zelf had vast op zijn donder gehad over deze missie. Erik dacht erover na en besloot dit probleem maar even te parkeren. Dat zouden ze thuis dan wel weer zien. Maar ineens borrelde er toch woede in hem op. Wat dacht die Wessel wel! Alsof ze hier vakantie aan het vieren waren! Hij was godbetert opgepakt, gemarteld, gevangen gezet... 'We hebben ons best gedaan!' zei hij hardop in de lege kamer. Hij trapte tegen een stoel, die door de ruimte vloog en tot stilstand kwam tegen de kast. Daar barstte een splinter hout af. Erik vloekte zwaar en hevig, liep naar de stoel en schopte er nog eens tegen, maar nu van de kast weg. Hij keek naar de schade en pakte de splinter hout op. Het was goed te zien. Hij keek om zich heen of er iets was waarmee hij de schade kon herstellen, maar kon niets vinden.

'Shit!' riep hij, 'zoek het maar uit, krijg het allemaal maar aan je lip en achter je longen!' Hij merkte opeens hoe moe hij was. Hij strekte zich uit op de bank, vouwde zijn handen achter zijn hoofd en voelde zich loom worden. Misschien was een klein slaapje zo gek nog niet?

Erik was in een draaikolk gezogen van een woedende rivier en kon niet meer naar boven zwemmen. Het was in de Zambezi, waar hij met een kano aan het varen was, in de richting van de Mosi-oa-Tunya waterval. Die had hij al kunnen horen donderen in de verte, terwijl het water steeds harder begon te stromen en hij steeds meer moeite had om overeind te blijven. Langs de oevers had hij buffels zien drinken en olifanten, maar hij had steeds minder tijd gehad om ze te bekijken, omdat de waterval naderde en hij de nijlpaarden moest ontwijken. Even leek het water kalm. Erik liet zijn peddel rusten en keek om zich heen. Er stond een giraf langs de kant. 'Pas je wel op, Erik,' zei de giraf. Erik tikte aan een denkbeeldige pet en keek weer voor zich uit. De waterval was dichterbij dan hij dacht. De stroming werd sterker en Erik begon achteruit te peddelen. Steeds sneller, maar het had geen effect, hij werd meegesleurd. Langs de waterkant draafde de giraf mee, met zijn lange poten maakte hij reuzensprongen in slow motion. 'Het gaat mis Erik, het gaat mis,' riep hij en lachte erbij. Zijn lange blauwe tong flapperde in de wind rond zijn kop. Erik zei niets, hij probeerde te sturen door de peddel in het water te houden. 'Niet zo,' riep de giraf, maar Erik draaide de peddel toch en zijn kano sloeg om. Het water was onaangenaam koud, veel kouder dan hij had gedacht en al snel was hij elk gevoel voor richting kwijt. Dieper en dieper werd hij de rivier in gezogen. Hij hoorde de giraf huilen, maar niet met het geluid dat je van een giraf zou verwachten. Hij werd wakker.

'Hoor je haar niet huilen?' vroeg Sigrid en liep hem voorbij. Ze ging de slaapkamer in en kwam er weer uit met een schreiend kind op de arm. Ze wilde met kind en al de kamer weer uitlopen. Erik was wakker nu en ging rechtop zitten.

'Waar ga je naartoe, heb je wat te eten gevonden?'

'Beter nog, de man die haar redde, is weer bij zinnen gekomen. Ik heb met hem gepraat, voor zover mogelijk. Ik begreep uit zijn ge-baren dat hij iemand kent die zelf net een kind heeft gekregen. Hij is zijn vrouw gaan ophalen. Die wil wel voor de baby zorgen volgens hem. Ze wonen hier een paar huizen verder. Kan ze meteen wat te eten krijgen. Ze zal wel weten hoe dat moet.'

'Mooi,' zei Erik simpel, hij wist er verder niets op te zeggen. Si-grid liep weg met het kind. Erik ging achter haar aan. Er stond een tamelijk jonge Turkse vrouw naast de man die de baby uit het water had gehaald. Ze begon in het Turks te roepen, toen Sigrid binnen-kwam en strekte haar armen uit. Erik zag aan haar dat ze aarzelde, maar niet lang. Ze gaf het kind af. De vrouw pakte de zuigeling aan en begon geruststellende woordjes te spreken. Snel ging ze in een hoekje zitten en draaide zich af. Aan de bewegingen te zien maakte ze een borst vrij om het kind te voeden. Erik voelde dat hij tranen in zijn ogen kreeg en hij zag dat Sigrid het er ook moeilijk mee had. Ook de redder leek niet goed raad te weten met zijn houding. Hij wees op zichzelf.

'Türkan Romantik!' zei hij.

'Is dat zijn naam?' vroeg Erik, maar Sigrid was naar de vrouw en het kind toegelopen en knielde voor haar neer.

'Erik van Houten,' zei Erik van Houten en schudde 's mans hand. 'Türkan Romantik? Grappige naam.' De man knikte alsof hij het had verstaan en zei zijn naam nog een keer. 'Koffie?' Erik had de kan opgepakt en hield die omhoog. De man knikte dit keer.

'Ik heb Wessel gesproken,' zei Erik tegen Sigrid. 'We moeten meteen thuiskomen, we zijn hier niet meer welkom en hij was woedend. Kennelijk is er op hoog niveau over ons gepraat en hebben we alles verkeerd gedaan.'

'Wat, net nu we zo dichtbij zijn?'

'Ja, zeg dat wel, maar ik heb er ook wel een beetje genoeg van. Niemand hier vertelt ons wat, ik word ontvoerd, gemarteld, beschoten en vooral in het donker gehouden. Ik heb het gevoel dat we erg worden tegengewerkt. Ze zoeken het maar uit en Wessel ook. Laten we vandaag maar vertrekken ook.' Erik was voor het raam gaan staan en staarde naar buiten. Het was droog, maar de grond was doorweekt.

'Vandaag kunnen we vanzelfsprekend niet weg.' Sigrid klonk niet echt teleurgesteld.

'Nee, dat gaat niet lukken.'

'Heb je je telefoon bij je?' Sigrid stak haar ene hand uit en haalde met de andere een papiertje uit haar zak.

'Ja, maar de verbinding verloopt met wisselend succes, ik miste een paar woorden in het gesprek met Wessel.'

'Geef maar hier, dan zal ik een vlucht naar huis boeken voor morgen. Ik heb het nummer.' Erik gaf haar de telefoon en keek naar haar hoe ze begon te bellen, iemand aan de lijn kreeg en in keurig Engels voor de volgende dag een reservering maakte voor het vliegtuig naar Amsterdam. De dame aan de andere kant maakte het in orde, zei ze.

'Allemaal goed en wel,' zei Erik, 'maar met uw welnemen ga ik nog een uiltje knappen. Ik ben moe en voel me zwaar klote. Als het goed is, komen ze een keer dat kind ophalen, maar volgens mij gaat het nu allemaal wel goed.' Sigrid knikte. Het voeden was blijkbaar klaar en de vrouw liet de baby een paar boertjes doen op haar schouder. Ze zag Sigrid kijken en bood haar het kind aan. Sigrid pakte haar over, ging zitten en wiegde haar zachtjes heen en weer, alsof ze nooit iets anders had gedaan. Erik stond er onhandig bij, voelde zijn keel dichtschroeven en wist opeens niet meer wat hij moest zeggen. Hij stond op en liep zwijgend naar zijn kamer, waar hij zich op het bed liet vallen. Hij sliep snel in en droomde niet meer.

Hij moest de hele nacht hebben geslapen, want de zon scheen al vrolijk door de ramen. Erik gooide het dekbed van zich af. Hij kon zich niet meer herinneren dat hij zich had uitgekleed, maar kennelijk had hij dat gedaan, want hij had geen draad meer aan zijn lijf. Hij keek de kamer rond. Wat hij aan had gehad, lag over een stoel. Hij stond op en douchte zich. Onder de waterstralen schoor hij zich zo glad als mogelijk was met de vijf mesjes. Het vliegtuig zou om een uur vertrekken en om elf uur zouden ze weggaan. Nog tijd genoeg dus. Hij trok zijn laatste schone kleren aan en pakte ondertussen zijn tas in voor de terugreis. Hij deed dat iets minder zorgvuldig dan voor de heenreis, omdat hij de inhoud straks toch op de vloer van zijn slaapkamer zou kieperen. Dan had vouwen weinig zin.

Hij hoorde niets, Sigrid was zeker nog niet opgestaan. Toen alles was ingepakt – de vuile onderbroeken, T-shirts en sokken in een daartoe meegebrachte plastic zak en de natte tandenborstel in een diepvrieszakje – kwam hij fris en met gekamde haren tevoorschijn. Naar huis gaan was toch wel lekker. Als ze nog bereik hadden, moest hij Josephine eens bellen.

Er was niemand in de gemeenschappelijke ruimte en de deur van Sigrids kamer stond open. 'Hallo?' riep Erik, maar niemand gaf antwoord. Sigrids koffer stond er wel en kennelijk had ze ook al gepakt. Hij liep naar de entree van het huis, maar trof er niemand aan. Er was kennelijk wel gedweild, want de moddersporen van stampende laarzen waren weggepoetst. Er stond een donkerrode Landrover voor de deur, maar er was niemand bij. Erik riep nog eens, maar kreeg ook ditmaal geen antwoord. Hij hoorde wel iets uit de ruimte waar de keuken zou moeten zijn. Daar trof hij zijn collega met in haar armen de baby die ze nu de fles gaf. Ze keek naar hem op met een uitdrukking van intens geluk. Nooit eerder had Erik zo'n blik in haar ogen gezien, ze leek licht uit te stralen. De Turkse man stond naast haar en keek op haar neer. Ook hij glimlachte. Erik werd en een beetje misselijk van.

'Ha slaapkop,' zei Sigrid, 'Türkan brengt ons zo weg.'

Türkan knikte hem vriendelijk toe.

'Ismail en zijn moeder zijn er niet, ik heb een briefje voor ze achtergelaten. Türkan zegt dat het nu waarschijnlijk wel zal lukken, al zal het hier en daar lastig worden.' Ze wees op een envelopje dat op de tafel lag. 'Wil je soms koffie en ontbijt?'

'Dat lijkt me lekker, ja,' zei Erik en ging aan de tafel zitten, waar al kopjes en bordjes klaarstonden.

'En dit is Handan, ze is de vrouw van Türkan,' Sigrid gaf een hoofdknikje in de richting van een slanke jonge vrouw die bezig was een brood uit de oven te halen, 'zij zorgt nu voor de kleine Havva en ze spreekt Engels. Dat is heel erg handig.'

'Havva? Heet ze zo?'

'Nee, dat weten we niet, maar we hebben haar zo genoemd. Het betekent "adem van het leven" en dat leek ons wel toepasselijk, vind je ook niet?' Erik gaf ook Handan een hand en keek in een paar betoverende diepdonkere ogen, die bijna zwart waren. Het viel hem op dat ze geen hoofddoekje droeg; haar lange zwarte haar had ze in een staart gevlochten. Ze had een eenvoudig wit overhemd aan waarvan de twee bovenste knoopjes openstonden. Iets te lang bleef hij haar hand vasthouden en staarde naar haar. Hij zag dat ze daar verlegen van werd en trok haastig zijn hand terug. Handan sloeg haar ogen neer.

'Uh, ja, dat is wel op zijn plaats hier, maar ik denk dat ze al een naam had, toch?'

'Natuurlijk, maar voor nu voldoet deze naam wel. Als er verder geen familie meer blijkt te zijn, willen Handan en Türkan Havva dolgraag adopteren. Ze hebben zelf een kind gekregen, maar dat is kort na de geboorte overleden.'

'Je bent al aardig ingevoerd,' zei Erik, die dankbaar knikte tegen Handan die hem een grote beker koffie inschonk.

'Ja, ze hebben me uitgenodigd om nog eens terug te komen, als alles is uitgezocht.' De kleine Havva was uitgedronken en het flesje was schoon leeg. Sigrid tilde haar op, legde haar op haar schouder en klopte het kindje zachtjes op de rug. Handan nam haar weer over. De Nederlandse politiemensen werden getrakteerd op een Turks ontbijt met vers brood, kaas, worst, olijven en sloten sterke koffie. Erik verwonderde zich erover dat een relatief eenvoudige maaltijd zo lekker kon smaken.

'We moeten gaan,' gebaarde Türkan. Havva was bij Sigrid op schoot in slaap gevallen.

'Dat is goed,' zei Erik, 'ik zal de bagage halen.'

Met z'n allen liepen ze naar de oprijlaan, waar de Landrover op hen wachtte. Sigrid droeg Havva, die gewoon doorsliep. Türkan opende de deuren en ging zelf achter het stuur zitten. Sigrid hield Havva dicht tegen zich aan en drukte een kus op haar hoofdje.

'Zorg goed voor haar, hoor,' zei ze tegen Handan. 'Ik kom snel een keer kijken en jullie zijn ook altijd welkom in Holland.' Ze gaf de baby aan Handan, die haar handig overpakte. De vrouwen zoenden elkaar. Erik vroeg zich af of hij dat ook zou moeten doen. Dat was misschien wat erg brutaal, voor iemand die hij net een uurtje kende. Maar Handan loste het probleem op. Ze had Havva op een arm, draaide haar vrije kant naar Erik, strekte een hand uit naar zijn schouder en trok hem omlaag. Ze kuste hem en Erik zoende vol overtuiging terug. Ze rook naar zomerbloemen en babymelk. Hij werd spontaan verliefd op een jonge Turkse moeder met een baby op de arm. Hij wilde samen met Handan een nieuw huis bouwen en Havva zien opgroeien. Sigrid bleef achterom kijken en zwaaien terwijl de Landrover grommend het pad afreed, hier en daar een diepe plas vermijdend. Toen Erik naar haar keek, zag hij dat er tranen over haar wangen liepen.

58

Wessel had gebeld, zag Erik toen hij zijn toestel weer aanzette op Schiphol. Ze stonden bij band twaalf te wachten op de bagage, toen hij zijn voicemail afluisterde. Het lampje dat aangaf dat de bagage onderweg was knipperde, maar er gebeurde niets. Maar daar waren de eerste koffers al. Kennelijk was er een verstopping geweest, want de bagage tuimelde van de band als sportmascottes in een show van Paul de Leeuw.

'Als we weer in Leeuwarden zijn, moeten we meteen bij de baas langs en hij is niet blij,' zei hij. Hij zag zijn reistas aankomen en sjorde hem van de lopende band. Sigrid keek nog uit naar die van haar.

'Goed dan,' zei ze, 'laten we eerst maar zien dat we thuiskomen. Hoe gaan we terug?'

'Wat dacht je van de trein? Er gaat er een om kwart over vijf. Overstappen in Zwolle, dan zijn we rond acht uur in Leeuwarden.'

'De trein, ik dacht dat jij daar zo'n hekel aan had?'

'Ben er ook niet zo dol op, maar ja, wat moeten we anders? Ik heb geen Schipholtaxi besteld en dat duurt ook lang.' De koffers van Sigrid waren ook aangekomen en samen verlieten ze de hal.

Eenmaal uit de hal begon Erik in de richting van het station te draven. Sigrid keek hem na, steunde hardop en volgde hem.

'Heb je honger?' riep Erik in de hal over zijn schouder naar achteren, 'we hebben nog een paar minuten voor een halve worst van de Hema.'

'Hè, gatsie,' riep Sigrid, 'nee, dank je, dat is gewoon een staaf vet! Ik heb ook niet zo'n honger.'

'Heerlijk!' zei Erik en bestelde een halve worst. Toen Sigrid dat zag en rook, wilde ze er toch ook een.

Met ieder een stuk worst in de hand liepen ze naar het treinstation, waar de trein naar Zwolle net binnenkwam. Ruim twee uur lang zaten ze stilletjes naast elkaar, ieder verdiept in zijn eigen gedachten. In Leeuwarden namen ze een taxi vanaf het station.

'Morgen om acht uur bij Wessel op de kamer?' vroeg Erik, toen ze stopten voor Sigrids huis. Sigrid stapte uit, pakte haar koffer van Erik aan en knikte.

'Slaap lekker, zie je morgen,' zei Erik. Hij keek haar warm aan en pakte haar schouders vast. Toen zoende hij haar een keer op beide wangen en een keer op haar mond. Ze keek hem na toen de taxi de smalle straat weer uitreed.

59

'Al met al was deze reis avontuurlijk, maar weinig succesvol en jullie zijn er bepaald niet in geslaagd nieuwe vrienden te maken,' concludeerde Wessel, die achteroverleunend in zijn stoel naar het relaas van Van Houten en De Wilde had zitten luisteren. 'Toen jullie daar waren, ben ik op het matje geroepen bij onze korpschef. Het was de bedoeling dat jullie onmiddellijk zouden terugkomen. Sterker nog, jullie hadden nooit mogen gaan. Ik heb het nog een paar dagen kunnen rekken.'

'Hoezo dat dan?' Erik voelde zich gepikeerd.

'Omdat wij kennelijk niet de enigen zijn die belangstelling hadden voor Bayram. Het is niet zomaar een Leeuwarder straatschoffie. En halverwege de trip werd de instemming van Turkije ingetrokken.'

'Waarom komt de korpschef daar nu dan mee? Hij wist toch dat we zouden gaan. Wij hebben nota bene zijn toestemming.'

'Zeker, maar dit kwam weer via de korpschef van de KLPD. Ik had opdracht jullie zo snel mogelijk daar weg te halen. Nu dan, dat heb ik gedaan en Bayram bleek ook een Turks paspoort te hebben en daarmee een Turk te zijn. En Turken worden niet uitgeleverd aan andere landen.' Wessel knikte, alsof hij het wel eens was met zichzelf. 'Jullie konden niet eerder weg, vanwege de overstromingen natuurlijk. Maar gisteravond heb ik gemeld dat jullie terug zijn. Dus ik heb gedaan wat er van mij verwacht werd.' Hij keek over de brug die zijn handen vormden naar de Leeuwarder rechercheurs. 'En die stunts die jij daar hebt uitgehaald... Daar kunnen we het maar beter niet meer over hebben...' Er viel een ongemakkelijke stilte.

'Goed zo, maar wat nu?' zei Erik nadat ze zeker een minuut niets hadden gezegd.

'Maar weer aan de slag, denk ik. Het gewone werk oppakken.'
Sigrid stond op en Erik volgde haar voorbeeld.

'Ik wil wel graag een verslag in detail op papier van jullie weder-
waardigheden en dat wil ik niet in het systeem, nu nog niet. Doe het
maar in Word en mail het naar mij.' Erik knikte en wilde de deur uit
lopen.

'En nog eens wat, misschien moeten jullie nog eens met die vrienden van Bayram gaan praten.'

'Hoezo, hebben we nog een zaak dan?' Sigrid keek verbaasd.

'Als jij het weet, maar het kan geen kwaad om die nog eens aan
de tand te voelen.'

Sigrid had alle stukken over de straatroven nog eens doorgenomen
en ontdekte een zekere Melany. Ze was een vriendin van Marjoleine geweest en ze kende de anderen in de groep ook. Er was een
beschrijving van het jonge meisje, dat er ouder zou uitzien dan ze
in werkelijkheid was, maar een achternaam of een adres zat er niet
bij. Sigrid voerde een zoekslag uit in de politiesystemen op de voornaam plus enkele kenmerken. Ze vond de naam wel, maar niet met
meer gegevens dan waarmee ze was begonnen. Ze stuurde een mail-
bericht naar de infodesk en naar de wijkagenten. De infodesk had
niet meer informatie dan ze zelf ook al had en van de wijkagenten
sloeg niemand op de naam aan. Ook de wijkagent van de binnenstad
niet. Ze vroeg aan de infodesk om de naam en beschrijving op de
briefing te zetten en dat hielp; een zedenrechercheur belde met de
mededeling dat hij een Melany kende die aan het signalement kon
voldoen. Melany de Roos, daar zou het om gaan en daarvan had hij
nog een adres ook. Beter nog, hij wist dat ze in de stad werkte bij een
drogisterij. Sigrid bedankte, vroeg en kreeg een autosleutel en reed
vanaf het bureau direct naar de stad naar de winkel waar Melany te
vinden moest zijn.

Sigrid stapte de drogisterij binnen. Poortjes bij de uitgang moesten voorkomen dat de klanten er zonder af te rekenen met spullen vandoor zouden gaan. Automatisch keek Sigrid of er nog andere antidiefstalmaatregelen waren genomen en zag al snel de camera's en de afroomkassa's.

Er waren niet veel klanten in de winkel. Een groepje meisjes dat giechelend aan de parfumtesters rook, een oudere vrouw bij de vitaminepreparaten en een man die zichzelf drop opschepte. Er stonden twee zichtbaar verveelde en te rijk opgemaakte jonge vrouwen achter de toonbank. Ze waren met elkaar in gesprek en hadden geen oog voor de winkel. Sigrid stapte erop af.

'Ik ben op zoek naar Melany, Melany de Roos,' zei ze en keek vriendelijk naar de dames achter de counter. Die keken nog steeds verveeld terug.

'Achter,' zei een van hen en wees met haar duim naar de achterkant van de winkel. Sigrid bedankte en liep de winkel door. Helemaal achterin kwam ze een meisje tegen, druk doende met het in het schap zetten van flesjes deodorant. Ze zag er moe uit, ondanks dat ze net zo overvloedig met make-up was bewerkt als haar twee collega's.

'Dag Melany, ik wil eens met je praten.'

'Wie ben jij dan wel?' vroeg het meisje snibbig, terwijl ze overeind kwam en een streng haar van haar voorhoofd wegveegde.

'Politie, kunnen we ergens gaan zitten?' vroeg Sigrid, terwijl ze haar legitimatiebewijs liet zien. Ze zag Melany schrikken en om zich heen kijken, alsof ze wilde ontsnappen. Maar Sigrid stond voor de enige uitweg. Melany leek met zichzelf te overleggen, knikte toen en ging vooruit naar een deur tussen de scheerapparaten en de scheergel. Ze tikte een code in, 1 2 3 4, zag Sigrid. Fijne code dacht ze. De deur gaf toegang tot magazijnen en een klein kantoortje. Daar liep Melany naartoe en ging stuurs op een stoel zitten. Ze bood Sigrid geen stoel aan.

'Melany, weet je waarvoor ik ben gekomen?'

'Geen idee,' zei Melany en keek naar haar vingernagels. Ze pakte een mobieltje tevoorschijn en tikte kennelijk een berichtje.

'Ik zal er niet omheen draaien – kun je die telefoon misschien even wegdoen? Het gaat om Bayram.' Sigrid bestudeerde haar gesprekspartner en zoals ze al had verwacht, tekende een moment van schrik en angst zich af op Melany's gezicht bij het noemen van die naam.

'Ken ik niet,' zei Melany nors.

'Kom op, ik zie aan je dat je liegt, dus laten we dat maar overslaan, zou ik zeggen. Dan verspillen we jouw en mijn tijd niet.' Sigrid bleef haar strak aankijken. Melany keek terug, brutaal eerst, keek weer even naar haar telefoon, die ze nog steeds in haar hand had. Het ding piepte en trilde. Melany keek naar het schermpje en borg de telefoon toen op.

'Weet je niet hoe gevaarlijk Bayram is?' vroeg Sigrid zacht.

Toen brak er wat. Sigrid zag het. Er kwamen tranen in haar ogen en opeens verloor ze jaren in leeftijd. Ze zag er nu uit als het jonge meisje dat ze was: alleen, bang en onzeker.

'Ben je bang voor Bayram?' vroeg Sigrid.

'Ja,' het kwam er verstikt uit.

'Help ons dan om hem op te pakken en ervoor te zorgen dat hij voor heel lang wordt opgeborgen.' Melany huilde nu echt, de tranen over haar wangen spoelden de mascara mee. Sigrid bedwong de neiging om haar in de armen te nemen en troostend toe te spreken. In plaats daarvan schonk ze een plastic bekertje water in bij het gootsteentje en gaf dat aan de snikkende Melany. 'Gaat het weer een beetje?' Melany knikte. 'Ik denk dat we maar het beste naar het bureau kunnen gaan. Daar kun je ons alles vertellen en daarna overleggen we wat we gaan doen.' Sigrid trok de verkoopster zachtjes omhoog uit haar stoel. Melany kwam weer een beetje tot zichzelf, keek in de spiegel en begon zich wat te fatsoeneren. 'Laat maar, we moeten gaan.' Sigrid wilde het benauwde kantoortje graag uit.

Tegen de verbaasde verkoopsters zei ze dat ze Melany even mee-nam. Op dat moment klonk er kabaal in de winkel en Sigrid zag een stellage vol make-up omvallen. De stiften, potjes en tubetjes rinke-len en rolden over de winkelvloer. Tegelijk begonnen de poortjes te piepen en renden twee meisjes de winkel uit. De verkoopsters schreeuwden en riepen dat ze staan moesten blijven. In de winkel was het een ravage, klanten sprongen opzij, verkoopsters kropen op hun knieën tussen de spullen en de daders verdwenen op straat. Wie ging er achter aan? Een van de personeelsleden aarzelde, rennen of de handel redden?

'Staan blijven,' siste Sigrid tegen Melany, 'en jij, bel de politie.' En ze sprintte de winkel uit. Had ze iemand horen lachen?

De meisjes konden niet zo hard lopen, omdat ze de slappe lach hadden en Sigrid had ze snel ingehaald. Ze pakte ze beiden bij een arm en wilde ze weer terugbrengen.

'Laat me los, bitch!' krijste er een door de winkelstraat. De ander wist Sigrid gemeen tegen de enkel te schoppen.

'Smerige lesbo, rot op!' gilde de eerste weer. Sigrid was verbou-wereerd, zoveel verzet had ze niet verwacht van twee veertienjarige meisjes. Maar ze verstevigde haar greep op de dunne bovenarmpjes. De tweede schopte weer naar haar enkel, maar ditmaal was ze erop voorbereid.

'Au,' schreeuwde het meisje, 'help, we worden ontvoerd door deze cunt!' kwam er nog achteraan ook. Verschillende mensen ble-ven staan, maar grepen niet in, wel werd er schande over gesproken. Sigrid kon niet zo goed opmaken of ze het nu voor de meisjes of voor haar opnamen. Er waren wel mensen aan het bellen, zeker de politie, dacht Sigrid. Een van de meisjes begon nu wild aan haar arm te trekken en te krabben met paarsgelakte nagels. Dat deed behoor-lijk pijn, maar Sigrid kneep alleen maar harder in de armpjes van de criminele pubers, terwijl ze hen meesleurde over de Nieuwestad in de richting van de drogisterij. De meiden zetten het nu allebei op een krijsen; het deed pijn aan haar oren. Ze schreeuwden zo hard, dat Sigrid de Amerikaanse sirene van de politieauto's niet eens hoorde. Vanaf twee kanten kwamen ze aan – de politiegolfjes – en uit elke auto sprongen twee agenten.

'En wat is hier aan de hand?' vroeg een van hen, toen het geschreeuw gestopt was.

'Deze bitch heeft ons ontvoerd en we deden niks!' riep een van de kinderen.

'Is dat zo, mevrouwtje?' vroeg de collega aan Sigrid.

'Nee, uilskuiken, de dames zijn aangehouden op verdenking van winkeldiefstal. Misschien wil je ze van me overnemen.'

'O, nu zie ik het, vrouw De Wilde van de recherche, sorry, ik had u niet herkend.' Snel pakte hij een van de meisjes over. De collega pakte het andere kind beet.

'Zeg maar Sigrid,' zei Sigrid. Ze kon maar niet wennen aan dat Friese "vrouw". 'Ze kwamen daar vandaan, ik zou het op prijs stellen als jullie dit afhandelen, dan kan ik met mijn eigen zaak verder.' Sigrid wees op de winkel. De agenten namen de meisjes mee en met zijn allen ging het in optocht terug naar de winkel, waar de twee verkoopsters voor de deur stonden te kijken naar de consternatie op straat.

'Kun je wel, lummel, tegen kleine meisjes!' riep een behulpzame voorbijganger tegen de politieagenten. Ze negeerden het.

'Waar is Melany?' vroeg Sigrid aan de verkoopsters. Ze wisten het niet, ze was vertrokken, zeiden ze. Waarheen, ook daar hadden ze geen idee van. Ze hadden er ook niet op gelet.

'Allemachtig!' riep Sigrid. Ze rende naar buiten en speurde links en rechts de Nieuwestad af. Niets. Vloekend in zichzelf spurtte ze terug naar de plek waar ze de auto had achtergelaten. Ze had gelukkig Melany's huisadres in haar notitieboekje opgeschreven. Melany wist niet dat Sigrid dat had, maar zou ze haar huis kiezen als vluchtplek? Sigrid was er niet zeker van. Nog steeds foeterend reed ze naar het adres in Huizum.

Ze parkeerde aan de overkant van de straat, schuin tegenover het huis. Als Melany te voet was zou ze er nog niet kunnen zijn, gesteld dat het meisje inderdaad naar huis zou gaan. Sigrid besloot te wachten. Ze keek op haar horloge en nam zich voor over een half uur aan te bellen.

Een half uur later had Sigrid niemand het huis zien binnengaan, maar dat hoefde niets te betekenen. Er was ook een achteringang, via de tuin. Ze liep de tuin in en probeerde door de ramen naar binnen te kijken. Maar er was niets te zien, alleen een rode kater die loom naar haar staarde.

Ze draafde weer naar de straat en schoot de auto in, startte en reed weg. Haar telefoon ging: Erik. 'Oh nee,' kreunde ze. Wat moest ze zeggen: ik heb een belangrijke informant laten glippen? Nee, beter nog wachten, misschien werd haar verhaal straks wat beter. Ze liet de telefoon rinkelen en koerste richting stad.

Sigrid liep de drogist weer binnen. De stelling stond weer overeind, maar was nog niet helemaal ingeruimd. Ze vroeg een van de verkoopsters of Melany zich nog had gemeld.

'Uh, hm, nee,' zei het meisje.

Sigrid kreeg veel zin om het kind door elkaar te rammelen. 'Nu moet je heel goed naar me luisteren,' sprak ze op dreigende toon. Ze was woest, op zichzelf vooral en had zin dat af te reageren op dit meisje. Niet erg professioneel, realiseerde ze zich bijtijds.

'Het is echt belangrijk dat we Melany vinden,' vervolgde ze, nu wat vriendelijker. 'Ze kan in gevaar zijn.'

De verkoopster keek haar schuin aan. 'Het zou kunnen,' zei ze langzaam, 'het zou kunnen dat ze in Subway zit.'

'Subway, de broodjeszaak?'

'Ja.'

Sigrid vloog de winkel uit. Ze holde door de Hoedenmakerssteeg, rende het Zaailand over – de opbrekingen in de weg verwen-

send – en stoof linksaf de Prins Hendrikstraat op. Als de verkoopster Melany intussen had gewaarschuwd, zou die nooit ver kunnen
zijn en ze kreeg gelijk. Net toen Sigrid de hoek om kwam, liep
Melany Subway uit. Sigrid zag haar een kleine vijftig meter voor
zich. Melany keek om en zag Sigrid aan komen stormen. Ze begon
te rennen, op hoge hakken onder haar superstrakke jeans. Sigrid
schatte haar eigen kansen gunstig in. Die komt niet ver, dacht ze.
Maar Melany bleek een kansrijke deelnemer aan de stilettorace; de
afstand tussen haar en Sigrid werd juist groter en ze spurtte in de
richting van het station.

Oh nee, dacht Sigrid, dat gaat me niet ook nog gebeuren, dat ze
verdwijnt in een wegrijdende trein. Of oplost in de mensenmassa.
Ze zette een sprint in om Melany in te halen. Melany moest inhouden om over te steken en dat was Sigrids geluk. Met een snoekduik
slechtte ze de laatste meters tussen haar en Melany en greep het
meisje bij haar schouders. Melany spartelde, maar dat haalde weinig
uit bij Sigrids greep. Ze stonden hijgend naast elkaar, Sigrid hield
Melany stevig vast.

'Die winkeldiefjes,' zei Sigrid, 'heb jij die ge-sms't?' Melany
knikte. 'Ongelooflijk,' zei Sigrid. 'Maar nu moet het uit zijn met die
grappen. Je gaat met me mee, we lopen wel naar het bureau.'

Melany zuchtte, maar knikte weer braaf. Samen liepen ze in de
richting van het bureau. 'Ik raakte in paniek,' zei ze.

'Dat geeft niets,' zei Sigrid. 'Maar het is nu echt het beste dat je
meekomt. Ik weet niet of Bayram ook weet waar je woont?' Ze zag
de kleur wegtrekken uit Melany's gezicht. 'Nee,' stamelde Melany,
'niet dat ik weet.'

'Nu dan, het is echt beter dat we even in alle rust met elkaar praten.' Ze stonden voor het bureau en Sigrid hield de deur voor Melany
open. Melany aarzelde nog een tel op de drempel en liep toen naar
binnen. 'Weinig keus,' zei ze en trok haar schouders hoog op.
Sigrid monsterde het meisje tegenover haar. Ze had haar thee aan-

geboden, wat ze gretig had geaccepteerd. Ze blies in haar bekertje. Gek genoeg leek ze wel op haar gemak. Een directe aanpak kon om te beginnen geen kwaad, besloot Sigrid.

Ze schoof een foto naar de overzijde van de tafel. 'Ken je dit meisje?' vroeg Sigrid. Een lichte schok ging door Melany heen. 'Marjoleine,' zei ze.

Sigrid knikte. 'Marjoleine zat tot over haar oren in Bayrams netten verstrikt,' zei ze. 'Ik wil voorkomen dat jou hetzelfde overkomt als haar.'

'Zo goed ken ik Bayram niet,' protesteerde Melany. 'Ik spreek hem nooit rechtstreeks.'

'Dat kon zomaar eens veranderen,' sprak Sigrid. 'Bayram is niet te onderschatten en levensgevaarlijk. Ik wil dat je dat goed beseft.'

Melany kromp ineen.

'Vertel maar gewoon wat jullie allemaal deden. Ik zal er wel voor zorgen dat alles goed komt.' Sigrid hoorde het zichzelf zeggen, maar het leek toch effect te hebben.

'Als ik iets aan je vertel, moet dan mijn naam erbij?' vroeg Melany en nam een slokje thee.

'Doorgaans wel, maar als het heel erg is, dan doen we het wel eens niet. Maar daar is de officier niet zo dol op.'

'Ik zeg niets als dat niet mag en ik teken ook niets.' Het leek of ze weer wat moed had gevonden in de warmte van de thee.

'Goed,' zei Sigrid, met een donkere stem, alsof ze veel aan het toegeven was, 'ik kan het volgende doen. We noemen je voorlopig NN en als adres nemen we het politiebureau, maar je moet wel eerst je verhaal vertellen!' Melany zuchtte weer, maar ze knikte wel en begon haar verhaal. Nadat Sigrid enkele vragen had gesteld over haar achtergrond en wat ze overdag en 's avonds doorgaans deed, kwamen ze tot de kern.

'Hoe heb je Bayram leren kennen?'

'Ik kende hem niet zo goed, hij was er soms. Ik weet het niet, we hingen wat rond en daar was hij dan ook.'

'Waar hingen jullie rond?'

'Tja, overal, McDonald's, Nieuwestad, Piter Jelles, waar niet?'

'Wie waren daar precies bij?'

'Marjoleine natuurlijk en Martijn, een klasgenoot van haar. Maar die hoorde er niet zo bij. Mohammed wel en Hensley. Hensley was er altijd bij.' Melany keek bitter.

'Was dat een vriend van je?' vroeg Sigrid.

Melany maakte een afkeurend geluid. 'Je kon wel met hem lachen. Maar hij was ook geflipt.'

'Geflipt? In welk opzicht?'

'Die gek deed alles wat Bayram zei. Alsof hij iets goed te maken had.'

'Maar Bayram was toch veel ouder dan jullie?'

'Ja, en?' Melany keek Sigrid brutaal aan.

'Had je seks met hem?' Sigrid keek net zo brutaal terug. Melany kromp weer ineen. De bravoure was weer weg en ze gaf geen antwoord. Sigrid herhaalde de vraag.

'Soms,' het kwam er geknepen uit.

'Waar deed je dat dan, toch niet bij je thuis?'

'Nee, meestal achterin de auto, zijn auto. Hij had een grote zwarte auto en soms ook ergens anders.'

'Ergens anders? Bij hem thuis?' Sigrid probeerde een zachte klank in haar stem te leggen en een veilige omgeving te creëren. Ze zag dat het meisje elk moment kon dichtklappen.

'Nee, ik ben nooit bij hem thuis geweest, maar daar waar het kon. In een kelderbox of zo.'

'Wat vond je daarvan?' Sigrid keek weg en besloot nog niets op te schrijven.

'Uh, niet zo fijn, maar hij was soms wel lief. Hij had altijd wel geld en uh,' ze keek op, 'spul'.

'Spul? Je bedoelt drugs?' Het bleef stil. Melany besefte kennelijk dat het niet zo snugger was om op een politiebureau tegenover een rechercheur toe te geven dat je met drugs in de weer was. Ze zei dan ook niets.

'Kom, Melany, dat weten we allemaal allang, dus je kunt het rustig aan mij vertellen. Daar zijn we nu niet naar op zoek.'

'Ja,' klonk het een tijd later, maar toch, het was een 'ja.'

'Drugs dus, wat voor drugs?'

Melany keek alsof ze ergens pijn had. 'Geen sjoege.'

'Hoezo, had het geen naam dan? Hoe noemden jullie het dan?'

'Uh, sucré,' – ze sprak het uit als "zukree" – 'maar ik weet niet wat het was.'

'En Bayram leverde dat aan jullie?' Sigrid schreef het woord op, ze had het nog niet eerder gehoord. Misschien was het wel mba.

'Ja, hij had altijd wel wat bij zich, maar vaak gaf hij het aan ons, dan moesten wij het verstoppen.' Melany keek langs Sigrid heen naar de muur achter haar. Daar was vast niets te zien, dacht Sigrid en weerstond de neiging om om te kijken.

'Hoezo verstoppen?'

'Het zat in kleine pakjes, die moesten we in onze bh doen of in onze onderbroek stoppen, daar waar de scoop toch niet zou durven zoeken.' Ze keek weer naar Sigrid. 'En soms ook wel eens meer. Ik weet dat er wel eens mensen op reis mochten. Dan kregen ze geld en zo.'

'Ben je verslaafd,' vroeg Sigrid zacht, maar Melany schudde haar hoofd.

'Niet verslaafd, niet, echt niet, niet ik,' ze schudde zo hard van nee, dat ze helemaal door elkaar schokte.

'Wie deden hier allemaal nog meer aan mee?' vroeg Sigrid en schreef de namen op die Melany wilde loslaten. De meeste kende ze al wel, maar er kwamen er meer bij. Sigrid verbaasde zich erover dat Melany zo veel praatte. Nadat dit was genoteerd, besloot ze weer terug te gaan naar de seks.

'Dwong hij je tot seks?' vroeg Sigrid. Ze had gemerkt dat rechtstreekse vragen het beste werkten. 'Dreigde hij of sloeg hij je?'

'Af en toe, in het begin, toen wilde ik niet, maar later hoefde het niet.'

'Hoezo, hoefde het later niet, dan hoefde hij niet meer te slaan?' Sigrid keek verbaasd en Melany leek dat op te vallen.

'Nee, later hoefde ik niet meer met hem mee, toen had hij andere meisjes. Hij had altijd meerdere meisjes, maar ook altijd een favoriet.' Sigrid moest haar best doen haar afgrijzen niet te laten merken.

'Marjoleine?' vroeg ze en Melany knikte.

'Ik vond het wel goed, dan was ik ervanaf en Marjoleine kon best ook eens wat doen.' Het klonk als een ouder kind dat met haar jongere zusje ruzie heeft over de afwas.

'Moesten jullie alleen maar seks hebben met Bayram?' Melany keek vragend naar Sigrid. 'Ik bedoel, waren er ook andere mannen of jongens met wie je het moest doen?' Melany zweeg en net toen Sigrid de vraag nog eens wilde stellen, gaf ze antwoord.

'Ja, dat regelde Bayram. Dan moest ik met iemand mee. Dat was niet leuk...'

'Dat kan ik mij voorstellen, kreeg Bayram daar geld voor?' Melany keek haar meewarig aan. 'Maar jij kreeg er geen geld voor?' En het meisje schudde haar hoofd.

'Heb je ook een tattoo, net als Marjoleine?'

Tranen sprongen weer in Melany's ogen. 'Nee, nee, ik niet...,' stamelde ze en ze schudde heftig met haar hoofd. 'Mag ik nu roken?' Sigrid vond het goed en liep met haar mee naar een besloten binnenplaats. Ze rookte een sigaret op tot het filter en liep weer mee naar de hoorkamer. Er was iets gebeurd tijdens het roken, want ze zei niets meer, wat Sigrid ook probeerde. Ze zette alles wat ze daarvoor hadden besproken op papier en zoals Melany vooraf al had gezegd, tekende ze niets en wilde ze ook niet dat haar naam werd genoemd. Ze wilde weg, het bureau uit en niets meer met de scotoe te maken hebben, dat was het enige wat ze zei. Sigrid vroeg zich af waarom ze opeens die ommezwaai had gemaakt, maar ze kwam er niet achter.

'Nog een ding Melany, ik smeek het je,' zei Sigrid. 'Bel me als je Bayram ziet. Hier is mijn nummer,' en ze stopte haar kaartje in Melany's jaszak. Ze pakte het meisje nog eens bij de schouders en keek haar indringend aan. 'Ik meen wat ik zeg,' zei Sigrid. 'Deze man is levensgevaarlijk. Bel me als je hem ziet. Bel.'

60

Er stond een bericht in Sigrids mailbox. Afkomstig van ene y.dijkstra@ gmail.com. Dat zei haar helemaal niets. Ze opende het bericht niet, er stonden nog tweehonderd andere mails op antwoord te wachten. De meesten daarvan konden wel weg, dat waren cc-tjes waarvan ze toch niet begreep waarom ze die kreeg en een hoop andere onzin, met veel bijlagen. Die opende ze al helemaal nooit, dat had Erik haar geleerd. Als het echt belangrijk was, dan zou ze dat wel op een andere manier horen. Snel klikte ze wat mails weg. Ze zou moeten opruimen of wat subdossiers moeten aanmaken. Het kwam er niet van. Tenslotte kwam ze weer terecht bij het bericht van die Dijkstra.

Aan: Sigrid.de.Wilde@friesland.politie.nl
   Van: ybedijk123@gmail.com
   Sigrid,
   Kunnen we contact hebben?
   Ybe.

Ybe? dacht Sigrid, who the hell is Ybe? Ze keek de mail nog eens na, 'Ybe Dijkstra', heette hij volledig. O, hemel, dat was die KLPD-collega die in Turkije had gewerkt. Die Dijkstra was het. Wat zou hij moeten? Ze mailde haar telefoonnummer terug en was verbaasd dat ze bijna op hetzelfde moment werd gebeld.

'Sigrid, ik moet je spreken, kun je me hier thuis ontmoeten? Je weet toch nog wel waar ik woon?'

'Jawel, in Snakker...'

'Stil, niet zeggen, je weet niet wie er meeluistert. Kom maar snel naar hier.' Sigrid wilde nog wat zeggen, maar hij had de verbinding al verbroken. Sigrid staarde verbaasd naar de telefoon. Ze stond op en ging op zoek naar Erik, maar die was in verhoor. Ze overwoog hem te storen, maar besloot het niet te doen. In plaats daarvan schreef ze een mededeling op een geeltje en plakte dit op zijn computer. Toevallig had ze nog de sleutel van een dienstauto in haar zak, dus dat kwam goed uit. Ze draaide de Holstmeerweg op en reed via de Anne Vondeling naar Leeuwarden-Noord.

Wat zou die Dijkstra nog te melden hebben? Ze parkeerde op dezelfde plaats als de eerste keer. Ze hoefde niet aan te bellen, want Dijkstra stond haar al op te wachten. Snel keek hij links en rechts de straat af en deed toen de deur dicht, Sigrid bijna naar binnen trekkend.

'Ben je alleen?'

'Ja ja,' zei Sigrid, die het gedoe ongemakkelijk begon te vinden.

'Ben je gevolgd hierheen?'

'Voor zover ik weet niet, maar eerlijk gezegd heb ik er niet zo heel erg op gelet.'

'Heb je een mobiel bij je?'

'Natuurlijk.' Sigrid werd er een beetje kriegel van.

'Wil je die dan helemaal uit zetten, niet op stil, maar uit en liefst de batterij eruit?'

'Wat is er toch aan de hand, heb je last van een paranoïde persoonlijkheidsstoornis?'

'Nee, nee, was het maar waar. Maar ik weet niet wie er allemaal meeluistert of kijkt.'

'Maak het niet zo spannend, man, vertel waar het om gaat!'

'Ja, kom verder, wil je koffie?'

'Nee, laat maar, ik wil nu wel eens weten wat er gaande is.' Sigrid liep de kamer in en ging zonder daartoe te zijn uitgenodigd aan de eettafel zitten. Dijkstra kwam achter haar aan en nam tegenover haar plaats.

'Jullie zijn terug uit Turkije?' vroeg Dijkstra en keek haar indringend aan.

'Zoals je ziet,' zei Sigrid.

'Jullie hebben daar contact gehad met Abdurrahman Otuzbiro-gullari, Abduur, zoals jullie hem misschien noemden.' Sigrids gezicht betrok.

'Ja,' zei ze eenvoudig.

'En hij is dood nu, doodgeschoten.'

'Ja, op de avond dat wij samen hebben gegeten. Dat was vreselijk, Erik werd er zelfs van verdacht.'

'Hebben jullie daar verder nog iets van gehoord?'

'Nee, want er gebeurden zoveel andere dingen, wij hebben daar nooit meer iets van vernomen.' Sigrid vond dat nu ook wel een beetje gek.

'En jullie hebben intensief samengewerkt met een andere Turkse collega: Ismail, luitenant-kolonel maar liefst.' Dijkstra keek haar nu strak aan. Sigrid keek weg, buiten was het zachtjes gaan regenen, zag ze door de ramen.

'Ja, daar hebben we het meest aan gehad.'

'Heeft Ismail nog iets gezegd over de moord op Abduur?'

'Nee, hij wilde daar niets over vertellen. Hij wist wel iets, maar hij weigerde die informatie prijs te geven. Ik heb me er kwaad over gemaakt, maar kreeg het niet uit hem.'

'Weet je, Abduur was een doodgoeie jongen, zeer integer. Hij kon niet tegen onrecht en trachtte dat tegen te gaan. Maar het was erg moeilijk voor hem. Hij had bijna geen vrienden in Turkije, niemand die hij kon vertrouwen.'

'Wil je zeggen dat er een complot tegen hem was gesmeed en hij daarom is vermoord?' Sigrid keek geschokt.

'Dat weet ik niet, maar Abduur had nog een probleem. Dat wil zeggen, hier was dat geen probleem, of maar een klein beetje, maar daar was het echt een probleem.'

'Wat was het probleem dan?' Sigrid vond dat hij behoorlijk in raadselen sprak.

'Abduur hield van mannen.'

'O,' zei Sigrid.

'En in Turkije is men behoorlijk homofoob. De politie en homoseksualiteit is geen beste combinatie. Het is een macho-organisatie en er is veel geweld tegen homo- en transseksuelen.'

'Ik wist niet dat het zo erg was.'

'Ja, agenten van wie bekend wordt dat ze homo zijn, worden of weggepest of ze worden gedwongen ontslag te nemen. Abduur hield het dan ook zorgvuldig geheim. Ik maak een kop koffie, wil je echt niet meedrinken? Gewone Douwe Egberts hoor, geen Turkse koffie.' Dijkstra stond op en liep naar een Senseo die op het aanrecht stond.

'Goed hoor, maar denk jij dat dat iets met de moord op Abduur te maken heeft?'

'Ik weet dat Abduur een relatie had. Dat had hij heel lang niet gehad, want dat vond hij te gevaarlijk en ik weet dat het met een collega was, die er ook niet voor uitkwam. Het was erg gevaarlijk, vertelde hij de laatste keer dat ik hem sprak.'

'Waarom nam hij jou in vertrouwen?' Sigrid bleef rechercheur.

'Omdat wij samen een relatie hadden, toen hij nog hier woonde,' zei Dijkstra eenvoudig. 'Wil je suiker en melk?'

'En die relatie was over?' vroeg Sigrid, toen ze in de koffie roerde.

'Ja, we hebben een geweldige tijd gehad samen.' Dijkstra staarde nu naar de regen. Toen hij weer naar Sigrid keek, waren zijn ogen ook nat. Sigrid zei niets. 'Maar hij wilde graag terug naar zijn land en toen hebben we besloten ons samenzijn stop te zetten.' Dijkstra maakte een geluid als van een onderdrukte snik, haalde een rode zakdoek tevoorschijn en snoot zijn neus. 'Het was zo'n mooie jongen, die tijd samen was misschien wel de mooiste van mijn leven. Ik heb staan grienen als een klein kind toen ik hem naar Schiphol bracht. De hele weg naar huis...' Hij viel stil en snoot zijn neus nog eens. Sigrid deed er het zwijgen toe, maar toen Dijkstra weer een slok van zijn koffie nam, stelde ze een vraag.

'Wie was die collega, weet je dat?' Maar Dijkstra schudde zijn hoofd.

'Nee, dat weet ik niet, alleen dat hij ook bij de politie werkte, verder weet ik het niet. Hij wilde het ook niet vertellen, omdat hij dacht dat hij mij daarmee pijn zou doen. Ik heb het een beetje uit hem moeten trekken. Maar ik weet wel dat hij erg verliefd was. Was hij maar hier gebleven, dan was zijn leven zoveel makkelijker geweest en had hij gewoon ergens kunnen wonen met mij, of desnoods met een ander.'

'Denk je dat hij daarom is vermoord?' Zou dat nu echt zo zijn, dacht Sigrid. 'Hoe homofoob zijn ze daar wel niet?'

'Heel erg, een echte man is natuurlijk geen homo en zo. Maar ik weet het niet, dit is wat ik weet, verder niets. Misschien was er wat anders aan de hand, misschien is hij gewoon beroofd, zeg het maar, ik vond dat jullie dit moesten weten.'

'Maar je weet dus niet wie die man was, met wie hij iets zou hebben?'

'Nee, dat zei ik al, dit is wat ik weet.' Dijkstra verzonk in zwijgen en keek naar de regen die op het dak van de schuur ranselde.

'Maar het was een collega, dat weet je wel zeker?' Sigrid probeerde een blik van Dijkstra te vangen. Hij knikte en leek niet meer te kunnen spreken.

'Maar waarom dit paranoïde gedoe dan?'

Dijkstra keek schichtig in het rond en leek ergens naar te luisteren, maar behalve het geluid van de regen was er niets bijzonders te horen. 'Omdat je het niet weet, je weet niet waar ze zijn of met wie ze bezig zijn! Dat weet je niet! Heb je je telefoon uit?' Sigrid antwoordde niet. Ze was opgestaan en deed een stap naar achteren. Ze begon zich onprettig te voelen.

'Je moet je telefoon wel uit doen, want ze weten gewoon waar je bent en kunnen ook horen wat je doet, wist je dat niet? Als jij bluetooth aan hebt, kunnen ze je telefoon aanzetten en precies horen wat je aan het doen bent. Altijd bluetooth uitdoen! Daarom heb ik ook nog een oud model, daar zit het niet op, dan is het minder eenvoudig voor ze! Mij pakken ze niet zomaar hoor, denk dat maar niet.'

Sigrid was nog een stap achteruit gegaan. Dijkstra was er opgewonden van geworden en sprak harder en sneller dan daarvoor, kleine druppels speeksel verlieten zijn lippen als hij woorden uitsprak die met een 'p' begonnen. Het was tijd om afscheid te nemen, dacht ze. Ze bedankte hem en verliet het huis. Tussen de voordeur en de auto werd ze erg nat. Ze vroeg zich af wat ze met Ybes informatie moest doen. Onderweg naar het bureau reed ze bijna een fietser aan, die van de verkeerde kant een rotonde opreed en opeens opdoemde vanuit het niets. Het was een vrouw, die schreeuwend van woede haar doorweekte weg vervolgde.

61

'Wat heb je uitgevonden, toen ik niet keek?' vroeg Erik. Hij zat in de briefingruimte op een stoel, zijn benen lagen op tafel en hij wipte achterover.

'Ik heb iemand wel eens naar zien vallen, zo,' zei Sigrid.

'Welnee, ik zit goed in evenwicht hoor.' Erik wipte nog wat verder achterover.

'Bayram is inderdaad op een forse manier bezig met drugshandel. Dat heb ik bevestigd gekregen. Waarschijnlijk met mba, maar ze noemen het sucré. Die naam kende ik niet, jij?'

'Nee, is Sucré niet een plaats in Bolivia?' Erik keek om zich heen alsof hij verwachtte een atlas te vinden.

'Dat is Surce, zonder aangehouden 'e' op het eind. Ik denk dat het iets met suiker heeft te maken, misschien omdat ze het daarop druppelen? Dan zou het de straatnaam kunnen zijn. Melany heeft verklaard dat onze vriend er constant mee bezig was en dat een hele lijst van haar vrienden als koerier optrad.'

'Mooi, dat is prima, maar die bevestiging kan geen kwaad.' Erik vlocht zijn vingers in elkaar en legde ze als een kussentje in zijn nek, leunde weer achterover en keek naar Sigrid.

'Alleen wilde ze niet tekenen en niet haar naam in het verbaal,' zei Sigrid en keek terug.

'Dat geeft niets, dan maak je er een loopverbaal bij en zet je erin dat je haar naam kent en die vrij kunt geven als we het nodig hebben.' Dat was geen probleem, dacht Erik.

'Ik heb haar beloofd dat niet te doen, anders wilde ze niets zeggen. Ze voelde zich bovendien bedreigd.'

'Tja,' Erik haalde zijn schouders op, 'wij zijn hier om misdrijven op te lossen en boeven te vangen. Dan moet je doen wat nodig is.

Moeten we een bedreigingsprogramma opstarten? Dan moet ik naar de hoofdofficier.'

'Nee, dat wilde ze per se niet, niet na wat er met Marjoleine is gebeurd. Ze vertrouwt erop dat haar naam niet ter sprake komt.'

'Hm, ik weet het niet, hoor,' Erik liet zijn stoel terugzakken op vier poten. 'Het gebruik van mba is trouwens wel erg verminderd. Sinds we op Bayram aan het jagen zijn, komt er kennelijk minder op straat. Ik weet het niet, maar hij was volgens mij de enige leverancier.'

'Zijn er dan geen anderen die het overnemen en is de prijs niet omhooggegaan? Schaarste en zo?' vroeg Sigrid.

'Tja, dit hoorde ik van de collega's van het drugsteam. Er leek nog niet een echte vraag gecreëerd. Dit soort drugs moet eerst een markt maken en zo ver was het nog niet.' Erik pakte een dossier op dat op de tafel had gelegen.

'En onze wederzijdse vriend Bayram hield zich en passant nog bezig met prostitutie ook: hij dwong de meisjes Melany en Marjoleine seks te hebben met mannen. Waarschijnlijk kreeg hij daarvoor betaald,' vervolgde Sigrid.

'Prima, nemen we ook op in het uiteindelijke verbaal, maar daarvoor hebben we alleen de verklaring van Melany zeker?' Erik was opgestaan en schonk zich koffie in uit een kan die was overgebleven na een vergadering. Hij proefde, 'bah, koud, jij zeker niet?'

'Nee, dank u hartelijk. Maar goed, we moeten maar kijken hoe we daarmee verdergaan, we kunnen vast nog wel iets anders vinden. We hebben natuurlijk al meer dan genoeg.'

Erik knikte. 'Waarschijnlijk wel.' Sigrid vertelde hem van de vreemde ontmoeting met Ybe Dijkstra.

'Wat een gek,' zei Erik. 'Die man ziet spoken, lijkt wel.'

'Dat gevoel kreeg ik ook,' zei Sigrid. Eriks telefoon ging. Sigrid hoorde hem antwoorden in het Engels.

'Waar ben je nu dan?' zei Erik en zweeg.

'Wanneer?' weer een ongehoord antwoord.

'Hoe laat?' Erik keek op zijn horloge en verbrak de verbinding. 'Weet je wie dat was?' vroeg hij en liep ondertussen naar de deur.

'Nee,' zei Sigrid, 'ik houd ook niet van raadseltjes.'

'Ismail, hij is onderweg hierheen en wil ons, of mij, graag ontmoeten.'

'O, wanneer dan?' Sigrid liep achter Erik aan door de gang.

'Nu, ik haal hem op en dan bel ik je wel.' Erik sprong met twee treden tegelijk de trap af. Dat kon Sigrid niet bijhouden.

'Moet ik niet mee dan?' riep ze door het trappenhuis.

'Niet nodig, maak jij je verbaal maar af,' echode het terug.

62

Het was Erik gelukt de Volkswagen Passat mee te krijgen om Ismail op te halen. Dat kwam iets beter over dan een Golfje, dacht hij en vroeg zich af waarom hij dat belangrijk vond. Misschien had hij zijn eigen auto moeten nemen, dat stond nog iets beter. Maar ja, dit was wel een politieauto, met een mobilofoon en een stopbord en een verbinding met zijn telefoon via bluetooth. Dat was handig. Hij had hem ingesteld, dus bellen was geen probleem. Hij deed misschien onder voor de SUV of de Cobra van zijn Turkse collega, maar toch. Het vliegtuig zou over twee uur landen op Schiphol, als hij een beetje doorreed kon hij daar op tijd zijn. Het regende en de ruitenwissers deden hun best. Het was voor Leeuwarder begrippen druk in de stad, waarschijnlijk het gevolg van het slechte weer. Tussen Leeuwarden en de Afsluitdijk ondervond hij geen problemen. Toen hij langs de plaats reed waar het ongeluk had plaatsgevonden, hield hij onwillekeurig het gas in. Er liep een rilling langs zijn rug en hij kreeg het opeens koud. Het duurde maar een moment, toen meerderde hij weer snelheid. De geleiderail was nog kapot.

Bij Schiphol reed Erik het platform op en meldde zich bij de slagboom. Onder de zonneklep van de bijrijder zat een bordje waarop het woord 'POLITIE' stond. Hij klapte het omlaag en liet zijn legitimatie zien aan de camera. Er kwam geen antwoord toen hij zijn naam had gezegd en dat hij van de politie was. Achter hem was er een bus gestopt en de chauffeur zat boos te gebaren. Die dacht zeker dat hij een sukkel was die daar verdwaald was. Maar het duurde nu wel lang. Net toen hij nog een keer op de knop wilde drukken, ging de slagboom open. Erik reed door en parkeerde de auto ergens langs de kant, dichtbij de deur van de terminal.

Op dat moment ging zijn telefoon. Het was Ismail, die meldde dat hij was geland en op weg was naar de uitgang. Op hetzelfde moment dat Erik aankwam bij de deuren, verscheen zijn Turkse gastheer. Ze begroetten elkaar hartelijk.

'Goeie reis gehad?' vroeg Erik obligaat en dat was het geval. Ismail zag eruit als een CEO uit het hogere segment met een goed gesneden pak aan en een bijpassende bagageset op geluidloze wieltjes. Snel wandelden ze naar de uitgang en naar de Passat. Hij zette de koffers in de auto, liet Ismail instappen en reed Schiphol uit.

'Waarom ben je gekomen?' vroeg Erik.

'Ik denk dat we Bayram nu moeten pakken,' zei Ismail eenvoudig.

'En jij denkt dat hij weer hier is?' Erik voegde uit naar links. Hij haalde vlot een aantal langzamer rijdende auto's in, een snelle blik op de klok leerde hem dat hij ruim boven de maximumsnelheid zat. Misschien een beetje inhouden, er stonden hier veel camera's.

'We weten dat hij hier is,' zei Ismail kort.

'Hebben jullie hier informanten?' vroeg Erik. Hij wist al dat Ismail die vraag niet zou beantwoorden en dat deed hij ook niet.

'Hoe is het met je moeder?' Ismail gaf een paar korte antwoorden. Het ging goed en ook de wateroverlast was aanzienlijk afgenomen. Hij wist niet hoe het met baby Havva was. Hij zei verder niet zo veel, keek naar buiten en verbaasde zich over de rust op de weg, zeker nadat ze Amsterdam waren gepasseerd.

'Ben je dan nooit in Nederland geweest?' Erik keek naar zijn bijrijder.

'Jawel, een keer eerder, maar toen waren we alleen in de hoofdstad en maar heel kort. Volgens mij is jullie land heel erg klein, maar we zitten al een hele tijd in de auto.' Ismail probeerde een ANWB-bord te lezen.

'Het is inderdaad niet groot, maar je kunt wel een poosje onderweg zijn,' zei Erik. Hij vroeg zich af of hij zich beledigd moest voelen. Ze waren Noord-Holland bijna door. De Afsluitdijk kwam dichterbij.

'We gaan zo over de langste dijk van Nederland, dwars door het water. Hij is wel 32 kilometer lang en het is geen dijk, maar een dam.' Ze passeerden de sluizen en reden nu op de dijk. Ismail keek geïnteresseerd naar buiten.

'En aan die kant is ook water?' vroeg hij, toen ze al een paar kilometer op de dijk waren.

'Ja, de Waddenzee, kijk maar, je kunt het zien op de routeplanner.' Erik wees naar het schermpje in het dashboard. 'En hier hebben we het ongeluk gehad, toen we achter Bayram aan zaten,' zei hij, toen ze die plek weer passeerden. 'Trouwens, de hoogste snelheid hier ooit gemeten is 326 kilometer per uur.'

'326 kilometer per uur?' zei Ismail in gepaste bewondering, 'was het een politieauto?'

'Nee, een formule 1-auto met Robert Doornbos aan het stuur, maar verder wordt hier wel hard gereden, we rijden zelf nu 150 en we worden nog ingehaald ook.'

Bij Zurich ging de telefoon, het was Sigrid. 'We hebben zichtcontact!' riep ze opgewonden door de kleine ruimte.

'Doe het in het Engels, Ismail zit naast me,' vroeg Erik en Sigrid herhaalde wat ze daarvoor zei.

'Melany belde om te zeggen dat Bayram weer terug was in de stad. Ze had hem gezien en ze was doodsbang! We zijn onmiddellijk op zoek gegaan en nu hebben we hem in beeld!' riep Sigrid. Het tetterde door de luidspreker, die Erik op maximaal volume had gezet.

'Melany? Scheisse, waarom wist ik dit niet?'

'Was geen tijd voor, maar geen zorgen, we hebben alles in werking gezet. Het komt goed. We hebben hem!' Sigrid klonk overdreven optimistisch. We hebben hem pas als we hem met boeien om in de cel hebben zitten. Pas dan geloof ik het, dacht Erik. Hij deelde haar opwinding nog niet.

'Waar is hij?' siste Ismail en Erik keek opzij. Wat een consternatie allemaal, dacht hij, maar hij voelde dat hijzelf ook wat gespannen werd. Ismail keek verbeten naar de telefoon.

'Wacht effe, ik krijg wat door. Hij is bij NOA naar binnen gegaan om een biertje te drinken! Krijg nu wat!' riep Sigrid.

'NOA?' vroeg Ismail.

'Een kroeg in Leeuwarden,' zei Erik, 'heb je alles al klaar?'

'Ja, we hebben natuurlijk toestemming, het arrestatieteam is aanrijdend, er zijn collega's in burger onderweg voor de observatie en onze eigen arrestatie-eenheid is nu aan het omhangen. De hoofdofficier heeft gezegd dat alleen het AT mag optreden, wij mogen niets, alleen observeren.' Sigrid had 'arrestation team' gezegd, voor arrestatieteam. Ismail vroeg wat dat was. 'SWAT,' zei Erik eenvoudig en Ismail knikte. Dat had ze goed gedaan, dacht hij. Moest hij niet vergeten, dat ook eens tegen haar te zeggen.

'Kunnen we erheen gaan?' vroeg Ismail en Erik knikte. Ze waren Harlingen voorbij en in de buurt van Franeker. Erik versnelde, de A31 was nagenoeg leeg. Al snel reden ze rond de 180, Ismail tuurde net als Erik gespannen door de voorruit. 'Maar we mogen zelf niet optreden, we moeten het arrestatieteam afwachten.'

'Natuurlijk, natuurlijk, kunnen we niet sneller?' vroeg Ismail, die de auto wel zelf scheen te willen voortstuwen. Ze waren net Marssum voorbij. Ismail trok zelf een mobiele telefoon tevoorschijn en pleegde een paar telefoontjes. Ondanks het feit dat hij zou moeten weten dat Erik geen woord Turks sprak, schermde hij zijn mond af met zijn hand en wendde hij zich van de bestuurder af toen hij sprak. Erik probeerde of hij iets op kon vangen. Maar hij hoorde het niet eens, laat staan dat hij iets verstond. Eén woord werd een paar keer met stemverheffing geroepen, 'peder,' maar Erik kon er niet meer opkomen wat dat betekende.

'Een hoop herrie!' riep Ismail tussen twee gesprekken door.

'Wij rijden bijna 200,' zei Erik met stemverheffing terug en moest meteen vaart minderen omdat de grote bocht vlak voor de stad in zicht kwam. Hij passeerde het rode verkeerslicht bij Crystallic. Voorzichtig, maar toch nog met enige snelheid. Niet stapvoets, zoals de brancherichtlijn voorschreef en ook al niet met optische en geluidsignalen, omdat uit bezuinigingsoverwegingen de Passat daarmee niet was uitgerust. Een auto vanaf de Slauerhofweg toeterde langdurig en het Doppler-effect suisde in zijn oren, maar Erik gaf alweer gas en reed snel het stuk naar het Europaplein.

'Daar,' riep hij, toen hij het plein opreed, 'daar ligt het Europahotel, daar is Marjoleine vanaf gesprongen.' Hij was nog nooit zo snel het verkeersplein omgereden en de banden piepten toen hij de Harlingerstraatweg op draaide. Hij zag dat Ismail zich aan de armleuning vastgreep. Dat amuseerde hem op een of andere manier. Hij reed hier wat langzamer, het was een woonwijk met zijstraten waar van alles uit kon komen. Hij rondde Us Mem, schoot de brug over, reed tegen het verkeer in de Nieuwestad op en zette de auto stil aan de overkant, niet ver van de brug naar de Kleine Kerkstraat. Hij zag dat er mensen voor de deur van NOA stonden, dat was slecht nieuws.

'Waar is hij?' vroeg Ismail, die ook was uitgestapt en het zichtbaar koud had in zijn zomerpak. Erik wees op de discotheek.

'Is het groot?' vroeg Ismail.

'Heel groot, met meerdere verdiepingen en meerdere zalen.' Hij keek de Nieuwestad af en zag al snel een auto staan op een plaats waar je er geen zou verwachten, er zat een man in. Er liep ook een collega in burger, die Erik zag staan. Hij kwam op hen aflopen. 'Kan je ons bijpraten, Sietse?' zei Erik, 'en als het kan in het Engels.' Hij stelde Ismail kort voor. De mannen gaven elkaar een snelle hand. In keurig schoolengels deed Sietse zijn relaas. Bayram was gezien, er was observatie op hem gezet en hij was bij NOA naar binnen gegaan. Dat was nu ongeveer drie kwartier geleden. 'Wie is er nog meer mee bezig?' vroeg Erik.

'Behalve wij, nog twee koppels op dit moment.'

'Ook mensen aan de achterkant?' vroeg Erik.

'Ja, een van de koppels staat in de Bagijnestraat,' antwoordde Sietse. 'Voor zover ik weet is het AT aanrijdend, maar we weten niet hoe laat ze hier zijn.'

'Wat weet de noodhulp?' vroeg Erik, die er niet veel voor voelde om nu overal rood-wit-blauwe auto's te zien verschijnen.

'Niet zo veel, alleen dat er een actie is en dat ze uit de buurt moeten blijven, er is ook een horecateam in de stad, dat probeert zo normaal mogelijk te blijven werken. Ze houden de mensen tegen daar, zodat we geen last van voorbijgangers hebben.'

'Mooi, weten jullie of er iemand bij hem was, toen hij naar binnen ging?'

'Nee, weten we niet,' zei Sietse, nadat hij een paar woorden in zijn portofoon had gesproken. 'Dat was de meldkamer, of je contact wilt opnemen met vrouw De Wilde, je schijnt je telefoon niet op te nemen.'

'Shit,' zei Erik en pakte zijn telefoon, 'O nee, niet nu, dat kreng is leeg! Ik bel haar zo wel, mijn batterij is op.' Sietse liep weer verder in de richting van zijn auto.

'Kunnen we dichterbij komen?' vroeg Ismail en ging alvast op weg.

'Nee, we moeten wachten op het arrestatieteam, laten we nu geen risico's nemen,' riep Erik, maar Ismail was al halverwege. Hij was weer aan het bellen. Waarom wist hij niet, maar het irriteerde Erik. Ismail was de brug over en liep naar de voordeur, waar twee portiers de mensen ordelijk naar binnen trachtten te loodsen. Ismail ging in de rij staan. 'Dit kun je niet maken, kom mee!' zei Erik en wilde zijn Turkse collega aan zijn arm meetrekken, maar die trok zich los en liep het bordes op. Hij werd zonder verder onderzoek of vragende blikken doorgelaten. Erik kon niet anders dan met hem meegaan. De portiers hadden kennelijk meer moeite met hem, want ze wilden hem fouilleren. 'Politie,' siste hij als een valse pofadder. De man-

nen deinsden een moment achteruit en namen een 'alerte' houding
aan, zoals ze dat vast op de portiersschool zouden hebben geleerd.
Wat is dat toch, iedere keer als ik een gezagsdrager tegenkom, dacht
Erik, die zijn pasje snel liet zien. Het stelde de mannen gerust en hij
mocht door, maar hij kon Ismail niet zo snel meer terugvinden in het
gewoel.

'Houd de mensen tegen, niemand er meer in! En wat je eruit kunt
krijgen, moet eruit, maar geen paniek! Alles moet gewoon lijken.
Het is vol, dus niemand er meer in. Begrepen!' Erik had het in het
oor van de grootste spierbonk gefluisterd. Die knikte en begon het
door te geven aan zijn collega's. Dat kwam goed, dacht Erik en zag
in een flits dat Ismail de trap opging, tussen een groep lawaaiige
jongeren in. Erik wilde roepen, maar besefte dat dat nu erg onver-
standig zou zijn. Paniek was het laatste wat ze nu konden gebruiken.
Daarom probeerde hij ook bij de trap te komen, maar er stonden te
veel mensen in de weg. Hij keek wat onprofessioneel in het rond of
hij Bayram ook ergens zag, maar dat was niet zo. Ismail was boven
gekomen, hij zag hem niet meer. Erik probeerde de trap ook op te
komen, maar werd tegengewerkt door een groep meisjes die naar
beneden kwam. Hij duwde zich ertussendoor, wat hem op scheld-
woorden kwam te staan. Er was geen respect meer voor ouderen,
dacht hij. Boven in de zaal werd jaren tachtig disco gedraaid en erg
hard. Het was er warm en druk. Ismail was niet meer te zien. Waar
was die toch zo snel heen gegaan en waarom? Erik werd er kwaad
om. Hij zocht naar een hoog standpunt om over de mensen heen te
kunnen kijken, maar hij vond er geen. Misschien dat het vanaf de
bar zou lukken. Hij kreeg ruzie met een dronken man die niet aan
de kant wilde gaan. Erik snauwde dat hij plaats moest maken, maar
in plaats van daar gehoor aan te geven, haalde hij uit. De man was
dronken en Erik niet, dus hij kon de vuistslag ontwijken. Maar de
man die achter hem stond niet; hij kreeg de knokkels vol op zijn
oog en viel achterover tegen een meisje aan, dat net haar armen vol

bierglazen had en die niet wist vast te houden. Ze viel en de glazen ook, maar zij werd opgevangen door twee jongens die het zagen gebeuren en van de gelegenheid gebruik maakten door het meisje op plaatsen vast te grijpen die doorgaans als niet betamelijk worden gezien. De man brulde, het meisje krijste en de jongens lachten. Ze lieten los en ze viel alsnog op de grond, in een plas bier en scherven. De dronkenlap wilde nog een keer slaan, Erik schakelde hem uit met een goed gemikt knietje in zijn delen. Hij kreunde, kromp ineen en voegde zich bij het meisje op de grond in het bier. De jongens moesten hier nog harder om lachen. Een ander, misschien de vriend van de dronken man, trok Erik aan de schouder. Die draaide zich om en was bereid om ook deze figuur neer te hoeken, maar toen hij zag dat die man niet zo agressief was als zijn maat, deed hij dat niet. Dat was niet naar de zin van de lolbroeken, die een ander die was komen kijken een flinke duw gaven, zodat hij tegen de vriend aanviel. Dat was het sein voor iedereen om tegen iedereen te gaan vechten. Er werd geslagen, geschopt, met glazen en meubilair gegooid, geschreeuwd en gegromd. Er spatte meer bier door de lucht, meer scherven en meer lichamen vielen op de vloer. Erik probeerde al vechtend aan het spektakel te ontkomen. Tot het schot viel. De muziek was uitgezet en daarom klonk het schot extra hard. Iedereen hield op waarmee hij of zij bezig was. Erik had het hoofd van de dronkenmansvriend in een nekklem. Hij zakte naar de vloer, toen hij losliet. Het maakte een dof geluid. Iedereen keek om zich heen om te kijken waar het schot vandaan kwam en bij de bar stond een Turkse man met een pistool in de hand. Erik herkende hem onmiddellijk als Bayram.

Naast hem stond Ismail en Bayram richtte het pistool op de luitenant-kolonel van de Turkse politie. Alle aanwezigen staarden naar de twee mannen. Bayram zei iets in het Turks tegen Ismail. Erik kon het niet verstaan, maar kon er wel naar raden. Wat moest hij doen? Aan de grond genageld was een goede uitdrukking, dacht

Erik. Want zo voelde het precies, vooral omdat Bayram zijn arm om de nek van iemand had geslagen en volgens Erik was dat iemand die ze al kenden. Was dat niet Melany? Ze zag er erg bang uit. Ismail sprak nu ook, boze en harde woorden in het Turks. Bayram werd er niet veel kalmer van, vond Erik, want hij richtte zijn pistool nu op het voorhoofd van Ismail.

'Ik vermoord je met je eigen pistool!' hoorden ze Bayram allemaal zeggen.

Er was een ruime kring om de twee mannen en de vrouw gemaakt. Het publiek probeerde verder achteruit te schuifelen. Hier en daar klonken onderdrukte kreten, als iemand een ander op de tenen ging staan. Bij de deuropening konden een paar gelukkigen ontsnappen. Erik probeerde in dat trage gewoel wat dichterbij te komen. Opeens realiseerde hij zich dat dit wel eens heel verkeerd zou kunnen aflopen. Wat moest hij doen? Hij stond aan de andere kant en kon onmogelijk bij de deur komen. Bayram had het pistool op het hoofd gericht van Melany, die slap in zijn arm hing en het allemaal over zich heen liet komen. De dronkenman was opgestaan en leek in de gaten te hebben wat er aan de hand was. Hij begon zich ermee te bemoeien.

'Hé, laat dat famke eens los!' riep hij met onduidelijke tongval, maar wel met luide stem. Bayram reageerde niet, misschien omdat hij niet kon verstaan wat de zuiplap zei. Maar die kwam dichterbij en riep nog een keer dat hij met zijn poten van het wichtje af moest blijven. Erik deed ook een stap dichterbij en trok de man aan zijn arm. Maar dat was de verkeerde ingreep, want hij rukte zich los en struikelde in de richting van Bayram. Er klonk weer een schot. De man wankelde en viel voor de tweede keer die avond. Dit keer klemde hij zijn buik vast, tussen zijn vingers sijpelde bloed. 'Shit,' riep Erik onwillekeurig en stapte achteruit. De vriend knielde naast de gewonde man neer en probeerde wanhopig het bloeden te stelpen.

'Laat niemand iets proberen, anders overkomt hem hetzelfde,' riep Bayram door de ruimte, maar er was niemand die nog aanstalten maakte. Hem of haar, dacht Erik en vond dat een rare gedachte, gezien de situatie. Ismail keek niet naar de bloedende man, want Bayram had zijn pistool weer op hem gericht. Ismail snauwde iets, maar het maakte kennelijk weinig indruk op de man met het pistool in de hand. Er keken vele paren bange ogen naar Bayram. Er gebeurde iets op de gang, maar verstandig genoeg kwam er niemand binnen. Ismail was dichterbij gaan staan en zei weer iets in het Turks tegen Bayram, die niet antwoordde. Erik vervloekte zichzelf. Waarom had hij zijn dienstpistool niet bij zich? Zelden nam hij dat onhandige en zware ding mee, alhoewel het vaak wel wijzer zou zijn geweest. Het gaf ook altijd zo'n gedoe als je het eens gebruikte. Maar nu was het wel slim geweest om zijn vuurwapen bij zich te hebben. Als deze man hier op de vloer doodging, zou hij weer de schuld krijgen. Ik moet iets doen, dacht Erik. De wond van de man leek niet meteen dodelijk, maar hij verloor wel bloed. Erik stapte naar voren en met vaste stem sprak hij: 'Bayram!'

Het wapen werd meteen op hem gericht. Erik wilde liever niet in de loop kijken van een zojuist gebruikt pistool. Het zwarte gat van de loop leek net zo groot als een tennisbal en hij verbeeldde zich dat hij de punt van de kogel kon zien zitten. Hij voelde zijn ballen omhoog trekken en onwillekeurig zette hij zich schrap om het schot op te vangen. Het wapen was op zijn buik gericht. Hij voelde de angst door zich zijn lijf gieren en hoopte maar dat hij zijn stem onder controle zou kunnen houden en zijn tanden niet zouden klapperen. Hij was eerder getroffen door een kogel, maar dat was anders geweest dan dit. Deze kon hij zien aankomen. Bayram vroeg iets in het Turks aan Ismail, die daar kort op antwoordde. 'Geef het op, Bayram, je komt hier niet weg!' zei Erik en in zijn stem klonk toch een bibbertje, hij hoorde het, maar hoopte dat niemand anders dat deed. Hij schraapte zijn keel, misschien hielp het om een beetje vocht in zijn mond te krijgen.

'En wie houdt mij tegen, jij, varken?' Bayram wist intense minachting in die paar woorden te leggen. Hij had niets te verliezen, had al zoveel doden op zijn naam staan dat eentje meer vast niets uitmaakte. Erik werd er niet vrolijker van en moest al zijn wilskracht gebruiken om de misselijkheid die hij voelde opkomen te onderdrukken.

'Ik misschien niet, maar je denkt toch niet dat wij hier alleen zijn?' Dit kwam er redelijk krachtig uit, vond Erik. Maar de reactie was niet hoopgevend, Bayram spuwde op de vloer en wendde zich weer tot Ismail. Die sprak weer tot de misdadiger, zonder dat Erik het kon verstaan. Bayram lachte, het klonk schamper, alsof hij iemand uitlachte of het gedane voorstel belachelijk vond. Bayram pakte Melany strakker vast, met zijn arm rond haar hals. Hij deed haar zichtbaar pijn en trok haar achteruit. Het pistool zette hij nu met de loop tegen haar slaap.

'Achteruit, weg daar!' snauwde hij en begon achteruit te lopen in de richting van de deur, het meisje met zich mee trekkend. Het publiek week achteruit als het water van de Rode Zee voor de staf van Mozes. Ismail leunde vooover, alsof hij wilde ingrijpen, maar zag er vanaf. Erik liep langzaam mee.

'Stop!' schreeuwde Bayram en richtte zijn pistool weer op Erik. Erik bevroor in zijn beweging. Bayram was bij de deur, schopte die open en schuifelde achteruit de gang op. Daar was helemaal niemand, dat was gek. Waar was iedereen gebleven?

'Staan blijven, deze deur gaat dicht en niemand doet hem open, want die schiet ik kapot!' Hij had helemaal geen accent, viel Erik op. Met zijn voet probeerde Bayram de deur dicht te duwen, maar plotseling stopte hij daarmee en bleef staan waar hij was. Erik begreep het niet, waarom deed hij dat? Ismail had kennelijk iets gezien, want hij schuifelde naar de deur. Toen zag Erik het ook. Op de gang stond zijn partner: rechercheur De Wilde en zij had de Walther wel meegenomen, zo te zien, want het ambtshalve verstrekte vuurwapen stond nu met de loop tegen de schedel van Bayram. De hamer was achteruit getrokken, dus door geringe druk in een single action schot zou een kogel het pistool kunnen verlaten en al zijn energie afgeven aan het hoofd van de gijzelnemer. Dat wapen was een uitvinding van Carl Walther, waarvoor hij een prijs had gekregen van Adolf Hitler. 19 Newton of 2 kilogram en een trekkerweg van 5 mm waren nu genoeg om het schot af te doen gaan, wist Erik en dat ging er allemaal door hem heen. Hij verbaasde zich er niet meer over. Een hoofd vol nutteloze kennis. Bayram bewoog zich niet, maar stond zich waarschijnlijk af te vragen wat hij nu zou doen. Hij kon nooit sneller zijn dan de kogel uit het pistool tegen zijn hoofd, dat moest hij zich realiseren. Maar aan de andere kant had hij weinig te verliezen. Hij trok zijn arm aan en Melany had daar zichtbaar last van.

'Laat dat wapen vallen!' zei Sigrid zeer beslist en met vaste, lage stem. Een stem die Erik nog nooit eerder van haar had gehoord, maar Bayram bewoog zich niet. Hij drukte zijn eigen pistool strakker tegen het hoofd van Melany, die nu huilde en haar handen om de arm van haar belager had geklemd. Haar roodgelakte nagels staken af tegen het lichtgekleurde jackje van Bayram.

'Als jij mij doodt, dood ik haar,' Bayram had kennelijk een oplossing gevonden. Zijn brutaliteit kwam terug en dat moest niet, dacht Erik. 'Jij durft toch niet te schieten!' zei Bayram honend.

'Weet je het zeker? Er is maar een heel kleine beweging van mijn vinger nodig,' zei Sigrid met diezelfde lage stem, 'ik ben sneller dan jij!' Erik zag iets bewegen achter Bayram en zag dat Sigrid het ook zag. Maar Bayram had het niet in de gaten. Erik had het gevoel dat dit minutenlang duurde, hij moest iets doen, maar had geen idee wat. Hij zag dat Sigrid wankelde. Heel kort, maar hij registreerde het wel; dit kon niemand volhouden. Weer bewoog er wat achter Bayram. Erik zag dat hij het nu wel in de gaten had.

Als iedereen nu zou gaan schieten, werd het een bloedbad van ongekende proporties, dacht Erik. Hij zag vlammetjes van woede in de ogen van de Turkse Leeuwarder. Woede of wanhoop? Zijn spieren spanden zich en zijn arm trok nog strakker om de keel van Melany. Ze kreunde, worstelde en kokhalsde en haar hoofd was zo rood als haar nagels. Tot Erik haar slap zag worden. Bayram had haar bewusteloos geknepen, maar liet niet los.

'Los nu!' zei Sigrid, die nog steeds de loop tegen het hoofd van Bayram had en zo te zien heel hard duwde. Ze leek het pistool door zijn schedel heen te willen drukken. Erik vond het gek dat hij niet bewoog. Dat duwen moest hij toch wel voelen, dacht hij. Wat moet ik doen? Hij kon geen antwoord bedenken. Iedereen bleef staan, zoals ze stonden. Niemand bewoog zich, niemand sprak meer. Dit kon niet lang meer duren, Melany hing er slap bij. Als hij nog langer vasthield, zou ze dood zijn. 'Schiet maar, schiet maar, schiet maar nu!' dacht Erik zo hard als hij kon. Hij kon niets anders bedenken dan dat. Als Sigrid nu zou schieten, zou hij bovenop Bayram duiken en Melany losrukken, voordat hij zelf kon afdrukken. Zou hij dat halen, zou hij snel genoeg zijn? Het raasde door zijn hoofd, nooit hadden seconden zo lang geduurd.

Het hoofd van Bayram boog onder de druk van het pistool van Sigrid. Erik zag een spiertje trekken in de arm van de misdadiger, hij voelde zijn maag omdraaien en dacht dat hij zou flauwvallen of kotsen. Maar toen zag hij opeens een verslapping bij de man die het meisje voor dood in zijn arm geklemd hield. Heel even maar. Sigrid had het ook gemerkt. Ze greep de pols van Bayram en verdraaide de hand die het pistool vasthield.

Erik dook naar voren en wierp zich op Bayram. Sigrid wist de pols rond te wringen en het pistool ging af. Op hetzelfde moment sloeg Erik zijn arm om de nek van de Turk en duwde hem achterover met al zijn lichaamsgewicht. Hij hoorde niets anders dan een fluittoon in zijn oor. Woede en razernij welden in hem op, hij wilde hem vernietigen, als een Russische president Tsjetsjeense terroristen. Verpulveren, tot er niets meer van hem over was. Sigrid trok

Melany hard los uit de greep van Bayram en de AT'ers schreeuwden toen ze de ruimte binnenstormden. Maar Erik hoorde ze niet.

Bayram lag op de grond, Erik had zich bovenop hem laten vallen en sloeg hem in zijn gezicht met beide vuisten samengebald tot een massieve hamer van vlees, botten en bloed. Er mocht niets overblijven van dit monster. Het was beuken met volle kracht.

Er werd geschreeuwd, maar hij hoorde het niet. Totdat handen hem achteruit trokken en anderen Bayram vastpakten en hem op zijn rug draaiden. Zijn gezicht bloedde en hij spuwde tanden uit zijn mond. Ze zetten knieën op zijn rug en trokken zijn armen naar achteren. In minder dan een paar seconden was hij geboeid, afgetast naar andere wapens en had hij een zwarte kap op zijn hoofd gekregen. Ze riepen naar hun collega's dat het veilig was en hadden hem nog klemvast op de grond. Erik begon weer iets te horen, hij hoorde dat ze naar elkaar schreeuwden. Was er iemand geraakt, dacht Erik en keek om zich heen. Ineens schoot hem iets te binnen.

'Wacht!' schreeuwde Erik. Hij liep naar de verdachte toe die op zijn buik op de vuile vloer lag en trok zijn broekspijp op. Daar was niets te zien. Hij trok de andere pijp op.

'Bingo!' riep hij. De AT'ers keken naar het vieze stuk verband dat om de enkel was gewikkeld en waarschijnlijk onder zijn voet doorliep. 'Die wond moet goed worden onderzocht, hij is aangebracht door de tanden van een mens en zo te zien is het ontstoken.'

'Ik vind het goed,' zei een van de AT'ers, 'maar zullen we nu eerst de verdachte overbrengen?' Erik knikte en Bayram werd overeind gezet.

Sigrid had haar wapen geborgen en zich ontfermd over Melany, die inmiddels was bijgekomen en nu hartverscheurend huilde. Het pistool van Bayram lag nog op de grond. Erik pakte het op en hield het in zijn handen. Hij herkende het niet, het leek op een Sig Sauer, maar het kon ook iets anders zijn. Er zat een veiligheidsgrendel op, die zette hij om en keek hoe hij het kon ontladen. Na wat prutsen viel het magazijn eruit, dat stopte hij in zijn zak. Erik voelde dat zijn onderbuik zich langzaam wat ontspande. De mensen in de ruimte haalden ook weer adem en begonnen met elkaar te praten. Erik en Ismail keken elkaar aan en sloegen elkaar op de schouder. Er kwamen nog twee zwaarbewapende nieuwe AT'ers de trap op met hun pistoolmitrailleurs in de aanslag.

'Alles in orde!' riep Erik, 'collega's hier!' en hij wees op Sigrid, Ismail en zichzelf.

'Van Houten?' vroeg de voorste AT'er.

'Jawel,' riep Erik en staarde voor de zoveelste keer in een loop, daar moest hij toch eens mee ophouden. De Heckler & Koch werd omlaag gericht. Dat was beter.

'Heb jij het wapen van het subject?' vroeg de collega van het AT.

'Ja,' zei Erik, 'wil je het hebben?'

'Geef maar,' zei de AT'er en toen Erik het wapen met de loop omhoog had overgedragen, ontlaadde hij het. Er zat nog een patroon in de kamer. Er kwamen meer collega's de trap op. Iemand maakte Melany los uit de armen van Sigrid en nam haar mee.

'Gaat het?' vroeg Erik aan Sigrid.

'Ja, hoor,' zei ze, 'beetje doof.'

'Ja, ik ook, is er iemand geraakt? Waar is die gewonde?'

'Daar!' wees Sigrid.

De gewonde man lag op de grond. Naast hem stonden mensen naar hem te kijken. Maar ze deden niets. Erik liep op ze af en duwde er een paar opzij. Hij knielde en sprak de man aan, maar kreeg geen reactie. Hij trok wat kleding los en ook kapot en keek naar de ingangswond. Die bloedde fors. Hij probeerde een bloeding dicht te drukken met zijn vingers. De man reageerde niet, hij was bewusteloos. Het zag er niet goed uit.

'De ambu, is die er al, is die al ter plaatse?' riep Erik. Hij keek op en zag iemand foto's nemen met zijn mobiele telefoon.

'Flikker op, gek! Bel liever een ambu, als dat al niet is gebeurd!' riep Erik.

'Wij zijn er al!' riep iemand van buiten de zaal. Hij hoorde mensen de trap opkomen en zag de mannen met een brancard boven komen. Even later werd er een plastic koffer naast hem neergezet en opengetrokken.

'Laat maar los Erik,' zei een man met een geel-groene jas aan, 'wij nemen het van je over.'

Erik stond op en gaf over. Gulpen halfverteerd voedsel spatten op de grond en spetterden over de verpleger.

'Jasses!' riep die.

Bayram werd afgevoerd. Toen hij weer overeind was gezet, liep hij gewoon mee. Hij liet niet merken dat hij gewond was, maar sleepte wel wat met zijn been. Er liep wat bloed in zijn hals. Als de kap op zijn hoofd hem hinderde, liet hij dat niet blijken. Hij liep rechtop, met opgeheven hoofd. Misschien probeerde hij door de stof heen nog iets te zien? Hij was geboeid met zijn armen achter de rug. AT'ers liepen voor en achter hem en hij werd door twee mannen vastgehouden, hoewel dat niet nodig leek te zijn. Maar hij zou de eerste niet zijn, die iets probeerde. Voor NOA stond een van de donkere auto's van het arrestatieteam en met een soepel gebaar werd Bayram op de achterbank gezet. De auto trok langzaam op, reed weg in de richting van de Kleine Kerkstraat en verdween over de brug. Hij zou naar het arrestantencomplex rijden aan de Holstmeerweg, vergezeld door nog twee auto's van het team.

Erik was op een barkruk gaan zitten en staarde naar de bende die was achtergebleven. Toen zijn maag kalmer was, stond hij op en liep naar beneden. Daar vond hij Sigrid in gesprek met collega's.

'Gaat het?' vroeg ze hem.

'Min of meer, zullen we naar het bureau terug gaan?'

'Goed,' Sigrid zei iets tegen de ander.

'Waar is Ismail gebleven?'

'Geen idee. Ik heb hem wel gezien, maar dat is al weer even geleden. Ik ga hem wel zoeken.'

Ismail was niet meer aanwezig. Dat maakte Erik weer kwaad. De man ging verdomme volkomen zijn eigen gang! Samen met Sigrid reed hij naar het bureau. Onderweg zeiden ze niet veel, ze waren elk in eigen gedachten verzonken. Erik liet de film van de gebeurtenissen nog eens langskomen. Het had anders kunnen aflopen, heel erg anders. Ze reden langs de Oldenhove over de Groeneweg. Erik keek een moment naar Sigrid, die bleek zag. Hij vroeg zich af of hij er iets over zou zeggen. Misschien nu maar niet, dat kwam straks wel op het bureau.

'Het is misschien gek, maar op dit soort momenten ben ik blij dat ik geen kinderen heb,' zei Sigrid opeens en keek strak door de voorruit naar buiten. Dit verraste Erik en hij wist niets te zeggen. Hij deed er het zwijgen toe.

'Ik blijf maar aan Havva denken.' Sigrid keek naar Erik. Hij blikte kort opzij, terwijl hij de rotonde op draaide.

'Daar moet ik maar aan denken. Hoe zou het gaan? Hadden we niet meer moeten doen? Misschien had ik haar mee naar huis moeten nemen. Dat denk ik maar steeds. Gek, hè?'

Erik sloeg de Tjalkstraat in om de korte weg naar het bureau te nemen.

Hij zei nog steeds niets.

'Het geeft niet, Erik, ik was ook bang,' zei Sigrid zacht.

'Ik niet, echt niet,' zei Erik en de rest van de weg naar het bureau zweeg hij.

63

Wessel stond al te wachten toen ze boven kwamen. Hij had zijn
armen over elkaar en deed Sigrid denken aan haar vader als ze eens
te laat was thuisgekomen. Die kon dan ook zo staan wachten, met
zijn voeten tikkend en zijn armen strak over elkaar geslagen alsof hij
zichzelf tot kalmte moest dwingen. Wessel kon er op zulke momenten eng uitzien, vond ze. Ze had de neiging om haar hoofd te buigen
en naar de punten van haar schoenen te staren. Kom op zeg, dacht ze
meteen daarop, het is maar een collega! Een chef, dat wel, maar ook
een collega en hij is mijn vader niet, wat denkt hij wel!

'Kom maar mee naar mijn kamer,' zei Wessel en toen Sigrid naar
Erik keek, zag ze dat hij er waarschijnlijk hetzelfde over dacht.

'Ja, baas,' zei ze en ze liep achter hem aan. Erik volgde haar. Verbeeldde ze zich het, of hoorde ze een klein grinnikje?

'Zojuist sprak ik met de chef van het arrestatieteam en die vertelde me van jullie "heldendaden".' Wessel zweeg en keek de beide
rechercheurs aan die naast elkaar aan zijn tafel waren gaan zitten.
Erik en Sigrid zeiden niets. Sigrid durfde niet naar Erik te kijken.
Ze keek Wessel aan, die nog steeds zweeg en kennelijk een reactie
verwachtte. Sigrid was niet van plan iets te zeggen en Erik ook niet,
zo te horen.

'Audiatur et altera pars,' zei Wessel.

'Hè?' zei Sigrid.

'Hoor en wederhoor,' zei Erik.

'O,' Sigrid zei verder niets meer.

'Is het waar dat jij onze verdachte een pistool op het hoofd hebt
gezet?' Wessel keek Sigrid aan. Sigrid knipperde met haar ogen en
knikte slechts.

'En als hij niet zou hebben gedaan wat hij van jou moest, wat zou

je dan hebben gedaan? Hem door zijn hoofd hebben geschoten?'
Daar moest Sigrid niet aan denken. Ze had dat gedaan, omdat ze op
dat moment niets anders kon bedenken. Zij was de enige geweest
die de situatie kon redden. Zonder dat ze er diep en lang over nagedacht had, had ze haar wapen getrokken, dat tegen het hoofd van
Bayram gezet en hard gedrukt.

'Als Sigrid dat niet had gedaan, was het vast anders afgelopen,'
waagde Erik, maar Wessel bracht hem met een handgebaar tot zwijgen.

'Daar komen we ook nog op, ik wil dit eerst met deze jongedame
afmaken, ja.'

Jongedame? dacht Sigrid, wat dacht hij wel! Zie je wel, Wessel
was gewoon haar vader, die zei dat ook altijd als hij heel boos was.
Dan was ze opeens een 'jongedame'. Daar had ze een enorme hekel
aan. Maar goed, ze moest nu niet kleinzielig gaan doen en ooit zouden de rollen omgekeerd zijn en was ze zijn baas.

'Ik vraag mij echt af of je beseft wat je nu hebt gedaan. Er staat
een compleet, opgeleid, getraind, bewapend, uitgerust arrestatieteam om je heen. Deze mannen en vrouwen zijn de duurst betaalde
agenten van de Nederlandse politie, die zijn beter opgeleid dan wie
dan ook en dan ga jij Lara Croft spelen met zo'n actie? Ik hoor ook
nog dat je de hamer hebt gespannen? Mijn hemel!' Wessel keek haar
woedend aan.

Sigrid keek zwijgend terug. Even kon ze geen woord uitbrengen.
Toen knapte er iets. Er trok een waas voor haar ogen en het bloed
steeg naar haar wangen. Met een ruk stond ze op. 'Lara Croft?'
sprak ze ijzig. En toen nog eens, harder dit keer: 'Lara Croft?!' Ze
keek Wessel recht aan en haalde diep adem. 'Nu moet jij eens goed
naar me luisteren, meneer de chef. Ik ben toevallig een vákvrouw.
Hoe durf je mij te vergelijken met een vrouwtjescowboy uit een
computerspelletje! Ik wist daar heel goed wat ik deed! Ik had op dat
moment GEEN idee wanneer het AT kwam. Ik stond daar alleen op

de gang, zonder Erik of welke andere collega dan ook!' Haar stem galmde door het kantoortje. Woest was ze, wóest. 'Ik deed precies waar ik voor opgeleid ben: een situatie inschatten en daarnaar handelen! En als je me niet vertrouwt met mijn Walther, dan zeg je het maar. Dan red ik Manfred voortaan wel met een waterpistool! De groeten!' Sigrids ogen fonkelden van woede. Ze draaide zich om, stampte de kamer uit en smeet de deur met een knal achter zich dicht.

Wessel keek haar verbouwereerd na.

'Je mond staat open,' zei Erik droog.

Wessel keek hem aan. 'Allemachtig,' zei hij.

Erik schokschouderde.

'Dus Sigrid wist niet dat het AT er was?' vroeg Wessel hem.

'Nee.'

'Hoe kan dat dan, je hebt toch contact tijdens een actie?'

Erik keek schuldbewust. 'Mijn telefoon was leeg. Ik had ook geen idee wanneer het AT zou komen.'

'Man man, wat een puinhoop,' snauwde Wessel. 'Dit hele verhaal moet natuurlijk wel op papier. Lijkt me een mooi klusje voor jou! Ik ben hier niet blij mee en de commissaris zal er ook wel wat van vinden. Moeten vinden. Hebben jullie al een verhoorplan gemaakt?'

'Ja, dat hebben we al een poosje klaar, natuurlijk.'

'Dat mag ik wel hopen, wij zijn al een tijdje met deze vriend bezig. Hij spreekt goed Nederlands, dus een tolk lijkt me niet nodig. Ik neem aan dat jullie aan een voorgeleidingsverbaal beginnen? Dan kan hij donderdag voor. Ik twijfel niet over de voorlopige hechtenis, maar zorg er wel voor dat de juiste dingen in het dossier zijn opgenomen!'

'Wessel!' Erik keek geschokt, 'ík ben het, hoe vaak heb ik een verbaal verkloot, kom op zeg!'

'Ik zeg het maar,' zei Wessel. 'Trouwens, wie is Manfred?'

'Manfred Powell, de tegenspeler van Lara Croft.'

'Oh, zo,' zei Wessel half begrijpend en ging – nog steeds wat verdwaasd – achter zijn bureau zitten.

64

'Hij zegt niets, geen woord!' Erik stampte gefrustreerd de briefingsruimte in. Het team zat al klaar en wachtte op hun chef. Erik was
daarvoor aanwezig geweest bij een van de vele verhoren waar ze
Bayram aan onderworpen hadden. Maar die waren allen eenzijdig
geweest; Bayram had geen woord gesproken. Er was een nauwkeurig en uitgebreid verhoorplan opgesteld, maar het was net zo
waardeloos gebleken als het papier waarop het was geprint. Bayram
had alleen maar glimlachend op zijn stoeltje gezeten en nergens op
gereageerd.

'Maar hij is wel voorkomend en beleefd. Hij buigt altijd een beetje als je hem uit de cel komt halen. Als het niet om het verhoorplan
gaat praat hij wel. Hij wil graag koffie met drie klontjes suiker en
een beetje melk. Een zoetekauw, dat is hij wel.' Sigrid zwaaide met
een roerstokje in de lucht. De rechercheurs lachten, want zo was
het.

'Als hij niets zegt, hebben we dan wat? Hebben we genoeg?'
Erik keek de zaal rond. Er werd bedachtzaam gekeken. Sommigen
schudden het hoofd, anderen knikten. 'Cor, wat denk jij?'

'Ik denk dat we wel het een en ander hebben, de lijst met feiten
is lang genoeg. Kijk maar,' Cor wees naar het bord waar de moorden, mishandelingen, drugshandel, bedreigingen en vrijheidsbene-
mingen in een lange rij onder elkaar waren geschreven, 'daar wordt
onze vriend allemaal van verdacht, maar krijgen we hem erbij? Dat
is hier het probleem. Hij zegt natuurlijk niets en we hebben een aantal getuigen die ook niets meer zullen zeggen.' Er werd instemmend
gemompeld. 'Die getuigen zijn te bang om iets te zeggen en eerlijk
gezegd,' Cor zweeg en keek zijn collega's eens aan, 'met zijn reputatie verbaast dat me niets. Het sterkste bewijs dat wij nu hebben,

dat is de schietpartij waarbij iemand in zijn buik is geschoten, bedreiging en vrijheidsbeneming in NOA en dat slachtoffer is niet aanspreekbaar. We hebben verklaringen van de bezoekers, maar geen daarvan is feitelijk goed bruikbaar. Sommige wijzen zelfs Erik aan als de schutter! Al met al is Erik zelf onze beste getuige. Maar let op, als Bayram een goede advocaat neemt, kan hij eenvoudig twijfel opwekken in de rechtszaal. Als we Eriks getuigenis gebruiken en later die van Sigrid, zal hij inbrengen dat wij zelf geschoten hebben.'

'Maar dat is absurd! Wij hebben toch het ballistisch bewijs! Daar zal hij toch geen gaten in schieten, allemachtig!' Erik keek zijn collega woedend aan.

'Uiteraard hebben we dat, maar waar kwam dat vuurwapen vandaan? Het was niet door Bayram mee naar binnen gebracht. Dat weten we ook zeker, omdat hij door de portiers is gefouilleerd bij binnenkomst. Dat is ook zo'n vervelend punt.'

'Ik stel de verklaring op, zodat er niets tussen is te krijgen. Zelfs niet als hij Bram Moskovitsch naast zich heeft staan en we moeten zorgen voor een verklaring hoe dat pistool daar kwam.' Erik schreef een paar dingen op een stukje papier.

'Wij hebben nog een paar andere "kleine dingetjes": het vuurwapenbezit an sich en gevaarlijk rijgedrag en zo. Die kunnen we in ieder geval meenemen. Zijn weer kleine verzwaringen en als ze niet lastig te bewijzen zijn, zou ik ze sowieso meenemen.'

'Hm,' zei Erik, 'en wat hebben we over de drugs? Dit ventje runt in zijn eentje de grootste drugslijn van Noord-Nederland! De collega's uit Rotterdam-Rijnmond en de collega's uit Turkije hebben toch ook dossiers?'

'Jawel, de dossiers uit Rotterdam ken ik, daar staat een hoop in, maar geen hard bewijs tegen onze verdachte op dat gebied. Het zou zo mooi zijn als hij daar wat over zou verklaren en dat doet ie niet, hè. Hij gebruikte die jonge meisjes als pakezels. Die moesten de drugs vervoeren.' Cor keek in een ordner die voor hem op tafel lag.

'En wat hebben we eigenlijk uit Turkije? Ik heb jullie verslag wel gelezen, maar eerlijk gezegd komt er niets uit dat wij hard aan Bayram kunnen koppelen. Heeft die Turkse collega nog wat in petto? Liefst gewoon ouderwets hard bewijs. Het zijn allemaal vermoedens van moord en doodslag, drugshandel en bedreiging, maar er is niets wat ook overeind blijft in een Nederlandse rechtbank. Dat hoef ik jullie natuurlijk niet uit te leggen.'

'Is er van Ismail al een fatsoenlijke verklaring opgenomen, waarin zijn hele verhaal aan de orde komt en wat daarin zijn bemoeienis is geweest?' Wessel keek de zaal rond.

'Nee, dat wil hij niet,' zei Erik. 'Het enige wat hij wil, is dat wij Bayram weer uitleveren aan Turkije. Maar als hij in Turkije zit, dan wordt hij niet uitgeleverd aan Nederland, omdat hij ook een Turks paspoort heeft. Onze collega bezweert mij de hele tijd dat hij hem wel aan de praat krijgt, maar dan moeten wij wel weg. Daar hebben we ook niets aan. Hoe graag ik hem zijn gang ook zou laten gaan.' Erik keek naar zijn volgeschreven whiteboard, informatie was er genoeg, maar niets substantieels en hards, met uitzondering van NOA en zelfs dat kon onderuitgaan, als ze niet zorgvuldig waren. Ze konden niet bewijzen dat Bayram een drugslijn runde en meisjes had verkracht, noch dat hij betrokken was bij de vier of zelfs vijf moorden, waarvan hij wel verdacht werd. Hij keek naar de namen op het bord.

'Er is een ding dat ik niet begrijp.' Wessel keek de mensen in de zaal stuk voor stuk aan.

'En dat is?' zei Erik.

'Waarom kwam Bayram weer terug naar Nederland? Hij zat daar toch hoog en droog en zou naar ons worden teruggestuurd. Het was toch heel dom om hier weer heen te komen?'

'Nee, helemaal niet, de Turkse justitie wilde hem zelf berechten. Vanuit zijn standpunt bezien, kun je beter voor een Nederlandse rechter staan dan voor een Turkse. En hij kwam terug omdat zijn handel hier gevaar liep, nu zijn regelaartje, bangmakertje en moordenaartje er niet meer bij was om de boel onder controle te houden.'

'Die Hensley'

'Die ja, en die is dood,' Erik knikte erbij en wees de naam aan op de lijst moorden: Hensley Seferina (†). Iedereen zweeg.

Wessel keek niemand in het bijzonder aan, hij keek naar de tafel, waar wel wat papieren lagen, maar waar hij niet naar leek te kijken. Met een donkere stem zei hij: 'Misschien moeten we hem anders maar meegeven aan Ismail. Hij verzekerde mij dat Bayram een geruime tijd de wereld zou zien vanaf de andere kant van de tralies.'

'Dat zou mooi zijn, maar dat moeten we nog wel zien. Dit is verreweg de grootste crimineel die wij hier tot nu toe hebben gehad. Moet je eens kijken waar hij allemaal van verdacht is!' Erik wees op zijn bord. 'Het zal toch niet gebeuren dat wij geen van deze majeure feiten hard bewezen kunnen krijgen, zodanig dat ze overeind blijven in de rechtbank! Noem mij maar ouderwets, maar dit is wel waarvoor ik bij de politie ben gaan werken en in het bijzonder bij de recherche. Het is mijn rechtvaardigheidsgevoel. Moet je kijken wat daar staat, hebben we ooit zo'n zware zaak gedraaid?' De mannen begonnen te mompelen en er werden namen en datums geroepen. 'Ho, ho, ik bedoelde dit retorisch! Het was geen vraag waar ik een antwoord op wilde hebben.' Het geroezemoes verstomde weer.

'Goed,' zei Wessel en keek Erik strak aan, 'laten we doorgaan. Wat hebben we aan technisch bewijs?'

'We hebben dacty, DNA, schoenafdrukken, kruitresten, telefoongesprekken, internetverkeer, verschoten munitie, foto's, vuurwapens, die misschien wel aan onze Bayram te linken zijn en dat wat er in NOA gebeurde natuurlijk,' zei George, die in een dikke ordner zat te bladeren.

'Goed, prima, klaarmaken en niet verkloten. Hebben we verder nog getuigenverklaringen?'

'Ja, nee, niet veel. De belangrijkste getuigen zijn dood. We hebben Melany nog wel, maar een samenhangend verhaal is er nog niet van te maken. Als we haar mogen geloven is half Leeuwarden zo'n beetje omgebracht door het stel boevenkoppen. Maar het is niet concreet genoeg. Bram maakt daar zo gehakt van. Ze heeft het wel over een actie gehad op straat, waarbij Bayram, ik denk dat ze hem bedoelde maar zeker ben ik er niet van, een bloedende wond had opgelopen. Aan zijn been en dat hebben we. Bayram heeft een ontstekende wond aan zijn enkel, veroorzaakt door een mensenbeet. Dat is wel zeker. Dus daar kunnen we slachtoffer Rick aan vastplakken. Maar dat maakt Bayram nog niet automatisch de dader.'

'Was het te doen met Melany?' vroeg Sigrid.

'Nee, het horen ging moeizaam. Heel erg moeizaam,' antwoordde Fraukje, die de verhoren had gedaan in een speciale studio en daarbij was bijgestaan door een kinderpsycholoog. Maar het was meer wartaal dan een consistent verhaal geweest, hoezeer ze ook haar best had gedaan. 'Misschien dat het verhaal wat beter wordt, maar Melany lijdt aan slapeloosheid en als ze slaapt aan nachtmerries. Ze kan fantasie en werkelijkheid niet meer onderscheiden. Ze krijgt nu ook nog medicijnen, waar ze erg duf van wordt, dus dat schiet ook al niet echt op. Op den duur zal het wel beter worden, maar dat kan nog wel maanden duren. Ik heb het allemaal zo goed mogelijk opgeschreven en het aan haar voorgelezen, maar dat hielp ook niets. Ze zat me alleen maar apathisch aan te kijken. Maar die bijtwond hebben we.'

'Prima, dat is goed en misschien levert het nog iets op later. Blijft over jullie loopverbaal.' Wessel wendde zich tot Erik en Sigrid. 'Ik zou graag willen zien dat jullie daar een heel erg net en strak verslag van maken, met daarin de gebeurtenissen gekoppeld aan strafbare feiten. Ik heb gelezen wat jullie hebben geschreven en dat is meer een rapport dan een verbaal. Misschien moeten we een paar collega's vragen jullie daarmee te helpen. Cor, jij bent hier erg goed in, wil jij eens aan de slag gaan met onze kleine helden hier?' Cor knikte, maar zag er niet uit alsof hij zich daar erg op verheugde. Erik knikte ook.

'En hoe je het ook wendt of draait, het verhaal van Ismail moet op papier,'

'Ja, goed, maar wie moet dat dan doen?' vroeg Erik, terwijl hij een koekje van de schaal pakte en dat in zijn geheel in zijn mond stopte.

'Zal ik dat doen, als ik hem kan vinden dan?' vroeg Sigrid. Zij keek naar de mannen. Zij keken tegelijkertijd naar haar en ze voelde dat ze haar aan het opnemen waren. 'Wat? Heb ik iets geks gezegd?'

'Nee, natuurlijk niet, maar jij bent er ook teveel bij betrokken' zei Wessel en keek haar doordringend aan. Sigrid werd er zichtbaar nerveus van. 'Goed dan, maar na afloop willen ik jullie samen even spreken.' Erik en Sigrid keken elkaar aan en Sigrid knikte bedremmeld. De briefing werd beëindigd, de papieren werden opgeraapt, tassen ingepakt en luidruchtig vertrok iedereen naar zijn werkplek. Sigrid, Wessel en Erik bleven achter. Wessel keek naar Sigrid en zei zacht:

'Ik zal maar net doen alsof ons voorgaande gesprek nooit gevoerd is.'

'Ik ben mijn boekje te buiten gegaan,' mompelde Sigrid en keek naar de punten van haar schoenen.

'Inderdaad, ik begrijp het, maar het kan niet. Als ik het op zou pakken wordt het lelijk, dus ik doe het niet. Het heeft niet plaatsgevonden, goed?' Sigrid keek weer op, Wessel keek nog steeds boos, maar in zijn ogen twinkelde ook iets.

'Goed!' zei ze en haalde bijna onmerkbaar een keer diep adem.

'Mooi, dan kunnen we weer aan het werk. We hebben jouw getuigenverklaring ook nodig en die van Ismail. Dat doe ik zelf wel, want ik ben benieuwd naar deze jongeheer.'

'Kun je dat nog wel?' Erik monsterde Wessel.

'Natuurlijk, wat denk je wel, ik ben nog niet helemaal een roostermaker en vergaderleeuw geworden!' Hij keek oprecht geschokt, 'ik weet heus nog wel hoe het handwerk gaat.'

'Tijger,' zei Sigrid.

'Hè?' vroeg Wessel.

'Vergadertijger, niet vergaderleeuw.'

'Whatever! Zorgen jullie er maar voor dat Ismail deze kant op komt.'

'Spreek je wel Engels dan?'

'Wegwezen jullie!'

65 👁

Erik was onderweg naar Grou. Hij had Josephine niet vaak gezien sinds hij terug was uit Turkije. De sfeer tussen hen was gespannen. Voor haar ongeluk hadden ze af en toe ook wel ruzie gehad en was Erik wel eens weggelopen, maar nu was het anders. In zijn auto reed hij kalmpjes de Drachtsterbrug op, aansluitend in de file. Hij had haar gebeld, maar ze was niet thuis, had ze gezegd, ze zat bij haar ouders in het vakantiehuis. Waar ze trouwens vaker zaten dan thuis. De burgemeester moet in zijn gemeente wonen, maar ze zaten liever in Grou. Hij moest daar maar langskomen, dan kon hij meteen mee-eten. Daar keek hij niet naar uit, moeder Bakker was geen Gordon Ramsey in de keuken. Gezonde Hollandse pot, zei ze altijd en dat betekende kruimige aardappelen, vlees en doodgekookte groente en soms een doorgaans mislukt experiment. Altijd aardappelen, zelden pasta of rijst. Aardappel is gezond: bevat geen vet en is rijk aan zetmeel, voedingsvezel en vitamine C! Dat werd vaak bij de Bakkertjes thuis gezegd. Josephine kookte zelf daarom nooit aardappelen, dat deed haar te veel aan thuis denken. Aardappelen met jus is voor het klootjesvolk, zei ze en schepte de pasta nog eens op of de couscous of de nshima. Alles als het maar niet aan thuis deed denken.

Het verkeer stond stil op de brug. Iedereen wilde de stad weer uit. Het jarenlange socialistische beleid had veel goeds gebracht, waaronder het uit de stad drijven van iedereen die het maar kon betalen naar de nieuwe wijken in Akkrum en Grou en naar de verbouwde boerderijtjes in de Trynwalden. Zuiderburen was te laat gekomen, grote delen van de stad waren al verpauperd geraakt en tot probleemwijk verworden en moesten nu met veel geld omgebouwd worden tot prachtwijken. Maar het was te laat ingezet en te kleinschalig, het hielp niet meer. Het opnieuw binden van de rijken aan de stad was mislukt; het neerzetten van dure huizen in Blitsaerd voor de beter gesitueerden was geen instant succes.

Het reed weer door en blij dat ze door de vernauwing van de brug heen waren, gaven de automobilisten vrolijk gas om in de richting van de Wâldwei te stuiven. Erik stoof niet mee, sorteerde naar rechts en keek zijn medeweggebruikers na zonder ze echt te zien. Op de Wâldwei was het weer passeren en inhalen. Het ging bijna fout toen een zilveren Audi Q7 een vrachtwagen inhaalde. Erik zag het wel, maar registreerde het niet. Hij vond er niets van. Zuurkool met spekjes en worst of rauwe andijviestamppot, dat zou wel lekker zijn nu. Hm, echte Hollandse pot, natuurlijk. Maar dat zou het zeker niet zijn. Vast postelein met gehakt of gekookte witte kool met een karbonade. Jak. Hij had geen haast om zijn weg te vervolgen.

De voordeur was dicht toen hij parkeerde en ging ook niet open, zoals vroeger wel eens was gebeurd, als hij hier op bezoek kwam en zijn auto nog niet eens had stilgezet. Er brandde wel licht en er stonden meer auto's, waaronder die van Josephine. Zij was er dus, maar kwam hem niet tegemoet. Dat was vreemd. Hij overwoog een keer te toeteren, maar dat zou vast niet op prijs worden gesteld. De degelijke Saab van pa Bakker stond op de oprit voor de garage. Erik stapte uit en wachtte voor de deur. Hij overwoog om te draaien en naar huis te rijden. Stil weer de straat uit te rijden en thuis dronken te worden. Sigrid te bellen en iets leuks te gaan doen. Zijn gedachten dreven weg en hij dacht aan de gemiste kansen met zijn collega. Maar hij deed het niet en zag zijn hand omhoog gaan, zijn vinger raakte de bel en drukte. Wat een raar deuntje, dacht hij. Hij realiseerde zich dat hij de bel nog nooit had gehoord. Het duurde een halve minuut en de deur ging open. In de deuropening stond pa Bakker, met de Leeuwarder Courant in zijn hand. Zeker geen fijn bericht, want de krant was verfrommeld, daar waar hij werd vastgehouden.

'O, ben jij het,' zei zijn schoonvader in spe en draaide zich om en liep weer naar binnen.

'Ook goedenavond, alles goed met je Erik? Ja, hoor prima en met jullie? Ook goed, mooi,' mompelde Erik, terwijl hij zijn jasje uitdeed en op een hangertje aan de kapstok hing.

'Wat?' bromde de oude man naar achteren.

'Niets, ik vroeg hoe het met je ging?' zei Erik en liep achter hem aan de kamer in. Hij kreeg geen antwoord. Het was een grote rechthoekige open ruimte, waar alleen de entree, met het toilet en de trap naar boven waren uitgeknipt. Rechts was de keuken, die in een L-vorm doorliep naar de tuin en links de woonkamer van immense afmetingen. De kamer was zo groot, dat er twee bankstellen in stonden. Een rond een open haard en een ander gegroepeerd rond een tv. Dat was het oude bankstel, waar de vormen van het gezin zichtbaar in stonden afgedrukt. De tv stond aan, afgestemd op de regionale zender van Friesland. Rechts stond een tafel waar een elftal met hun vrouwen, de scheidsrechter, de grensrechters, de coach en de ballenjongens ruim aan konden zitten. Daar zat Josephine en zij rangde een pan sperziebonen. Geen zuurkool en geen andijvie dus, dacht Erik. Hij glimlachte toen hij zijn geliefde bezig zag met zoiets huiselijks. Dat zou ze thuis nooit hebben gedaan. Als ze al eens sperziebonen aten, dan altijd uit een potje en in een Oosters gerecht met een pittig kruid op smaak gebracht, zodat je van de boon zelf zo goed als niets meer proefde. Hij liep naar haar toe en zoende haar. Ze zoende terug, maar het leek niet van harte te gaan. Haar moeder stond in de keuken en kneedde het vlees. Ze droeg een zwart schort en had het haar opgestoken.

'Ha Erik, kom je mee-eten? Ik heb genoeg hoor!' Erik liep op haar af en zoende haar drie keer. Links, rechts, links. Hij rook een ouderwetse geur van iets van vroeger.

'Ha, ma!' zei hij en deed er moeite voor dat uitgesproken te krijgen. Zijn eigen moeder noemde hij niet eens 'ma,' maar de moeder van Josephine had erop gestaan. Doe het nu maar, had Josephine gezegd, dat spaart weer een hoop gedoe. 'Heerlijk, ja graag als het mag!' zei hij tegen de moeder van Josephine met geveinsd enthousiasme.

'Natuurlijk, gekkie, wij eten gehakt met sperziebonen. Als je wat wilt drinken, moet je het zelf pakken, hoor. Je weet waar alles staat.' Erik zou graag een glas bier willen hebben, maar dat zou slecht vallen bij de familie. Bier was voor de boeren, het was tijd voor een sherry of een martini en dat vond hij alletwee niet erg lekker. Hij mompelde wat en ging naast zijn vriendin zitten.

'Hoe is het met je,' vroeg hij en keek hoe ze een boon pakte, het topje eraf sneed, er een draad aftrok en het andere topje ook decapiteerde. Ze antwoordde niet meteen. Een snelle blik naar Erik en weer een boon moest eraan geloven. In de kamer hoorde hij dat de krant met een gemompeld commentaar woedend werd omgeslagen naar een volgende pagina. Het werd door iedereen genegeerd.

'Niet goed, dat is zo, niet goed,' zei Josephine tenslotte en wierp eerst een blik op haar moeder, die de ballen met paneermeel aan het bewerken was en een grote zwarte braadpan op de kookplaat had gezet. Erik zag dat ze er een half pakje roomboter in deed. Hij zou er niet dunner op worden.

'Hoezo?' De boter begon te sputteren in de pan en de afzuigkap werd aangezet. Die maakte niet zo heel veel lawaai, maar het was toch storend.

'Daar hebben we het nog wel over, niet nu. Niet hier!' Josephine pakte weer een boon en sneed een aanzienlijk groter stuk af van de bovenkant.

'Joos, kan jij ook nog een ui pellen?' vroeg ma Bakker, 'die doen we in het gehakt, maakt het lekker!' Eriks aanstaande schoonmoeder, die niets liever wilde dan beppe worden, kreeg het altijd voor elkaar om ballen gehakt te maken die zwart waren van buiten, koud van binnen en voorzien van smakeloze stukken glas. Dat was de ui. Die werd niet lekker aangefruit, maar in brokken rauw in het gehakt geduwd en meegebakken. De smaak van paneermeel overheerste, wist Erik nog van de vorige keer.

Josephine had de ui geschild en in mediumsized brokken gesneden. Die werden lukraak in de ballen gedrukt. De boter in de pan verbrandde, maar de afzuigkap was van goede kwaliteit. Je rook het maar flauwtjes. Erik zag wat er misging, in de gloeiende boter werden de ballen als biefstuk gebraden. De rook sloeg eraf. Er werd een fluitketel gevuld en met luid gesis werd er een plons water in de hete pan gegoten. Nu dreven er grote wolken de keuken in, waarmee de afzuigkap op de hoogste stand nog moeite had. Snel werd de deksel erop gedaan.

Er werd weinig gesproken aan tafel. Na het bidden, waarbij Erik zijn ogen op zijn bord had gericht en in stilte had meegeteld – grappig dat hij altijd tot twintig kwam – werden de ballen uitgedeeld. Hij had om een kleintje gevraagd en dat werd weggelachen. Pa Bakker – al ging hij op zijn kop staan, maar Erik weigerde hem pa te noemen – had gefulmineerd op de krant, de media in het algemeen, het kabinet, de gemeenteraad en wat al niet. Erik kende de teamchef die met burgemeester Bakker te maken had en hij benijdde haar niet. Het was niet goed of het deugde niet. Na de griesmeelpudding en de vaat die in de machine was geschoven, wilde Josephine een eindje wandelen en Erik moest mee. Samen liepen ze langs het water. Ze zwegen lange tijd en liepen hand in hand.

'Misschien moeten we elkaar een poosje niet meer zien,' zei Josephine nadat ze zwijgend naar de dobberende boten aan de steigers hadden gekeken en de handen elkaar hadden losgelaten. 'Even een timeout, even dingen doen die we zelf willen.' Erik had het aan voelen komen en was niet verrast. Wel was hij verbaasd dat het hem toch aangreep. Hij voelde zijn maag trekken en zijn ogen branden en hij zei niets. 'Wat denk jij?' Josephine keek hem niet aan. Ze waren op een bankje gaan zitten.

'Wil je dat?' wist hij eruit te krijgen en hoopte dat het niet zo verstikt had geklonken als hij zich nu voelde.

'Ik denk dat het beter is, het is niet dat ik niet om je geef, dat is het niet.' Ze zweeg weer en kreunde kort als een wrakke schommelstoel die iets te lang achterover wordt gehouden.

Om je geef, dacht Erik, waarom zegt ze niet dat ze van me houdt. Om iemand geven is een stuk minder dan houden van. Hij wilde zeggen dat hij wel van haar hield en dat hij misschien de laatste tijd iets te veel bezig was geweest met zijn werk, maar dat hij meer tijd aan haar zou besteden en dat ze weer samen leuke dingen zouden gaan doen, net zoals vroeger. Maar hij zei het niet. Hij zei niets. Hij kreeg er geen geluid uit.

'De laatste tijd heb ik het gevoel dat ik er voor jou helemaal niet meer toe doe. Na het ongeluk, hoe vaak heb ik je toen gezien? En toen had ik je wel nodig. Gelukkig waren pa en ma er nog.'

Merda, ik had er voor je moeten zijn, ik had voor je moeten zorgen, lul die ik ben. Erik riep het hardop, maar in zijn hoofd. Het klonk hard, maar alleen hijzelf kon het horen. Hij wilde haar in zijn armen nemen en smeken om het niet te doen, om het niet uit te maken. Maar hij deed niets. Hij zat op een bankje en keek naar het water. Hij schoof zelfs een stukje van zijn vriendin weg. Niet veel, een beetje maar. Josephine had het vast gemerkt, want zij schoof ook opzij.

'Ik voel me zo alleen, Erik, snap je dat wel. Ik had echt iemand nodig, maar jij was er niet. God weet wat je aan het doen was...' Huilde ze? Hij wilde ook wel huilen en op zijn knieën vallen en om vergeving smeken. Maar hij deed het niet en zijn ogen bleven droog. Hij voelde zijn hart verstenen.

'En met wie... daar denk ik ook maar liever niet over na...' Ze huilde nu echt. Maar Erik kon het niet opbrengen een arm om haar heen te slaan. Zijn emotionele onvermogen werd groter en groter, daar op die koude bank aan het water in het Friese Grou.

Hij stond op. 'Ik denk ook dat dit het beste is.' En zonder om te kijken, zonder een verder woord beende hij terug naar zijn auto, stapte in en reed de straat weer uit.

Op de A32 werden zijn ogen nat en moest hij de auto aan de kant zetten, omdat hij de weg niet meer kon ontwaren. Toen hij weer verderreed, had hij zichzelf verteld dat het maar beter was zo. Het was toch nooit wat geworden. Per kilometer begon hij er zelf meer in te geloven en floot uiteindelijk zelfs een liedje tussen zijn tanden. Vrij, ik ben weer vrij om te doen wat ik wil, zong hij op de wijs van de herkenningsmelodie van Family Guy.

66

Wessel belde. Dat was niet ongebruikelijk, Wessel belde op alle tijden van de dag en als het zo uitkwam, ook 's nachts. Hij verontschuldigde zich nooit en vroeg ook nooit of het schikte. Als hij belde en je nam op, dan werd je ook geacht een gesprek te kunnen voeren, anders had je maar niet moeten opnemen. Erik drukte de groene knop van zijn telefoon in. Vrolijk nam hij op, groette Wessel en voegde daar een guitige opmerking aan toe.

'Waar ben je?' vroeg Wessel en Erik zei dat hij op weg naar huis was. 'Een kleine koerswijziging dan, kom maar naar het hoofdbureau, daar begint over een klein kwartier een bespreking waar jij en ik bij schijnen te moeten zijn.'

'Hoofdbureau, bedoel je de korpsleiding, de gouden gang?'

'Wis en waarachtig!'

'En waar zou dat over moeten gaan dan?' Erik voelde de lichtheid die hij had gevoeld bij het horen van Wessels stem zo snel wegzakken in donkerzwarte duisternis, dat het leek of iemand het licht had uitgedaan. Hij overwoog de verbinding te verbreken en net te doen alsof hij dit telefoontje helemaal nooit had gehad. Gewoon naar huis te rijden, een borrel te nemen en nog een en daarna nog een. Wessel? Die heeft mij helemaal niet gebeld, nee hoor, hoe kom je er bij. Maar het moment was kort en toen Wessel had gezegd dat hij ook niet meer wist dan dit, hadden ze al opgehangen. Wat was dit nu weer? Dit moest wel ernstig zijn, als Wessel en hij ontboden werden bij de hoogste baas. Wat zou er mis kunnen zijn, waar had hij iets fout gedaan? Erik kon zo wel meerdere dingen opnoemen, maar die werden snel verworpen, want hij kon zich niet voorstellen daarvoor geroepen te worden. Zou het om het ongeluk op de Afsluitdijk gaan of om Turkije? Misschien had burgemeester Bakker zich wel beklaagd, wist je veel? Het kon werkelijk van alles zijn. Een onbestemd gevoel van vage misselijkheid maakte zich van Erik meester om als een metalen bal onderin zijn maag te landen. Zou dit dan het einde van zijn carrière zijn? Zijn rechtspositie was goed, maar ze zouden hem eenvoudig kunnen overplaatsen. Hij zou zelfs naar een vaag landelijk project kunnen worden uitgezonden en zoek het maar uit. Hij dacht erover om een persoonlijke belangenbehartiger in de arm te nemen. Hij strekte zijn arm al uit om zijn contactpersoon van de vakbond te bellen, maar deed het uiteindelijk niet. Eerst maar eens aanhoren wat ze allemaal te vertellen hadden. Misschien was het toch iets anders.

'Rustig blijven Erik,' sprak hij hardop in de auto. Diep inademen en rustig uitblazen… Hij deed dat een paar keer, maar het doffe gevoel bleef. Nog even en hij zou overgeven en de gehaktballen weer terugzien. Dat maar niet. Hij vloekte, hard en deed het nog eens, harder. Misschien had hij het lot ook wel te veel getart, dacht hij, in een poging tot berusting te komen. Misschien was het te lang goedgegaan, nu ja, dan ga je toch leuk milieu of vreemdelingen doen, daar is vast ook wat goeds in te doen.

'Allemachtig!' riep hij uit, 'ik geef me zomaar niet gewonnen. Laat ze maar komen!' Hij zou alles stoïcijns aanhoren en pas later reageren. Erik reed het parkeerterrein op en gebruikte de ingang van de korpsleiding. Er stond een aantal grote donkerblauwe Volvo's geparkeerd. Hadden ze ook nog een onderling feestje en moest dit ertussendoor? Het beetje moed dat Erik had opgedaan, verdween als een muis in zijn hol na het ontwaren van een overvliegende buizerd. De bal in zijn maag was weer terug. Hij parkeerde keurig in een vak, sloot af en liep met moedeloze stappen in de richting van de voordeur.

Wessel stond in de hal, hij had hem zeker zien aankomen. Onberispelijk in zijn uniformtuniek en smetteloos witte overhemd. De groet was kort en er werd verder niet gesproken. Erik liep achter Wessel aan naar de vergaderzaal van de korpsleiding. De rode lamp boven de deur was aan, doorgaans voldoende om iedereen uit de buurt te houden, maar Wessel tikte een keer en opende meteen daarop de deur. Niet op een kier of aarzelend, nee, met een royale beweging, alsof hij de eigenaar van het pand was. Toen draaide hij zich om, strekte zijn arm uit en legde een hand op Eriks schouder. Hij duwde hem de deuropening door en kwam er zelf achteraan.

Om de ovale tafel zaten veel mensen, die allemaal naar de verstoring keken. Erik zag uniformen met rangonderscheidingstekens. Kronen, maretakken en gekruiste zwaarden: korpschefs. Niet een, maar een handvol. Hij zag nog meer uniformen met nog veel meer strepen en balken en andere versieringen, maar ook burgermaatpakken. Hij had niet echt last van autoriteitsvrees, maar dit was ook hem iets te gortig. Dit kan nooit om mijn functioneren gaan, dacht Erik en keek de zaal rond. Zijn eigen korpschef was opgestaan en kwam op hen aflopen. Hij deed al een stap opzij, omdat hij dacht dat de man naar buiten wilde, maar die kwam op hen af met een uitgestoken hand. Werktuigelijk schudde Erik de hand van zijn baas. Een vrouwelijke hoofdcommissaris met een bob-achtig kapsel meende hij te herkennen als de hoogste baas van de KLPD.

'Erik! Wessel!' zei de korpschef, 'goed dat jullie er zijn, ga zitten!' En toen ze dat hadden gedaan, ging hij het rijtje af om de mensen aan de tafel voor te stellen. Hoge ambtenaren uit Den Haag, de Turkse ambassadeur, de dame was inderdaad de korpschef van de KLPD en een oude bekende. 'En dit,' zei de Friese korpschef en ging over op het Engels, 'is iemand die jij, Erik, vast nog wel kent, dit is generaal Münevver Göbek, mijn collega uit Istanbul.'

Inderdaad, dacht Erik, die herken ik wel. De generaal had voor de gelegenheid een extra versierd uniform aangetrokken, zijn borst was bestrooid met confetti, die vast zou aangeven wat een dappere man hij was. Erik stond op, liep naar de generaal toe en schudde hem de hand, als oude vrienden. Toen hij terugliep naar zijn stoel, merkte hij dat de zenuwen verdwenen waren. Wat dit ook was, het zou niet over hem gaan, dan zouden al deze bobo's er niet bij zijn. Hij haalde een keer diep adem.

'Als je het goedvindt, gaan we nu door. Je zult begrijpen dat de generaal hier is voor jouw verdachte, Erik.' De hoofdcommissaris sprak Engels alsof hij jarenlang dienst had gedaan op Buckingham Palace. Een prachtige dictie, maar een beetje bekakt. Er ontstond een gesprek waarvan Erik niet zo heel veel begreep, behalve dat Bayram centraal stond en de generaal hem kennelijk mee terug wilde nemen naar Turkije en wel onmiddellijk! En daar voelden de Nederlanders – terecht, dacht Erik – niets voor. Niet zolang het onderzoek nog duurde.

'Erik,' de hoogste KLPD-chef wendde zich rechtstreeks tot hem alsof ze elkaar al jaren kenden, 'kun jij ons vertellen waarvan Bayram allemaal verdacht wordt, van de in Nederland gepleegde feiten dan.' Haar Engels was niet zo fraai, maar wel goed verstaanbaar. Erik begon de moorden, de verkrachtingen, de drugshandel, de mishandelingen, gijzelingen, intimidatie en bedreigingen op te sommen, om maar niet te spreken van verkeersgevaarlijk gedrag, zei hij, toen hij klaar was. De aanwezigen lachten, een soort gemeenschappelijke grinnik.

'U ziet, wij zitten nog volop in het onderzoek en we kunnen Bayram nu onmogelijk uitleveren. Als we klaar zijn en de gang naar de rechter hebben gehad, ja, dan bent u misschien aan de beurt, maar ik kan me zomaar voorstellen dat hij hier zijn straf zal moeten uitzitten. Bovendien,' de KLPD-baas pakte een papier en zwaaide ermee, 'onze vriend heeft ook nog gewoon een Nederlands paspoort, dus ik zie geen enkele reden om te voldoen aan uw verzoek. Het spijt me!' Erik zag dat het papier een kopie van een paspoort was. Er ging een geroezemoes op, waarbij de Turkse ambassadeur naar de generaal leunde en nadrukkelijk een paar zinnen in het Turks sprak. Je hoefde de taal niet te beheersen om te begrijpen dat de Turkse collega tegen de rand van een woedeaanval aanzat. Hij was zeker niet gewend om zijn zin niet te krijgen en dat vond Erik een gevaarlijke eigenschap voor een hoge politiebaas. De discussie duurde nog zeker anderhalf uur, waarbij Erik nog twee keer iets werd gevraagd over de verwerpelijkheid van het onderhavige sujet en nog een keer over wat er allemaal in de tenlastelegging zou staan. Verder nam hij niet deel aan het gesprek, dat meer een debat was tussen twee partijen over het lot van de Turkse verdachte, die op dat moment in de kelder van hetzelfde gebouw was opgesloten. De Turkse generaal wist vast niet dat er hemelsbreed misschien maar een tiental meter tussen hem en Bayram in zat en andersom ook niet. Erik bedacht dat en glimlachte kort. Als de plafonds en vloeren doorzichtig zouden zijn, kon Bayram de generaal boven zich zien zitten. Wessel zag het en knikte hem toe, toen ging de ruzie weer in volle hevigheid door.

'Helaas,' besloot de KLPD-korpschef, 'wij lijken hier niet uit te komen. De verdachte blijft daarom gewoon waar hij is en ik raad u aan om contact te zoeken met de minister van justitie. Maar als ik haar een beetje inschat, zal ook zij geen andere beslissing nemen.' Enkele ambtenaren knikten, dit was zeker de correcte gang van zaken. De minister van justitie was een vrouw, dat was niet de eerste keer op dit departement, maar zij was de eerste GroenLinkser en ze had al laten weten geen boterzacht beleid te zullen voeren. Harde maatregelen voor diegenen die de regels bleven negeren! Stoere taal voor iemand die als realist binnen haar eigen partij werd gezien en niet eens Nederlands recht had gestudeerd. Maar het was allerminst zeker, dacht Erik, welke beslissing hierin genomen zou worden. Hij keek naar Wessel. Die trok zijn mondhoeken in een grimas omlaag.

'Goed!' sprak Münevver Göbek en stond op, 'maar ik wil hem wel horen! Kan dat dan?' Dat was wel een ongewoon verzoek, dacht Erik. De big chief van de politie van Istanbul, die zelf een verdachte wil horen? Wat is dat voor iets raars? Dat vonden de anderen kennelijk ook, want het was stil geworden in de zaal.

'Tja,' zei de KLPD-chef, 'daar kan ik geen bezwaar tegen hebben. Erik?' Erik voelde zich steeds beter: hem werd zijn mening gevraagd! Wat grappig!

'Tja,' zei hij, 'als er iemand van ons bij is, dan zie ik geen problemen.'

'Maar ik wel,' zei Wessel, 'volgens mij is dit nu niet verstandig, we weten helemaal niet wat er, met alle respect, aan de hand is. Ik vind dit een bijzonder verzoek en kan me niet heugen ooit zoiets te hebben meegemaakt in mijn lange loopbaan.' Wessel was af en toe erg principieel en hing nogal aan procedures.

'Je bezwaar is genoteerd,' zei de korpschef droogjes, 'maar we staan het toch toe.' Wessel wilde nog wat zeggen, maar zijn mond werd gesnoerd met een kort handgebaar. De vergadering werd gesloten. De ambassadeur en de generaal beenden de zaal uit, gevolgd door een serviel type, dat haastig een stapel papieren in een tas veegde en achter zijn chef aan hobbelde.

'Wessel, Erik,' sprak de hoofdcommissaris van het Friese korps, 'ik verwacht dat jullie morgen de generaal en zijn mensen met alle egards zullen behandelen, maar hem geen moment uit het oog verliezen,' en nadat hij een moment naar zijn landelijke collega had gekeken, voegde hij eraantoe, 'en zorg dat er ook een tolk van ons meeluistert, als zij in het Turks gaan smoezen.' Zijn vrouwelijke collega knikte goedkeurend. 'Dan zijn jullie bij deze bedankt.'

Wessel stond op en Erik volgde zijn voorbeeld, ze groetten en liepen de zaal uit. Op de parkeerplaats namen de vrienden afscheid van elkaar.

67

Hij had slecht geslapen. Dat gedoe met Josephine, hij liet het niet toe, maar toen hij net in slaap was gevallen, greep het hem opeens aan. Hij was weer wakker geworden en had urenlang op het punt gestaan om haar te bellen, maar het niet gedaan. Ook Sigrid had hij willen bellen, maar ook dat had hij niet gedaan. Hij had in plaats daarvan gelezen in een boek van zijn Amerikaanse collega Dobyns, die zijn leven als undercoveragent had beschreven nadat hij zich twee jaar lang had voorgedaan als Hells Angel met de naam Bird, met als dekmantel handel in illegale wapens. Het boek was een cadeau geweest van Wessel.

Ook toen hij weer slaap kreeg, had hij doorgelezen, want hij wilde lezen hoe de motorcriminelen uiteindelijk werden gepakt en hoe ze dan zouden kijken naar de adder die zij aan hun borst hadden gekoesterd. Er stonden twee foto's op de achterkant. Een van een nette kale man met een bril en een pak aan en een van een ruige biker met een bandana en tatoeages. Aanvankelijk had hij gedacht dat die keurige man de journalist was die het boek mee had helpen schrijven, maar het bleek om dezelfde persoon te gaan. Toen hij het eindelijk uit had, was het kwart over drie geweest.

Om zeven uur was hij weer wakker geworden en had hij geen zin meer om in bed te blijven liggen. Ongewoon vroeg was hij op het bureau. Maar hij was niet de enige. Wessel was er ook en zelfs Sigrid zat al achter een bureau. Toen hij zag dat ze er allebei waren, riep Wessel zijn collega's binnen en vertelde Sigrid wat er zich die avond daarvoor had afgespeeld.

'Bijzonder verhaal!' zei Sigrid toen Wessel klaar was.

'Ja, dat vinden wij ook.'

'En wanneer moet dit "gesprek" dan plaatsvinden?' vroeg Sigrid en keek bedenkelijk naar haar beide collega's.

'Ik denk vandaag al,' en Wessels telefoon ging. Hij nam op en antwoordde een paar keer met een 'ja' en een keer 'best'. 'Nu, sneller dan wij denken, want onze generalissimo is zelfs al onderweg hierheen.'

'Maar we hebben nog geen tolk,' zei Sigrid, 'waar halen we die zo snel vandaan? De tolkentelefoon is nu geen optie, denk ik.'

'Ha, maar dat denk je, volgens mij hebben wij zelf een prima vertaler bij de hand: wat dacht je van lange Mo?'

'Lange Mo, maar dat is toch een Marokkaan?' zei Sigrid.

'Nee hoor, een echte Turk, veel mensen denken dat, maar hij is afkomstig uit Ankara.'

'Was hij geen hondengeleider geworden?' Sigrid keek vragend naar Erik.

'Daar komen we snel achter' en Wessel toetste wat in op zijn computer. 'Kijk, zijn nummer staat hier.' Hij belde meteen en er werd nog opgenomen ook. Na een kort gesprek hing Wessel weer op. 'Wij hebben geluk, hij is er nog, na een nachtdienst. Hij stond op het punt om naar huis te gaan, maar moest de hond nog uitlaten. Hij doet de hond in de auto en komt hierheen.'

'Dat is mooi, maar wie gaan er allemaal mee dan?' vroeg Erik.

'Ik dacht eraan hem in kamer 303 te laten horen,' zei Wessel.

'Dat lijkt me een goed idee, wilde je het dan ook opnemen? En wij allemaal aan de andere kant van het scherm?'

'Ja, als jij zo naar George wilt lopen om het op te zetten? Dan bel ik naar de arrestantenafdeling dat ze de verdachte straks moeten missen.' Wessel had de telefoon al in zijn hand.

'George is er vandaag niet, die heeft een cursus in Zutphen,' zei Sigrid, 'maar er zijn wel anderen, zal ik dat regelen?'

Op de gang liep Erik lange Mo tegen het lijf. Ze begroetten elkaar met een omhelzing en klappen op elkaars rug. Erik was Mo wat verschuldigd, sinds die hem een keer had gered.

'Wat is er aan de hand?' vroeg Mo.

'Ga maar naar Wessel, die brieft je wel. We zien elkaar daarna in 303, de observatiekant.' Erik zag Mo's donkerbruine ogen glinsteren. Mo was graag bereid tot spannende dingen. Hij was een topagent en Erik had al vaak geprobeerd hem over te halen om bij de recherche te solliciteren, maar Mo voer zijn eigen koers.

Zijn telefoon ging - een onbekend nummer - en hij nam op. Het was Ismail.

'Godverdomme!' riep Erik, 'en waar was jij gebleven?'

'Ik moest wat regelen in Amsterdam!' klonk het aan de andere kant.

'Wat regelen in Amsterdam, man, je hebt een plaats delict verlaten tijdens een belangrijk moment. Je hebt geluk dat ik geen arrestatiebevel tegen je heb uitgevaardigd. Dan zat je nu achter de dikke deur!'

'Ja, ja, dat zal wel, maar dit moest even. Erik, is Münevver Göbek bij jullie?' vroeg Ismail scherp. Erik kon niet anders dan deze vraag bevestigend beantwoorden.

'Maar hoezo, het is jouw collega, wist je dat dan niet?' stelde Erik de tegenvraag.

'Nu wel, ja, ik kom naar je toe. Hij wil Bayram zeker meenemen?' Ook dit moest Erik toegeven.

'Maar hij krijgt hem niet mee van jullie, denk ik?' En ook op deze vraag luidde het antwoord 'ja.'

'Wil Münevver Göbek nu met Bayram spreken?' De antwoorden van Erik begonnen saai te worden.

'Wat je ook doet, laat Göbek niet toe tot Bayram, Erik, ik verzoek je dat met klem!'

'Hè, hoezo dan?'

'Dat kan ik nu niet zeggen, maar doe het alsjeblieft niet! Ik kom naar jullie bureau, maar het kan nog een tijdje duren, want ik ben nu pas bij Harlingen.'

'Ik weet niet of ik het kan tegenhouden,' zei Erik, 'wij zijn alles aan het voorbereiden. Wij nemen het gesprek op in kamer 303. De generaal is er overigens nog niet, maar hij schijnt onderweg te zijn. Als je komt, moet je naar 303 komen. Je hebt een pasje, als collega die helpt met het onderzoek.' Erik liep terug naar Wessel om hem te vertellen over dit verontrustende telefoontje, maar Wessel was niet meer op zijn kamer en zijn telefoon werd door de voicemail beantwoord. De generaal was gearriveerd, hoorde Erik van Sigrid, die hij onderweg naar 303 tegenkwam. Wessel was hem aan het ophalen en zou hem rechtstreeks naar de hoorkamers brengen. Samen liepen ze ernaartoe. Erik werd plotseling bevangen door de gedachte dat zijn collega er vandaag extra lekker uitzag. Hij moest de neiging om haar aan te raken onderdrukken. Hij vertelde Sigrid niet over het verzoek van Ismail. Dat wilde hij eerst met Wessel bespreken, maar waarom?

In de gang waar de hoorkamers aan lagen, kwamen ze elkaar allemaal tegen. De generaal, die voor de gelegenheid een burgerpak aan had, zijn assistent, nog iemand die Erik nog niet eerder had gezien, Wessel en zelfs de korpschef. Er werden korte groeten en knikjes uitgewisseld, maar het handen schudden bleef achterwege. De sfeer was gespannen. De telefoon van de korpschef ging en hij verontschuldigde zich. Tegen de generaal zei hij dat Wessel verder voor alles zou zorgen.

'Ik reken op je, Wessel,' zei de korpschef met erg veel nadruk en in het Engels. Toen verdween hij.

'Waar is Bayram,' vroeg de Turkse generaal op een toon waar vooral verwijt uit sprak. 'Wessel?' zei Erik en trok zijn collega aan zijn mouw. Maar die trok zich los en siste dat hij moest wachten.

'Die wordt gehaald, generaal,' zei Wessel rustig. 'Als u hier wacht, dan komt het vanzelf goed. Kunnen we koffie voor u halen?' De generaal wuifde het weg, geen Nederlandse koffie voor de Turkse collega. Hij liep naar een openstaande deur.

'Is het hier?' vroeg hij en toen Wessel knikte, liep hij naar binnen. Hij keek het kamertje rond. Er stond een tafel, vastgeschroefd aan de vloer en om de tafel stonden een paar stoelen. De stoel voor de te horen persoon was ook vastgeschroefd en stond zo opgesteld dat de camera's degene die daar zou plaatsnemen, goed konden zien. De twee andere stoelen waren gewoon los en stonden aan de andere kant van de tafel met de rug naar de wand. Er zat geen doorkijkspiegel in de muur, maar er waren meerdere camera's onzichtbaar aangebracht. Meekijken gebeurde op grote monitoren in een ruimte verderop in de gang. Ook was het mogelijk om de beelden via intranet naar elke computer in het politienetwerk te sturen. Wessel, lange Mo, Sigrid en Erik liepen naar de observatiekamer. Daar was het schemerdonker en op zes grote schermen was de ruimte vanuit verschillende hoeken te zien. De generaal ijsbeerde heen en weer en keek steeds op zijn horloge.

'Wessel!' zei Erik en liet zich niet weer afbluffen.

'Zeg het eens jongen,' Wessel keek hem vriendelijk aan in het halve donker.

'Ismail belde mij net, hij is onderweg hierheen!'

'Wel, wel, wel, dat is bijzonder en waar was het heerschap gebleven? Wij hebben nog een appeltje met hem te schillen!' Wessel keek naar de schermen.

'Hij had nog wat te regelen, zei hij, maar wat wilde hij niet zeggen. Maar hij wilde dat we hem,' Erik wees op de generaal, 'niet bij Bayram zouden laten. In geen geval!'

'En gaf onze "plaats delict verlater" daar nog een overtuigende reden voor!' Wessel bleef naar de schermen kijken.

'Uh, nee, dat niet. Alleen dat we het niet mochten doen.'

'Gaf hij er misschien een weinig overtuigende reden voor?'

'Helemaal geen reden, maar hij klonk wel overtuigend, moet ik zeggen.'

'Beste Erik, deze man zit een kamer verderop, wij – toch niet de minste in politieland – staan er allemaal met onze neus bovenop. Onze collega heeft geen enkele reden gegeven waarom we dit niet zouden moeten doen. Bovendien is de generaal een zeer gerespecteerde politieman uit het verre Turkije en dan zouden wij moeten luisteren naar iemand die opduikt en verdwijnt als het hem uitkomt? Ik dacht het niet. We laten dit gewoon doorgaan en hij komt maar hier en verklaart zich nader!' De generaal bleef heen en weer lopen over de schermen.

'Een ongedurig mannetje,' zei lange Mo.

'Weet jij wie dat is?' vroeg Sigrid.

'Generaal Göbek? Jawel, dat is een begrip in Turkije. Die kent iedereen! Nu ja, veel mensen en vooral in Istanbul. Hij voert al jaren een harde campagne tegen de criminaliteit en met name tegen de drugsgerelateerde criminaliteit,' zei Mo en staarde naar de schermen, net zoals alle anderen in de ruimte.

'En heeft hij succes?' wilde Sigrid weten.

'Ja, zeg het maar, sommigen vinden zijn methoden te onorthodox en voor anderen gaat het niet ver genoeg. Zeker is wel dat hij vanuit de politiek nogal eens wordt tegengewerkt. Er zijn er die, laten we zeggen, geen belang hebben bij een keiharde vervolging van bepaalde types.'

'Corrupt?' ging Sigrid door.

'Corrupt is een groot woord, meer belangentegenstellingen,' zei Mo en keek zijn gesprekspartners aan alsof hij wilde peilen hoe dit viel. De generaal pakte een pakje sigaretten uit zijn zak. Tikte er een uit en wilde hem in zijn mond steken.

'Dat gaan we meemaken,' zei Erik en keek wat er gebeuren ging. Roken was overal verboden, maar in de verhoorkamers werd het wel eens toegestaan, omdat sommige verdachten er wat makkelijker door gingen praten. De generaal stopte de sigaret weer terug.

'Maar Münevver Göbek daar,' zei Mo en wees op de schermen, 'staat bekend als onkreukbaar en onomkoopbaar. Veel Turkse mensen zijn erg trots op hem en blij dat er eindelijk iemand eens iets wil doen aan de wantoestanden. Misschien gaat hij nog wel eens de politiek in. Hij ontkent dat altijd, maar zij die het hardste ontkennen, zitten er het eerst, toch?'

'De redder van het vaderland?' zei Erik en lachte er een beetje smalend bij.

'Nou ja,' zei Mo, 'maar het zou best wel eens kunnen.' Er klonk gestommel op de gang. Erik deed de deur open en tussen twee rechercheurs in werd Bayram binnengebracht. Hij droeg een lichtblauwe overall en zijn handen waren op de rug geboeid. Hij keek brutaal om zich heen en leek niet te zijn geïntimideerd door zijn omgeving.

'Ha, dienertje,' groette hij Erik in het voorbijgaan en het klonk nog wel vriendelijk ook. Voordat hij de ruimte werd ingevoerd, werd hij apart gezet om te antichambreren. De rechercheurs bleven op de gang staan. In die ruimte waren ook camera's aangebracht, maar niet zo veel. Op de schermen waren de twee Turken nu te zien. Ze liepen op dezelfde manier heen en weer. De overeenkomst tussen de twee was opmerkelijk. Net gekooide tijgers in een dierentuin, dacht Erik.

'Is iedereen klaar?' vroeg Wessel. De technicus knikte, het gesprek of wat het ook maar was, zou met verschillende camera's worden opgenomen op verschillende systemen. Als er een kapot zou gaan, had je nog twee andere bestanden. Mo zat ook klaar, hij had een koptelefoon opgezet om niets te missen. Hij zou alles vertalen wat er in het Turks werd gezegd en dat zou meteen ook worden opgenomen. Wessel, Erik en Sigrid zaten aan een tafel waarvoor een groot scherm hing. Hier werden vier beelden tegelijk op geprojecteerd met een beamer, zodat hen niets kon ontgaan. Sigrid had een pen klaar om eventueel iets op te schrijven wat haar zou opvallen. 'Goed, als we allemaal zover zijn, laat Bayram maar binnen, zou ik zeggen.'

'Blijven de boeien om?' vroeg Sigrid.

'Ja, die gaan niet af. Ik wil geen risico lopen met die man. Hij is echt levensgevaarlijk!' zei Erik en Wessel knikte bevestigend. Ze keken toe hoe de deur werd geopend en Bayram werd vastgepakt. Hij keek verstoord en leek er niet van gediend te zijn dat hij werd vastgepakt. Zijn stem kwam luid door.

'Hé, loslaten, ja. Ik zal meewerken, maar we gaan niet aan me zitten, hè!' De stem schalde door de observatieruimte. De technicus draaide haastig het volume terug. Ze zagen de mannen terugdeinzen en een gebaar maken van meekomen.

'Het is goed, jongen, dat weet je. Ik kom wel mee. Chill, man!' Bayram kwam, maar nam er zijn tijd voor. Hij tergde zijn bewakers, maar die waren wel wat gewend. Het werd vanzelf een keer vijf uur. Ze bleven rustig wachten tot hij zo ver was.

'En waar nu heen, oğlan?' vroeg Bayram.

'Oğlan?' vroeg Wessel.

'Jongen of zoon, maar hier zal hij het wel als 'jongen' bedoelen,' zei Mo.

De mannen zeiden niets, maar openden de deur van de kamer waar de generaal zat en wezen dat hij daar naar binnen moest gaan. De gang was zichtbaar op een kleinere zijmonitor. De mannen en vrouw zagen dat de generaal zich naar de deur wendde. Beurtelings keken ze naar de twee schermen. Op het grote scherm de generaal, die doodstil stond en strak naar de deuropening staarde en op het kleine scherm Bayram, die nieuwsgierig de kamer in keek. Toen kreeg hij een klein duwtje tegen zijn schouder en hij liep door. Bayram viel niet eens uit tegen de duwer, wat hij normaal vast wel had gedaan, temeer omdat hij zijn evenwicht verloor en naar voren moest stappen om niet te vallen. Toen verscheen Bayram ook in beeld met de generaal samen op dezelfde monitor. Erik voelde de spanning door het scherm heen. Het was duidelijk dat de twee elkaar kenden. Uiteindelijk liep Bayram naar binnen en ging op een stoel zitten. Hij keek naar de generaal en die keek terug. Maar ze spraken niet.

'Ze blijven naar elkaar kijken,' zei Sigrid, die ook gebiologeerd naar de twee mannen zat te kijken. 'Het lijken wel twee roofdieren. Of rivalen…' Het klonk peinzend, maar ze had wel gelijk, dacht Erik.

'Hij zit op de verkeerde stoel!' Ze zagen nu Bayram op zijn rug en de generaal aan de andere kant. Dat was niet de bedoeling, de acteurs moesten zich wel aan de aanwijzingen van de regisseur houden.

'Dat is op te lossen,' de technicus schoof met zijn muis, klikte hier en daar op een knop en opeens toonde een van de schermen het gelaat van de Turkse verdachte. De relaxedheid die Erik eerder had gezien, was verdwenen. Het wat bolle gezicht, waarin twee bruine ogen agressief en wreed de wereld in keken, was nu anders. Met een paar muisklikken werd het beeld ingezoomd en nu vulde het gezicht het scherm volledig. Zijn haar lag als een vachtje op zijn hoofd met een punt op zijn voorhoofd wijzend naar zijn neus. De mondhoeken omlaag, de lippen dun, de ogen toegeknepen en de zware wenkbrauwen laag op het voorhoofd. De criminele inslag droop er vanaf, dacht Erik. Er was geen zachtheid in het gezicht, alles was hard, agressief. Er lag geweld onder, dat zonder aanleiding tot uitbarsting kon komen. Het deed Erik denken aan de portretten van Lombroso. Was de neiging tot criminaliteit niet erfelijk bepaald? De technicus zoomde nog wat in en Erik zag de ogen, hard en meedogenloos. Misschien was deze man wel de hardste crimineel die hij ooit had ontmoet. Maar als je goed keek, leek er hier en daar wat te glinsteren. Zweet? Niet van de warmte, want zo warm was het niet.

'Hij is bang!' zei Sigrid verbaasd.

'Ja, dat lijkt er wel op,' zei Wessel. Er was nog steeds niet gesproken in de kamer. De mannen namen elkaar op. De generaal stond op en liep een paar passen. Zo kwam hij achter Bayram te staan. Ze waren nu beiden in beeld. Bayram bleef zitten en bewoog zich niet. Dit waren toch wel twee uitersten, dacht Erik. De gezochte misdadiger en de gedecoreerde misdaadbestrijder, veel verder kon het continuüm niet uit elkaar liggen. Les extrêmes se touchent, dacht hij, want hij vond toch dat ze wel wat op elkaar leken. De gelaatstrekken, de neus en de wrede mond. Maar misschien lag dat aan het feit dat ze beiden Turks waren. Dat kon Erik niet zo goed bepalen. Hij wilde het hardop vragen, maar zag dat Wessel en Sigrid allebei ingespannen naar het beeld keken.

De generaal bracht zijn handen bij elkaar en liet zijn vingers knakken. Dat klonk in de controlekamer als pistoolschoten. Haastig bewoog de technicus een schuif op zijn computer. Het geluid had zeker te hard gestaan. Iedereen was geschrokken, maar Bayram had geen enkele reactie gegeven. Iemand sprak.

'Aptal', hoorden ze de generaal zeggen. Een kalm uitgesproken woord. Er zat geen emotie in. Het leek een simpele constatering. Ze keken allemaal naar Mo.

'Uh, aptal, uh, idioot, ja dat moet het zijn. Idioot,' zei Mo en zette zijn koptelefoon weer recht, die scheef was getrokken toen hij naar de anderen keek.

'Idioot? Waarom zegt hij dat? Is dat niet een beetje vreemd om een gesprek mee te beginnen?' Sigrid had het hardop gezegd, maar niemand gaf antwoord. De mannen in de kamer waren weer stil. De generaal liep heen en weer, maar er was niet zo heel veel ruimte om dat te doen. Als hij een rotting had gehad, zou hij daar vast en zeker mee tegen zijn rijlaars hebben geslagen, dacht Erik. Hij zag opeens een stripfiguur in de generaal, compleet met ballonbroek, glimmend gepoetste rijlaarzen en een monocle in het oog.

Bayram zat aan tafel en staarde strak in de lens van de camera. Die was voor hem niet zichtbaar, maar het leek of hij zich er wel van bewust was. Hij probeerde met zijn ogen een gat in de monitor te branden. Erik wilde wat zeggen, maar deed het niet.

De generaal was uitgeijsbeerd en was nu met zijn rug naar de camera gaan staan. Hij blokkeerde het zicht op Bayram. De technicus probeerde een andere camera te bedienen, maar dat leek niet te lukken. Ze hoorden hem klikken met zijn muis en op de andere monitoren werd het beeld zwart. Op het grote scherm was het donkerblauw, maar dat kwam door het colbertje van de generaal. Links was nog iets van de kamer te zien.

'Breng het beeld terug!' snauwde Wessel tegen de man die al van alles aan het proberen was.

'Het lukt niet, er is iets mis,' zei de man, 'ik moet naar binnen, het lijkt wel of de camera's niet meer aangesloten zijn!'

'Shit, man, altijd hetzelfde met die techniek. Hebben we nog wel geluid?' Op hetzelfde moment klonk er geschreeuw uit de kamer.

'HAYIR, BABA, HAYIR' werd er geroepen en het daverde door de kleine kamer. Kennelijk had de technicus de schuif van de microfoon weer helemaal opengezet. Mo rukte zijn koptelefoon af, greep naar zijn hoofd en vloekte. Hij keek woedend naar de technicus, die bijna onzichtbaar zijn schouders ophaalde en met zijn apparatuur aan de gang bleef. Hij zette het geluid weer zachter. Op het scherm was te zien dat de generaal iets aan het doen was, maar niemand zag wat dat precies was. Tot Erik het in de gaten had.

'Godverdomme!' riep hij en sprong op. Hij rende naar de deur en struikelde over een tas die Sigrid naast zich op de grond had gezet. Hij viel half, maar wist overeind te blijven door zich aan de tafel vast te grijpen en maaide daarbij een computer omver. Die stortte op de grond en trok daarbij andere apparatuur mee. Het was een domino-effect, Leeuwardenwaardig en het zou komisch geweest kunnen zijn, als de schade niet zo groot was geweest. Iedereen keek nu naar Erik en zijn capriolen en naar de vallende apparaten. Niemand lette nog op wat er in de andere kamer gebeurde. Erik klom half over de tafel heen.

'Mo, je pistool! Nu!' schreeuwde hij en rukte de deur open. Mo aarzelde niet, hij was ook opgesprongen en trok zijn holsterbeugel open. Razendsnel had hij zijn Walther getrokken en wierp het doorgeladen wapen door de lucht. Het ging niet af onderweg en Erik wist het op te vangen. Het leek of ze het samen geoefend hadden. Er klonken twee knallen in de dichte kamer, kort achter elkaar alsof het een aangehouden schot was. Erik stond op de gang en rukte de deur van kamer 303 open. Hij priemde het pistool de kamer in, terwijl hij zelf in elkaar dook. Mo stond vlak achter hem, zijwaarts gedraaid om een kleiner doelwit te vormen.

'Laat het wapen vallen!' schreeuwde Erik in het Engels. Het klonk raar, vond hij zelf. Alsof hij in een slechte film meespeelde. Een gangsterfilm noir, of zo. De Engelse drie woorden echoden in zijn eigen hoofd na. 'Drop that gun!' Hij riep het nog een keer, want zijn woorden en zijn actie leken niet te zijn opgemerkt door de mannen in kamer 303. Hij riep nu harder, schreeuwde met alle kracht en schuifelde naar binnen op zijn hurken. Uit zijn ooghoeken zag hij Wessel en Sigrid in de gang staan. Sigrid had kennelijk haar eigen wapen ook bij zich gehad, want ze had het in haar handen. Als een van de Charlies Angels, dacht Erik, omdat ze haar Walther naar het plafond had gericht, het met beide handen omklemde en zichzelf tegen de muur drukte. Wessel stond erachter en zijn blik was meer vragend. Hij zei niets, maar zijn wenkbrauwen waren opgetrokken.

Bayram was voorover gevallen, zijn hoofd lag op tafel. Erik zag een groot gat in zijn achterhoofd. De schedel was open, er liep bloed uit. Hij zag stukjes van de schedel, angstig wit, hersenen, die inderdaad grijs waren en nog meer donkerrood bloed. Een deel van de inhoud van het hoofd van Bayram was tegen de witte muur gespat. Bloed, en ook kleine kloddders, die een spoor trokken over de muur, terwijl ze traag naar beneden drupten. Veel doder dan Bayram kon je niet zijn, constateerde Erik. De vraag: Hadden we dit kunnen voorkomen? bonkte door zijn hoofd. Hij hoorde Mo achter zich iets zeggen en Wessel riep ook wat. Hij verstond het niet. Hij wendde zich tot de man die een pistool op tafel had gelegd en zwijgend naar het lijk stond te kijken.

'Generaal Münevver Göbek!' Erik schraapte zijn keel en zei het nog een keer. De man naast de tafel keek op, wendde zijn hoofd zo langzaam alsof het hem al zijn kracht kostte.

'Generaal Münevver Göbek, hierbij bent u aangehouden wegens moord.' Erik moest nog een keer hoesten om weer normaal te kunnen klinken. De Turkse man knikte en deed geen moeite de tranen die uit zijn ogen drupten af te vegen.

68

'Maar wie heeft nu de moorden in de stad gepleegd?' vroeg Sigrid.
Ze zaten bij elkaar in de briefingsruimte. Aan elke muur hingen flappen met schema's, foto's en grafieken. Naast Sigrid zaten Wessel,
Seerp, Erik en de officier van justitie aan tafel. Wessel wipte met
zijn stoel op twee poten en leunde tegen de vensterbank. Erik stond
op en liep naar een groot whiteboard, hij had twee kleuren stiften in
zijn hand.

'Was het Bayram zelf, die al die mensen heeft omgebracht?'
vroeg Sigrid.

'Een paar wel, die heeft hij echt zelf gedaan. Maar Hensley Seferina is degene die de meeste verkrachtingen en moorden heeft gepleegd. Die kenden we ook wel, dat was een jongen die ooit met
een enkele reis op het vliegtuig is gezet van Curaçao hierheen naar
zijn oudere broer, die hier al woonde. Daar kon hij eerst wel terecht,
maar toen die broer verongelukte op zijn werk, hij viel uit een hijs-
kraan, ging het mis. Hensley werd crimineel, totdat hij het geluk
had - nu ja, het ongeluk dus - om Bayram tegen het lijf te lopen.
Die nam hem onder zijn hoede en speelde een beetje vader of grote
broer. Later is de rest van het gezin overgekomen, moeder, halfzusje
en twee halfbroertjes. Zijn eigen vader heeft hij nooit gekend: die
zat tijdens zijn geboorte in Koraal Specht en de moeder wilde geen
contact meer met hem hebben.'

'Dat is ook geen fijne start in het leven, maar hoe weet je dit allemaal?' vroeg Sigrid aan Erik.

'Dat heeft het Antillianenteam al een keer uitgezocht. Hensley
stond al op de lijst voor een programma, maar daar is men niet meer
aan toe gekomen. Hij was helemaal onder de invloed van Bayram.
Hij zou voor hem alles hebben gedaan, echt alles.'

'Hij was de jongen voor het vuile werk?' vroeg de officier.

'Ja, dat ook, maar het ging verder dan dat,' zei Erik, 'ze hadden een hechte band. Ik denk dat Hensely Bayram als familie zag. Zei Melany dat ook niet?'

'Maar andersom was het niet zo hecht volgens mij,' merkte Wessel op.

'Want wie heeft Hensely vermoord?' vroeg de officier.

'Bedoel je wie door de hand van Hensley is gestorven of wie Hensely op zijn beurt opzettelijk van het leven heeft beroofd?' vroeg Erik.

'Dat laatste, want dat rijtje van Hensleys slachtoffers staat daar toch?'

Erik knikte. 'We gaan ervanuit dat Hensley Carmen heeft vermoord, we hebben DNA-sporen van hem onder haar nagels gevonden.'

'En Bayram heeft Hensley in koelen bloede vermoord in het ziekenhuis? Fijne vriend, wel.' De tweede man van het Openbaar Ministerie in Friesland schudde zijn hoofd. 'En is hij ook verantwoordelijk voor de moord op die Rick misschien?'

'Ja, daar komt het op neer.' Erik trok een streep tussen de namen van Bayram en Hensley op het bord en maakte daar pijlen van.

'Het is allemaal nogal academisch nu,' zei Wessel, 'we maken het wel af, maar we hebben niemand meer over. We zetten de dossiers straks allemaal bij in het archief. De hoofdverdachte leeft niet meer en we hebben ook geen anderen meer die we ergens van kunnen beschuldigen. Geen vervolging na de dood.'

'Waarom doen we dat niet? De nabestaanden van de slachtoffers kunnen er toch nog wel iets aan hebben?' vroeg Sigrid.

'Audiatur et altera pars, je moet partijen kunnen horen en zij moeten zich kunnen verdedigen,' antwoordde de officier van justitie.

'Maar dat zou toch een advocaat kunnen doen, die hadden ze anders ook allemaal gehad en ze zouden voor de rechtbank toch niets zeggen.'

'Ja, maar dit is nu eenmaal de regel. Wij hebben trouwens nog wel wat kleinere zaken, die moeten ook nog. Tegen de jongens die we nu nog verdachte kunnen maken, voorzover ze nog niet zijn overleden.' Erik trok hier en daar nog wat strepen onder namen op het bord. Mo en Martijn.

'Klein grut,' zei de officier en maakte een wuivend gebaar.

'Waar is Göbek nu dan?' vroeg Sigrid.

'Göbek, dat is de vader toch?' vroeg de officier.

'Ja,' zei Erik, 'generaal Münevver Göbek was de vader van Bayram, onze hoofdverdachte hier. We hadden ze nooit bij elkaar moeten laten. Hij heeft zijn eigen zoon met twee gerichte schoten om het leven gebracht. Paf, paf, in het hoofd. Ik stond erbij en keek ernaar, zou je kunnen zeggen. We stonden er allemaal naar te kijken hoe die man hier het recht in eigen hand nam. Aanklager, rechter, beul en vader ook nog. Het leken Yul Brynner en Tony Curtis wel!' zei Erik. Hij zakte in elkaar en staarde in de verte.

'En waar is het lijk van Bayram?'

'Dat is opgehaald en meteen naar Rijswijk gebracht,' antwoordde Erik.

Wessel schraapte zijn keel. 'Dat lijk is daar nooit aangekomen,' zei hij. Erik staarde hem aan.

'Wat zeg je nu?'

'Nooit in Rijswijk aangekomen,' zei Wessel en keek naar het plafond.

'Nooit aangekomen, hoe kan dat?' Erik hapte naar adem.

'Tja, zeg jij het maar. Ik weet het niet. Maar het staat niet op de lijst en het is er niet. Voor zover Rijswijk weet, is het ook niet ingestuurd.'

'Weet jij daar meer van?'

'Nee,' zei Wessel, 'daar ben ik te laag voor, dat is rechtstreeks via de korpschef gelopen. Die is gebeld door de minister van justitie. Ik heb wel een telefoonnummer gekregen in Den Haag, maar als ik het bel, wordt er niet opgenomen. Het is overigens wel een nummer van het departement, want het begint met 070– 426. Maar er gebeurt niets, ik krijg niet eens een telefoniste aan de lijn.'

'En als je het algemene nummer draait?' vroeg Sigrid.

'Heb ik ook gedaan, dan word je doorverbonden en kom je in een telefonisch zwart gat terecht. Het is niet de bedoeling dat wij nog aan bod komen. Dat is duidelijk.'

'Heb je hier met de korpschef over gesproken?' vroeg Erik scherp aan Wessel.

'Die zegt dat ik een verkeerd nummer moet hebben opgeschreven en praat er dan overheen.' Wessel liet de palmen van zijn handen zien, als een goochelaar die niets te verbergen heeft.

'Ja, maar dat is toch te gek, wij moeten het onderzoek doen! Het lijk is bewijs bij een regelrechte moord! De verdachte stond ernaast met een pistool in de hand!' riep Erik.

'Ja, maar wie heeft hij dan omgelegd?' vroeg Wessel.

'Hallo, Bayram! Onze topverdachte, daar was je zelf bij.'

'Natuurlijk, maar waar is het lijk dan en waar is het wapen?' vroeg Wessel rustig.

'Het lijk? Dat had op een metalen tafel in Rijswijk moeten liggen, ja!' Erik voelde zich nu echt kwaad worden en merkte dat hij zijn stem begon te verheffen. Dat moest hij niet doen. Deze zaak ging heel raar eindigen, dat werd steeds duidelijker. Daar moest hij zich niet over opwinden. Hij keek naar de officier.

'We leven hier toch in een rechtsstaat? Dit zijn praktijken die hier niet voorkomen. Dat kunnen we toch niet zomaar laten gebeuren! Bovendien, ik moet mijn ambtsedig verbaal nog maken. Daarin verklaar ik dat Gobëk voor mijn ogen Bayram doodschoot. Twee schoten door het hoofd. Ik zie het bloed, de stukjes schedel en de hersenen nog tegen de muur spatten. Als ik kon tekenen, zou ik het zo aanschouwelijk kunnen maken en de dader stond er naast, jankend als een kind. Met mijn pistool op zich gericht.' De officier schudde zijn hoofd.

'Het kan niet, maar het gebeurt toch,' zei hij zachtjes.

'En we hebben toch meer getuigen? Hier, Wessel, Sigrid, Mo, een technicus en nog iemand, ik weet niet eens wie, wij waren er allemaal bij en de boel is ook nog opgenomen! We hebben bewijs op band, op file, dus digitaal nog wel!' Erik beende heen en weer en stak een vinger uit naar de officier van justitie, alsof hij in de beklaagdenbank zat en Erik de aanklager was.

'Dat zeg jij, maar er is helaas niets vastgelegd, of beter gezegd, er is niets meer terug te vinden. Vraag niet hoe het kan, maar het is zo,' zei Wessel.

'Maar dit kunnen we toch zomaar niet laten gebeuren, dit gaat tegen alles in waarvoor ik ooit bij de politie ben komen werken. Vervolging van boeven zonder aanziens des persoons! Waar is Gobëk, ik heb hem zelf aangehouden, het wapen in beslag genomen en hem ingesloten in ons bloedeigen cellenblok! Waar is hij dan gebleven?'

'Overgebracht naar Amsterdam,' zei de officier eenvoudig.

'Maar dan laat ik hem lichten, het is volgens mij óns onderzoek. In ieder geval dat wat hier is gebeurd en alles trouwens. Ook het verhaal van Bayram!' Eriks opwinding was nog steeds groot, hij voelde dat het misging.

'Hij is niet meer in Amsterdam. Zowel de Rijksrecherche als de minister persoonlijk zijn erbij betrokken.' Nu keek de officier naar het plafond.

'Je wilt toch niet zeggen dat dit wordt weggemoffeld! We leven toch niet meer in de tijd van Tarras Bulba?' Erik bleef voor de officier staan en schreeuwde dit naar beneden. Hij wilde iemand slaan. Hij begon heen en weer te lopen en had zin om ergens tegenaan te schoppen.

'Ik weet het, goede vriend, ik weet het,' Wessel was opgestaan en had Erik tot staan gebracht door zijn armen net boven de elleboog vast te pakken. 'Dit is groter dan wij, hier kunnen we niet tegenop.

Laat het maar los. Jij hebt je best gedaan. Echt je best en hier komt het tot staan. We ronden het af en gaan verder tot de orde van de dag. Het is niet anders.' Wessel was kleiner dan Erik en hij keek omhoog. Erik keek omlaag en wilde zich losrukken. Hij wilde de korpschef bellen, de minister of de krant, dit kon niet, dit kon echt niet. Woedend was hij.

'Erik, laat het los!' zei Wessel gebiedend.

Erik keek hem aan. Had Wessel gelijk, was dit te groot? Hij kon hier niets aan veranderen. Het was geregeld en gedaan. De hoofdrolspelers waren dood, weg, verdwenen, letterlijk zelfs. Er viel hem een naam in.

'En waar is Ismail dan?'

'Terug naar huis, die is allang weer in Turkije.'

'Ik ga Ismail bellen, die zal dit ook niet laten gebeuren,' zei Erik en reikte al naar zijn telefoon, waarin hij het nummer van de Turkse collega had opgeslagen. 'Ismail zal dit oplossen, moet jij eens opletten!'

'Dat mag je doen, maar je moet een ding weten,' zei Wessel, die weer was gaan zitten.

Erik had zijn telefoon in zijn hand en draaide het wieltje al naar de "I". Hij drukte nog niet op de groene knop en keek naar zijn chef.

'Wat?' vroeg hij en hoorde dat het er rauw uitkwam. Hij zag dat Sigrid ervan opkeek.

'Ismail zal ons niet helpen,' zei Wessel met gedempte stem.

'Want?' vroeg Erik agressief, 'Ismail is wel integer, dat kan ik niet van iedereen zeggen.'

'Ismail zal zijn vader echt niet verraden. Hij laat het rusten nu.'

'Zijn vader, wat heeft die...' Erik zweeg even. '"Peder", hoorde ik hem zeggen in de auto, peder is vader...'

'Is Ismail de zoon van Generaal Göbek?' vroeg Sigrid. Het was duidelijk dat zij dit ook niet had geweten.

'Ja, Göbek was ooit getrouwd met een vrouw die nu de minister van justitie in Turkije is. Maar toen was ze nog gewoon moeder en advocaat met een praktijk aan huis. Ze is pas later carrière gaan maken. Ze zijn allang geleden gescheiden, maar uit het huwelijk is wel een zoon voortgekomen: Ismail.' Wessel spreidde zijn handen, alsof hij er ook niets aan kon doen.

'Allemachtig! We hebben hier echt te maken met een familiedrama, geloof ik.' Erik was op een stoel neergevallen. Hij voelde de energie weglopen. Opeens was hij heel erg moe.

'Dus Ismail... is Bayrams broer...' zei Sigrid zacht.

'Halfbroer,' zei Wessel, 'Vader Göbek is na zijn mislukte huwelijk met de moeder van Ismail nog een keer getrouwd. Of getrouwd, dat niet, geloof ik, maar hij heeft wel een relatie gehad met een vrouw. Ze kregen samen een zoon: Bayram dus.'

'Het is niet waar, is dit een slechte Turkse soap? Als je hierover een boek zou schrijven, dan zou niemand je geloven.' Erik was weer opgestaan en begon nog wat strepen op het bord te kliederen.

'Dus pa kwam over om met zijn niet-deugende zoon af te rekenen?' vroeg Sigrid.

'Sa is 't,' zei Wessel.

De officier van justitie floot zachtjes tussen zijn tanden.

69

Sigrid voelde zich vies, plakkerig, terwijl ze helemaal niet had gezweet en die ochtend langdurig had gedoucht. Erik was niet te genieten. Ze had willen praten, ze hadden toch samen het Turkse avontuur meegemaakt? Ze hadden toch samen in NOA gestaan? Dat had gemakkelijk verkeerd kunnen aflopen... Ze hadden toch een band... maar die vervelende Erik liet niets toe. Hij praatte niet, deed nurks tegen haar en was naar huis gegaan zonder iets te zeggen. Ze overwoog om met Wessel te gaan praten. Die kon luisteren, soms. Als hij niet naar zichzelf wilde luisteren.

Ze liep naar zijn kamer, maar het licht was uit. Wessel was al weg. Ze belde zijn telefoon, er klonk klassieke muziek en later de voice-mail. Sigrid vloekte, maar pas nadat ze de verbinding had verbroken. Ze wilde naar huis en heel lang onder een te hete douche staan. Gadverdamme, wat een smerig zaakje was dit! Het voelde niet goed, beslist niet. Ze snapte Eriks woede heel goed, maar waarom liet hij haar niet toe? Ze konden het er toch over hebben! Rotvent! Ze zei het hardop en natuurlijk, iemand hoorde het. Het was George, die langs kwam lopen en vroeg of ze wat zei.

'Nee, niet tegen jou,' zei ze. Ze glimlachte moeizaam tegen hem en liep weer door. Niet terug naar de recherchekamer, daar was niemand meer. George was kennelijk ook onderweg naar huis. Ze liep naar de uniformdienst, daar waren alle lampen aan, maar ook hier was niemand. Hier en daar klonk de stem van de meldkamer door een vergeten portofoon in een jaszak. Er was een verkeersongeluk op de Drachtsterbrug, hoorde ze. Er stond een auto in brand en de surveillance was aanrijdend. De brandweer was al ter plaatse. Ze keek onwillekeurig uit het raam, maar zag daar niets bijzonders. Daar zou iedereen wel naartoe zijn.

Dan maar naar huis, dacht ze. 'Gezegend allemaal en de groeten,' zei Sigrid in de lege ruimte. Ze pakte de portofoon en zette hem uit. Langzaam liep ze naar de rechercheruimte terug. George was er inderdaad niet meer. Ze trok haar jas behoedzaam aan, alsof er spelden in zouden kunnen zitten. Met haar tas over de schouder liep ze traag de trap af naar de kelder, waar haar fiets stond. Bij de Albert Heijn stapte ze af en zette haar fiets op slot. God, wat zou ze nu weer eens eten? Een stoommaaltijd maar weer, dat zou wel goed zijn. Een half pakje melk, de stoommaaltijd kipfilet rozemarijn, een haarclip, een tube tandpasta en een half brood stalde ze uit op de lopende band. Wat een trieste bedoening onder de koude tl-lampen. Het kassameisje keek haar niet aan, haalde de boodschappen mechanisch over het leesapparaat, mompelde het eindbedrag en keek zelfs niet toen Sigrid haar pasje door het pinapparaat haalde. Als ze haar morgen zouden vragen hoe Sigrid eruit had gezien, zou ze het waarschijnlijk niet meer weten. Ze zou het zelfs nu niet weten, want ze keek nergens naar. Sigrid stopte de artikelen in een plastic tasje en hing het aan haar fietsstuur. Treurig stapte ze op en reed van de grootste Albert Heijn uit Leeuwarden weg. Ze keek niet zo goed uit.

Ze kon zich bijna niet bedwingen om naar Eriks huis te fietsen. Ik had hem toe moeten laten, in de sauna, dacht ze. Wat kan mij die vriendin nou schelen. Hij wilde me toch? Verdomme, we hadden het daar hartstikke knus samen... Ze sloeg de verkeerde straat in, niet naar haar eigen huis, maar naar zijn huis. Ze deed het toch niet. Ze reed weer terug. Doelloos reed ze door de straten van de stad en probeerde niet na te denken waar ze was en waar ze naar op weg was. Ze probeerde willekeurig af te slaan, naar links en dan weer eens naar rechts. Auto's van UPS in Amerika slaan nooit linksaf, bedacht ze en toch komen ze overal. Zal ik ook alleen maar rechtsaf slaan? Maar dan rij ik rondjes en kom ik nergens. Op een gegeven moment reed ze haar eigen straat in en stond voor haar eigen deur.

Het verbaasde haar.

De maaltijd smaakte naar niets. Ze had zin in patat, wit van de mayonaise, kroketten en frikadellen speciaal en in chocolade. Ze zat voor de televisie en keek naar een programma. Ze wilde de afstandsbediening pakken voor een ander kanaal, maar deed het niet. Ze at haar eten werktuigelijk op en toen het bakje leeg was, zette ze het op tafel. Op de tv zaten een man en een vrouw op een lelijke bank en spraken over iets. Het geluid stond te zacht. Ze drukte op de knop om het volume te verhogen. De vrouw huilde nu, zag ze en de man hield het zo te zien ook niet droog. Die verdomde emo-tv altijd, dacht Sigrid en wilde wegzappen.

'...en toen is hij niet meer wakker geworden...' zei de man moeizaam en de vrouw moest nog harder huilen. Een stem buiten beeld vroeg hoe oud hij was geweest. 'Net drie,' zei de man en brak nu echt. Sigrid kon het niet helpen en huilde met het echtpaar mee. Om het zoontje en om alles. Om Erik, die ze wilde en om de kinderen, die ze niet wilde. Ze kroop vroeg in bed en viel snel in een diepe, droomloze slaap.

70 👁

Erik kwam thuis, zachtjes vloekend in zichzelf. Hij smeet zijn sleutels in het rieten mandje naast de deur. Het was niet de slimste plaats om sleutels en portemonnee op te bergen, maar je moest wat. Hij had zin in alcohol en haalde een fles Korenwijn uit de koelkast. De drank was geel en stroperig en vloeide prettig in het bevroren glaasje. Hij sipte en vloekte om de beurt. Vloek, sip, vloek, sip. De kou van de jenever deed hem goed en hij pakte er een flesje bier bij. Hij spoelde een glas schoon met koud water, schudde het droog en liet het bier langzaam in het glas draaien. Gulzig dronk hij beurtelings bier en jenever en het vloeken nam af. Hij was op een kruk in de keuken gaan zitten en vroeg zich af of hij de televisie zou aanzetten. Nee, geen tv, de krant, die had hij uit de bus meegenomen en lag vers op de keukentafel. Er stond een grote foto op de voorpagina van een bekende zangeres die zich aan plastische chirurgie te buiten zou zijn gegaan. Dat zal wel, dacht Erik en las een stukje over de jeugd die internet als de bron van nieuws zag. Zoals de jongen die een Telegraaf in handen kreeg en verbaasd aan zijn vader vroeg: hebben ze die ook op papier?

Misschien moest hij eens wat eten. Maar Erik had er geen zin in en schonk zich nog een glaasje in uit de bruine kruik die nog op het aanrecht stond. Toen hij die leeg had, zag de wereld er weer wat vriendelijker uit. Hij overwoog Sigrid te bellen om iets leuks te gaan doen. O nee, dacht Erik en belde niet. Beter was het om wat te eten, wat werk te doen en eens op tijd naar bed te gaan en een goed boek te lezen. Al tijden wilde hij Reis naar het Einde van de Nacht herlezen. Was het echt zo goed als hij vroeger vond? Hij had het boek al uit de boekenkast gehaald en het klaargelegd.

Erik trok de vriezerdeur open en keek naar de diepvriesmaaltijden, die daar lagen te wachten op hogere temperaturen. Maar in een pizza had hij geen zin en iets anders ontdooien duurde te lang. Hij wist niet of hij bij de politie kon blijven werken. 'Ik ben geen principieel man, niet echt, of niet heel erg, maar er zijn dingen die je gewoon niet kunt laten gebeuren. Dat kan niet.' Hij zei het hardop tegen de diepgevroren kip en de kleine stapel pizzadozen. Die vonden het best, want reageren deden ze niet.

Erik zwiepte de vriezerdeur weer dicht en wendde zich tot de kast. Daar stonden zakken vol soep. Wat was er nu beter aan soep in een zak, dan in een blik? dacht Erik en zette toch maar de lullevisie aan. Er was een spelletje gaande en het geluid stond uit. Hij liet het maar, want hij had geen zin om iets anders te zoeken en zo bewoog er toch wat in de hoek. 'Geen korenwijn meer!' zei Erik, 'maar nog wel bier!' en trok woest de kroonkurk van een flesje. De dop tinkelde op de tegels en verdween ergens onder een kastje. 'Dat is voor de meid!' riep Erik, schonk zich in en proostte op de interieurverzorgster die het dopje vast wel een keer zou vinden. Als hij maar eerst een werkster zou vinden. Met de vorige was het niet zo goed afgelopen. Die was van een trapje gestort, had haar been gebroken, kon al weken niet meer lopen en weigerde terug te komen.

Erik hief nogmaals het glas: 'Beterschap, meid,' zei hij en dronk zijn bierglas leeg. De glazen gingen op hun kop in de vaatwasser, de kruik in de jiskefet en de lege bierflesjes in de rieten mand met statiegeldflessen. Erik sjokte de trapjes op naar de kamer waar de grote rode bank stond, van plan om eerst een dutje te doen. Hij legde zijn telefoon op de salontafel en op dat moment ging hij af. Hij keek naar het schermpje, maar het was een afgeschermd nummer. Eén keer bellen, zou hij opnemen? Kon van alles zijn, ook nieuws over dé zaak of een andere? Kon ook Sigrid zijn? Twee keer bellen, de toon leek wat dwingender: "Neem mij op, onmiddellijk!" 'Fuck you! Ik ben thuis, ik heb geen piket, ik hoef niets. Misschien werk ik morgen niet eens meer voor jullie!' Hij zei het hardop. Drie keer bellen.

Misschien was het toch Sigrid, je kon maar niet weten, waarom zette die nummerzenden uit? Dat moest bij de politie, dat wist Erik wel, maar hij deed het niet. Flauwekul, vond hij dat. Vier keer. Na vijf keer kwam de voicemail. Erik nam op.

'Met mij,' hoorde hij en een moment wist hij niet wie 'mij' was.

'Weet je nog wel wie ik ben?'

'Natuurlijk, ik had niet verwacht dat je zou bellen, dat is alles,' zei Erik tegen Josephine. Hij was blij zich hiermee te kunnen redden.

'Je hebt zeker bezoek?'

'Nee, hoor, ik ben helemaal alleen en zit gezellig op mijn eigen rode leren bank,' zei Erik braaf.

'Vast wel, ik denk dat je niet alleen bent, anders had je wel met-een geantwoord!' Het klonk triomfantelijk, alsof het de enige logi-sche gevolgtrekking kon zijn. Hij had zich er dus niet uit gered. Hm, dit werd een vervelend gesprek, dacht Erik.

'Heb je al gegeten?'

'Nee, ik heb alleen wat gedronken. Ik zat net te overwegen wat ik eens zou nemen. En jij dan?'

'Ja, ik wel.' Voor een gezellig etentje samen belde ze dus niet. Maar waarom dan wel?

'Uh, hoe gaat het?' Iets beters wist Erik zo snel niet te verzinnen.

'Gaat wel, gezien de omstandigheden.' Omstandigheden, wat moest dat nu weer voorstellen? Moest hij daar nu naar vragen of juist niet? Hij besloot het niet te doen.

'Ik overweeg om ontslag te nemen,' zei Erik plompverloren. Hij moest het aan iemand kwijt.

'Ontslag? Jij? Laat me niet lachen, jij bent een echte broeder van de Hermandad!' Ze lachte inderdaad, het klonk een beetje rauw. 'Jij bent de laatste die het licht uitdoet. Wil je weer wat voor elkaar krijgen, heb je ze gedreigd? Pas maar op, ze accepteren het nog een keer en wat moet je dan?'

'Er is nu iets gebeurd, dat ik niet kan negeren. Iedereen zegt dat ik dat moet doen, maar het gaat te ver. Het gaat tegen alles in, waar ik destijds voor bij de politie ben gegaan!' Erik schrok er een beetje van dat het er zo heftig uitkwam.

'Rustig maar, ik ben je baas niet. Waar gaat dit dan over?'

'Daar kan ik natuurlijk niet over praten, maar laten we zeggen dat wij proberen een onvervalste echte moord te verdoezelen en de dader vrij weg te laten komen. Meer kan ik er niet over kwijt.'

'Ja, als dat waar is, dan klinkt het ernstig. En wat vindt Wessel daar dan van? Die zal toch wel medestander zijn? Die is nog erger dan jij. Jullie zijn een stel dienstkloppers bij elkaar!'

'Wessel staat aan de andere kant, dat is juist zo erg. Daarom vind ik het ook zo moeilijk. Hij zegt dat ik het los moeten laten en dat kan ik niet!'

'Tja, dan weet ik het ook niet. Wessel is altijd al je professionele kompas geweest. Als dat nu ook al afwijkt, dan kan ik je alleen maar sterkte wensen. Maar klopt het wel wat je zegt, je kan soms zo overdrijven…'

'Dat valt ook wel mee,' zei Erik, die niet vond dat hij teveel zei, eerder te weinig soms. 'Maar dit is precies zoals ik net zei en ik overweeg mijn wapen en legitimatie in te leveren.'

'Ik zou er maar eerst een nachtje of meer over slapen, voordat ik zoiets drastisch deed.'

'Dit is weloverwogen en heeft met impulsiviteit helemaal niets te maken,' zei Erik, die was opgestaan en weer naar de keuken was gelopen. 'Maar waarom bel je mij? We zouden toch een poosje uit elkaar gaan? Dat heeft dan ook niet lang geduurd. Wil je langskomen?' De laatste zin sprak hij zachter uit en merkte dat hij wel naar haar verlangde en zeker nu zou hij het fijn vinden als ze er was om hem vast te houden. Alleen maar dat, zonder te spreken en zonder verder iets te doen. Desnoods stapte hij nu in zijn auto en reed hij naar haar toe. Maar daarvoor had hij misschien iets te veel gedronken. Het zou niet best staan als hij door de collega's aan de kant zou worden gezet.

'Nee, dat wil ik niet. Bepaald niet. Eerlijk gezegd, Erik van Houten, ik denk niet dat wij samen een toekomst hebben. Jij bent wat mij betreft iets te veel met 'boeven vangen' getrouwd. Daar hebben we het over gehad.'

'Maar ik hou wel van je,' zei Erik en het klonk een beetje huilerig, hij wilde niet alleen zijn. Niet vanavond en niet deze nacht. Hij had medelijden met zichzelf.

'Daar ben ik blij om, maar het is niet genoeg. Niet op de manier waarop jij dat, uh, vormgeeft.'

'Goed, kom dan maar hier, dan kunnen we erover praten. Dan maak ik een pizza, is dat goed?' Erik wilde alles wel zeggen om haar nu over te halen, maar hij wist dat het verloren moeite was. Hij had de toon in haar stem herkend. Ze konden net zo goed nu ophangen.

'We moeten er wel over praten, maar niet nu. Een andere keer, als jij weer nuchter bent.'

'Maar ik ben helemaal niet dronken. Ik heb een paar glaasjes op, maar dronken, dat is echt iets anders!' riep Erik en voelde wel dat hij in de zweefmolen zat. Een beetje aangeschoten dan. Maar dat zei hij niet. Klonk zijn stem onvast? Nee toch?

'Ik bel je nog wel, later, dan praten we door. En wat ik nog zeggen wilde: ik ben zwanger, lul!' Josephine hing op en Erik bleef een minuut lang naar de dode telefoon zitten staren.

71

Wessel ontbood Erik op zijn kamer.

'Zeg het eens,' zei Erik, toen Wessel de deur had dichtgedaan en ze samen aan de tafel zaten.

'Je moet dit loslaten,' zei Wessel eenvoudig en leunde achterover. 'Dit moet je niet zo laten doorgaan. Dit is te groot.'

'Dit is misdadig,' repliceerde Erik en zweeg.

'Het is ook hoe de wereld in elkaar zit. Het zou leuker zijn als rechtvaardigheid bestond. Het zou fijner zijn als alle boeven werden afgestraft, het zou beter zijn als de wereld eerlijker was. Het is niet zo. Wen er maar aan.'

'Nee, daar wil ik niet aan wennen!' Erik klonk fel.

'En dan? Wat wil je eraan doen?'

'Daar heb ik over nagedacht, ik ben er inmiddels al van overtuigd dat ik bij onze eigen mensen nergens gehoor zal vinden en de politiek zal er ook niets mee doen. Er is maar een weg.' Erik was opgestaan en voor het raam gaan staan. Hij keek naar buiten.

'En die is?' zei Wessel.

'De media,' zei Erik zachtjes, als voor zichzelf. Wessel reageerde niet.

'Tja, wat denk je dat dat oplevert?'

'Misschien wel niets, maar ik kan niet net doen of dit allemaal niet is gebeurd. Godallemachtig, Bayram is voor onze ogen gewoon geëxecuteerd. De moordenaar is zijn eigen vader, die wordt aangehouden, ingesloten en loopt gewoon de deur uit, het land uit. Het lijk is ook al weg en al het bewijs is vernietigd! En wij hebben de opdracht om maar net te doen alsof er niets aan de hand is. Dit kan toch niet, dit druist in tegen alles waar ik in geloof.'

'Dat is ook zo, maar wat gaat dit jou opleveren? Wilde je het anoniem doen?'

'Nee, denk ik niet.' Erik had daar nog niet over nagedacht.

'Als je het onder je eigen naam doet, kun je dit hier allemaal wel vergeten. Misschien zul je niet worden ontslagen, maar de leiding heeft nog wel andere manieren om je klein te krijgen. Klokkenlui-ders worden niet echt gewaardeerd, zoals je weet. Die moeten vech-ten en kunnen daar jaren last van hebben. Willem Oltmans heeft er niet lang plezier van gehad, toen hij eindelijk gelijk kreeg. Wat schiet je ermee op?'

'Dat kan me niet schelen, maar dit kan ik niet dragen, ik kan dit niet voor me houden, dit moet eruit. Het spijt me.'

'Het is jouw carrière, die gooi je weg en misschien nog meer,' zei Wessel zacht.

'Hoezo, nog meer?'

'Denk je dat ze,' Wessel wees omhoog, 'dit laten gebeuren zonder represailles? Als het al in de krant komt, want zelfs dat is nog maar de vraag. Vergeet niet wie je tegenover je hebt. Ze zijn machtig, erg machtig. Dat leg je af, geloof mij nu maar.'

Erik zei niets, hij keek naar de donker wordende stad, naar de auto's op de weg die de lichten aan hadden en op weg naar huis wa-ren. Hoe was je dag? Zou misschien thuis iemand aan hen vragen. Gewoon, zouden ze antwoorden en dan gingen ze aan tafel en aten zuurkool met worst, andijvie met een bal gehakt of spinazie met een karbonade en daarna op de bank koffie drinken en naar het Journaal kijken. Misschien wel een klein dutje en om elf uur naar bed. Want morgen weer vroeg op. Zo ben ik gelukkig niet, dacht Erik. Moest hij hiervoor nu zijn carrière opgeven? Was het dat waard? Maar kon hij er wel mee leven?

'Ik weet het niet, Wessel,' zei hij, 'ik begrijp niet dat jij dit alle-maal zo licht opneemt. Ik kan dat niet.'

'Ik neem het niet gemakkelijk op, geloof mij, het zit mij ook niet lekker, maar ik weet dat je soms moet erkennen dat er zaken zijn die je niet kan mannen. Aut non temptaris aut perfice.'

'O, begin je weer, wat betekent dat nu weer?'

'Als je eraan begint moet je het afmaken, ongeacht de gevolgen en die kunnen enorm zijn.' Wessel was ook opgestaan en samen keken ze naar het verkeer op weg naar huis.

72

'Wie was Tarras Bulba?' vroeg Sigrid aan Erik.

'Tarras Bulba was een boer uit de Oekraïne, een Kozak, die kolonel werd en vocht in een oorlog tegen de Polen. Hij leerde zijn zoon Andrei het vak en vooral de Polen te haten. Maar die sukkel wordt natuurlijk verliefd op een Poolse. Zoals dat dan altijd gaat.'

'Aha, Romeo en Julia op de pampa' zei Sigrid.

'Ja, maar ook dit loopt slecht af.'

'Want?'

'Omdat die Andrei kiest voor zijn Poolse prinses en zijn vader dat niet kan zetten. Die vecht juist tegen die gehate Polen.'

'Dus?'

'Dus beneemt Tarras zijn zoon het leven. "Ik heb je het leven gegeven en ik neem het je ook weer af," zei hij en schoot Andrei dood. Dwars door zijn harnas heen.'

'O, zo,' zei Sigrid.

Op dat moment ging de telefoon van Erik. Zijn hart sprong op, zou het Josephine zijn? 'Met Van Houten?' zei hij hoopvol.

'Dag meneer Van Houten, u spreekt met Otto Klarenbeek, de persoonlijk medewerker van de minister van justitie. Mag ik u storen?' Het mocht, al was Erik enigszins teleurgesteld. Hij vroeg of hij wel de persoon was die Klarenbeek moest hebben. Maar dat was zo.

'Minister al-Aziz zou graag een onderhoud met u willen hebben, kan dat?' De man klonk wat zalvend, vond Erik. Een onderhoud, een afspraak bedoelde hij.

'Jawel,' zei Erik stroef, hij hoorde het zelf.

'En kan dat vandaag nog?' Klarenbeek liet er geen gras over groeien.

'Vandaag? Waar moet dat plaatsvinden, Den Haag?' Erik was

verbaasd, maar probeerde het niet te laten blijken. Hij besloot even moeilijk te doen.

'Ja, in Den Haag,' zei Klarenbeek, zonder een spoor terughoudendheid. 'De minister zou u graag over een kleine twee uur ontvangen op haar werkkamer aan de Schedeldoekshaven.' Het klonk vormelijk.

'Mijn beste man, ik zit hier in Leeuwarden en ben aan het werk. Hoe zou ik binnen twee uur in Den Haag kunnen zijn?' Het werd een beetje te gek. Dit was zeker een collega die een geintje wilde uithalen, dacht Erik. 'Zit je me een beetje te zieken, wie is dit? John zeker?'

'Ik verzeker u dat het mij ernst is. Voor de deur van het politiebureau staat een auto met chauffeur klaar, die zal u spoorslags naar Den Haag brengen. Kan ik op u rekenen?'

'Ja hoor!' zei Erik balorig. Het was een grap, dat kon niet anders.

'Mooi, dank u, tot straks,' zei de zogenaamde Otto Klarenbeek en verbrak de verbinding.

'Ja, drie bier, geloof je het zelf!' zei Erik en stopte zijn telefoon weer in de hoes. Sigrid was inmiddels vertrokken en Erik begon processen verbaal te tikken. Wat een rotwerk was dat toch. De telefoon op zijn bureau ging. Het was de balie, die vertelde dat er iemand was die Erik kwam ophalen. Of hij meteen mee wilde gaan.

'Allemachtig!' riep Erik en zette zijn computer uit. 'Het zal toch niet? Die grap gaat nu echt te ver.' Hij stond op, beende de gang op, stampte de trap af en verwachtte een groepje lachende collega's te zien staan in de hal. Maar daar stond een jongeman in een grijs pak te wachten.

'Ah, meneer Van Houten, gaat u mee?' zei de man. Erik vergat te vragen hoe hij zijn naam kende of wist hoe hij eruit zag. Verbaasd liep hij achter de man aan. Er stond een donkere luxewagen klaar, waarvan de achterdeur werd opengehouden. Er lag een krant en een flesje water voor hem klaar, zei de chauffeur. Erik stapte in, nog steeds met zijn mond vol tanden. De auto gleed weg en vlot wrikte de bestuurder zich een weg de stad uit. In minder dan geen tijd waren ze onderweg naar Harlingen. De man reed hard, zag Erik, maar je merkte het niet.

'Waar gaat dit allemaal over?' vroeg Erik, maar de chauffeur wist het niet, zei hij. Ze waren onderweg naar Den Haag en hij mocht er niet langer dan twee uur over doen. Dus had hij haast, op de Afsluitdijk ging het gas er pas echt goed op.

'Pas je op, goede vriend,' zei Erik, 'ik heb hier al eens iets akeligs meegemaakt.'

'Was u daar toen geen slachtoffer van?' zei de man.

'Weet u dan wat hier is gebeurd?' Erik werd er akelig van.

'Jazeker, het is hier gebeurd, precies tien dagen geleden.' De auto raasde er voorbij en inderdaad wees de chauffeur de plek waar de vrachtwagen verongelukt was.

'Als je maar uitkijkt!' gromde Erik en begon boos de krant te lezen.

In Den Haag reden ze op de Schedeldoekshaven direct de garage in van het ministerie. De auto passeerde een paar hekken en kwam kennelijk in een afgesloten ruimte terecht. Daar stond al iemand te wachten die op zijn horloge stond te kijken. Deze man trok de deur open en begroette Erik.

'Ik lijk wel belangrijk!' zei Erik, die besloten had om het maar over zich heen te laten komen. De nieuwe man zei niets en liep in looppas naar een liftdeur. Ze stegen en Erik zag dat hij een pasje gebruikte. Er zaten geen knoppen in de lift. De deur ging open en de man wenkte hem. Ze snelwandelden door een deftige gang. Aan weerszijden hingen portretten van ministers van vroeger. Er werd een deur opgeworpen en Erik moest naar binnen. De man verdween en Erik was alleen.

Wat nu weer, dacht Erik en keek om zich heen. Een enkele deur, daar was hij doorheen gekomen en nog een paar dubbele deuren. Die waren ook dicht. Er stonden twee grote leren banken en een tafeltje. Verder was er niets, een wachtkamer dus. Maar dan zonder de tijdschriften. Hij dribbelde wat heen en weer. Hadden ze zoveel haast gehad om hem hierheen te slepen en nu moest hij wachten? Wat was dat voor een onzin? Erik voelde eens aan de dubbele deur, maar die was op slot. Hij durfde niet zo hard te duwen, voordat je het wist viel je de kamer van de minister binnen. Er hing een kastje met deurtjes aan de muur. Die waren dicht, maar niet op slot. Er lag een stapel kleine boekjes in: Justiële Verkenningen. Die kreeg Erik ook thuisgestuurd. Hij pakte er een op en bladerde erin. Politiek en Georganiseerde Criminaliteit was het thema. 'Dat kun je wel zeggen,' zei Erik hardop. Hij legde het tijdschrift terug, sloot de deuren van het kastje en ging voor het raam staan. Hij schrok toen de deuren werden opengegooid en er een kleine, frêle vrouw in de opening stond. De minister van justitie Naeomi al-Aziz! Ondanks zichzelf en ondanks het feit dat het een kleine vrouw was, moest hij toch slikken.

'Ah!' zei de minister, 'Erik van Houten neem ik aan?' Erik vroeg zich af wat hij moest zeggen. Hij stak zijn hand uit en deed een stap naar voren.

'Uh, exellentie?' zei hij en schudde de hand van zijn hoogste baas.

'Laat dat maar weg hoor. Noem me maar gewoon mevrouw! Maar kom verder.' De minister liet de deuren dichtvallen en draaide zich om. Erik liep mee, een antichambre door en een werkkamer in. Daar hingen twee opvallende portretten aan de muur van iemand uit een ver land die hij niet kende en van een vroegere voorvrouw van GroenLinks. Verder was de kamer nogal kaal. Groot, maar kaal. Er stond een enorm bureau, een zitje met leren banken en langs een wand dichte kasten. Dat was het. Er zat iemand op de bank, maar Erik kon niet goed zien wie het was, omdat hij de persoon alleen van achteren kon zien.

'Ik geloof dat jullie elkaar al kennen?' vroeg de minister. De dame op de bank stond op, draaide zich om en liep glimlachend naar Erik toe.

'Dag, Erik, leuk je weer te zien,' zei ze in onberispelijk Engels, zoals hij van haar gewend was.

'Dag, uh, mevrouw, wat leuk u weer te zien,' zei Erik die in de war was en bijna een buiging wilde maken. In plaats daarvan pakte hij haar uitgestoken hand en probeerde er een kus op te drukken, maar bedacht zich, miste en maakte een rare beweging. Minister al-Aziz zag het en lachte kort.

'Maak je maar niet nerveus,' zei zij in net zulk keurig Engels. 'Je hebt al eens kennisgemaakt met mijn Turkse collega. Mijn charmante Turkse collega, mag ik wel zeggen.' De vrouwelijke collega glimlachte. Erik vond het een bijzonder moment. Hij zat op de thee bij twee ministers van justitie, de een van Turkse komaf en de andere van Marokkaanse. Hij voelde zich licht in zijn hoofd. Alsof hij een jointje had gerookt.

'Drink je wat?' vroeg minister al-Aziz, die opvallend gewoon was. Er stond een fles wijn op tafel en daar hadden ze beiden al wat uit gedronken, zag Erik.

'Nee, hoor,' zei hij.

'Doe niet zo gek, glaasje wijn?'

'Graag, alsjeblieft mevrouw.' Erik was een beetje verbaasd over zijn eigen reactie, hij hield helemaal niet van wijn. Maar nu kreeg hij er een ingeschonken. Naeomi al-Aziz hief het glas, haar collega deed mee en Erik kon niet anders dan ook zijn glas proostend in de lucht steken en een klein slokje nemen. Hij proostte na en zag dat de Turkse vrouw dat ook deed, maar de Nederlandse minister niet. Misschien ging het anders in Marokko? Erik schaamde zich voor deze gedachte.

'Erik, je begrijpt zeker wel waarom we je hebben laten komen. A propos, ik hoop dat wij je niet al te zeer uit je werk hebben gerukt?

Ik begrijp dat het niet zo goed uitkwam?'

'Nee, hoor,' zei Erik en zwaaide een beetje met zijn linkerhand, alsof hij een lome vlieg moest verjagen, 'geen probleem.' Hij voelde zich nog steeds een beetje vreemd. De vrouwen verschilden in leeftijd, maar waren kennelijk heel close met elkaar. Was deze minister trouwens niet presentator geweest voordat ze de politiek inging?

'Wij begrijpen dat je moeite hebt met de afloop van de zaak.' Twee paar excellente ogen keken hem strak aan. Erik had het gevoel dat er van zijn antwoord iets zou afhangen.

'Uh, ja, dat geloof ik wel,' zei hij uiteindelijk. Misschien was het fout, maar dat zou hij dan wel merken. Maar ze glimlachten beiden en knikten zelfs naar elkaar.

'Dat begrijpen wij ook wel. Mijn eigen gevoel voor rechtvaardigheid is minstens net zo groot en daar zal ik geen concessie aan doen.' De Turkse minister boog haar hoofd, het was nauwelijks zichtbaar, maar Erik zag het wel. Was zij het ermee eens, of juist helemaal niet? Ze had ook haar ogen een moment gesloten, dat had Erik ook gezien.

'Erik,' zei de moeder van Ismail en ze boog zich naar hem toe, 'Bayram was de zoon van Münevver Göbek,' en weer gingen de ogen dicht, alsof de gedachte haar te zwaar was. Erik knikte, dat wist hij.

'En Erik, je moet weten: Münevver Göbek is geen slechte man. Integendeel, ik heb zelden een meer integere en rechtschapen man ontmoet in mijn onderhand al lange leven. Hij is een goede man, een grootheid, echt waar. Een held, geloof me. En de man heeft geleden. Ondraaglijk. Neem het maar van mij aan.' Erik zei niets en reageerde ook niet. Waar ging dit heen?

'Maar Bayram – zijn zoon – was slecht, in- en inslecht, ik kan niet anders zeggen. Wij hebben jaren met hem getobd en alles, echt alles, Erik, dat moet je van mij aannemen, geprobeerd om hem te helpen. Dat wil zeggen, Münevver heeft dat geprobeerd.' Ze bleef stil en keek de kamer in, ze leek niets te zien. Erik knikte een keer, het zal wel, dacht hij.

'Je weet dat ik niet de moeder was van Bayram, hè?' vroeg ze tenslotte en Erik beaamde dat. 'Bayram trapte Münevver op zijn hart, telkens opnieuw, maar de liefde van een vader voor zijn zoon is onvoorstelbaar groot. Zeker in ons land. Weet je dat? En doorgaans heeft een goede zoon respect voor zijn vader.' Ze zweeg weer en pakte een tas die naast haar stond. Daar haalde ze een klein wit zakdoekje uit, waarmee ze haar ogen bette.

'Die liefde dreef Münevver tot het doen van een paar domme, hele domme dingen. Voor Bayram…' Ze slikte een keer en nam een klein slokje wijn uit haar glas. Erik keek naar Naeomi al-Aziz op de andere bank, maar die keek uitdrukkingsloos voor zich uit.

'Hij was het niet waard, keer op keer heb ik dat ook gezegd. Bayram was een schoft van het ergste soort. Hij was ziek, heel erg ziek in zijn hoofd. Hij had geen gevoel, hij was een sociopaat die geen enkel medegevoel had voor mensen. Hij lachte zijn vader uit en tartte hem. Steeds maar weer en wat Münevver ook deed of probeerde, het werd steeds erger en erger.' Ze nam weer een slokje en zette het glas terug op de glazen tafel, alsof het uit elkaar zou springen.

'Toen Bayram met zijn moeder naar Nederland ging, dachten we dat het wel beter zou gaan. We waren hem kwijt, we wisten aanvankelijk niet dat hij hier was. Tot hij weer kwam opdagen en ik begrijp nu dat hij betrokken was bij een internationaal crimineel netwerk… Dat vernietigde Münevver. Hij kon het niet dragen…' Weer kwam het zakdoekje tevoorschijn.

'Maar toen kwamen jullie in beeld en wij waren bang dat alles zou uitkomen. Het spijt me…' Erik dacht aan de 'behandeling' die hij genoten had en het feit dat Bayram steeds weer wist te ontkomen. Hij voelde woede opborrelen. Maar ook medelijden toen hij naar de kleine breekbare vrouw keek, die daar op die grote bank een beetje verloren zat met haar vochtige kanten doekje.

'Wat had uw man dan allemaal gedaan, dat niet door de beugel kon?' vroeg Erik en een snelle blik op de GroenLinkse minister leerde hem dat deze vraag niet gepast was. Hij wilde iets zeggen, maar de moeder van Ismail stak haar hand op.

'Laten we zeggen dat het niet erg slim was en zeker niet in zijn positie, wat hij deed. Maar hij voorkwam soms dat Bayram zou worden aangehouden en bracht daarbij mij ook in diskrediet, snap je.'

'En Abduur?' vroeg Erik en zag dat ze verward keek bij het horen van die naam.

'Dat was een collega van mij in Turkije, die geëxecuteerd is in zijn eigen auto onderweg naar huis.'

Ze knikte en weer met de ogen dicht. 'Abduur was de activiteiten van Bayram op het spoor. Hij had de puzzel compleet en Bayram heeft hem laten doden.'

'Door een lange, blonde buitenlander,' zei Erik. 'Slim van hem om zo de verdenking op mij te laden.' Hij bedacht dat hij niet moest vergeten die arme Ybe van de ware toedracht op de hoogte te stellen.

'U dacht misschien dat Münevver daar iets mee te maken had. Nee, meneer Van Houten, hij was soms wel een beetje dom, maar zo dom is hij niet geweest. Nu ja, dom is niet het woord, verblind is beter. Bayram had een groot netwerk en ook binnen de politie wisten we niet wie er wel of niet te vertrouwen was. We zijn daarmee bezig, maar er is nog zoveel te doen…'

'Ik leef zeer met u mee, maar feit blijft dat uw man zijn zoon voor mijn ogen heeft doodgeschoten en daarvoor door mij is aangehouden en vervolgens ontsnapt is.' Erik zag dat er bij het woord "ontsnapt" iets flikkerde in de donkere ogen van zijn gesprekspartner.

'Münevver is mijn ex-man en hij heeft dit inderdaad gedaan. Maar alleen omdat hij niets anders meer kon. Bayram had niet lang in uw gevangenis gezeten, meneer Van Houten. Gelooft u mij maar.'

'De misdaad is gepleegd op Nederlandse bodem en daar gelden

Nederlandse wetten. Wij nemen het recht hier niet in eigen hand en dienen ons te verantwoorden als wij dit wel doen. Wij moeten onderzoek doen en dat uiteindelijk via de officier van Jusitie voor de rechter brengen. Een Nederlandse rechter in dit geval.' Erik leek wel een handboek voor te dragen. Zijn woede was groter dan zijn ontzag voor deze autoriteiten.

'Dat begrijp ik wel, maar er valt niets meer te doen. Dit boek is dicht. Gesloten. En laten we hopen dat het hiermee ook ten einde is gekomen.' De vrouw sprak zacht en Erik moest zich voorover buigen om die laatste woorden nog te horen.

'Waar is generaal Göbek nu?' vroeg Erik en schrok zelf, hij had het te hard gezegd en het kwam er scherper uit dan hij wilde.

'Op een betere plaats,' zei de minister van justitie uit Turkije.

'Vast wel, maar we dienen wel een internationaal rechtshulpverzoek in!' sprak Erik streng en keek zijn baas aan. Die schudde langzaam haar hoofd.

'Sorry, Erik, maar ook dat is niet meer aan de orde. Bayram is dood. Er is geen zaak, het lijk is weg, de zaak is gesloten!'

'Hoezo is het lijk weg, dit is een Nederlandse zaak, die onder Nederlandse jurisdictie valt, lijkt me.' Erik was stomverbaasd.

'Nee,' zei Ismails moeder, 'wij hebben ervoor gezorgd dat het lijk van Bayram onmiddellijk is vervoerd naar het thuisland. Overigens met instemming en volledige goedkeuring van uw eigen minister.' De Nederlandse minister knikte en kneep daarbij haar ogen dicht. Alsof ze wilde zeggen, het is goed, Erik, alles is al geregeld, we hoeven niets meer te doen. De Turkse minister hing diep achterover in de bank en keek naar niemand in het bijzonder. Erik probeerde haar blik te vangen, maar ze keek van hem weg.

'Maar hoe kan het dan dat iemand ontsnapt uit gevangenhouding, die notabene is verdacht van moord, door de getuige daarvan is aangehouden en dat mijn eigen minister nu zegt dat de zaak is gesloten? Sorry, maar dit kan ik niet rijmen met mijn gevoel van rechtvaardigheid.' Erik voelde dat hij dingen ging zeggen, waar hij later spijt van zou krijgen.

'Erik,' zei al-Aziz en ze keek hem strak aan, 'het is niet aan jou, maar we hebben je hier uitgenodigd om hierover te praten. Laat ik voorop stellen dat ik het tot op zekere hoogte met je eens ben. Gelijke monniken, gelijke kappen, daar ben ik helemaal voor en laten we zeggen dat het een "misverstand" was dat de Generaal Göbek is vertrokken uit Nederland.'

Erik keek haar aan. Wat zou er nu komen, dacht hij.

'Dat had niet mogen gebeuren,' zei de Turkse minister nu ook. Erik keek snel naar haar.

'Dat heb ik ook gezegd tegen mijn collega hier en we hadden afgesproken dat Göbek ook weer uitgeleverd zou worden.'

'Dat kon ook niet anders,' zijn ex-vrouw maakte een gebaar waarbij zij haar handpalmen liet zien en haar mondhoeken naar beneden trok.

'Alleen heeft men hem in Turkije voor de keuze weten te stellen,' minister al-Aziz keek nu naar haar collega, die haar blik meed.

'Keuze?' zei Erik. Welke keuze, dacht hij, wat hadden ze nu weer bekokstoofd samen?

'Hij verkoos ervoor zich voor zijn schepper te verantwoorden…' En opnieuw vulden tranen de ogen van de kleine Turkse vrouw.

'O,' zei Erik. Hij had nog veel vragen, maar stelde ze niet.

73 Epiloog ◉

Onderweg naar huis had Erik veel om over na te denken. Er was inderdaad geen zaak meer, want alle verdachten waren nu net zo dood als de slachtoffers die ze gemaakt hadden. Geen vervolging na de dood. Er was alleen nog verdriet, de pijn en de vragen voor de nabestaanden en de stapels papier voor de recherche. De afwerking was alleen nog voor het archief en de afloop was alles behalve bevredigend. Niemand zou zich voor een rechter voor zijn daden komen verantwoorden. En waar Erik nog het meest mee zat, was dat zelfs Wessel bereid was geweest om deze zaak in de doofpot te stoppen. Was hij dat trouwens wel echt? Had hij misschien al wel geweten dat de generaal de hand aan zichzelf had geslagen? Had hij dit misschien als een laatste wanhoopsdaad voorzien? Maar kennelijk was hij in Turkije toch weer opgepakt. Hoe kon hij hier dan zo naar buiten zijn gelopen en doodgemoedereerd het land uit komen? Hij moest wel hulp hebben gehad, dat kon niet anders en op hoog niveau. Maar waarschijnlijk had hij buiten zijn ex gerekend, dacht Erik, op de zachte kussens van de achterbank van de limousine op weg naar huis. Hij lurkte van het koele water, dat hij in een flesje van de chauffeur had gekregen. Wessel had meestal meer in de gaten dan Erik dacht, daar was hij al wel achter. Maar goed voelde het nog steeds niet. Misschien moest hij dit nu maar loslaten, dacht hij en dronk het flesje leeg en moffelde het in de bank. Morgen zou hij nog eens uitgebreid met zijn chef praten. Als hij dit had voorzien, nou ja, dan zal het wel. Laat maar gaan. Anders, ja, dan wist hij het nog niet.

Erik pakte zijn telefoon en staarde ernaar. Hij had nog iets om over na te denken. Dat maakte misschien alles anders. Hij wilde die verantwoordelijkheid niet, maar nu het toch zo was, dan moest hij er maar aan geloven. Ze konden gaan samenwonen. Josephine zou waarschijnlijk haar huisje niet op willen geven, maar misschien zouden ze er een stuk aan kunnen bouwen. Het zou hem wel spijten als hij zijn eigen woning zou moeten opgeven, maar dat moest dan maar. Het was toch wel heel erg leuk, zo'n klein nieuw mensje. Hij had het voor Sigrid niet willen toegeven, maar ook hij had nog vaak aan de kleine Havva gedacht. Wat een raar idee dat hij nu vader werd. Zou hij het wel kunnen? Zou het wel lukken, met Josephine samenwonen en voor het kind zorgen? Zou het niet erg vermoeiend zijn? Er begon een gevoel van verlangen te gloeien in zijn buik. Verlangen naar dit ongeboren kind, om het in zijn armen te kunnen houden en alles te geven wat hij niet had gekregen. Per kilometer groeide het gevoel. Hij zou meteen naar Josephine toe gaan om te bespreken hoe ze het zouden aanpakken en wie weet, misschien wilde ze toch wel verhuizen? Maar nee, dat zou ze niet willen. Ze moesten het inderdaad maar uitbouwen aan de achterkant, een grote serre met veel glas, waar ze 's morgens samen konden ontbijten. De kleine, het was een meisje dat wist hij zeker, zou in een kinderstoel zitten en pap gevoerd krijgen. En hij zou koffie drinken, toast eten en naar zijn werk gaan. Zijn vrouw en kind kussen en in zijn auto stappen en wegrijden, terwijl hij werd nagezwaaid. Dat zag hij wel zitten en dat terwijl hij nooit koffie dronk als ontbijt, laat staan toast at.

De dienstauto zette hem weer voor het bureau af. Erik bedankte de chauffeur en liep naar binnen. Hij groette de dames aan de servicebalie en huppelde naar de rechercheruimte. Hij voelde zich al pappa, het maakte hem ongekend vrolijk. De donkere sluier was een moment verdwenen.

'Erik!' riep Sigrid, toen ze hem in het oog kreeg, 'ik heb goed nieuws!'

'Oh, wat dan?' Hij had geen idee wat het kon zijn.

'Die AT'er die je gered hebt op de Afsluitdijk, Van der Veen heet-ie, is buiten levensgevaar. Hij wordt weer helemaal de oude.'

'Nou, dat is prachtig,' zei Erik verwonderd.

'Zeg dat wel,' zei Sigrid nog steeds enthousiast. 'Dankzij jou, fantastisch hè.'

'Ik heb ook een nieuwtje,' zei Erik, 'maar dan iets minder goed. Generaal Göbek heeft de hand aan zichzelf geslagen.'

'Nee toch!'

'Ja. Dus hier houdt het op. Afgelopen, finito, zaak gesloten.'

Sigrid fronste en keek hem strak aan. 'En hoe is het dan met Ismail? Heb je daar nog wat van gehoord?'

'Jawel, die is terug in zijn vaderland en gewoon weer aan het werk gegaan.'

'Heeft dit alles dan geen weerslag op hem?'

'Ik denk het niet,' zei Erik en haalde zijn telefoon tevoorschijn. Hij frutselde wat met de knopjes en draaide het toestel zo dat Sigrid het schermpje kon zien.

'Indrukwekkend uniform,' zei ze, toen ze de foto zag.

'Dat is onze vriend en kijk even naar dat pak dat hij draagt.' Erik hield de telefoon wat dichter bij haar gezicht. 'Valt je niets op?'

'Nee, een grote pet en veel goud, geen idee?'

'Het is het uniform van een kolonel,' Erik klonk alsof hij een ontdekking had gedaan en daar een beloning voor wilde.

'Dat was hij toch al?' Sigrid keek hem vragend aan.

'Nee, luitenant-kolonel, overste, dat is een rang lager.'

'Tsss, nou leuk voor hem. Maar hoe zit het met jou, ga je nu nog ontslag nemen?' vroeg ze.

'Nee, ik denk het niet. Wat zou ik anders moeten doen? Maar ik wil nog wel een goed gesprek met Wessel hebben. En jij, hoe denk jij erover?'

'Tja, mij zat het evenmin lekker natuurlijk. Maar ik ga er niet om weg. De zaak is raar afgelopen, maar ja.'

Zwijgend liepen ze naar buiten.

'Ik eh, vond het weer leuk, samenwerken met jou,' zei Sigrid. Ze keek naar de grond. Erik lachte. 'Ja, het was een mooi avontuur,' zei hij.

'Ga je nu naar huis? Zullen we nog even wat drinken ergens?'

Erik schudde zijn hoofd. 'Nee, ik ga naar mijn geliefde,' zei hij. Hij overwoog haar te vertellen dat hij vader zou worden, maar om een of andere reden deed hij dat niet.

'Oh, ja, natuurlijk,' zei Sigrid. 'Die zul je de laatste tijd niet al teveel gezien hebben. Nou, veel plezier dan!' Ze draaide zich abrupt om en liep weg. Erik knipperde even met zijn ogen. Wat had die nou opeens? Maar lang stond hij er niet bij stil. Opgewonden als een kind op Sinterklaasavond reed hij naar het huis van Josephine. De jeep stond er niet, ze zou toch wel thuis zijn? Dat was ze wel.

'Wat kom je doen?' vroeg Josephine. De ontvangst was minder hartelijk dan gedacht, maar Erik bedacht dat ze nog steeds ruzie hadden.

'Heb je nog iets gehoord van de aanrijding?' vroeg hij onschuldig, hoewel hij wist dat het een gevaarlijke vraag was.

'Die vriendjes van jou hebben het proces verbaal ingestuurd naar justitie! Hoe is het mogelijk! Kan je daar niet wat aan doen?' Erik schudde zijn hoofd.

'Nee, echt niet, daar kan niemand wat aan doen, ben ik bang…'

'Wat heb ik dan aan jou!'

'Heb je al nagedacht over een naam voor onze dochter?' zei hij vrolijk in een poging een andere wending te geven aan iets wat onvermijdbaar op een drama zou uitlopen.

'Dochter?' zei Josephine nors.

'Ja, je bent toch zwanger?'

'Nee, het was loos alarm,' zei Josephine.

'O,' zei Erik. Tot meer dan dat was hij niet in staat. Zijn blik vernauwde zich en hij werd duizelig. Toen voelde hij zich klein worden en koud. Zonder nog iets te zeggen liep hij langzaam naar buiten.

Hij stapte in zijn auto en reed naar huis.

Woordenlijst

A

Aarsgewei
tattoo op de rug boven de billen 10
Afmaccen
een hamburger eten bij de McDonald's 21
Ambu
ambulance passim
Aptal
idioot (Turks) 437
Artikel 5 van de Wegenverkeerswet
Het is een ieder verboden zich zodanig te gedragen dat gevaar op
de weg wordt veroorzaakt of kan worden veroorzaakt of dat het
verkeer op de weg wordt gehinderd of kan worden gehinderd. 246
Atatürk
Mustafa Kemal Atatürk was de grondlegger van het moderne Turkije 13

B

Bibsblaffen
een wind laten 9
Bosse
in elkaar slaan 81
Brancherichtlijn
Op 1 juli 2006 is de brancherichtlijn verkeer veilig op weg, verant-
woord is het antwoord, ingevoerd, om het aantal ongelukken op de
weg met politieauto's te verminderen 391
Breezerslet
meisje dat in ruil voor een drankje seksuele handelingen verricht
109
Buriku
ezel (Papiamento) 116

F

F-Oslo

confrontatie van rij verdachten met behulp van foto's 50

G

Gempo

afkorting voor gemeentepolitie, die in Nederland niet meer bestaat 263

Glock

Clock 17 is het dienstwapen van de Koninklijke Marechaussee 242

Goudgele pretcilinders

glazen bier 11

Grindtegel

jongere met jeugdpuistjes 13

Grondinen

sigaretten 22

I

Ibrik

Turks koffiekannetje meestal van koper 235

J

Jandarma

Turkse politie 263

Jiskefet

vuilnisbak 452

K

Kanimeermeisje

gepensioneerde prostituee 83

Kankerstaafjes

sigaretten 22

Kevlar

aramidevezel, die tot zeer ondoordringbare stof geweven kan worden 308

KLPD

Korps Landelijke Politiediensten 365

Woord van dank

Veel dank komt toe aan iedereen die heeft meegeholpen dit boek tot wasdom te brengen.

Maarten Jacobs, vanwege zijn aanvullingen, en aandacht voor de ontwikkeling van de hoofdpersonen. *Chrystle van der Kroon* in Zuid-Frankrijk, die met een scherp potlood ook de laatste concepttekst minutieus doorliep en daarvoor twee keer voor niets naar Caussade moest rijden,

Fokke Postma voor zijn heldere analyse en aanmoediging, proeflezers *Marianne Feenstra* en *Angelique van Zwieten* voor de 'female touch' in hun kritiek en *Bart Beltman* die altijd aanhoort, doorleest en meedenkt.

Alle overeenkomsten in dit boek met bestaande personen en /of gebeurtenissen zijn onopzettelijk en berusten op toeval, maar in dit boek zijn een aantal mensen dichter naar het leven afgebeeld. Dat betekent niet dat zij hebben meegemaakt wat hier is beschreven.

Een aantal bestaande mensen leenden hun naam aan enkele personages in het boek:

Bjanca Kreetz, Wander Blaauw, Auke Zeldenrust en – vanzelfsprekend – *Wessel Veenstra*.

Ook daarvoor onze dank.

En bijzondere dank aan *Isabella Diks*, zonder wie ook dit boek helemaal niet tot stand zou zijn gekomen.

Het koepelmysterie

Marc Jacobs | Marike Vreeker

In de Koepel, het hoofdkwartier van de Geestelijk Gezondheidszorg in een provinciestad, wordt een lijk gevonden. Het rechercheteam Van Houten en De Wilde krijgt opdracht de moord op te lossen. Een lastige klus: er zijn bijna geen sporen die naar de dader leiden. Alle connecties van de vermoorde Auke Pieters worden nageplozen en dat levert de nodige verrassingen op.

Een onthullend en verbijsterend inkijkje in de werkelijkheid van de Nederlandse politie, verpakt in een spannende *whodunit*.

Het Koepelmysterie is het eerste deel in een serie misdaadromans met het rechercheduo Erik van Houten en Sigrid de Wilde als hoofdpersonen.

ISBN 978 90 330 0883 2